Ingrid Babendererde. Reifeprüfung 1953

Karsch, und andere Prosa

Zwei Ansichten

Skizze eines Verunglückten

Jahrestage

Perspektiven des Gesamtwerks

Uwe Johnson, der von sich behauptete, er verfüge über keine Poetik, hat in seinem Finden und Erfinden deutscher Wirklichkeit eine eigene, unverwechselbare Schreibweise gefunden. Seine Romane basieren auf umfänglichen Sachrecherchen und der poetischen Verdichtung. Er hat weit über 100 Figuren geschaffen, mit denen er, und sie mit ihm, als eigenständige Personen Umgang pflegt. Er bedient sich des Monologes, des Dialoges und der Montage, um die von ihm geschaffene literarische Wirklichkeit dem Leser in unterhaltsamer Form vorzustellen. Der Leser kann diese Welt dann gegen seine eigene Welt halten. Im vorliegenden Band werden die einzelnen Facetten des Kosmos von Uwe Johnson dargestellt, wird seine Arbeitsweise beleuchtet. Der erfahrene Johnson-Leser kann anhand dieses Bandes seine Leseerlebnisse überprüfen, und jenem Leser, dem sich das Werk von Uwe Johnson bisher verschloß, wird eine Einladung zum Lesen unterbreitet.

Uwe Johnson, geb. am 20. Juli 1934 in Cammin (Pommern), dem heutigen Kamien Pomorski (Polen), starb am 23. Februar 1984 in Sheerness-on-Sea (Kent/England).

Über Uwe Johnson

Herausgegeben von
Raimund Fellinger

Suhrkamp

3518118218

edition suhrkamp 1821
Neue Folge Band 821
Erste Auflage 1992
© Suhrkamp Verlag Frankfurt am Main 1992
Alle Rechte vorbehalten, insbesondere das der Übersetzung,
des öffentlichen Vortrags
sowie der Übertragung durch Rundfunk und Fernsehen,
auch einzelner Teile.
Satz: Hümmer, Waldbüttelbrunn
Druck: Nomos Verlagsgesellschaft, Baden-Baden
Umschlagentwurf: Willy Fleckhaus
Printed in Germany

1 2 3 4 5 6 – 97 96 95 94 93 92

6003783777

Ingrid Babendererde
Reifeprüfung 1953

Uwe Johnson
Ein Briefwechsel
mit dem Aufbau-Verlag

Uwe Johnson

Fr.-Engels-Str. 71
Rostock

21. Juli 1956

Sehr geehrte Damen und Herren des Aufbau-Verlages.

Dieser Brief betrifft die Schrift »Ingrid«, die ich gestern an Sie geschickt habe.

Zu der ist einmal zu sagen: Das Titelblatt überhaupt und dann das des ersten Kapitels sind nicht mitgezählt worden durch ein Versehen, und die engere Zeilenstellung auf den Seiten 60-66 bedeutet nichts weiter als eben auch einen Irrtum. Dies und die wohl mangelhafte Maschinenschrift bitte ich zu entschuldigen.

Außer dem: Mir liegt daran daß die Ihnen vorliegende Skripte ein Buch wird in der Demokratischen Republik. Ich bitte Sie also mir mitzuteilen ob Sie sich für den Zweck verwenden wollen.

Es ist für mich wichtig Ihre Antwort bis zum 10. August zu erfahren; ich wäre Ihnen dankbar wenn Sie das so einrichten möchten.

Bitte schicken Sie mir zur selben Zeit das Schriftstück zurück, wenn Sie es nicht zu übernehmen vermögen.

Ich grüße Sie mit Hochachtung
Uwe Johnson

Telegramm

Friedrich-Engelsstr. 71
Rostock

10. 8. 1956

Haben Sie eine Kopie Ihres Manuskripts »Ingrid«? Wenn ja, senden Sie es uns bitte umgehend zu. Antworten Sie telegrafisch, ob Sie Ende August nach hier kommen können.

Aufbau-Verlag
Caspar

Telegramm

11. 8. 56

BESUCHE SIE DIENSTAGVORMITTAG MIT COPIE INGRID WIE AUCH ENDE AUGUST OHNE

UWE JOHNSON

Herrn
Uwe Johnson
Friedrich-Engels-Str. 71
Rostock

Berlin, den 21. 8. 1956

Sehr geehrter Herr Johnson!
Wir waren neulich so verblieben, daß ich bis Ende dieses Monats noch einmal von mir hören lasse. Sie noch einmal nach hier zu bitten, erscheint mir jedoch nach einiger Überlegung wenig von Nutzen. Es bliebe nichts Neues zu sagen. Unser Cheflektor, auf dessen Urteil ich, wie seinerzeit erwähnt, warten wollte, hat Ihre Arbeit im Krankenhaus gelesen und ist praktisch zu derselben Meinung gelangt, die ich Ihnen schon als meine eigene darzulegen versucht hatte.

Ich möchte Ihnen deshalb vorschlagen, das Manuskript, das wir unserem Schreiben beifügen, erst einmal wieder an sich zu nehmen und zu sehen, ob sie eine Überarbeitung im Sinne unserer Debatte für möglich erachten.

Ich würde mich freuen, gelegentlich wieder von Ihnen zu hören.

Mit den besten Empfehlungen
Aufbau-Verlag Berlin
Lektorat
i. A. Günter Caspar

Anlage

Rostock, den 27. VIII. 1956

Sehr geehrter Herr Caspar,
ich danke Ihnen für Ihren Brief und lasse auch wieder von mir hören. Die Deutsche Post hat den neuerlichen Auftrag, Ihnen das Manuskript von »Ingrid« zu übergeben, und ich möchte Ihnen nun die eingerichteten Veränderungen angeben.

Ergänzungen und Hinweise erfolgen in den Stücken
   1 (S. 16, Erichsons Ankunft)
13 (S. 70, Dieter Seevken)
14 (S. 74, Katina)
30 (S. 176, die Schleusen-Niebuhrs)
34 (S. 193-197, der Stuhl vor der Tür)
41 (S. 238, die Abstimmung)
48 (S. 301, Erichson)
56 (S. 348, S. 351: Jürgen)
59 (S. 368, Jürgen abermals).

Um Antwort auf Ihre Fragen nach der Vergangenheit einiger Personen sowie nach historischer Kritik und deren Standort habe ich mich bemüht in dem zu diesem Zwecke erweiterten 47. Stück (S. 294-296, 296 + 1 – 296 + 24, 297-298). Die parteiliche Rüge übrigens ist verwandelt in eine Ermahnung, die »behördliche Verschärfung des Klassenkampfes« aus verschiedenen Gründen entfallen. Die spärliche Interpunktion ist im allgemeinen korrigiert. Ich hoffe aufrichtig, daß es Ihnen so eher recht ist.

Nun werden Sie mir wohl lange Zeit nicht schreiben können, und darum wünsche ich, daß Sie wenigstens nicht Ihren Urlaub haben in der nächsten Zeit. Haben Sie Ihren Urlaub in der nächsten Zeit, so freue ich mich sehr und wünsche Ihnen weder Lautsprecher noch sächsische Nachbarn in den Sandburgen oder gerade die, wenn solche Ihnen angenehm sein möchten.

Mit den besten Empfehlungen
Uwe Johnson

Einschreiben

Herrn
Uwe Johnson
Friedr.-Engels-Str. 71
Rostock

Berlin, den 12. September 1956

Sehr geehrter Herr Johnson,
besten Dank für Ihren Brief vom 27. August. Ihre Ergänzungen habe ich mir angeschaut; sie sind interessant, doch nicht geeignet, den Einwänden zu begegnen, die ich Ihnen genannt hatte. Auch heute müßte ich – von Details abgesehen – wiederholen, was ich Ihnen in unserem seinerzeitigen Gespräch darzulegen versuchte. Aber die Verständigung ist, so scheint's, schlecht möglich.

Meinen Vorschlag vom 21. August (zweiter Absatz des Briefes) halte ich aufrecht.

Mit den besten Empfehlungen
Aufbau-Verlag Berlin
Lektorat
Günter Caspar

Anlage: Manuskript »Ingrid«

Reinhard Baumgart
Sonne, See und Sozialismus
Uwe Johnsons erster Roman:
Ingrid Babendererde. Reifeprüfung 1953

Das müssen ferne, schöne, harte und wohl auch produktive Zeiten gewesen sein, in denen ein sehr junger und unvergleichbar begabter Autor einem berühmten Verleger sein erstes Manuskript zum Druck anbietet, und dieser erkennt auch auf den ersten Blick die Begabung, will das Buch also verlegen, doch auf den zweiten Blick, während der ersten Begegnung mit dem jungen Genie, hält er dieses »sogleich an, mitzuarbeiten an der Ablehnung seiner eigenen Arbeit«.

Und diese Anstiftung zur Resignation gelingt nicht nur – denn der dreiundzwanzigjährige Uwe Johnson ist damals, 1957, eben nicht zum nächstbesten anderen Verlag übergelaufen –, sondern die Entsagung erweist sich auch als richtig und produktiv – denn Uwe Johnsons zweiter, für die Öffentlichkeit aber erster Roman, diese *Mutmassungen über Jakob*, tragen die untrüglichen Zeichen eines großen Debüts, die der ersten Arbeit noch fehlen: Kühnheit und Fremdheit, die Zumutung einer ungewöhnlichen Handschrift und unverwechselbaren Thematik.

Jetzt, postum, ist dieser Fall endlich zu besichtigen und zu beurteilen, und es stellt sich heraus, daß keiner der damals Beteiligten ganz und gar unrecht hatte, weder der Autor, der um seinen Roman in vier Fassungen kämpfte, noch der alte Peter Suhrkamp, aber auch nicht der junge Siegfried Unseld, der damals als Lektor passioniert gegen den Text argumentierte und der jetzt ein abgeklärt philologisches Nachwort zur ersten vollständigen Ausgabe des lange verloren geglaubten Manuskripts geschrieben hat. Drei Fassungen fanden sich im Nachlaß, die vermutlich letzte ist nun gedruckt worden: Uwe Johnson: *Ingrid Babendererde. Reifeprüfung 1953*.

Es ist also wahr, was die ersten Leser des Textes seit Ende der fünfziger Jahre munkelten: »Ein bißchen viel Sonne und See, grenzte geradezu an Blut und Boden«, so Walter Maria Guggenheimer, Suhrkamps Senior-Lektor. Es wird da tatsächlich sehr innig und wortreich aufs Wetter und in die freie Natur geguckt und deren Wind auch oft zum Segeln benutzt, von wortkargen, aufrechten, blonden und ernsthaft verliebten jungen Leuten kurz vor dem Abitur.

Alles sehr deutsch, tief norddeutsch, heimattreu mecklenburgisch. Der alte Herr Suhrkamp, so berichtete Johnson in seiner Selbstauskunft während der Frankfurter Poetikvorlesungen, hätte ihm das Defizit auf eine damals beliebte Formel gebracht, die auch Siegfried Unseld in seinem Nachwort noch wiederholt: »Mangel an Welt.« Damit, so Johnson, sei nicht gemeint gewesen der »Gegensatz von Hauptstadt und Provinz«, sondern die fehlende »Weite des Lebensbewußtseins«.

Auf das alles durften wir also gefaßt sein und wohl auch darauf, daß schon der gut zwanzigjährige Johnson alles, was ihm fehlen mag an »Weite« oder »Welt« oder »Lebensbewußtsein«, wettzumachen versuchte durch eine oft gnadenlose Genauigkeit im Detail, ja durch eine Monumentalisierung des Kleinen, der Enge. Immer wieder schreibt er als pathetischer Miniaturist, ein Stifter sozusagen der mecklenburgischen Seenplatte, dem Flirren des Laubs, des Wasserspiegels, der Lüfte, der Verbalisierung des sogenannten Unscheinbaren andächtig, aufmerksam und manchmal wie bewußtlos hingegeben. Manche Schönheit gerät ihm zur Hübschheit und manches Menschen- plus Naturbild zum frohen, harmlosen Plakat: »Günter stand achtsam aufgerichtet da und liess sich gerben von der Sonne. In seinen Haaren flackerte der Wind, der sich an den Fliederbüschen der Scheune verfing. Der Tag roch nach jungem Gras in der Sonne.«

Solche Schreibgeduld für Stilleben zwingt der Erzählung einen gemütlichen, manchmal auch drögen Rhythmus auf. Johnson pflegt schon hier die Umwege, die Verzögerungen, die Zeitlupentechnik, die er später mit Pedanterie und Meisterschaft weiterentwickeln wird. Daß in Mecklenburg die Uhren anders, nämlich langsamer gehen, daß dort die Eingeborenen mit einem »wohl wohl« oder »na?« oder »das is ja nu so allens wie es is« sich alles und nichts mitteilen können und zwar mit Behagen, daß eine »langsame und spöttisch freundliche Weise« der Kommunikation dort für Unleidenschaftlichkeit im Alltag und für Zurückhaltung gegenüber großen Worten, Gesten, Anliegen sorgt – das alles nutzt der Erzähler und das nützt schließlich auch ihm. Denn in die Kleinstadtidylle, in die mit Liebe, Segeln, Mathematik beschäftigte Abiturklasse bläst schließlich doch der Wind der Weltgeschichte.

Mai 1953: das ist zwei Monate nach Stalins Tod, einen Monat vor dem 17. Juni. Sonne, See und Segeln, der Flieder und die Walmdächer, die maulfaule, innige Liebelei, diese ganze sorgsam und schön geschriebene Idyllen-Seligkeit verbirgt also etwas. Oder um es etwas paradoxer zu sagen: sie offenbart etwas, gerade indem sie es dauernd zu verbergen scheint. Diese mecklenburgischen Kleinstädter, ob Arbeiter, Hausfrauen, Geschäftsleute, Angestellte, ob Lehrer oder Schüler, Greise oder fast noch Kinder, sie sind nämlich alle verschwiegen und beflissen damit beschäftigt, sich einzugewöhnen in eine neue Form des Zusammenlebens. »Aufbau des Sozialismus« wäre dafür eine offizielle Formel, »Durchsetzung totalitärer Herrschaft« die Konterformel.

Die Qualität, die Diskretion nämlich dieses Autors von kaum zwanzig Jahren bewährt sich nun darin, daß er alle solche Leer- und Fertigformeln auflöst, unterläuft, durch nichts als Erzählen, geduldig, neugierig, konkret, bedächtig. Als ginge es tatsächlich nur um Fockschot und Flachshaar, um das Kichern und die Langeweile in einer Schulklasse, die fromme Huldigung an einen nördlichen Menschenschlag und seinen schwierig zu entziffernden Charme.

Doch Johnson beginnt seine scheinbar brave Geschichte ja mit ihrem Ende, mit der Flucht zweier Abiturienten nach West-Berlin, und Episoden dieser Flucht unterbrechen auch immer wieder achronologisch den Ablauf. So gerät ins Largo und Andante dieses Erzählens eine Störung, eine Stimmung von Unruhe, Geheimnis, Illegalität, glücklicher Katastrophe. Vor allem aber sind wir gezwungen, dieses Ende der Geschichte, ihren Fluchtpunkt in ihr fortlaufend mitzulesen. Gerade deshalb wirkt die Gelassenheit des Erzählers nicht nur beruhigend, sondern auch provozierend.

Denn scheinbar gelassen beobachtet er zunächst, wie eine im Frühjahr 1953 inszenierte (eine Woche vor dem 17. Juni dann schon wieder abgeblasene) Kirchenkampf-Kampagne der SED den Konflikt zwischen Staatsmacht und Staatsvertrauen in einigen seiner Abiturientenköpfe auslöst. Dient die »Junge Gemeinde« der »Kriegshetze, Sabotage und Spionage« des Klassenfeinds im Ausland? Diese Frage entfesselt in der eben noch so befriedeten Gustav-Adolf-Oberschule das längst eingeübte Ritual von Sitzungen, Gerüchten, Plenum, Tribunal, von Verdächtigung, Anklage, Abgrenzung, Ausschaltung, Selbstkritik.

Daß Klaus Niebuhr und Ingrid Babendererde sich diesen Inquisitionszeremonien durch eine Flucht in den Westen entziehen werden, wissen wir also von Anfang an. Daß sie beide gar nicht zur »Jungen Gemeinde« gehören und politisch kaum entschieden engagiert sind, erfahren wir auch bald genug. Was also motiviert die beiden schließlich zu einem Abschied von Jugend, Heimat, DDR?

Johnson spielt sein Konfliktmodell in einer typisch männlichen und typisch weiblichen Variante durch. Denn Klaus Niebuhr versucht zunächst, dem offenen Konflikt auszuweichen, kühl, lakonisch, ironisch, beleidigt. Er schwänzt das entscheidende Tribunal, geht segeln. Die Babendererde aber will dort einmal, zum ersten und letzten Male, den Mund aufmachen, Zeugnis ablegen – die biblische Wendung ist nicht zu hoch gegriffen. Schließlich, die Verfassung garantiert Glaubensfreiheit, und irgend jemand sollte öffentlich zeigen, daß er Verfassungsbruch nicht stillschweigend hinnimmt. Zeige deine Wunde – darum geht es. Das treibende Motiv für diesen öffentlichen, also auch theatralischen Auftritt der Schülerin Babendererde klingt überraschend: Scham.

»Ich schäm mich so schrecklich«, sagt sie in einer der wenigen unverschämt direkten Geständnisstellen, und zwar schämt sie sich der überall ringsherum so geduckt und beflissen betriebenen Anpassung an das jeweils staatlich und parteilich Vorgedachte und Verordnete. »Ich will das nicht mehr«, sagt sie schlicht und bündig, und kurz darauf wird sie ihren inneren Aufruhr nur noch in ein zorniges »Ach!« zusammenfassen.

Da läßt sich also, in der Unscheinbarkeit dieser Kleinstadt-, Abitur- und Liebesgeschichte, in einer durch liebevoll sture Verzögerungen auf Romanlänge, nicht Romanweite ausgedehnten Novelle doch schon alles entdecken, was Uwe Johnson dann noch ein Vierteljahrhundert lang ausbreiten, entfalten, immer vielstimmiger durchinstrumentieren wird. Alltag und Weltgeschichte, Natur und Gesellschaft, Lebenspraxis und politische Ideologie, eine Kommunikation, die Verständigung sucht, und eine Rhetorik, die Herrschaft will – alle diese Bereiche werden unmerklich, sacht, doch entschieden in Opposition gesetzt. Unermüdlich wird das Besondere aufgeboten gegen das Abstrakte und Allgemeine, die Greifbarkeit einer aus tausendundein vertrauten Details zusammengesetzten, zusammengewachsenen Lebenswelt gegen ein Überbaugerüst aus Einsichten, Formeln, Behauptungen, Thesen, Verschleierungen, Lügen.

Eine lange, schöne Weil scheint sich in der Erzählung das Unvereinbare zu vereinen. Das Gewachsene und das Verfügte, der neue Mensch und die alten, die Enthusiasten, die Mitläufer, die Zyniker des Systems, die Walmdächer und die Spruchbänder, Mecklenburg und der Aufbau des Sozialismus – alles wuchert in dieser Prosa täuschend friedlich ineinander, und tatsächlich ist ja aus solchen Verwucherungen in der DDR inzwischen ein riesiges Gesellschafts-Stilleben, der »real existierende Sozialismus« entstanden.

Uwe Johnson also, damals noch Bürger der DDR, wollte es zu solcher gemütlichen und schlampigen Versöhnung schon damals nicht kommen lassen. Man mag den Protest, den hier Ingrid Babendererde ausspricht und den alle ihre Nachfolger und Nachfolgerinnen in Johnsons Büchern wiederholen werden, für unpolitisch, für »nur moralisch« halten. Scham kennt in der Tat keine Kompromißbereitschaft, keine »Einsicht in die Notwendigkeit«, daß politische Veränderung, auch zum Besseren, notfalls krumme Wege gehen muß.

Wahrscheinlich war Johnson also politisch von Anfang an Rousseauist, und das ist er bis zu *Jahrestage* wohl geblieben, radikal in seiner Hoffnung auf eine Gesellschaft der Gleichen, aber radikal auch in seinem Anspruch an die Authentizität des Einzelnen. Und in Geschichten triumphiert letztlich immer die Authentizität der Person. Schon in *Ingrid Babendererde* kann Johnson Figuren so geduldig, so andächtig ausmodellieren, bis sie im Kopf des Lesers wie Denkmäler stehen, etwas zu feierlich manchmal, etwas zu steif.

Sicher, die *Mutmassungen über Jakob*, Johnsons offizieller Erstling, sind ehrgeiziger, komplexer, reicher als diese Frühschrift, reicher an Rätseln, Schönheit und an Manierismen. Für Leser, die Literatur nur nach Avantgarde-Standards testen, hat gleich danach der Abstieg des Autors Johnson begonnen. Für uns andere läßt sich jetzt erkennen, daß und wie er in *Jahrestage* zu seinen Anfängen zurückgekehrt ist, in ein nur noch in Schrift und Erinnerung gerettetes Mecklenburg und in eine Einfachheit, die (immer noch) »schwer zu machen ist«.

Joachim Kaiser
. . . so eine jungenhafte, genaue Art
Uwe Johnsons Erstling, der die literarische Welt verändert hätte

I

Daß es diesen Roman, diesen Johnsonschen Erstling, gab, daß er nur in Form eines kurzen Auszugs »aus einem aufgegebenen Roman« existierte, sonst aber ungedruckt geblieben war, als Manuskript entweder verloren oder zumindest vom Autor, der sich gar nicht gern darauf anreden ließ, verworfen: das wissen seit Mitte der fünfziger Jahre eigentlich alle an Uwe Johnson und deutscher Gegenwartsliteratur Interessierten.

Ingrid Babendererde ist also von einem 19jährigen Autor geschrieben und mehrfach umgearbeitet worden. In der Euphorie der etwas liberaleren Periode nach jenem XX. Parteitag, der den Ostblockstaaten gewisse Auflockerungen zu gewähren schien, schickt (man darf sich über soviel Optimismus wundern) also der junge Johnson seinen Erstling an mehrere DDR-Verlage, auch an den Aufbau-Verlag. Das herausragende Talent wird erkannt – freilich erweisen sich gewisse »Vertiefungen des gesellschaftlichen Hintergrundes« als *nötig*. Doch zu solchen Substanz-Veränderungen ließ Johnson sich nicht nötigen. Überdies hatte sein (von ihm verehrter und später mit sanft-herzlicher Ironie porträtierter) akademischer Lehrer Hans Mayer bereits weitreichende Beziehungen spielen und den Frankfurter Suhrkamp Verlag neugierig werden lassen. Johnson adressiert also eine Abschrift an den Schaumainkai 53 in Frankfurt.

Dort lasen die drei Leute (die ich alle aus ziemlicher Nähe kannte, die mir auch von der Sache ein wenig erzählten, mich aber – ich gestehe es schuldbewußt – keineswegs neugierig machten), nämlich Walter Maria Guggenheimer (als Lektor), Siegfried Unseld (als Junior-Chef) und der alte Suhrkamp (als todkranker Prinzipal). Guggenheimer gefiel das Manuskript sehr, er hatte bloß ein paar Änderungswünsche; dem alten Suhrkamp gefiel es auch, aber er entschloß sich nicht gern. Er gefiel sich nämlich auch als Widerstand. Und zwar, beispielsweise, in folgender Weise: als ich dem großen Verleger damals von Martin Walser vorschwärmte, fragte Suhrkamp streng zurück: Erläutern Sie bitte, was an Walsers Geschichten eigentlich deutlich anders ist als bei Kafka! Leicht verlangt und schwer zu machen.

Der junge Siegfried Unseld freilich mochte die *Babendererde* gar nicht, worüber er übrigens nun im Nachwort nobel Rechenschaft ablegt. Es gab also viel Hin und Her: der Autor »existierte« zwar, aber nur als interessanter Potentialis; sein Erstling durfte indessen nicht existieren.

Um so bereitwilliger nahm man dann – und dies alles vollzog sich mit des Autors ausdrücklicher Billigung – sein viel sperrigeres, herberes, infolge Johnsonscher Döblin- und Faulkner-Lektüre auch entschieden »moderneres« nächstes Manuskript an, das sogleich den Durchbruch brachte: die *Mutmassungen über Jakob*. Die wurden zum deutlichen Erfolg zumindest auf der Rezensenten-Kritiker-Professoren-»Ebene« im Westen. Der »geistige« Osten reagierte entsprechend gereizt. Hermann Kant: »Johnsons Bücher sind gegen die DDR gerichtet. Sie sind Produkte aus Unverstand und schlechtem Gewissen. Ihre Aussage ist falsch und böse...« Sie haben »die auf die Nerven gehende Schrille des letzten Schreis«. Peter Hacks: »Ein schlechthin unlesbares Buch, das ist es, was herauskommt. Und die Meute der Kunstaufpasser macht einen großen Jubel um dieses Buch und lobt Johnson und bestärkt ihn in seiner Dummheit.« Usw.

Nun haben aber auch im »Westen« viele eingeschüchterte Literaten Johnson für zumindest maniert und schwer lesbar gehalten. So wunderbar selbstverständlich wie der letzte Band der *Jahrestage* gaben sich die frühen Werke des Meisters ja nicht. Und deshalb war man wirklich nicht neugierig auf ein Buch wie *Ingrid Babendererde*, das der Johnson-Monograph Wilhelm Johannes Schwarz als »Heimatliteratur mit politischem Hintergrund« abtat, das laut Hans Mayer, so berichtete Johnson, im Grunde nicht »genug« war für den Suhrkamp Verlag und das der Autor selber später für »das unreife Produkt eines jungen Mannes« gehalten haben soll. Sogar Guggenheimer – der die *Babendererde* in seinem Nachwort zu Johnsons *Karsch, und andere Prosa* samt ihrem Autor hinreißend verteidigte – meinte: »Aber auch bei uns druckte man die Sache nicht, ein bißchen viel Sonne und See, grenzt geradezu an Blut und Boden, und Stil und Aufbau eigentlich doch eher konventionell, oder was sonst zu bedenken war... Ich murrte, doch sieht man zurück, so konnte es am Ende besser gar nicht laufen.«

II

Guggenheimer hat mit Recht gemurrt – und sich erst beim versöhnlichen Rückblick geirrt. Denn wenn man nun, knapp dreißig Jahre verspätet, diesen Roman liest, dann drängt sich, zumindest mir, der Schluß auf, die Johnson-Rezeption wäre in Westdeutschland, ja in der ganzen literarischen Welt, anders verlaufen, wenn Siegfried Unseld damals gewußt hätte, was er heute ahnt.

Es ist nämlich schlechthin unmöglich, dieses Buch zu lesen, ohne Staunen über soviel Talent (»Talent« ist gar kein Ausdruck), soviel Heiterkeit. Ohne Bewunderung für soviel politischen Charakter und soviel ironische Genauigkeit. Und ohne Rührung angesichts so scheu-empfindsamen Seelen-Lebens.

Der Roman liest sich leichter als die *Mutmassungen* oder das *Dritte Buch über Achim*. Es ist – und der Ring schließt sich tief beziehungsvoller Weise erst wieder im Schlußband der *Jahrestage* – eine Schulgeschichte aus der DDR. Klaus und Ingrid mögen sich, wobei Klaus übrigens enorme Ähnlichkeit mit Johnson selber aufweist, wobei Ingrids spröd-witzige Gespräche mit ihrer Mutter die Dialoge zwischen Gesine und der Tochter in New York vorwegnehmen. Da ist aber noch der vielleicht Interessantere, nämlich Jürgen, der Ingrid auch liebt, nur eben hoffnungslos. Er sieht den Verliebten, die er beide gern hat, unglücklich zu: »Dies Bild in dich aufzunehmen, war wahrhaft eine Gelegenheit, bei der du alt und weise werden mochtest vor Herzeleid und Freundschaft.«

Jürgen steht, wie Klaus und Ingrid es offenkundig nicht mehr tun, noch ziemlich fest auf dem Boden eines, sagen wir, positiven DDR-Sozialismus. Damit hat er es bei seiner Mutter – die Enteignung fürchtet – nicht leicht. Aber jener innere Kompaß, der Ingrid und Klaus mittlerweile wissen läßt, inwiefern es ein Naturrecht auf Freiheit gibt, inwiefern Ideologie dieses Naturrecht versehrt und gewiß auch, wie wenig der Westen seine schönen Freiheiten menschenwürdig nützt, dieser innere Kompaß lenkt gleichfalls Jürgen, den anständigen FDJ-Funktionär, der die opportunistischen Schweinereien der »Mächtigen« nicht mitmacht. Die große Welt spiegelt sich aufs Erkennbarste im Kosmos der Schule, der Abiturklasse. Da wird die spontane Protestaktion eines tapferen weiblichen Mitglieds der christlichen »Jungen Gemeinde« zum »Fall«. Da spielt man sozialistische Verdammungsdemokratie mit Schuldzuweisungen und Abstimmungen. Da erweist sich, zwischen Liebelei, Algebra, Deutsch-Unterricht und schlau kommentiertem elisabethanischem Theater, wer Charakter hat und wohin Charakter führt (nämlich zur Flucht).

Unbeantwortbar die Frage nach dem »hermeneutischen Zirkel«. Also danach, wieviel man nunmehr »hineinliest« von alledem, was man seither erfahren und gelernt hat aus Johnsons Büchern. Sei's drum: dieser Erstling war erstklassig. Denn was sogleich nicht nur auffällt, sondern hinreißt, überfährt, entwaffnet, ist die Fülle und Virtuosität des Schilderns. Wieviel der »konnte«, mit zwanzig Jahren!

Und weil er eben erst zwanzig war, stellte er das auch wirkungswillig aus. Es wäre leicht, mannigfach regelrechte Virtuosenstückchen zu zitieren. Wie Johnson die Langeweile des Schulunterrichts ins absatzweise gestaffelte Vorwärtsrücken der Zeit erheiternd auflöst, wie er Leitmotive bestürzten kleinbürgerlichen Elterndenkens, »war es nicht schrecklich«, in epische Sequenzen des Jammerns zusammenwebt, wie er – in einer durchaus verständlichen plattdeutschen Szene – mit nichts als dem Verbum »sagen«, das in immer neuen Verbindungen und Bedeutungen erscheint, eine schlechthin meisterhafte Kurzszene herstellt.

Seltsame Darbietung und Ironisierung von Dialektik: der Roman beginnt mit dem Worte: »Andererseits«. Weil der die Dialektik beherrschende und relativierende Autor aber auch ein Pedant gewesen ist, wird dann das »Einerseits« im nächsten Kapitel nachgeliefert . . . Johnson erzählt übrigens keineswegs simpel »konventionell«, er springt maßvoll zwischen mehreren Zeitebenen hin und zurück; er läßt auch Lücken und isoliert Momente. Aber diese anti-kontinuierlichen Veranstaltungen wachsen ihm nicht über den Kopf und dem – einigermaßen sorgfältigen – Leser auch nicht.

Hermann Kesten, mit dem Johnson – lang, lang ist's her – erbittert stritt, hat Eichendorff vorgeworfen, es sei stupide, vom »Posthorn« im »stillen Land« zu dichten: entweder Posthorn oder Stille. So, überaus irrig, Kesten. Davon konnte Uwe Johnson nichts wissen, als er auch den dichterischen »Fehler« Eichendorffs wunderbar variierte »Sie mochte gern um diese Zeit hier arbeiten in dem kühlen Überlicht des Morgens, während das Vogelgeschwätz in den Wallbäumen die übermäßige Stille fühlen liess.« Welch ein Takt der sprachlichen Originalität: »übermäßige« (statt: große oder lautlose) Stille. Da war bereits der junge Johnson unerschöpflich: Alewyn wäre mit seiner Kritik an der Adjektiv-Suche des Autors vorsichtiger gewesen, wenn er gewußt hätte, hätte wissen können, wie sorgfältig, wie ungerührt auch um den Preis manieristischer Umständlichkeit, Uwe Johnson von vornherein das abgenutzte oder ideologisch-beschlagnahmte Wort vermied um des Sperrig-Treffenden willen.

III

Eine Schulgeschichte unter »gebildeten«, geschickten und gescheiten Leuten: teils allgemeinverständlich, wie es Schulgeschichten halt sind; teils sowohl fair wie auch vernichtend kritisch gegenüber der DDR: dieses brillante Buch hätte Johnson 1957 gewiß einen leichteren Start verschafft. Er wäre damit wohl sogleich auch in breitere Leserschichten, in die bürgerliche (und nicht nur in die spezifisch literarische) Öffentlichkeit gedrungen.

Dieser Erstling, der sich mit Alfred Anderschs *Sansibar oder der letzte Grund* aus dem Jahre 1957 vergleichen läßt (was die norddeutsche Sprödigkeit, die Freiheitsahnung, die Flucht, die Tapferkeit der Guten betrifft), der Andersch aber an Fülle, Witz und schriftstellerischem Wagemut deutlich überlegen ist, dieser Erstling hat natürlich auch Schwächen. Die Helden, die viel lachen, sind allzu wolkenlos sympathisch; wer je dem jungen Uwe Johnson begegnet ist, wird die Selbstporträt-Anflüge (S. 60, 150, 152) lächelnd bemerken, um derentwillen Johnson das Buch, das soviel von ihm verrät, später wahrscheinlich nicht mehr mochte. Der Gegensatz zwischen erlesenster Hochsprache, häufigem »Grienen« und direktem Dialekt wirkt bisweilen abrupt; mehr als alle Jugendsentimentalität und gelegentliche Altklugheit stört mich der kitschnahe Kult der *Verhaltenheit* schlechthin – wie stolz die alle auf ihr, glücklicherweise nur beinahe, lückenlos durchgehaltenes Spröd-Sein und Lachen sind.

Aber solche Bemerkungen, die im Jahre 1985 vollendet sinnlos wirken mögen, zielen eher auf eine Art, einen spezifischen, heiter-strengen Menschenschlag, als auf den literarischen Rang dieses hie und da an absichtsvoller Brillanz krankenden (ein Vorwurf, den zu erheben die gegenwärtige Literatur wenig Anlaß bietet) Buches. Wenn man es gelesen hat, versteht man recht gut, daß es in Ostberlin mißfiel – aber überhaupt nicht mehr, warum die Suhrkamps einst zu vornehm waren zum Zugreifen.

Volker Bohn
»In der anständigsten Art, die sich dafür denken lässt«

Uwe Johnsons Erstlingsroman »Ingrid Babendererde«

Auf den Tag genau ein Jahr nach Uwe Johnsons Tod legt der Suhrkamp Verlag ein Buch vor, dessen Manuskript dem Nachlaß des
Autors entstammt: das Erstlingswerk *Ingrid Babendererde*.
Knapp drei Kapitel daraus waren 1968 in einer Sammlung *Aus
aufgegebenen Werken* bekanntgemacht worden, mitsamt einer
Notiz des Autors über das Schicksal des Manuskripts: Es »wurde
zum ersten Mal 1953 geschrieben und 1956 in einer dritten Fassung
zum Druck angeboten«; mit dem Ergebnis, daß es, nacheinander,
zunächst »vom Aufbau-Verlag, Ost-Berlin, 1957 vom Hinstorff-
Verlag, Rostock, vom List-Verlag, Leipzig, vom Mitteldeutschen
Verlag, Halle und vom Suhrkamp Verlag, Frankfurt am Main, abgelehnt wurde«. Über die Einzelheiten dieser Ablehnungen in Ost
und West hat Johnson dann in seinen Frankfurter Poetik-Vorle-
sungen (*Begleitumstände*, 1980) berichtet. Die aussichtsreichste
Chance in der DDR – *in der, über die* und *für die* das Buch
geschrieben war –, eine Veröffentlichung im *Sonntag* – Wochenzei-
tung für Kultur, Politik und Unterhaltung – wurden in den Wochen nach der Verhaftung Wolfgang Harichs im Herbst 1956
zunichte.
  Nicht nur unter diesen Umständen ist es merkwürdig, daß, ein
gutes halbes Jahr später, der Suhrkamp Verlag das Buch ebenfalls
ablehnte. Das Lektorat war in seinem Urteil gespalten: Walter
Maria Guggenheimer riet zu, Siegfried Unseld riet ab. Peter Suhrkamp freilich hatte bereits eine Veröffentlichung in Aussicht gestellt (»...sollte das Buch möglichst noch in diesem Herbst
herauskommen...«). Er traf sich noch einmal mit dem Autor zu
einer, so schien es, letzten Besprechung des Manuskripts – und, so
erinnert sich Johnson an diese Begegnung, der »alte Herr, der den
Besuch begrüsste mit ausgesuchten, verschollenen Manieren, hielt
ihn sogleich an, mitzuarbeiten an der Ablehnung seiner eigenen
Arbeit«. Es ist nie geklärt worden, was Suhrkamp zu diesem Mei-
nungsumschwung bewogen hat; auch Unseld, der in seinem

Nachwort zu *Ingrid Babendererde* seine damaligen Ablehnungs-
gründe memoriert und reflektiert, kann es nicht sagen.

Johnson immerhin akzeptierte nach ein paar Wochen die Entscheidung; und befand im nachhinein, das mehrfache – unter
anderem aufgrund der Diskussionen mit den DDR-Verlagen erfolgte – Umarbeiten seines Manuskripts, von dem es am Ende vier
Fassungen gab, sei dem Werk nicht bekommen: »Nun mochte die
Geschichte funktionieren, aber sie hatte das Leben verloren. Sie
war ›totgeschrieben‹.«

Das ist nun zu überprüfen. Ein sehr eigenartiges Leseerlebnis,
aus mehreren Gründen. Man hat es ja nicht nur mit dem posthum
erschienenen Erstlingswerk eines der großen deutschsprachigen
Gegenwartsautoren zu tun: dem Werk, das jenen, 1959 bei Suhrkamp dann erschienenen *Mutmassungen über Jakob* vorangeht,
die Johnson mit einem Schlage bekanntmachten (und man darf
sich also Einblicke in den Weg dorthin versprechen). Man hat es
mit dem Teil eines Gesamtwerks zu tun, dessen Einzelstücke, wie
kaum bei einem anderen Schriftsteller, thematisch an- und inein-
andergepaßt sind, mehr noch, ein Interaktionsgeflecht bilden, in
das der Autor sich selbst eingesponnen hat: so daß er gelegentlich
ernsthaft und ausführlich vom weiteren Schicksal einer einst aus
den Augen geratenen Figur erzählen mochte – als lebte diese irgendwo, nur eben nicht mehr oder noch nicht wieder im Roman.
Und obendrein ist *Ingrid Babendererde* eine nach nunmehr 30
Jahren ans Licht gekommene literarische Spiegelung des Innenle-
bens der frühen DDR, von dem man immer noch kaum etwas
weiß.

So liest man den Text durch verschiedene Prismen: wie verarbeitet ein 18-, 20jähriger seine Erfahrungen mit der DDR-Gesell-
schaft; wie muß so etwas auf die literarischen Verlage der DDR
(die zugleich politische Instanzen sind) gewirkt haben; wie nimmt
sich, literarisch und politisch, die Erzählung für uns aus, von
heute her gesehen, durch Johnsons inzwischen vorliegendes Werk
hindurch?

Ingrid Babendererde ist ein in all diesen Hinsichten beeindruk-
kendes, in manchem bewegendes Buch. Es erzählt von Ingrid und
Klaus und Jürgen, Angehörigen der Abiturklasse einer Ober-
schule in einer mecklenburgischen Kleinstadt im Frühsommer des
Jahres 1953; es erzählt vom Unterricht, von guten und schlechten
Lehrern, von den Familien der Schüler, von ihren Liebeleien, von

ihrer Freizeit. Es erzählt von dem allgegenwärtigen Porträt des Führers der Kommunistischen Partei der Sowjetunion und den dazugehörigen Wandsprüchen und Transparenten.

Das Pennäler-Milieu bildet keinen gesellschaftlichen Freiraum (diesen finden die jungen Leute in der Natur, vor allem beim Segeln auf den Seen). Schon in der ersten Unterrichtsszene empfindet Klaus nicht nur die obligate Langeweile, er findet es auch »unerhört komisch«, daß der Erdkunde-Lehrer, dieser »gebildete und durchaus würdige Herr«, Dinge sagt, »die zu sagen ihm wirklich unangenehm war«, über »das private Eigentum« und dergleichen, und daß sich davon im Grunde »alle gestört und belästigt« fühlten, »ausser dem Schüler Petersen«, der der einzige überzeugte Kommunist in der Klasse ist.

Nähe und Distanz der Personen geraten durch einen außergewöhnlichen Vorfall in Bewegung: die Schülerin Elisabeth wirft, bedrängt wegen ihrer Mitarbeit bei der »Jungen Gemeinde«, einem linientreuen Mitschüler das Mitgliedsbuch der FDJ vor die Füße. Im folgenden – nämlich in den FDJ-Sitzungen, im Unterricht des Direktors Pius (der in der Lage ist, binnen zweier Minuten vom Klassenkampf im 17. Jahrhundert zur »Jungen Gemeinde« überzuleiten), in einer Schulversammlung schließlich – entfalten sich die Charaktere.

Klaus, »ein ernsthafter Mensch«, voller »Hinterhalte und Fraglichkeiten«, bleibt bei seinem »Lächeln mit Spott und Entfernung« – er glaubt nicht an den Sinn der Auseinandersetzung, es ist ihm alles schon zu fremd geworden.

Klaus will zum Segeln hinaus (»da ist doch Wind, das riechst du doch«). Ingrid geht nicht mit: »es sei nicht gut so und sie könne dies nicht leiden, ES SEI EINFACH NICHT GUT SO, sie rieche unter solchen Umständen überhaupt nichts von Wind!«; »es braucht mich nichts anzugehen, geht mich aber«. Ingrid soll in der Aula eine Rede über die »Junge Gemeinde« halten; sie redet aber über die Hosen von Eva Mau, die aus dem Westen stammen und die Eva deshalb auf Anweisung des Direktors in der Schule nicht tragen darf (»wir sind eine demokratische Oberschule«).

Jürgen sieht die Sache ursprünglich anders: denn jener Schüler-Funktionär, dem Elisabeth das Mitgliedsbuch hinwarf, habe »eine falsche Art, die Überzeugungsarbeit anzufassen«. Und außerdem gehe es doch lediglich um die Frage, ob »in der organisatorischen Form der Jungen Gemeinde Ansätze sind für die Feindseligkeit des

kapitalistischen Auslands«; die Partei habe »*keine* Hintergedanken«.

Da sind wir im thematischen Zentrum des Buches. *Alle* haben
Hintergedanken: die Überzeugten, die Gleichgültigen, die Ableh-
nenden, die Partei-Aktivisten und die Zwangsorganisierten, Direktor, Lehrer, Schüler – mit eben der Ausnahme dieses Jürgen,
der an den Kommunismus und an die Verfassung der DDR wirklich glaubt: der die politische Auseinandersetzung sucht.

Ingrid wird von der Schule verwiesen. Jürgen bringt »mit offen-
barem Ungehorsam zu Ende... was in der Tat zu Ende war«.
Klaus bittet schriftlich darum, aus der Schülerliste gestrichen zu
werden; als Grund gibt er an: »die Verfassung der Demokratischen
Republik«. Am Ende des Buches steht die Flucht aus dieser Republik in die andere.

»Andererseits« lautet das erste Wort des Buchs – es bezieht sich
auf die Flucht; »Einerseits« lautet das erste Wort der durchgeführ-
ten Erzählung, die in der DDR spielt. Da ist also bereits entworfen, was Johnsons Haltung zu den beiden Deutschland auch
künftig charakterisieren wird; er scheidet nicht nach gut und böse,
richtig und falsch, sondern nach einerseits und andererseits. So
sind auch seine Figuren aufgebaut, so reagieren sie, in der Freizeit
und in der Schule, in der Liebe und in der Politik. Ingrid und Klaus
und Jürgen, so verschieden sie sind, achten einerseits auf die
selbstgesetzten Ansprüche derer, die ihnen, auf wie auch immer
vermittelte Weise, das Gegenteil abverlangen; andererseits auf ihre
eigenen unvermittelten Urteile. Das ist eine Haltung, die Johnson,
mit einem Lieblingswort, als »überlegsam« charakterisiert.

Überlegsam bis zur Sprödigkeit ist der Umgang all derjenigen
Personen miteinander, die sich – ob im Öffentlichen oder Privaten – nicht auf die Tragfähigkeit anerkannter Sprachregelungen
und Erkennungszeichen verlassen; das ist wie beim Segeln: »Es
kam darauf an, daß sie sich nur blickweise völlig und rasch verständigen konnten, das konnten sie aber. Auf diese Weise gingen sie
über Stag in der anständigsten Art, die sich dafür denken läßt. Sie
nahmen eigentlich wenig Wasser über.«

Ganz wortlos, und so, daß man die, im gegebenen Kontext,
potentielle politische Bedeutung unscheinbarster Auffälligkeiten
versteht, demonstriert das die Schülerin Brigitt. Sie hat keinen
Wimpel an ihrem Fahrrad, und zwar weder den der FDJ noch den
der »Jungen Gemeinde« und nicht einmal den der Sportvereini-

gung: »sie hielt ein Rad eben für ein Rad und nicht für was mit was dran«.

Wie konnte einer, der, als er das Buch 1953 in einer ersten Fassung geschrieben hatte, sehr wohl wußte, daß er bereits mit den privaten Kopien des Manuskripts den DDR-Straftatbestand der Boykotthetze erfüllte, es 1956 den exponiertesten DDR-Verlagen zur Veröffentlichung anbieten? Was für unbegreifliche Hoffnungen muß die kurze Tauwetterphase des Spätsommers 1956 in den Köpfen auch »überlegsamer« Menschen in der DDR geweckt haben? Und, noch einmal anders: Wie wenig muß man von all dem in der Bundesrepublik geahnt haben, wenn ein solches Manuskript, das die offiziellen und offiziösen Nachrichten über die Lage »drüben« gleichzeitig unterlief und überbot, hier nicht gedruckt wurde?

Michael Bengel
Ein Bild des jungen Mannes als Künstler

Ermunterung zum Lesen des Romans von Uwe Johnson
Ingrid Babendererde – Reifeprüfung 1953 *

Es war gedacht als eine Art von Heimkehr: »Die Begegnung mit
Güstrow heißt die Begegnung mit Ernst Barlach«, schrieb 1946
Herbert Ihering, damals schon Chefdramaturg am Deutschen
Theater Berlin. »Die echten Sedemunds gehen hier durch die Stra-
ßen, und der blaue Boll hockt breit in einer Kneipe.« – Im Georgs-
hospital zu Rostock war Ernst Barlach 1938 gestorben. Doch als
Ihering an ihn erinnerte, war er schon wieder heimgekehrt: Zur
Wiederkehr des Todestages, im Oktober 1945, war Güstrow Bar-
lach-Stadt geworden. Spätestens seit 1985 ist Güstrow auch die
Stadt von Uwe Johnson. Als Kind war er hierhergekommen, 1946,
im selben Jahr, da Ihering die Heimkehr Barlachs festgeschrieben
hatte. 1952 machte Johnson hier sein Abitur, in der schönen
Schule nah am Dom. Und wer heute in den Gassen dieser Stadt
dem Personal aus Barlachs Stücken zu begegnen glaubt, der muß
nun auch mit Klaus und Jürgen rechnen und trifft womöglich
zwischen Wahl und Wau aus Barlachs nachgelassenem Fragment
Der gestohlene Mond auf Itsche, Klacks und Dicken Bormann aus
Johnsons erstem, nachgelassenem Roman *Ingrid Babendererde.*
Reifeprüfung 1953, der erst nach seinem Tod erscheinen konnte,
1985.

Bis dahin hatte man von diesem Buch nur ein paar Stücke kennen können, vorgestellt als Beispiel eines Scheiterns zwischen
anderen *Aus aufgegebenen Werken*. So hieß der Suhrkamp-Band
von 1968. Johnsons Probe des Romans war damals überschrieben:
»Eine Abiturklasse«. Im 56. Kapitel kommt ein Teil aus jener
Klasse vor:

»Drei Stunden nach Mittag stand die 12 A vor der Aula, in der gestern die
Versammlung vor sich gegangen war; die Flurfenster standen weit offen
und über dem Wall hielt sich das windigste Sonnenwetter, das du dir vor-

---

* Der Text ist das überarbeitete Manuskript eines Vortrags im Schloß zu Güstrow am
  30. Mai 1992. Anlaß des Uwe-Johnson-Tages in Güstrow war ein Treffen seiner
  Abiturklasse zur 40. Wiederkehr ihrer Reifeprüfung 1952.

stellen kannst für einen neunundzwanzigsten Mai. Die 12 A stand schweigend an der großen kostbar geschnitzten Tür und sah in die Aula.

Die elften Klassen waren zugange die Aula für die Reifeprüfung vorzubereiten. Die Sitzbänke waren hinausgetragen, nun wurden Tische aufgestellt mit je einem Stuhl. Der Abstand von einer Tischkante zur anderen betrug einen Meter und siebenundsiebzig Zentimeter. Die Mädchen der Elften drängten sich mit Blumen in den Händen an der unbeweglichen 12 A vorbei. Sie taten auf jeden Tisch eine kleine Vase und nahmen sich Zeit und Mühe die Blumen dem Auge erfreulich hineinzustellen, und Herr Sedenbohm lehnte innen neben der Tür und führte die Aufsicht.

Als er auf und ab zu gehen begann, blickte er kurzweg hoch und sah die 12 A und sah Itsche und Klacks und Dicken Bormann und Pummelchen und Hannes und Eva und Söten und Marianne in seinem schnellen heftigen Aufblicken und blieb plötzlich stehen zwischen dem dunkelroten ehrwürdigen Holz des Türrahmens und sie sahen seinen spöttisch aufgereckten reglos bitteren Kopf und sie wollten ihm gern sagen sie wollten nach der Reifeprüfung ihrem Direktor die Sicht benehmen mittels eines über seinen Kopf gezogenen Sackes und seinen sterblichen Leib verprügeln mit den Latten seines netten kleinen Gartenhauses nach der Reifeprüfung, aber sie schwiegen Hannes neben Söten und Eva und Pummelchen und Klacks und Marianne und ihre letzte Einigkeit war nichts zu sagen, und Herr Sedenbohm schritt schon längst aufsichtig an den Fenstern entlang nach vorn, wo der Spruch angebracht war neben dem Bild.«

Das sind acht aus jener Klasse, acht von elf aus der 12 A. Die Geschichte der drei übrigen erzählt uns der Roman.

Daß die Aula der Güstrower John-Brinckman-Oberschule der im Buche täuschend ähnlich sieht – »gutes altes Holz« mit einer akkurat benannten Deckenkonstruktion –, ist hinlänglich bekannt. Auch dies ein Grund, so scheint es, heute hier zu sprechen. Und als wäre das noch nicht genug an Übereinstimmung, fügt sich selbst das Datum des Romans: Heute ist der 30. Mai, ein Samstag, wie er auch im Buche steht.

Wer Johnsons Schule kennenlernen will, mag mühelos mit der Erzählung vorlieb nehmen: Die netten Blumen in den kleinen Vasen glaube ich sofort – und habe keinen Grund, den sorgsamen Abstand, ein Meter siebenundsiebzig von Kante zu Kante, ernsthaft zu bezweifeln. Es ist ganz so, als ließe sich die Wirklichkeit einer vergangenen Güstrower Schulzeit ohne Umstände im Buch des jungen Uwe Johnson wiederfinden – und als sei die Tagebuchnotiz Max Frischs zu Uwe Johnson damit schon bestätigt: »Ein homerisches Gedächtnis hat dieser Mann; Mecklenburg wird sich darauf verlassen dürfen.«

Doch damit hätten wir uns mehr auf den Roman verlassen, als uns dienlich – und mehr auch, als dem Buch und seinem angemessenen Verständnis bekömmlich ist: Die Reifeprüfung des Verfassers war 1952, die in seinem Buch im Jahr danach. Die Schule im Roman liegt jenseits eines »ziemlich breiten Stadtgraben(s)«, nicht diesseits, wie die Schule, die Sie kennen; und die erwähnte Aula schaut im Buch hinüber auf den Dom, »in Wirklichkeit« jedoch zur Stadt hinaus und in die Sonne des Nachmittags – wie im Buch. Und obendrein gilt ja die ganze große Ähnlichkeit mit Güstrow vor allem für den Mittelpunkt des Buches mit Schule und mit Dom, nicht für den Mittelpunkt der Stadt. Das schöne Schloß hat, wie die Kirche, ganz und gar kein Gegenüber im Roman.

Das mögen Kleinigkeiten sein. Kleinlich ist es aber keinesfalls, auf solche Unterschiede hinzuweisen, denn sie markieren einen Unterschied, dem man mit Zählen oder Messen gar nicht beizukommen vermag, den Unterschied, der allzu häufig übersehen wird und eben dadurch das Verständnis des Romans behindert: den zwischen Wirklichkeit und Kunst.

»This is a novel. Any persons and situations in this book are fictitious, telephone numbers & adresses included.« Diese Formel hatte Uwe Johnson vor sein Hauptwerk *Jahrestage* setzen wollen, den alten Vorbehalt der Kunst: Alles frei erfunden. Es hätte ihm wohl nichts geholfen, bei den *Jahrestagen* nicht, und im Falle unseres Romans schon gar nicht. Denn da behauptet sich die Gegenmeinung bereits im Nachwort des Herausgebers und Freundes Siegfried Unseld: »Hier also, im Güstrow des Jahres 1953, ist der Roman ›Ingrid Babendererde / Reifeprüfung 1953‹ angesiedelt.« (JB 253)

Immer wieder haben selbsternannte »Spurensucher« in Mecklenburg und anderswo gefahndet, um in der Wirklichkeit zu finden, was im Roman beschrieben ist: den Klassenraum, die Schleuse, womöglich Herrn Wollenbergs Laden am Markt. Manches Reizvolle, auch Wertvolle, war dabei zu entdecken. Und es ist gewiß noch gar nicht ausgelotet, wieviel an Wirklichkeit aus Johnsons Schulzeit hineingeraten ist in den Roman. Dennoch bleibt der Unterschied von Fakten und Fiktionen weiter gültig, denn er ist prinzipiell und unaufhebbar.

Oft genug ist aber auch die neopositivistische Recherche bloß ein detektivisches Versteckspiel, das im Roman nur noch den Anlaß findet und den Antrieb für die Suche, aber nicht ihr Ziel. Das liegt bei jener Form von naseweiser Germanistik im Biographischen: Man will dem Autor auf die Schliche kommen und vergißt darüber leicht, die Bücher so zu lesen, wie er sie gemeint hat: als Roman. Und wenn man auch noch Unterschiede findet zwischen Kunst und Wirklichkeit, verbucht man sie vielleicht wie einer jener Spurensucher mit einem Seufzer oder mit Frohlocken: »Letztlich weiter nichts als (...) Fehler.«

Daß selbst die wertvollen Funde in Güstrow oder anderswo am Ende aber stumm bleiben, dem Buch und seinem angemessenen Verständnis kaum auf die Sprünge helfen können, läßt sich leicht an einem Beispiel deutlich machen: Der Titel des Romans, der Name *Ingrid Babendererde*, ist zur Hälfte mindestens in Mecklenburger Wirklichkeit zu finden, heute hier noch so geläufig wie einst. In Johnsons Schweriner Adreßbuch von 1933 steht er zwischen »Babekuhl« und »Bach«, und aus der Schule kannte Uwe Johnson eine »Edith« dieses Namens. Alles Fakten, keine Frage. Nur: was wollen sie bedeuten? Soll man etwa glauben, daß der junge Autor einer Schülerin ein Denkmal setzen wollte? Oder anders: Warum heißt denn Ingrid eigentlich nicht »Babekuhl«? Die Antwort steht nur im Roman, nicht in Güstrows Telefonbuch: »Baben der Erde«, schreibt da ein Schüler auf sein Blatt, als Ingrid eben ihre Rede hält. Die Etymologie des Begriffs steht hier für ein Programm und meint den Standort »auf der Erde« mit dem Geschmack von »Brot und Zuckererbsen« aus dem *Wintermärchen* Heinrich Heines.

»Wenn Sie sich beim Rasieren schneiden, vorausgesetzt, daß Sie sich noch naß rasieren, und Sie haben das Waschbecken voll warmem oder kaltem Wasser, dann fallen drei, vier Tropfen Blut in das Waschbecken, da ist das schon ganz schön rot. In dem Sinne ist Autobiographisches drin.« Das hat Heinrich Böll in einem Interview gesagt, 1967, auf eine sehr ähnliche Frage, weil es ihm in dieser Hinsicht ähnlich ging wie Uwe Johnson. Es geht nicht um die Zahl der Tropfen: Sie färben allemal das Wasser, doch niemand findet sie, in ihrer Tropfenform, im Becken jemals wieder.

Damit komme ich zurück zum Buch und auch zurück zu Uwe Johnsons Schule. Denn dort, am Dom, wo »grauer Kies und Lindenreihen in rechten Winkeln« akkurat verlaufen, in jenem »tüchtigen ordentlichen Gebäude mit drei Fensterreihen« läßt sich am besten die Geschichte glauben, die das Buch erzählt. Dort stellt sich wie von selber der Gedanke ein, der in Christa Wolfs *Kassandra* am Anfang steht: »Hier war es. Da stand sie.«

Die Rede Ingrids in der Aula ihrer Schule ist der Höhepunkt des kunstvoll komponierten Buches. In ihr berühren sich die zwei Geschichten, die der Roman erzählt: die Geschichte einer Liebe unter Schülern, die Geschichte auch von der politischen Verfolgung junger Menschen, ihres Glaubens wegen, der dem Anspruch der Partei im Wege steht. Kunstvoll sind im Buch die beiden Ebenen verschränkt: Der Streit um ein politisches Bekenntnis treibt die beiden Liebenden auf ein paar Tage auseinander, ehe Ingrid voll Bekennermut ein Zeichen setzt mit einer Rede in der Aula und beide miteinander in den Westen gehen – ohne Abitur, und doch mit einem Nachweis ihrer Reife. Zurück bleibt Jürgen, beider Freund, um weiter in der DDR zu kämpfen.

Den Anlaß zu dieser Erzählung hat Uwe Johnson in der Politik gefunden, mehrfach hat er selber darauf hingewiesen. Auf die Frage: »Wann haben Sie angefangen zu schreiben?«, gab er 1982 zur Antwort: »Das war im Winter 1953. Ich hatte mir über die Kirchenverfolgung in der DDR einige Blessuren zugezogen. Ich sollte zum Beispiel wegen meines Eintretens für die verfassungsmäßigen Rechte der Kirche relegiert werden. Das wurde nach dem 17. Juni rückgängig gemacht, aber stillschweigend.«

Der Kirchenkampf der SED in jener Zeit gehört in den Zusammenhang von Schritten, die unter dem Stichwort vom »Aufbau des Sozialismus« seit der 2. Parteikonferenz der SED im Juli 1952 die weitere gesellschaftliche Angleichung der DDR an die Sozialordnung der UdSSR beflügeln sollten. Kennzeichnend dafür waren politische Blockbildung sowie die Ausrichtung der Massenorganisationen zu »Transmissionsriemen des Fortschritts«.

Dabei stand dem atheistischen Marxismus der christliche Glaube diametral gegenüber, dem Staatsprinzip des Totalitarismus waren die Kirchen in der DDR als die einzigen staatsfreien, nichtsozialistischen Großorganisationen von innerer Autonomie bald der einzige Rivale. Da die Bevölkerung zu 80% evangelisch war, galt dies vor allem für die evangelische Kirche. Im Zuge der innenpolitischen Verschärfung 1952 wurden die »Junge Gemeinde« der evangelischen Kirche sowie die »Evangelischen Studentengemeinden« (ESG) bald ein Hauptziel in der großen ideologischen Offensive. Konkreter Angriffspunkt auf breiter Basis wurde das Bekenntniszeichen der »Jungen Gemeinde«, das sogenannte »Kugelkreuz«, weil mit ihm der vorgeblich verbotswidrige Charakter der Gruppe als einer Organisation scheinbar zu beweisen war.

Dagegen stand, lange vergeblich, die Lesart der »Jungen Gemeinde«, sie sei keine Organisation, habe keine Mitgliedsbücher, keine Abzeichen, keine Kluft (vgl. Hermann Weber, *Von der SBZ zur DDR*, Band 1: 1945-1951, Hannover 1966, Bd. I, 73).

Dessenungeachtet stufte im April das Ministerium des Innern die »Junge Gemeinde« als »illegal« ein (Weber I, 168). Es kam zu Verhaftungen und anderen Repressalien wie Schulverweisen und dergleichen. Insgesamt wurden 1952/53 72 Pfarrer und Jugendleiter verhaftet und über 300 junge Christen von den Oberschulen verwiesen (Karl Wilhelm Fricke, *Opposition und Widerstand in der DDR*, Köln 1984, S. 77).

Uwe Johnson hat diese Entwicklung in Rostock miterlebt, wo er seit dem Sommer (19. 8.) 1952 immatrikuliert war. Er hat in den *Begleitumständen* seine unfreiwillige Verwicklung in den Kirchenkampf geschildert: Bei einer Großversammlung seiner Fakultät sollte er als ehemaliger Funktionär der FDJ eine willfährige Verleumdungsrede halten, sollte berichten von einem Überfall auf einen Rekruten der Roten Armee, verübt in Güstrow von »drei evangelischen Banditen« mittels eines Taschenmessers. Johnson hielt die Rede, bestritt dabei den Überfall, erläuterte den verfassungsgemäßen Status der »Jungen Gemeinde« und warf der DDR den Bruch der eigenen Verfassung vor.

Nach zwei Verhören wurde er im Mai zwangsweise exmatrikuliert – von dieser und sämtlichen Hochschulen. Die Streichung wurde später, wie er schreibt, »gestrichen«. Was ihm blieb, war ein Fazit: »So bekam jemand seine ureigene Sache, seinen persönlichen Handel mit der Republik, seinen Streit mit der Welt darüber, wann etwas eine Wahrheit ist und bis wann eine Wahrheit eine Bestrafung verdient. Da ihm verwehrt ist, dies öffentlich auszutragen, wird er es schriftlich tun.«

Damit ist der Schritt zum Schreiben hinlänglich begründet, ein Schritt, der hier – wie stets bei Uwe Johnson – als ein Mittel auf dem Weg der Wahrheitssuche angesehen war. Der nächste Schritt, der eigentlich gemeinte: der Schritt auf dem Umweg über die Schriftlichkeit des Romans an die Öffentlichkeit in der DDR, ist Uwe Johnson auch nach der Bearbeitung des Manuskripts verwehrt geblieben. Dazu war die Botschaft seines ersten Buches zu brisant.

Was Uwe Johnson in Rostock, nicht in Güstrow, als Student, und nicht als Schüler, miterleben mußte über Wochen, das hat er im Roman, und in betont tektonischem Bau, verdichtet zu einer Schulgeschichte von vier Tagen. Er hat dabei durchaus auch Elemente aus der vorfindbaren Wirklichkeit verwendet: Der Streit um die »Junge Gemeinde« entzündet sich an einer Auseinandersetzung um das sog. »Kugelkreuz« und gipfelt im Roman in einer Rede ihres Mitglieds Peter Beetz, der den Vorwürfen – auch dem historischen der »Illegalität« (142) – mit fast denselben Worten widerspricht, mit denen in der Wirklichkeit des Jahres 1953 die Evangelische Bischofskonferenz die amtlichen Verleumdungen zurückgewiesen hat: »Wir wissen, daß es nicht wahr ist...«, heißt es dort (in: Weber, I, 146). Und: »Das ist alles nicht wahr«, sagt Peter Beetz, als er das Podium erreicht (142).

Doch damit ist das Buch beileibe keine »Chronik« der Ereignisse, und auch kein »leicht verstaubtes Kapitel deutsch-deutscher Zeitgeschichte«, wie Tilman Jens in seiner lieblosen Kritik im *Spiegel* (27. 5. 85) schreibt. Was wäre das für eine Chronik, in der am Ende nicht einmal das Datum stimmt!

Das Buch läuft hinaus auf den 30. Mai 1953, den Tag des Abiturs. Doch das Abitur fand 1953 im April statt, vom 4. 4. bis zum 9. 4. 1953. (Und auch das schriftliche Abitur des Verfassers lag im April.) In einer Chronik wäre das ein Fehler. Doch bei aller Nähe zur tatsächlichen Geschichte des Jahres 1953 ist der Roman keine Chronik der politischen Ereignisse, sondern steht der Politik als dezidierte Stellungnahme gegenüber, deutlicher, so will es mir erscheinen, als alle späteren Romane dieses Autors. Ich rede also, wenn ich den Roman betrachte als das Kunstwerk, das er ist, keiner politischen Unverbindlichkeit von bloß Erfundenem das Wort. Im Gegenteil: Erst indem ich seinen Kunstcharakter anerkenne, unterstreiche ich die auch politische Brisanz des Buches, das, alleine als Geschichtskapitel angesehen, zergliedert in die vorfindbaren Fakten aus der Wirklichkeit von Rostock oder Güstrow, tatsächlich als verstaubt zu gelten hätte.

Was die Erzählung jeglichen Fakten voraus hat, ist ihre Form. Sie ist die Voraussetzung für jede Wirkung des Romans.

Hier sollen Hinweise genügen, um anzudeuten, wie sehr bereits der junge Uwe Johnson der »fertige« Künstler war, als den man ihn heute schätzt, wie sehr bereits in seinem Jugendwerk Prinzipien und Formenschatz seiner späteren Werke voll entwickelt sind.

Das reicht vom bloßen Sprachgebrauch bis hin zu den zentralen

Themen: dem Verlust von Heimat schon auf der ersten Seite, und der Erinnerungsarbeit, für die bereits hier, am Ende des Romans, das Bild der Katze steht, von der es später, in den *Jahrestagen*, heißt, sie sei »unabhängig, unbestechlich, ungehorsam« (JT 670). Auch die Erzählweise des Buches mit seiner zweifachen Chronologie, die den Bericht des Geschehens Tag für Tag durchsetzt mit Teilstücken aus jener Zeit, die auf die Handlung erst noch folgt und deren Ausgang so vorab verrät – auch diese Konstruktion des Buches ähnelt sehr der »Einrichtung« der *Jahrestage*, in denen es zuletzt die schon bekannte Katze »doch geschafft hat, sich in den Schwanz zu beißen«, wie das Johnson selbst genannt hat. Schließlich werden diese beiden Partien, die im Roman mit »andererseits« und »einerseits« beginnen, dadurch nicht bloß in ein dialektisches Verhältnis zueinander gesetzt, sondern auch in ein bedeutsamtopographisches: Es geht tatsächlich um die eine wie die andere Seite: fortan geradezu ein Etikett für Uwe Johnson – den »Dichter des geteilten Deutschland«.

Die Entscheidung für einen bloßen Eigennamen als Titel des Romans folgt bereits dem Prinzip, das am Ende, in den *Jahrestagen*, der Praktikant Mathias Weserich den Schülern zu Fontanes *Schach von Wuthenow* erklärt: »Weil die anderen (Titel, M. B.) fast alle ein Urteil enthalten, dem Leser sein eigenes vorwegnehmen. Fontane wünschte seine Leser unabhängig!« (JT 1705). Ich ergänze: Uwe Johnson auch. Auf die Frage Barbara Bronnens, für wen er schreibe oder schreiben wolle, sagte er entsprechend 1971: »Für jedermann, der bereit wäre, mich auszulesen. Der beim Lesen seine Unabhängigkeit bewahrt und seine eigenen Schlüsse zieht.« – Wie um das zu beweisen, hat der zweite Titel, der Untertitel »Reifeprüfung 1953«, denn auch tatsächlich die Beurteilung vorweggenommen und Mißverständnis provoziert. Dazu gleich.

Der detaillierte Nachweis der oben angedeuteten Besonderheiten auf der Ebene der Sprachgestalt muß der jeweils eigenen Lektüre überlassen bleiben. Sie alle sind, wie wohl das meiste, was ins Auge fällt bei Johnson, zurückzuführen auf die Absicht, mit der der Autor später seine *Mutmassungen* den Lesern übergeben hat: »Ich habe das Buch so geschrieben, als würden die Leute es so langsam lesen, wie ich es geschrieben habe. Wir haben aber eine ganz besondere Form des Lesens heutzutage, die sehr hastig ist und sich eigentlich nur nach Signalen orientiert ...«

In seinem ersten Roman gibt es durchaus eine Reihe von solchen

»Signalen« aus der erzählerischen Tradition des poetischen Realismus: Zu nennen hätte man »den hässlichen Riss quer durch das Namensschild PETERSEN« (115) sowie jenen von Frau Petersen zerrissenen Nachrichten-Zettel ihres Sohnes Jürgen (72), der die Schnipsel dann sogar in der Schule bei sich trägt (83). Das Namensschild und diese Schnipsel: Sie weisen beide hin auf jenen Riß, der im Roman die Witwe Petersen und ihren Sohn entzweit. Und als am Ende Klaus und Ingrid sich aufmachen, ihr Land zu vrelassen, spielt der Sender, den sie hören – ein Westsender! – »Goen outside« (244).

Das augenfälligste aller poetischen Mittel im *Ingrid*-Roman ist die Wetterdramaturgie: Parallel zur Zuspitzung der Handlung gibt es eine unerhörte, zeichenhafte Hitze in der Stadt, der nach dem Höhepunk des Buches, nach der Klärung des Geschehens, ein gleichfalls klärendes Gewitter entspricht, das die Wende im Roman nicht einfach, mangels Plausibilität, ersetzt, sondern das sie bloß erzählerisch verdeutlicht. Dennoch: Auf Signale dieser Art und Deutlichkeit hat Johnson später verzichtet.

Worauf er nicht verzichtet hat, das ist der Anspruch an den Roman, aus der Realität erzählerisch eine Geschichte auszugrenzen als »eine Welt, gegen die Welt zu halten«, die dadurch – nämlich nur durch ihren Kunstcharakter – deutlich und bedeutend wird.

Selbst das wenig positive Urteil Johnsons über seinen eigenen Roman, er habe die Geschichte »totgeschrieben«, allzu oft »zerstückelt, umgestellt, verlangsamt, beschleunigt, überhaupt bearbeitet«, weist hin auf den gemeinten (nun womöglich penetranten) Kunstcharakter. Man muß dieses Urteil nicht teilen, um es als Hinweis darauf zu verstehen, daß die Erzählung deutlich »überstrukturiert« ist. Auffallend in dieser Hinsicht ist auch die räumlich-zeitliche Struktur, das kennzeichnende Gegenüber von Vormittag und Nachmittag, der stete Wechsel zwischen Stadt oder staubigem Schulhaus auf der einen und Schleuse oder Wasserwelt auf der anderen Seite. Es ist leicht einzusehen, wie diese Strukturierung eines weiteren »Einerseits-Andererseits« geeignet ist, das eigentliche Gegenüber des Romans zu akzentuieren, das von Heimat und Entfremdung oder Elend im mittelalterlichen Sinne des Begriffs: als Aus-dem-Land-geraten-Sein. Zu nennen wäre auch noch die Figurenkonstellation, die Dreiecksbeziehung aus dem *Tonio Kröger*: eine Frau zwischen zwei Männern. Es ist wohl gar nicht zu bestreiten, daß Johnson Elemente seines eigenen Ich hier aufgespalten und auf Klaus und Jürgen aufgeteilt hat, um Möglichkeiten des Verhaltens durchzuspielen: Es gibt genügend Hinweise dafür, von der Erscheinung der Personen über die Funktion in der Gruppe bis hin zu Klausens Handschrift und Jürgens Namen »Petersen«, der auf dieselbe Art gebildet ist wie »Johnson«. »Olavsson« und »Gustavsson« wären das indessen auch: Doch nur »Petersen« ist auch zugleich ein Name aus dem *Tonio Kröger*. Und aus den *Wahlverwandtschaften* ist eine zarte Handbewegung eingegangen in Johnsons Roman: Als Ingrid sich von Klaus verabschiedet auf Zeit in Westberlin, kehrt diese Geste Ottilies Gebärde um.

Derlei hat Johnson einmal beiläufig als »die Tricks des Gewerbes« bezeichnet, die »die Geschichte haltbar machen« sollen.

Zu diesen »Tricks«, mit denen die Geschichte abgegrenzt und »haltbar« wird, gehören im vorliegenden Buch jene Erzählelemente, die das Ende an den Anfang binden: die Symmetrie der Schauplätze im ersten und letzten Kapitel, die Flußlandschaft am Weitendorfer Wald, die zeitliche Korrespondenz zwischen Mittag (zu Beginn) und Mitternacht (am Ende), die Wiederaufnahme von Elementen des Geschehens. Ein Beispiel ist das graue Boot der Polizei. Durch solche »Überstrukturiertheit« aber gibt der Text erst zu verstehen, daß er angelegt ist auf Bedeutung hin. Klaus und Ingrid fliehen gegen Ende mit ebendiesem Polizeiboot aus dem ersten Kapitel bis an die Schnellzugstation. In den *Begleitumständen* hat Johnson die Details dieser Flucht bereitwillig verraten. Im Roman hingegen wird dasselbe derart spärlich berichtet, daß erst das angemessene Verständnis der eben skizzierten Komposition den Leser dazu bringt, das graue Polizeiboot als Fluchtfahrzeug zu begreifen.

Dasselbe hermeneutische Verfahren, das auch und insbesondere die Form berücksichtigt, gestattet es zuletzt, jene Rezeptionsperspektive zu erkennen, die der Roman dem Leser bietet und die in bezeichnender Weise hinausgeht über den offenen Ausgang seines Geschehens. Ich erinnere daran: Klaus und Ingrid gehen in den Westen, Jürgen bleibt im Osten. Wer »hat recht«? Hat überhaupt einer recht? Wie groß ist die Gefahr und wie verständlich das Bemühen, die Urteile von 1985 oder 1992 zurückzuprojizieren in die Verhältnisse von 1953? Der offene Ausgang des Geschehens alleine überließe bloß dem Leser die Entscheidung, einer der Figuren zuzustimmen oder diese Offenheit als Indifferenz zu begreifen. Beides aber griffe zu kurz.

Daß der eine geht und der andere bleibt, hängt jeweils auch mit ihrem Herkommen zusammen. Auch dies ist eine Position, die Johnson stets für sich und für sein Personal beansprucht hat. Und gänzlich mißverstanden wäre die Geschichte schließlich, wollte man die Flucht alleine als die »Reifeprüfung« aus dem Untertitel des Romans betrachten: Denn auch Jürgen hat in der Geschichte durchaus eine »Reifeprüfung« absolviert, nur eben seine. Er nähert sich erkennbar Klausens Haltung an, zweimal wird das im Roman an entscheidender Stelle erwähnt (223 f.), während Klaus sich Jürgen nähert und wie dieser Farbe bekennt.

Unterschiede bleiben freilich bis zuletzt: Klaus tut es schriftlich, spöttisch-reserviert wie stets, Jürgen im offenen Streit mit dem Direktor. Klaus geht in den Westen, Jürgen bleibt. Und daß er, wie sein Gegenspieler, der Direktor, Geschichtslehrer werden will, läßt ihn begreifen als dessen positiven Gegenentwurf. Auch Johnson ist damals geblieben. Noch 1982 sagte er im Interview: »Wäre es nach mir gegangen, ich wäre ganz gerne in der DDR geblieben, die mir damals erschien wie ein Land, in dem sich etwas verändern wird.«

Also doch noch ein offenes Ende? Wieder muß die Form und muß der Aufbau mit herangezogen werden, damit man nicht als Interpret bereits den Ausgang der Geschichte als die Lösung mißversteht. Der Roman ist ganz gewiß keine Apotheose des Kapitalismus, nur weil zwei der Hauptfiguren in den Westen gehen. Erst im Zusammenhang des ganzen Werkes läßt sich dieser Ausgang transzendieren: Dann aber taucht, und jeweils an den Höhepunkten des Geschehens, eine regulative Idee auf, die jenseits des offenen Endes und jenseits der besonderen Verhaltensweisen der Figuren so etwas wie den kategorischen Imperativ des Buches zu erkennen gibt: das ist die Verfassung der DDR. Peter Beetz in seiner Rede beruft sich explizit auf die Verfassung. Ingrid lehnt es ab, wie aufgefordert über die »Junge Gemeinde« zu reden; sie hält statt dessen eine Rede auf die skandalösen Hosen Eva Maus und fordert damit Meinungsfreiheit, wie sie die Verfassung garantiert; Klaus entläßt sich aus der Schule wieder unter Hinweis auf die geltende Verfassung, und Jürgen rechnet seinem Widersacher und Direktor gar die Paragraphen der Verfassung vor.

Die regulative Idee der Verfassung, die für die Erzählung und ihren besonderen Bau geradezu strukturbildend ist, verweist uns somit jenseits des Geschehens auf die kritische wie die utopische Dimension des Romans. Damit gibt sich die Erzählung als eminent politisch zu erkennen und, angesichts des intendierten Lesepublikums der DDR, als höchst brisant. Zugleich macht der Roman obendrein auch den im Kern utopischen Charakter der Verfassung selber erkennbar. Als sie in Kraft trat, 1949, am 7. Oktober, war sie – gemäß der Präambel – noch immer ausdrücklich gemeint als Vorschlag für das ganze »deutsche Volk«. Unübersehbar aber war schon damals der getrennte Weg, der keinen dritten länger zuließ.

Eins hab ich bisher noch ausgespart, die Frage nach der Terminierung des Romans, der hinausläuft auf das Abitur und unseren 30. Mai. Vom Standpunkt bloßer Faktensuche aus betrachtet, ist die Terminierung falsch. In Wirklichkeit hingegen ist sie fiktional – und bedarf der Interpretation. Warum der 30. Mai? Er ist ein Jahrestag aus der politischen Geschichte, und zweifellos war dies Uwe Johnson bewußt. Der 30. Mai war der zweite Tag des III. Deutschen Volkskongresses 1949, exakt der Tag, an dem noch vor dem Weg in die Zweistaatlichkeit die DDR-Verfassung angenommen wurde. Als sie in Kraft trat im Oktober, war die Teilung schon besiegelt.

Auf diesen Jahrestag der DDR-Verfassung läuft Johnsons Erstling nun erzählerisch hinaus wie ähnlich später jenes große Werk, das *Jahrestage* heißt und in dem der Fall der Ingrid Babendererde noch einmal aufgegriffen wird »als ein Beispiel für Verfassungsbruch in der Deutschen Demokratischen Republik (durch die Regierung der Deutschen Demokratischen Republik)« (JT 42). Exakt mit diesem Vorwurf hatte Johnson sein Schreiben begründet. Das unterstreicht ein letztes Mal den Kunstcharakter dieses Buches, die Künstlerschaft des Autors und zugleich den eminent politischen Charakter seines ersten Romans.

Denn was das Werk als seine Utopie vermittelt, das vermochte ihm die Wirklichkeit nicht zu erfüllen. Nicht 1953, und erst recht nicht später. 1959 zog der Autor daraus seine Konsequenz und wechselte nach Westen. Sein Land ist ihm nach 30 Jahren nachgefolgt.

Die Gründe sind schon im Roman des Neunzehnjährigen zu sehen. Und vielleicht war auch der Keim schon früher angelegt, schon seit dem Tag der Abstimmung am 30. Mai. Denn die Auszählung der Stimmen kam an diesem Tag auf ein Ergebnis, das man noch von früher hätte kennen können: 1999 zu eins.

In Uwe Johnsons Buch ist der utopische Gehalt der DDR-Verfassung – und wäre es auch bloß als Forderung – bewahrt wie sonst nur im Bernstein die Fliege, besser als in jedem Staatsarchiv. Ob derlei heute opportun ist, sei dahingestellt. Bei Uwe Johnson aber bleibt es unvergessen. »Homerisch« hat Max Frisch das Gedächtnis des Freundes genannt. Und Frisch hat dabei sicher nicht vergessen, daß Homer – ein Dichter war.

Mutmassungen über Jakob

Günter Blöcker
Roman der beiden Deutschland

Es fehlt auch in Deutschland nicht an klugen Ansichten darüber, was ein Roman sei und was er heute nicht mehr sein könne. Aber die Anwendung bleibt durchweg zaghaft, zaghaft oder allzu kokett. Literarische Entscheidungen werden nicht dadurch herbeigeführt, daß ein Autor sich zum »Archipoeten des technokratischen Zeitalters« ernennt. Der neue Stil kommt nicht aus der Bastelecke. Nur da, wo er mit naturgewachsener Selbstverständlichkeit gehandhabt wird, kann er überzeugen und über die Widerstände triumphieren, die er sich, wie alles Neue, selbst bereitet. Nicht der Wille zu provozieren, schafft die echte Provokation – die Unschuld tut es, die nicht anders kann. Wobei, versteht sich, der Besitz von Unschuld den von Intelligenz nicht ausschließt.

Ein solcher Fall scheint uns der des 25jährigen Uwe Johnson zu sein. Aus Pommern kommend, in Berlin lebend, gestern noch ein total Unbekannter, präsentiert er einen ersten Roman, der so etwas wie eine Abbreviatur aller modernen Erzählmöglichkeiten ist. Aber nun nicht als Fleißbillett und Pflichtausweis modernistischer Gesinnung, nicht als freischwebende Kombinatorik, fern den Objekten oder am nichtkontrollierbaren Objekt praktiziert, sondern an dem, was uns am nächsten betrifft: der harten Tatsache des zweigeteilten Deutschland, der beiden Vaterländer. Man muß sich diesen Unterschied wohl vor Augen halten. Modernen Erzählstil mit allen seinen Konsequenzen: gebrochener Kontinuität, einander überlagernden Gleichzeitigkeiten, blockartigem Nebeneinander der Dinge ohne Motivverknüpfung, Verzicht auf psychologische Geradlinigkeit, das läßt sich der Leser gerade noch gefallen, wenn Dublin, Mississippi oder die Tropen den Schauplatz und die Gegenstände liefern. Das ist Märchenboden in gehöriger Entfernung, auf dem die Joyce, Faulkner und Robbe-Grillet ihre Stilkapriolen getrost vollführen mögen. Wo es aber um das eigene Haus geht, da soll das nicht gelten, da soll alles hübsch beim alten bleiben: unbezweifelbare Einheit der Person, eine anschauliche Fabel, welche Fakten und Handlungen fein säuberlich an der Erzählschnur auffädelt, und eine Psychologie, die keinen Zweifel an der strengen Kausalität läßt, die in unserem Seelenleben waltet.

Der junge Uwe Johnson schiebt alles dies still beiseite, ohne Leichtsinn, aber auch ohne doktrinäre Verbissenheit. Der innere Mensch, der Mensch, der die Welt ohne Vorbehalt erfährt, kennt weder Zeit noch Raum noch Übergänge. Das ist eine Grundtatsache, und von ihr geht dieser Erzähler aus. Er spult die Geschichte seines Helden Jakob Abs, der in der Sowjetzone lebt und dort als Eisenbahnangestellter ruhig seine tägliche Pflicht tut, nicht als romanhaft präsentierte Folge von Ereignissen ab, sondern läßt sie vor uns entstehen, so wie sich Erfahrungen und Wahrnehmungen dem menschlichen Bewußtsein mitteilen: in Stößen, Wellen und Fragmenten, in Erinnerungsschüben, Monologen und Gesprächsfetzen, im Allgemeingewoge des Existentiellen ebenso wie in exakt faßbaren Daten. Ja, gerade über sie, über alles, was gemessen und registriert werden kann, beugt sich der Autor mit saugender Wißbegierde und unersättlicher Fixierlust. Eine Straßenbahnfahrt, den Lehrbetrieb einer Universität, das Anheizen eines Ofens, die Briefsortierung auf einem Bahnpostamt schildert er so, daß man eine Betriebsordnung danach verfassen könnte. Man denkt an Brecht, seinen Kult des Details, seine Beschreib- und Definitionsmanie. Doch Johnson trägt nicht die Brechtschen Scheuklappen, bildet sich nicht ein, die Welt gehe im Beschreib- und Veränderbaren, im gesellschaftlich Faßbaren auf. Er weiß, daß erst jenseits dieser Grenze das Eigentliche beginnt. Aber er weiß auch, daß dort Bescheidenheit geboten ist, daß wir uns da in einem nie auszumessenden Bereich befinden – einem Bereich, in welchem, wie der Titel zu verstehen gibt, allenfalls Mutmaßungen gestattet sind. Was darüber hinausgeht, verletzt bereits die Wahrheit.

Das ist eine Haltung, die unabhängig vom Sujet besteht. Daß sie sich hier außerdem in höchst ausdrucksvoller Übereinstimmung mit den besonderen Gegebenheiten des Stoffes befindet – das nicht zuletzt macht das Überzeugende, Nahtlose des Buches aus. Denn Jakob, Gesine, Jonas Blach, Frau Abs, der alte Cresspahl, aber auch die Verfolger, die »Hundefänger«, der Herr Rohlfs etwa vom Staatssicherheitsdienst, der Jakob beobachtet, um über ihn die nach dem Westen abgewanderte Gesine für die sowjetische Spionageabwehr zu gewinnen – sie alle sind Menschen, die, durch das »Gesellschaftliche« genötigt, mit herabgelassenem Visier leben. Das Menschliche bleibt eingekapselt, wer es erreichen will, tappt im Dunklen, sieht sich auf »Mutmaßungen« angewiesen. Der Nebel, das Geheimnis, das schlechthin Undurchdringliche der Existenz wird bei Uwe Johnson zum Formprinzip. Daraus ergibt sich eine vielsagende, wenn auch zuweilen irritierende und die Geduld des Lesers überfordernde Diskrepanz zwischen der Schärfe des Einzelnen und der Undeutlichkeit des Ganzen. Je ungreifbarer die Welt in ihrer Gesamtheit ist, desto verzweifelter richtet sich unser Blick auf das Detail. Dementsprechend arbeitet Johnson das Technische der Existenz mit einem nahezu wissenschaftlichen Sprachgestus bis an die Grenze der Persiflage heraus. Etwa wenn er von Jakob sagt: »Reiste dennoch nördlich nach Jerichow in einem Schnellzug auf den tragenden führenden Gleisen in dem kunstreichen fahrbaren Gehäuse und befand sich in den Bedingungen der öffentlichen Personenbeförderung (wiewohl mit dienstlichem Ausweis) und war innerhalb der Physik der Kolbendampflokomotive und der Druckluftbremse den ganzen Nachmittag...«

Das Eigentliche dagegen, das sich solchen an die Katalog-Poesie des Ithaka-Kapitels bei Joyce gemahnenden Fixierungskünsten entzieht, wird ganz aus dem Indirekten entwickelt – es wird suggeriert. Wieviel an Zartem, Verborgenem, nicht Sagbarem weiß dieser junge Erzähler allein der mecklenburgischen Mundart abzugewinnen! Das Menschliche bleibt den halben Melodien, den jähen, kurzen Lichteinfällen vorbehalten. Jedes Mehr an Deutlichkeit, das man sich manchmal vielleicht wünschen möchte, würde die eigentlich unerzählbare Geschichte Jakobs, des Mannes zwischen Ost und West, zerstören. Denn diese wechselseitige, furchtbare Entfremdung der beiden Deutschland, die längst eine heimliche Tatsache ist – wie soll man sie mit groben Worten aussprechen und benennen, ohne weitere Verwüstungen anzurichten? Hier ist sie in die Seele des redlichen, kaum reflexions- und formulierungsfreudigen Helden gelegt, eines Mannes, der das Bild des wahren, des richtigen Lebens als etwas Unveräußerliches in sich trägt und der gerade darum weder in dem einen noch in dem anderen Deutschland ein Zuhause findet. Der mysteriöse Unfall, dem dieser Jakob am Ende zum Opfer fällt (ein Unfall? Eine Liquidation? Ein halbbewußter Selbstmord?), hat in all seinem Geheimnis etwas Gnädiges.

Uwe Johnsons erster Roman ist noch unnötig kompliziert. Eine moderne Erzählung darf Anforderungen an das Ergänzungs- und Kombinationsvermögen des Lesers stellen, an seine seismographischen Fähigkeiten, nicht aber an seine Ratefreudigkeit. Doch das Zuviel, das der Autor uns abverlangt, darf als ein Zeichen seiner Jugend gelten. Bei einem ersten Buch zählt das Talent, alles andere kommt mit dem Leben, auch die Einfachheit.

Jürgen Becker
»Mutmassungen über Jakob«

Über den gleichnamigen Roman von Uwe Johnson

Der politische Zustand, in dem sich Deutschland seit 15 Jahren befindet, hat nicht zuletzt seine Spuren in der Literatur hinterlassen: die Existenz zweier fragmentarischer Staatsgebilde hat die Existenz zweier Litraturen nachgezogen, deren einzig Gemeinsames – die Sprache – eigentlich nur noch den Charakter des Vorläufigen und Zufälligen hat. Die beiden Literaturen, die diesseits und jenseits des sogenannten Eisernen Vorhanges entstanden sind, ähneln durchaus der jeweiligen politischen Gestalt, oder konkreter: schreibt man hierzulande unter demokratischer Observanz in einer Freiheit, die, gleichwohl sie sich persönlich verantwortet wissen möchte, schon die Züge von Narrenfreiheit annimmt, so schreibt man im Osten unter den Wachtürmen der Ideologie nach parteiprogrammatischen Richtlinien und Saisonplänen. Über solchen und anderen Unterschieden, die allesamt den ehemals eindeutigen Begriff »Deutsche Literatur« pensioniert haben, fällt nun die Tatsache ins Auge, daß der politische Zustand selbst, der ja schließlich auch die literarische Spaltung verschuldet hat, bislang auf seine literarische Bewältigung hat warten müssen. Mit anderen Worten: unsere zeitgenössische Literatur hat vor einem ihrer dringlichsten Themen, nämlich der politischen, gesellschaftlichen und sozialen Spaltung, zu deren Opfern sie selbst zählt, entweder die Augen geschlossen oder versagt. Die wenigen Versuche, die sich – meist auf Hörspielebene – dem Thema genähert haben, machen in ihrer Harmlosigkeit dieses Versagen nur um so deutlicher. Indes mag solches gerade notwendig gewesen sein, um einen Roman zu ermöglichen, der all dem aufs nachdrücklichste widerspricht und insofern für die einzige Ausnahme sorgt: und zwar Uwe Johnsons Roman *Mutmassungen über Jakob*, der vor kurzem als *das* Dokument erschienen ist, auf welches man hierzulande die fünfziger Jahre hindurch gewartet hat.

Nun ist es sicher, daß dieses Buch über seinen dokumentarischen Charakter hoch hinauswächst und nichts hergibt, was als ideologisches Argument gegen diesen oder jenen Teil Deutschlands leichthin eingesetzt werden könnte. Johnson hat weder Partei ergriffen, noch spielt er die eine gegen die andere Seite aus. Sein Standort ist der, den heutzutage zu halten am schwierigsten, aber auch am tapfersten ist: nämlich der leere Raum zwischen den Stühlen, die dünne Zone zwischen den Fronten. Dieser Standort bedeutet keinen Mangel an Entschiedenheit, vielmehr gründet er in der latenten Fragwürdigkeit, die jede Parteinahme begleitet und die der Selbstsicherheit jeglichen Entscheidens den Boden entzieht. Der Alternative zum Beispiel, in welchem Teil Deutschlands es sich zu leben verlohne, stellt Johnson die Unmöglichkeit, in gleich welchem Teil leben zu können, entgegen: Jakob, die Zentralfigur des Buches, geht vom Osten in den Westen und wieder zurück, geht zuletzt »quer über die Gleise«, gerät zwischen zwei Züge und findet dabei seinen Tod.

»Aber Jakob ist immer quer über die Gleise gegangen«, sagt Johnson im ersten Satz seines Romans und kennzeichnet damit von vornherein den Weg seines Helden, der den vorgegebenen Spuren nicht folgt. Dabei repräsentiert Jakob durchaus nicht den gängigen Typ des Nonkonformisten: redlich und freundlich übt er in einer Stadt an der Elbe den Beruf eines Streckendispatchers aus, der den sich ständig verfilzenden Zugverkehr geduldig aufdröselt und so das Seine tut, um der Sache des Sozialismus zu dienen. Aber »die Großen des Landes warfen ihr Auge auf Jakob«, heißt es dann, und Jakob findet sich im Netz des staatlichen Sicherheitsdienstes wieder. Jakob nämlich steht dem Mädchen Gesine nahe, das in der sowjetisch besetzten Zone studiert hat, dann aber in den Westen gegangen und zur Sekretärin bei den amerikanischen Streitkräften avanciert ist. Der sowjetzonale Sicherheitsdienst möchte nun Gesine für eine Spionagetätigkeit gewinnen, versucht es zunächst über Jakobs Mutter, die jedoch in den Westen flieht, dann über Jakob selbst, der aber dem Ansinnen des Agenten Rohlfs, der die ganze Aktion leitet, mit einer Haltung begegnet, die Rohlfs von seinem Auftrag ablenkt und für Augenblicke human handeln läßt. Doch Jakobs Loyalität ist erschüttert; Gespräche und Erfahrungen, dazu die zu gleicher Zeit stattfindenden Ereignisse in Ungarn verwehren es ihm, länger im Land zu leben; er fährt in den Westen zu Gesine und seiner Mutter. Jedoch nur besuchsweise. Die westdeutschen Verhältnisse bleiben ihm fremd, die beflissenen Bemühungen um seine Person stoßen ihn ab, er fährt zurück, doch auf dem Weg in die Neutralität seines Dienstes gerät er zwischen die Züge. Ob Unfall, Selbstmord oder Liquidation – die Ursache seines Todes bleibt Mutmaßungen überlassen.

Mutmassungen über Jakob – Mutmaßungen über die Realitäten, die Jakob zerreißen und zwischen denen seine Mitspieler sich wie zwischen Nebelwänden bewegen. Denn keineswegs erzählt Johnson in simpler Folge die Tatbestände, die ich hier grob aufgezeigt habe; nirgendwo in seinem Roman werden Zustände angegriffen oder verteidigt, maßen sich Urteile an, werden ideologische Positionen bezogen. Bei der Gegenwärtigkeit des Themas wäre das alles möglich gewesen, und ein politisch engagierter Leser würde dergleichen wohl verlangen; indes verharrt Johnson schweigsam und scheu vor Zuständen, die bestenfalls dem Geschäft der politischen Propaganda die Konjunktur garantieren. Gleichwohl ist Johnsons Roman ohne die Zustände nicht denkbar, und es ist sicher, daß der Roman nur in *dem* Teil Deutschlands entstehen konnte, in dem diese Zustände am schmerzlichsten empfunden werden. Uwe Johnson, seinerzeit in der Ostzone lebend, schrieb sein Buch im Schatten der politischen Realität, und insofern besitzt es seinen dokumentarischen Wert. Wenn es nun, wie ich schon sagte, darüber hinauswächst, so deshalb, weil Johnson die politische Realität in eine literarische verwandelt hat.

Und das ist das Überraschende an diesem Roman. Unabhängig von der heute schon grundsätzlichen Frage, ob noch und wie überhaupt ein Roman geschrieben werden kann, hat Johnson ein Geschehen entworfen, das, obwohl durch Tatsachen belegbar, in die Eigenwelt der poetischen Fiktion eingegangen ist. In dieser Eigenwelt nun verhält sich das Geschehen, verhalten sich die Figuren nach den Maßgaben der kompositorischen Ordnung.

Ein Geschehen zum Beispiel, das in der Wirklichkeit an festem Ort in zeitlich ununterbrochener Folge abzulaufen scheint, sieht sich in Johnsons Roman laufend unterbrochen durch Reflexionen, Gespräche oder Geschehnisse, die zu anderer Zeit und an anderem Ort stattfinden. Jakob, dessen Tod am Ende des Romans berichtet wird, ist bereits tot, wenn der Roman beginnt. Was er gesagt, gedacht und getan hat, wird nun weniger nach-erzählt denn in Mutmaßungen über ihn reflektiert; sein Tun und Lassen verteilt sich auf die Gespräche, Monologe und Erinnerungen seiner Mitspieler. Auf diese Weise ist das gesamte Geschehen aufgelöst und wieder verflochten: Handlung schlägt um in Reflexion, die ihrerseits die Handlung auf Monologebene weiterführt, bis sie sich in Gesprächen zwischen unsichtbar bleibenden Partnern zerfasert; daran knüpfen sich berichtende Perioden, die die Fäden der Handlung wieder zusammenziehen und fortspinnen. Mitunter steht das Bild des komplizierten Gleissystems, über das Jakob in seinem Beruf verfügt, für das erzählerische System des Romans, dessen Kreuzungen, Weichen, Signale, Anschlüsse, räumliche und zeitliche Überschneidungen in ebenso sensibler wie präziser Ordnung funktionieren. Diese Erzählweise ist wohl durch literarische Vorbilder – etwa Joyce und Faulkner – bereits legitim, indessen handhabt Johnson sie mit einer Selbstverständlichkeit, die diese Erzählweise ganz ihm zu eigen macht. Nicht minder eigen wirkt seine Sprache, in der epische, essayistische und lyrische Impulse einander abwechseln oder durchkreuzen. Durch Sprache läßt Johnson den Nebel entstehen, der sich über das senkt, was Sache des Schweigens ist; durch Sprache erzeugt er jene Welt, die präzis zu benennen, erfahrbar und meßbar ist. Zuweilen scheint Johnson unter die Haut der jeweiligen Figuren zu schlüpfen, wenn sie im Parteideutsch, im Dialekt, im Philologendeutsch, im amerikanischen oder russischen Kauderwelschdeutsch denken oder daherreden. Doch eine untergründige Schwermut und Melancholie stellt zuletzt wieder den Abstand zwischen ihm, den Figuren und Verhältnissen her, ein Abstand, der nur dann aufgehoben ist, wenn Johnson aus dem Mund Jakobs spricht: redlich, freundwillig, um Gerechtigkeit und richtiges Leben bemüht, das sich zwischen den Fronten versucht.

Zwischen den Fronten steht auch Johnsons Roman, der im Osten geschrieben und im Westen erschienen ist. Im Osten ist er nicht denkbar, fällt er unters Verdikt der Partei. Im Westen wird er – sozusagen – seine Narrenfreiheit genießen, gleichwohl dem sanften Terror des herrschenden Geschmacks ebenso widerstehen müssen wie dem heimlichen Ärger jener, die das Buch vergeblich nach Propagandamaterial durchforschen. Den *Mutmassungen über Jakob* aber – Uwe Johnsons erstem Buch – folgen auf jeden Fall die Mutmaßungen über das, was von Johnson in Zukunft zu erwarten ist.

Hans Magnus Enzensberger
Die große Ausnahme

Daß es keine deutsche Literatur gebe, diese Behauptung kann man von mißmutigen Kritikern, die die Sechzig überschritten und bessere Tage gesehen haben, oft genug hören. Die Unkenrufer haben nicht einmal Unrecht; ihr Urteil trifft zu. Freilich in einem ganz andern Sinn, als sie selber sich's träumen lassen. Denn ihr verklärender Rückblick auf die berühmten zwanziger Jahre trügt, ihr alterndes Gedächtnis läßt sie im Stich, ihr Vergleich ist schief, ihre Behauptung, es fehle bei uns an großen Talenten und erheblichen Leistungen, hält nicht Stich. Es ist wahr, daß wir keine Theaterstücke haben, aber wir haben Romane, Gedichte, Erzählungen, Essays. Trotzdem haben wir keine deutsche Literatur. Der Grund für diese Lage der Dinge ist so offensichtlich, so einleuchtend, so selbstverständlich, daß er niemals ausgesprochen wird. Es gibt keine deutsche Literatur, weil es zwei deutsche Literaturen gibt, die so gut wie unabhängig voneinander existieren, kaum Notiz voneinander nehmen und sich von Jahr zu Jahr weiter voneinander entfernen. Daß dieser elementare Sachverhalt allgemein verdrängt wird, daß diese ungeheure Tatsache aus dem Bewußtsein unseres literarischen Lebens nahezu ausgetilgt ist, zeigt sich an dem Umstand, daß wir uns daran gewöhnt haben, von deutscher Literatur zu sprechen, wo von westdeutscher Literatur die Rede sein müßte. (Der Einwand, »drüben« gebe es eben nichts Nennenswertes, schlägt nicht zu Buch, da es sich hier um Qualitätsunterschiede nicht handelt; diese lassen sich überhaupt erst treffen, wenn man die Existenz zweier deutscher Literaturen ernstnimmt.) Es ist klar, daß die Literaturkritik in diesem wichtigen Punkt der Hypnose der Politik erlegen ist; der diplomatischen und völkerrechtlichen Nicht-Anerkennung hat sie aus freien Stücken die literarische folgen lassen, und zwar (im Gegensatz zu der offiziellen Politik) ohne auf den Sachverhalt ausreichend zu reflektieren, also naiv; durch Anpassung an die politischen Verhältnisse, durch Mimikry, also ohne zu wissen, was sie tat.

Zu diesen Feststellungen zwingt uns ein Buch, für das sie nicht gelten. Es ist hier das Erscheinen des ersten deutschen Romans nach dem Krieg anzuzeigen, das heißt des ersten Romans, der weder der west- noch der ostdeutschen, sondern einer Literatur angehört, für die unsre Verwaltungssprache die groteske Benennung »gesamtdeutsch« bereithält. Dieses Buch ist die große Ausnahme, welche die Kritik zwingen wird, ihre unausgesprochenen Regeln endlich aufzudecken. Es hat den unschätzbaren Vorzug, weder hierher noch dorthin zu gehören.

Diese fruchtbringende Zweideutigkeit beginnt mit der Person des Verfassers. Uwe Johnson ist, den Angaben des Verlages zufolge, fünfundzwanzig Jahre alt, in Pommern geboren und in Berlin ansässig. In welchem Berlin? Hier beginnen bereits die Fragen. Wir können und wollen ihnen, soweit sie die Person des Autors angehen, nicht nachforschen. Indiskretion gehört nicht zu den Aufgaben der literarischen Kritik.

Uwe Johnsons Roman hat ein sensationelles Thema. Das ist nicht des Autors Schuld. Dieses Thema, das auf der Hand liegende, das zentrale, zum Himmel schreiende Thema der deutschen Teilung hat zehn Jahre lang auf seinen Autor gewartet. Die deutschen Schriftsteller haben in dieser Zeit mehr Ischia- und Eskimo-Romane hervorgebracht als Bücher über ihr eigenes Land. Damit wir uns recht verstehen: hier ist von Literatur die Rede, nicht von mühsam verkleidetem Journalismus, nicht vom romanhaft aufgemutztem »Tatsachenbericht«, vom illustrierten »Griff in die Gegenwart«, vom offiziell subventionierten Tatarenmärchen. Die Tatsache, daß es zwei Deutschland gibt, ist bisher nur in einem einzigen Buch unserer Literatur, dem *Steinernen Herzen* von Arno Schmidt, und auch dort nur am Rande, in Erscheinung getreten.

Der Tischler Cresspahl lebt in einer Kleinstadt an der Ostseeküste der sogenannten »sogenannten DDR«. Seine Tochter Gesine ist nach Westdeutschland gegangen; dort ist sie als Sekretärin für die Nato tätig. Zwei ihrer Freunde sind geblieben: Dr. Jonas Blach, Assistent an einem Institut der Universität Ost-Berlin, und Jakob Abs, der im Stellwerk eines großen Bahnhofs an der Elbe arbeitet. Fünfte Hauptfigur: ein gewisser Herr Rohlfs vom Staatssicherheitsdienst, der Gesine für Abwehrdienste gewinnen will und sich zu diesem Zweck an Jakob, Jakobs Mutter, den Tischler Cresspahl und Dr. Blach, den Assistenten, macht. Zeit der Handlung: 1956, im Oktober und November von Budapest. Schwierige Gespräche und Entscheidungen. Jakobs Mutter ist die erste, die über die Grenze wechselt; Gesine überschreitet sie zweimal; auch Jakob, in umgekehrter Richtung, benutzt zweimal den Interzonenzug, für den er sonst nur die Fahrstraße freimacht – ehe er an einem Morgen im November auf dem Bahngelände einem Unfall zum Opfer fällt, von dem nicht feststeht, ob er ein Unfall ist.

Schon dieses Ende im Undurchsichtigen und Mehrdeutigen zeigt, daß das Buch kein Thesenroman sein kann. Es wird darin nichts festgenagelt und zugekeilt. Viel, nicht nur Jakobs Ende, bleibt zu erraten. Ereignisse, Dinge, Personen, wie sie darin zum Vorschein kommen, neigen dazu, sich zu entziehen. Mit manieristischem Dunkel oder modischer Obskurität hat dies alles nichts zu tun. Im Gegenteil: das Einzelne wird immer wieder hell angeleuchtet und scharf vernommen; Gesichtszüge, Handreichungen, Wortfetzen, Gegenstände erscheinen zuweilen beinah grell, so deutlich. Nur das Ganze, auf das es ankommt, bleibt unkenntlich. Dies ist ein Schlüsselwort des ganzen Buches; es kehrt auch als »undeutlich«, als »undurchsichtig« wieder. So sagt sich einer, der Tischler Cresspahl: »Die Dinge sollten klar sein und handlich. Ja, das möchtest du wohl.« Sie sind es nicht. Deshalb fällt Verständigung schwer; die zwischen den beiden Deutschland ist nur ein Sonderfall, ein Beispiel. Fast, als verstünde einer schlecht, der allzurasch mit dem Verstehen zur Hand wäre. So deckt sich auch das Bild, das Johnson von dem andern Deutschland gibt, weder mit der bösen Erinnerung der Geflohenen noch mit dem hoffährtigen Rückblick des Touristen. Jenes »Versteh nicht allzu früh!«, das er dem Leser mit jedem Satz zuflüstert, richtet der Autor freilich auch als Mahnung an sich selbst. Die ungeheure Entfernung, die er zwischen sich und seine Figuren legt, der Mangel an Einverständnis, die Kühle, die zwischen Helden und Autor herrschen, zeugen von seiner Konsequenz. Der Schriftsteller und sein Geschöpf blinzeln sich nicht länger zu; sie sind einander entfremdet in einer entfremdeten Welt.

Ihre »Unkenntlichkeit« bestimmt nicht nur die Haltung, sondern auch die Schreibweise dieses Buches. Das beginnt bei der Interpunktion und reicht bis ins Baugesetz des ganzen Werks. Johnsons Prosa ist wie gegen den Strich geschrieben. Sie ist voller Widerstände und Abkürzungen. Was immer der Leser dazuerraten kann, wird einfach ausgelassen. Die sparsame, fast asketische Zeichensetzung fordert den Leser auf, an den Sätzen mitzubauen.

Scheinbar Nichtssagendes wird festgehalten: Feierabendgerede (»Na, was werden sie ihm schon gesagt haben«), Nebenwörter, die sich selbständig machen (»Nämlich so«). Sprünge der Perspektive, der Erzählhaltung von Satz zu Satz; unvermittelt: auch sie eine Herausforderung an die Intelligenz des Lesers. Der Begriff einer »dialektischen Literatur« bietet sich an. Wie Brechts Dramaturgie den Zuschauer, so erlöst Johnsons Erzählweise den Leser aus seiner genießerischen Passivität. Da wird der Protest einer kulinarischen Kritik nicht ausbleiben. Ein dummer Lektor hätte ihn abfangen und das Buch leicht auf den doppelten Umfang bringen können. Er hätte nur die entbehrlichen Glieder, das unsichtbar Mitgedachte, auszuschreiben brauchen, um dem Text zu einer Eigenschaft zu verhelfen, die er sich verbittet: Glätte. Anderes, was des Verschweigens nicht bedarf, was gleichsam kenntlich geblieben oder geworden ist in der unkenntlichen Welt, beschreibt Johnson mit desto verbissenerer Genauigkeit: technische Abläufe, das Äußere und der Präzision Zugängliche der Arbeitswelt. Hier scheut er sich nicht, Adjektiva zu häufen, ihrer drei, vier vor das Hauptwort zu hängen, als könnte sich so der Verzicht schadlos halten, der dem Ganzen gegenüber geboten ist.

Dies alles sind Kennzeichen einer Schreibweise, die in unserer Literatur einzigartig und fremd ist. Fremd daran ist – diese Vermutung liegt nah – für uns die Landschaft geworden, zu der Johnsons Sprache gehört. Der Dialekt, den er stellenweise als Kunstmittel nützt, wird bei uns nicht mehr gehört und ist schwer zu entziffern. Von jenem norddeutschen Flachland- und Küstenton hat unsre heutige Literatur kaum eine Erinnerung (bei Jahnn, zuweilen bei Nossack und Schmidt) bewahrt. Er ist freilich sehr deutsch, provinziell im besten Sinn, ohne Überschwang und Schwärmerei und Süße, durchaus protestantisch, karg, bis zum Humorlosen streng und ernst, ja feierlich bis in den biblischen Tonfall, der durch manchen von Uwe Johnsons Sätzen zu vernehmen ist.

Aber hinter der fremden Sprache des Buches stehen auch Erfahrungen, die uns fremdgeworden, fremdgeblieben sind. Der gesellschaftliche und politische Zustand, in dem sich seine Figuren bewegen, verlangt von ihnen ständig Anstrengungen, die wir nicht kennen. Mit jedem Wort und jeder Geste liegt gleichsam schon immer alles auf der Waage. Daher, einerseits, das Gedeckte, Mehrdeutige, Undurchsichtige ihrer Gespräche; andererseits das hochtrainierte Unterscheidungsvermögen, die wache moralische Empfindlichkeit, das antennenhafte Senden und Aufnehmen winziger Untertöne. Jakob und seine Brüder leben im Stand einer fortwährenden Prüfung. Wer sich an diesem Buch ihre Situation vergegenwärtigt, wird zu dem Schluß kommen, daß wir uns die Rede von der Freiheit vielleicht zu leicht machen. Wer alles sagen, aber nichts ändern kann, büßt an Undurchsichtigkeit ein. Jakob und die Seinen scheinen eine andre Freiheit zu gewinnen, die im Verschweigen liegt. Das Rätsel der Person ist darin aufbewahrt. Auf diese Wahrheit zielt Johnsons Prosa und trifft sie, dort, wo sie sich nicht von Stilisierung, ihrer innewohnenden Gefahr, ablenken läßt. Diese Gefahr läßt sich namhaft machen als das Echo eines andern Schriftstellers von der Ostseeküste. Er »erwies Zuverlaß zur Gänze«; »an diesem unaufhaltsamen selbstwilligen Ablauf der Zeit kann einer leicht bescholten werden«; in solchen Sätzen spukt mit karger Grübelei, schwerfälligem Eigensinn und vertracktem Pathos Ernst Barlachs *Gestohlener Mond.*

Die Frage, welche Stellung der Roman bezieht, läßt keine ideologische Antwort zu. Auskunft verspricht allein seine Ästhetik. Sie ist neuartig. Johnson hat die epischen Kunstmittel der westlichen Literatur vollständig resorbiert, bedient sich meisterhaft des innern Monologs, der Montage, des Wechsels von Erzähl-Ebene und Perspektive, des Inventurstils, den der nouveau roman in Frankreich entwickelt hat; er kennt seinen Joyce, seinen Döblin, seinen Faulkner, ja auch Koeppen und Schmidt, und ist insoweit ohne Zweifel dem zuzurechnen, was Lukács (schlampig) Avantgardismus nennt. Hat er sie wirklich gelesen? Das fragt man sich. Denn jene Mittel wirken hier so frisch, sie sind so eigenständig eingesetzt, als wären sie neu und eigens aus der Notwendigkeit der Erzählung heraus erfunden. Aber bei diesen Mitteln hat es sein Bewenden nicht. Auch im andern Teil Deutschlands gibt es bekanntlich eine Ästhetik, die an der Tagesordnung ist, ungeachtet, daß wir uns über sie ohne viel Federlesens lustigmachen. Nicht so Johnson, der den (schlampig) so genannten sozialen Realismus genau in dem Maß nutzt, wie er's verdient.

Der Held seines Buches ist ein Arbeiter, über dessen Handlungen eine innere Beziehung zu dem, was er tut, entscheidet. Ein Fall, der in unsrer Literatur undenkbar geworden ist. Jakob ist »Streckendispatcher« und diese höchst verwickelte Funktion im Betrieb eines Rangierbahnhofs wird in dem Roman auf das genaueste und fesselndste dargestellt. Ebenso ernst wird die Arbeitswelt des Tischlers, die des wissenschaftlichen Assistenten genommen. Das Drittel der Lebenszeit, das im Beruf des Menschen aufgeht, wird hier nicht achselzuckend abgetan und zur Seite geschoben, um Platz fürs allein erzählenswerte Private zu schaffen. Selbst das fragwürdige Handwerk des Mannes vom Sicherheitsdienst wird genau und gerecht dargestellt. Dieser Herr Rohlfs ist nicht die Bestie im Ledermantel, die man aus so vielen Filmen kennt, auch er hat seine Veranlassungen und Mutmaßungen. So ist dies Buch von allem Klischee entfernt. Es ist gerecht. Das ist nicht allein eine moralische, es ist zugleich eine ästhetische Qualität. Die Meisterschaft, die dieser Fünfundzwanzigjährige mit seinem ersten Buch an den Tag legt, hat nichts vom beängstigend Geschickten jener literarischen Wunderkinder, denen der Kompromiß schon auf die Stirn geschrieben ist. Noch die Schönheit dieses Buches ist unversöhnlich.

Solche Unversöhnlichkeit ist die Bedingung jeder wahren Versöhnung zwischen den deutschen Literaturen. Johnson hat die künstlerische Chance wahrgenommen, die in unserem Unglück liegt, und mit seinem Buch, was er zeigt, auch schon, und sei es nur mutmaßend, überwunden: die deutsche Entfremdung.

Eberhard Fahlke
Chronologie eines Plots[1]

1928
wird Jakob Abs in Pommern geboren, folgt man allein der Aussage
des Erzählers: »In diesem Herbst (1956, E. F.) war Jakob achtund-
zwanzig Jahre alt.« (*Mutmassungen über Jakob*, im folgenden
›MüJ‹; Erzähler S. 20).

1931 ergäbe sich aber als Geburtsjahr von Jakob Abs, versuchte
man die Aussage des Erzählers – »(...): aber als er achtzehn Jahre
alt war, fing er an als Rangierer auf dem Bahnhof von Jerichow.«
(›MüJ‹; Erzähler S. 16) – mit der durch Wiederholung bestärkten
Aussage des Lokomotivführers Jöche, eines guten Freundes von
Jakob, in Einklang zu bringen:
»Und er war (1956, E. F.) sieben Jahre bei der Eisenbahn will ich
dir sagen (...)« (›MüJ‹; Dialog Jonas – Jöche S. 7).
»Jakob war sieben Jahre bei der Eisenbahn will ich dir sagen.«
(›MüJ‹; Dialog Jonas – Jöche S. 7)[2]
Der Erzähler übernimmt später explizit die Aussage, daß Jakob
Abs 1956 vor sieben Jahren als Rangierer zur Deutschen Reichs-
bahn gekommen war. (›MüJ‹; Erzähler S. 24).

1933
wird Gesine Cresspahl geboren. Die Angabe findet sich im ersten
Monolog des Hauptmanns Rohlfs, der als Offizier des Staatssicherheitsdienstes der DDR für die unter sowjetischem Kommando
stehende Militärische Spionage-Abwehr arbeitet. Er erinnert sich
an diese Angabe aufgrund seines sorgfältigen Aktenstudiums
(›MüJ‹; Monolog Rohlfs S. 10).

1942
Rohlfs wird im Winter als Überläufer der Deutschen Wehrmacht an
der Ostfront von einem deutschen Soldaten (»Wenn ich den treffe,
dann spiele ich Fehlerdiskussion mit ihm«) angeschossen und erlei-
det Verwundungen am Bein und an der Hand, bevor er in den
Stellungen der Sowjetarmee untertauchen kann. »Ich habe einen
Knick im Lebenslauf.« (›MüJ‹; Monolog Rohlfs S. 126/127)

April 1945
Mit einem Flüchtlingstreck kommen zwei Familien mit zwei Plan-

wagen von Pommern nach Mecklenburg. Sie finden Unterkommen im Hause des Intarsien-Tischlers Heinrich Cresspahl in Jerichow; unter ihnen sind Frau Abs und Jakob. Der Intarsien-Tischler räumt ihnen den größeren Teil seines Hauses frei. »Lisbeth Cresspahl (seine Ehefrau, E. F.) war 1938 gestorben, ihre Tochter (Gesine, E. F.) war in diesem April zwölf Jahre alt.« (›MüJ‹; Erzähler S. 16)

8. Mai 1945
Kapitulation der deutschen Wehrmacht; Ende des Zweiten Weltkrieges. »(...) Frau Abs aber, die nur mit ihrem Sohn gekommen war auf dem anderen Wagen, hatte hier nun warten wollen wegen ihres Mannes und wegen der Erlaubnis zur Rückkehr ins Pommernland, das war abgebrannt: sangen die Kinder in Jerichow zu jedem Mai, in diesem Mai konnten sie sich etwas darunter vorstellen und erahnten die Grösse der Welt.« (›MüJ‹ Erzähler S. 16)
In diesem Hinweis, daß die ›Realität‹ des Kinderlieds für Kinder (be)greifbar geworden ist, ist die ganze Hilflosigkeit ausgedrückt, das Ausmaß an Zerstörung nach diesem Krieg zu beschreiben. Es ist ein ›Rundgesang‹, auf den hier angespielt wird; der Text dieses Kinderlieds lautet:

> Maikäfer flieg!
> Dein Vater ist im Krieg,
> dein' Mutter ist in Pommerland.
> Pommerland ist abgebrannt.
> Maikäfer flieg (...)[3]

August 1945
»Nach der Veröffentlichung des Vertrags von Potsdam« (die Dreimächte-Konferenz in Berlin-Potsdam – Truman als Vertreter der USA, Stalin als Vertreter der UdSSR und Churchill, nach dessen Wahlniederlage Attlee, als Vertreter Groß-Britanniens – fand vom 17. Juli bis 2. August 1945 statt; E. F.) war von den beiden Familien aus Pommern eine weitergezogen (›MüJ‹; Erzähler S. 16).

1946
Frau Abs verkauft Pferd und Wagen, mit denen sie und Jakob gemeinsam nach Jerichow gekommen waren und wird Köchin im Krankenhaus von Jerichow. »Sie war auch Köchin in Pommern gewesen, aber auf einem Rittergut.« (›MüJ‹; Erzähler S. 16)

1948
Gesine Cresspahl wird in die Oberschule von Jerichow aufgenommen (›MüJ‹; Erzähler S. 16).

1949

Jakob, achtzehn Jahre alt geworden, beginnt mit seiner Arbeit als Rangierer bei der Deutschen Reichsbahn auf dem Bahnhof von Jerichow (›MüJ‹; Erzähler S. 16). Er steigt bis 1956 zum Streckendispatcher im Range eines Inspektors bei der Eisenbahn auf.

7. Oktober 1949

Gründungstag der DDR. Bezugsdatum der Zeitrechnung im Roman.

Im Frühjahr 1953

»(...) im Frühling des vierten Jahres der Deutschen Demokratischen Republik (...)« verläßt Gesine Cresspahl die DDR und siedelt sich in der Bundesrepublik an (›MüJ‹ Erzähler S. 15). In Leipzig hatte sie noch ein Anglistik-Studium begonnen, besuchte nach ihrer Übersiedlung in Frankfurt/Main eine Dolmetscherschule und arbeitete seit Anfang 1956 beim Hauptquartier der NATO als Sekretärin (›MüJ‹; Monolog Rohlfs S. 10).

In einem Sommer zwischen 1953 und 1956

hat der alte Cresspahl während eines Besuchs seiner Tochter in Ost-Berlin deren Bekannten Jonas Blach kennengelernt; danach sind sie mit der U-Bahn in ihr Hotel in den Westen der Stadt gefahren (›MüJ‹; Erzähler S. 111).

Im Frühjahr 1956

Dr. Jonas Blach, Assistent am Englischen Seminar der Humboldt-Universität, Berlin, verbringt einige Urlaubstage mit Gesine in Italien (Taormina, Sizilien).

Gesine fährt im Herbst noch einmal dorthin für zwei Tage. »Er (Jonas, E. F.) erinnerte sich an die Woche, die er im Frühjahr verbracht hatte mit ihr in der selben Gegend. Er begriff: sie hatte im Herbst nachsehen wollen, ob die Woche ausgehalten habe. Es war nicht zu verlangen.« (›MüJ‹; Erzähler S. 210)

14.-25. Februar 1956

XX. Parteitag der KPdSU in Moskau. Am 25. Februar verliest Chruschtschow auf einer nicht-öffentlichen Sitzung ein 43 Seiten langes Manuskript ›Der Personenkult und seine Folgen‹, das im Ausland als das Geheimreferat Chruschtschows bekannt geworden ist (›MüJ‹; Erzähler S. 121).

4. Juni 1956

Vom Außenministerium der Vereinigten Staaten wird eine (wie sich später herausstellen wird, in über 30 Punkten redigierte) Fassung der Geheimrede veröffentlicht (vgl. ›MüJ‹; Monolog Rohlfs S.128).

»(...) das war im Frühjahr, wir kamen gerade aus dem Urlaub zurück, an diesem Morgen hatte Gesine wieder angefangen, ihre täglichen zweieinhalb Pfund Zeitung zu kaufen, bis München haben wir nur gelesen durch die italienische und die österreichische und die westdeutsche Zollkontrolle hindurch: Geheimrede des Ersten Vorsitzenden der Kommunistischen Partei der Sowjetunion, nicht wahr, und für mich war es ja nun überhaupt nicht Kriegslärm in der Türkei. (...) Der XX. Kongress hatte stattgefunden, aber die Rede war nicht abgedruckt, sie kam auch nicht später, und allmählich wurde klar dass sie für uns nicht gelten sollte.« (›MüJ‹; Direkte Rede von Jonas Blach im Erzähler-Teil S. 124/125)

Oktober 1956
›*Jakobs Oktober*‹ (›MüJ‹; Erzähler S. 19)
»In diesem Herbst verstrickten der Mangel an Kohle und der schadhafte Zustand vieler Betriebseinrichtungen den Fahrdienst ungleich verspätet in das Netz aus Planzeiten und Fahrstrecken, und oben in dem mächtigen Turm sassen die Dispatcher mürrisch und überreizt vor den Lautsprechern, denn am Ende waren alle Strecken verfilzt und verknotet mit wartenden überfälligen Zügen, so dass kein Stück des Fahrplans mehr zum anderen stimmte und jede Schicht so verworren aufhörte wie sie begonnen hatte. Überdies war jede Entscheidung eine Frage des staatlichen Gewissens, keine Antwort ergab ein Gleichgewicht, jede machte mit Notwendigkeit den schuldig, der sich hierauf hatte einlassen müssen von Berufs wegen. Jakob indessen hielt sich ziemlich lange in seiner Geduld.« (›MüJ‹; Erzähler S. 22/23)

(Um den) 7. Oktober 1956,
also sieben Jahre nach der Gründung der DDR, übernimmt Rohlfs, Hauptmann im Staatssicherheitsdienst der DDR den ›Einzelgänger-Auftrag‹ ›Die Taube auf dem Dach‹, d. h. Gesine Cresspahl für Spionagetätigkeiten zu gewinnen, unter dem Kommando des Sowjetischen Offiziers Lagin bei der Militärischen Spionage-Abwehr (›MüJ‹ Monolog Rohlfs S. 11).

Er und Hänschen, sein Chauffeur und engster Mitarbeiter, fahren während der ganzen Nacht weg von Berlin nach Jerichow, einer kleinen Stadt an der Ostsee, zu den ›Hundefängern‹, so bezeichnet Rohlfs die ›gewöhnlichen‹ Mitarbeiter beim Staatssicherheitsdienst (›MüJ‹ Monolog Rohlfs S. 11).

8. Oktober 1956

Rohlfs nimmt (gemeinsam mit Hänschen) seine Nachforschungen in Jerichow auf und trifft zum ersten Mal auf den alten Cresspahl in der Post von Jerichow, als er sich anstellt, um Briefmarken zu kaufen. Alle, mit denen Rohlfs während der ersten Tage seines Aufenthalts in Jerichow spricht, finden, daß Jerichow eine schöne Stadt sei. »Besonders der Vorsteher des Postamtes, ein halsstarr rechtlich Denkender, Beamter, Wertzeichen werden verkauft ohne Ansehen der Person, Briefe werden gestempelt und ohne Verzug befördert, als ob ich nicht den Zusteller hätte die Postkarten lesen sehen, und das Postgeheimnis ist ein Menschenrecht. Was aber ist die Unterschrift eines Staatssekretärs, siehst du. Gegen die Obrigkeit muß man loyal sein, der ist auch gegen die Faschisten loyal gewesen, selbstverständlich, Herr Mesewinkel.« (›MüJ‹; Monolog Rohlfs, der sich auch Mesewinkel nennt, S. 12)

Donnerstag – 11. Oktober 1956

Israelisch-jordanisches Grenzgefecht auf einer Frontbreite von 16 Kilometern (›MüJ‹; Erzähler S. 36)[4]

Ab Mitte Oktober 1956

Unter Leitung von Rohlfs wird Jakob durch Mitarbeiter des Staatssicherheitsdienstes beschattet. »(...) der Einblick erlernte geduldig die Geschäfte und Bewegungen Jakobs in der Stadt, und nicht eigennützig war die Beachtung, die ihm nachzugehen begann seit der Mitte des Oktober (...) und seinen Leumund seinen Lebenswandel in Erfahrung zu bringen suchte. Der Einblick war bedenkenlos und ergriff jede Einzelheit nur um sie zu wissen (...)« (›MüJ‹; Erzähler S. 28)

Mittwoch – 17. Oktober 1956

Nach einem Gespräch ›eines Abends in Jakobs Oktober‹ mit Herrn Rohlfs ›über den Sozialismus und über die Kriegslust der abendländischen Kapitalisten‹ und über die Familie Cresspahl und deren einzige Tochter, entschließt sich Frau Abs voller Angst, in die Bundesrepublik zu fliehen. Der alte Cresspahl bringt ihr die Koffer zum Bahnhof. »Se is Mittwochmeddach füet. Ick hew ehr in'n Toch sett. Se hettn Finsteplats hatt. Ick weit't nich.« (So erinnert Jonas den Bericht des alten Cresspahl, den er für Jakob gibt; vgl. ›MüJ‹; Monolog Jonas S. 78).

Zwischen 17.03 Uhr und 17.12 hat sie nachmittags vom Umsteigebahnhof noch versucht, Jakob in seiner Dienststelle telephonisch zu erreichen.

Abends: Cresspahls Laune an diesem Abend war bitter. »Immerhin stand nun sein Haus leer, die Voraussicht neuer Nachbarschaft war ihm unbehaglich und so waren die Zeiten (für Cresspahl waren es ›die Sseitn‹)...« (›MüJ‹; Erzähler S. 35)
Mittwoch – 17. Oktober 1956
Spät am Abend telephoniert Cresspahl aus dem Wohnzimmer hinter der Gaststube (im ›Krug‹ von Peter Wulf) mit seiner Tochter. Die Vermittlung des Gesprächs dauert wegen eines »plötzlichen Schadens im Tonbandgerät« (des Staatssicherheitsdienstes) über eine halbe Stunde. Der alte Cresspahl kündigt seiner Tochter den Besuch einer alten Frau (gemeint ist Jakobs Mutter) an (›MüJ‹; Erzähler S. 35-38).
Donnerstag – 18. Oktober 1956
Abends findet die erste Unterredung zwischen Rohlfs und Jakob in der Elbestadt statt. Rohlfs hatte Jakob von der Straße weg einfach im Dienstwagen des Staatssicherheitsdienstes mitnehmen lassen.
»Und nachdem Herr Rohlfs zu Ende geredet hatte mit seinem ehrlichen Benehmen von Neugier Bedenken Unwissenheit über Treu und Glauben: *die Schweigeverabredung* (Hervorhebung, E. F.) bedeute nichts Böses und sei gerichtet gegen niemand, jeder solle Bescheid haben, den es angehe (darauf waren sie an diesem Abend noch nicht gekommen), denn man müsse das Richtige sagen zur richtigen Zeit –, unterschrieb Jakob langsam und genau mit seinem Namen, dass er schweigen wolle zu jedermann über diese seine zeitweilige Abwesenheit vom Dasein des Alltags; nächstens wollte Herr Rohlfs auf Jakob am Dienstagabend warten als ein Herr Rohlfs in der Gaststätte des Elbehotels, heute war Donnerstag, (...)« (›MüJ‹; Erzähler S. 57) Neben der ›Schweigeverabredung‹, also die Übereinkunft zwischen Rohlfs und Jakob, sich am kommenden Dienstag wieder zu treffen (vgl. ›MüJ‹ Erzähler S. 145).
Dr. Jonas Blach hält donnerstags von 14-16 Uhr sein Proseminar zur Hauptvorlesung ›Literatur im Elisabethanischen Zeitalter‹ des Professors und Institutsdirektors (vgl. ›MüJ‹ Erzähler S. 103). Gegen siebzehn Uhr Anruf von Herrn Bessiger, Verlagslektor (vgl. ›MüJ‹; Erzähler S. 112); aber weder Jonas noch sein Chef sind im Institut zu erreichen. Sie sind mit dem Auto unterwegs zu einer Versammlung von oppositionellen Intellektuellen (vgl. ›MüJ‹) (›direkte Rede‹ von Jonas Blach im Erzähler-Teil S. 115-117

und 123/124). Auf dem Weg zum vereinbarten Treffpunkt beobachtet Jonas einen Aufmarsch von ›Kampfgruppen‹ (›MüJ‹; Monolog Jonas S. 114/115).

Freitag – 19. Oktober 1956

Vormittags treffen sich Jakob und Jöche in einer Gastwirtschaft der Elbestadt. Die altgewohnte Vertraulichkeit in ihrem Gespräch kann sich wegen der ›Schweigeverabredung‹ nicht mehr einstellen (›MüJ‹; Erzähler S. 61; zum Datum vgl. Dialog Jonas – Jöche S. 71).

Mittags telephoniert Jakob von einer Telephonzelle am Marktplatz aus mit Peter Zahn, seinem Schichtleiter beim Reichsbahnamt, und bittet um zwei Tage Ruhe. Jakob erhält, ohne viel erklären zu müssen, die gewünschte Ruhe (vgl. ›MüJ‹; Erzähler S. 66/67), weil Rohlfs bereits beim Schichtleiter interveniert hatte. Auch hier erweist sich die gewohnte Vertraulichkeit im Umgang miteinander als gestört, weil Jakob etwas mit der ›Staatssicherheit‹ zu tun hat.

Nachmittags fährt Jakob mit dem Zug nach Jerichow (›MüJ‹; Erzähler S. 69).

Auch Jonas fährt am Freitag mit dem Zug von Berlin aus nach Jerichow. Für ein paar Tage hat er von seinem Chef Urlaub erhalten, um in Ruhe und Abgeschiedenheit aus dem Manuskript seines Beitrags auf der Versammlung der oppositionellen Intellektuellen einen Aufsatz zu fertigen, der in einer philosophischen Zeitschrift veröffentlicht werden soll (Vgl. ›MüJ‹ Dialog Jonas – Jöche S. 72; Monolog Jonas S. 83; Erzähler S. 174/175).

Jakob und Jonas begegnen einander zum ersten Mal im Zug, ohne sich zu kennen. Jonas findet sich sogleich »vollständig von Aufmerksamkeit ergriffen« (›MüJ‹; Monolog Jonas S. 74).

Die Ankunft beider wird von Rohlfs am Bahnhof von Jerichow überwacht; dort werden sie von Cresspahl bereits erwartet und abgeholt. Cresspahl stellt sie einander vor. (Der entsprechende Dialog wird von Rohlfs in seinem Monologteil erinnert; vgl. ›MüJ‹ S. 76/77).

Abends versorgt der alte Cresspahl in seinem Haus Jakob und Jonas mit zwei unterschiedlichen Stücken Fleisch, Schnitzel und Karbonade, Jakob darf sich seines zuerst aussuchen, weil Jonas erst spät seine Ankunft telegraphisch angekündigt habe. Cresspahl berichtet über die Abreise von Jakobs Mutter (›MüJ‹; Monolog Jonas S. 78/79).

Hänschen erhält von Rohlfs den Auftrag, am Abend im ›Krug‹, der Dorf-Gaststätte von Jerichow, etwas über die Bekanntschaften Gesines in Erfahrung zu bringen. (›MüJ‹; Monolog Rohlfs S. 77/78).

Sonnabend – 20. Oktober 1956
Morgens erhält Rohlfs von Hänschen Bericht über seine Erfahrungen im ›Krug‹. (Auch auf dieser Ebene wiederholt sich das grundlegende Problem des ›Erzählers‹:) »Geschichten weiss ich ja keine, nur Einzelheiten von ein paar, das kann man schlecht zusammensetzen.« (›MüJ‹; Monolog Rohlfs S. 80)

Vormittags gehen Jakob und Jonas, das Nebeneinandergehen noch nicht gewohnt, durch Jerichow und melden Frau Abs ordnungsgemäß bei der Behörde ab (›MüJ‹; Dialog Jonas – Jöche S. 84/85; Erzähler S. 88).

»– weggefahren war; wenn es ein Wunder war bei unserem freundlichen innenpolitischen Klima so doch nicht das einzige. (…)« (Jonas im Gespräch mit Jöche; vgl. ›MüJ‹ S. 86)

Nachmittags sind in Cresspahls Haus Nachfragen von Behördenvertretern im Zusammenhang mit der Flucht von Frau Abs zu erledigen sowie Verabredungen, die Frau Abs noch vor ihrer Abreise bezüglich ihres Nachlasses eingegangen war, mit Bekannten einzulösen (›MüJ‹; Dialog Jonas – Jöche S. 86 ff.; Erzähler S. 88).

Abends im Hause Cresspahls: auf Jakobs Frage, welchen Beruf Jonas eigentlich habe, werden (vom Erzähler; vgl. ›MüJ‹; S. 98 ff.) mit spöttelnder Ironie der Universitäts-Alltag des Assistenten und sein Fach, die Englische Philologie, beschrieben. Auch seine Teilnahme an der ›wissenschaftlichen Versammlung‹ (vgl. ›MüJ‹ S. 123 ff.) kommt zur Sprache.

»Alle hatten sie (scil. die Teilnehmer an der Versammlung) etwas geleistet mit ihren Dichtungen und wissenschaftlichen Lehrbüchern, jahrelang hatten sie nachgegeben und sich kompromittieren lassen, damit sie bekannt wurden in den Zeitungen und mit Nationalpreisen und durch die aktuelle Kamera, damit sie an diesen Abenden zusammenkommen konnten als das geistige Gewissen unseres Staatswesens und reden wie es besser zu machen sei im Interesse eines sogenannten menschlichen Sozialismus.« (›MüJ‹; ›Direkte Rede‹ von Jonas im Erzählerteil; S. 117)

Am Abend zur gleichen Zeit: Rohlfs wird von einem ›Kameradschaftsabend‹ in der sowjetischen Kommandantur (gegenüber von Cresspahls Haus) in die Dienststelle der ›Hundefänger‹ gerufen.

Dort wird er über die Beteiligung von Jonas an der ›wissenschaftlichen Zusammenkunft‹ in Berlin unterrichtet. Er beschließt, den Fall wegen ›Angrenzung‹ zu übernehmen (›MüJ‹; Monolog Rohlfs S. 118/119).

Sonntag – 21. Oktober 1956

Jakob fährt frühmorgens von Jerichow aus zurück in die Elbestadt an seine Arbeitsstelle. Er findet nachmittags in seinem Zimmer eine Nachricht von Sabine, seiner früheren Geliebten, vor und nimmt seine Arbeit noch gleich am Sonntag mit der dritten Schicht wieder auf, weil er sich an den Feiertag erinnert und daran, daß sein Stellvertreter verheiratet ist (›MüJ‹; Erzähler S. 129/130).

Nach dem Mittagessen arbeitet Jonas mit dem alten Cresspahl im Garten; sie sägen aus einem Pflaumenbaum die trockenen Äste heraus. »Unter ihm (scil. Jonas) stand Cresspahl zwischen den Stachelbeerbüschen und redete über den Feiertag, an dem man nicht arbeiten dürfe, aber Jonas war es ganz zufrieden.« (›MüJ‹; Erzähler S. 167)

Am Abend beginnt Jonas an seinem Manuskript zu schreiben. (vgl. ›MüJ‹; Erzähler S. 169). »›Glauben Sie bitte nicht, ich wollte die Welt verändern, indem ich mir Gleichgesinnte anwerbe‹, hatte er gesagt. ›Es ist für mich nur eine Gelegenheit, dass ich meins auch mal sage‹, und das hiess schließlich doch, dass er an der Welt teilnehmen wollte. Nun hatte er eine gewissenlose Weise im Umgang mit Worten. Sie gingen ihm leicht und ohne Zögern vom Munde, so dass Cresspahl manchmal einen Anschein von Zauberei wahrnahm: als bringe jemand ohne Aufhören immer neue boshafte Zeichnungen von der Welt zustande, und darin sei bei aller Übertreibung und Gedankenverkürzung doch genau gerechnet worden und nichts unterschlagen; die Richtigkeit sah fremd aus.« (›MüJ‹; Erzähler S. 171)

Montag – 22. Oktober 1956

Am Montag übernimmt Jakob verabredungsgemäß die zweite Schicht. Sabine sucht ihn telefonisch zu erreichen, was ihr mißlingt.

Bei der Übergabestelle unter den Fenstern der ›Lokleitung‹ erklärt Jakob dem Lokomotivführer Kasch seine ›Nicht-Überhol-Methode‹, die einen rationelleren Verkehrsablauf auf der Bahnstrecke möglich machen könnte. Später will Jakob auch noch mit den anderen, ihm vertrauten Lokomotivführern über seine Neuerung reden (›MüJ‹; Erzähler S. 130).

Jonas überarbeitet die am Vortag geschriebenen Seiten. »Er achtete auf Schreibfehler und den Bau der Sätze; er fühlte sich nicht imstande, den Inhalt noch einmal zu denken. Das Niedergeschriebene kam ihm vor wie ein mitgebrachter Vorrat, der am Ende der Reise nicht mehr zu gebrauchen war.« (›MüJ‹; Erzähler S. 174)

Mittags geht er mit Cresspahl zum Essen in den Ratskeller von Jerichow.

Dienstag – 23. Oktober 1956

Jakob arbeitet in der zweiten Schicht und erbittet sich während der Dienstbesprechung beim Amtsdispatcher ›nach Abreden mit Oll Peters und Kasch‹ die »Genehmigung überhaupt für den Versuch die Planzeit in einzelnen Verkehrssektionen allgemein zur kürzest möglichen zu verringern« (›MüJ‹; Erzähler S. 138). Jakob erhält Erlaubnis für den Versuch mit dem Hinweis auf seine ›alleinige Verantwortung‹.

Nachmittags trifft Jakob Sabine in seinem möblierten Zimmer. Sie ist von Rohlfs befragt worden, sagt ihm aber nicht worüber; auch Jakob fühlt sich an seine ›Schweigeverabredung‹ mit Rohlfs gebunden. Das einstige Liebesverhältnis wird flüchtig heraufbeschworen, doch Jakob »(...) erinnerte sich nur. Er fühlte sich entfernt.« (›MüJ‹; Erzähler S. 141)

Jonas arbeitet in Jerichow an seinem Manuskript. Er bleibt aber in dem Absatz über ›Materialität und Subjektivität des Bewußtseins‹ stecken. Mittags geht er wieder, diesmal allein, in den Ratskeller zum Essen. Cresspahl hat auswärts zu tun. Jonas bleibt lange allein dort sitzen (vgl. ›MüJ‹; Erzähler S. 180/181).

Gesine, nachmittags überraschend in der Elbestadt angekommen, sucht Jakobs Unterkunft auf. Vor der Tür wartet bereits Sabine, die ihr barsch die Antwort erteilt, Jakob sei nicht zu Hause. Sie fährt zum Bahnhof und vertreibt sich im Restaurant des ›Elbehotels‹ ihre Zeit (›MüJ‹; Monolog Gesine S. 143/144).

Im ›Elbehotel‹ – in diesem Hotel befinden sich einzelne, von der Staatssicherheit beanspruchte Zimmer, in denen die Beamten Verhöre durchzuführen pflegen (›MüJ‹; Erzähler S. 151) – ist für 19.15 Uhr die zweite Verabredung zwischen Rohlfs und Jakob vereinbart. Beiden fällt unten in der Hotelhalle die Anwesenheit Gesines auf. Jakob leugnet, daß er Gesine gesehen habe, drängt aber darauf, die Unterredung schnell und zügig abzuwickeln. Sie verabreden sich erneut für den kommenden Donnerstag (›MüJ‹; Erzähler S. 156).

Gemeinsam mit Gesine fährt Jakob noch in der Nacht nach Jerichow zunächst mit einem Taxi – der Taxifahrer nennt auf Nachfragen von Herrn Rohlfs einen um 15 Mark geringeren Fahrpreis (vgl. ›MüJ‹; Erzähler S. 158), als er tatsächlich, wie Gesine erinnert, den beiden abverlangt hat (›MüJ‹; Monolog Gesine S. 163) –, dann weiter mit der Eisenbahn; das letzte Stück des Weges laufen sie beide quer durch den Wald.

Während ihrer Fahrt nach Jerichow werden sie von Rohlfs und Hänschen beschattet (vgl. ›MüJ‹; Monolog Rohlfs S. 160). In dieser Nacht hören sie die ersten Nachrichten vom Aufstand in Ungarn (›MüJ‹; Monolog Rohlfs S. 160; Dialog Gesine – Jonas S. 162).

Ungarn: Demonstration der Studenten in Budapest. Die Demonstranten fordern Reformen, Demokratisierung des Staatslebens und die Rückkehr Imre Nagys ins öffentliche Leben. Die AVH (Államvédelmi Hatéság, das ist die Bezeichnung für den Staatssicherheitsdienst) eröffnet das Feuer auf die Studenten vor dem Rundfunkhaus. Die Demonstration wird zum Aufstand. Es kommt zu Straßenkämpfen (vgl. Peter Gosztony (Hg.), *Der Ungarische Volksaufstand in Augenzeugenberichten,* Düsseldorf 1966).

Mittwoch – 24. Oktober 1956
Mehr als zwei Stunden nach Mitternacht kommen Gesine und Jakob in Jerichow an (vgl. Monolog Jonas S. 190). Bei der Begrüßung in der Küche von Cresspahls Haus erfahren sie von Jonas die Nachricht, daß in Budapest ein Aufstand ausgebrochen sei (›MüJ‹; Erzähler S. 195).

Rohlfs, gleichfalls (überraschend) frühmorgens bei den ›Hundefängern‹ in Jerichow angekommen, trifft auf übernächtigte und angetrunkene Staatssicherheitsdiener, die ausländische Sender auf Nachrichten aus Ungarn abgehört haben. Das Gefühl der Angst beherrscht die Szene (›MüJ‹; Monolog Rohlfs S. 195/196).

Eingeblendet in die Wiederbegegnung zwischen Gesine und Jonas ist ein Monolog, in dem sich Gesine an das erste Zusammentreffen mit Jonas erinnert. (›MüJ‹; Monolog Gesine S. 198/199)

Jonas hat bis spät in die Nacht hinein noch an seinem Manuskript geschrieben. Jakob macht Feuer in der Küche. Gesine spricht mit ihrem Vater über die Gründe der übereilten Abreise von Frau Abs aus Jerichow.

Während Gesine ihre nassen Kleider wechselt und einen dicken

Pullover Jakobs überzieht, liegen ihre Sachen verstreut überall im Zimmer herum; darunter eine Pistole und eine Kleinst-Bild-Kamera (Minox). (›MüJ‹; Erzähler S. 200-204).

Jakob verläßt frühmorgens gleich wieder das Haus; Gesine legt sich schlafen.

Jakob kehrt nicht an seine Arbeitsstelle zurück, sondern geht direkt zu Rohlfs und trifft mit ihm die Absprache »in der Atmosphäre des Vertrauens nach dem Prinzip des gegenseitigen Vorteils« (vgl. ›MüJ‹; Monolog Rohlfs S. 206), Gesine unbehelligt in den Westen zurückkehren zu lassen. Gegen fünf Uhr morgens unterstellt Rohlfs seinen Fahrer und Mitarbeiter Hänschen dem Kommando von Jakob.

Morgens beim Aufstehen findet Gesine Jakob schlafend am Küchentisch in Cresspahls Haus; sie schickt ihn bis Mittag ins Bett. Cresspahl besorgt indessen das Frühstück. Während des Frühstücks erzählt Gesine Jonas und ihrem Vater von ihrer zweiten Italienreise (›MüJ‹; Erzähler S. 209/210).

Der alte Cresspahl spricht in seiner Werkstatt lange mit seiner Tochter. »Ik kann min eegn Dochte nich helpn, ik kann nicht föe di upkaomn, dat is nich wägn den Hus. Bloss wo du nu so wit aw büst, stöt'k mi de Näs betn dülle. (...)« (›MüJ‹; Erzähler S. 211) »(...), in all de annin Sackn büssu hie nich mei to Hus, mössi nich wunnin wenn ik mein dat is nich recht as du läws. Jerichow kann di nich helpn'«, und er hoffe eben, sie sei nicht deswegen gekommen (›MüJ‹; Erzähler S. 212).

Am Nachmittag tippt Gesine Jonas' Manuskript ab. Sie gesteht ihm ein, daß sie eigentlich Jakob liebt. »Jonas ich will dir was sagen. Es ist meine Seele, die liebt Jakob.« (›MüJ‹; Monolog Jonas S. 212/213)

Gegen Abend kommt Jakob zu ihnen ins Zimmer und sagt im Vorübergehen, sie könnten jetzt an den Strand gehen, bis es dunkel wird.

Im Telephongespräch zwischen Gesine und Jonas (vgl. ›MüJ‹; Dialog Gesine – Joans S. 216) wird der gemeinsame dreistündige Spaziergang am Strand entlang erinnert. Auf Gesines Bitte (am Telephon), Jonas möge doch zu ihr in den Westen kommen, antwortete Jonas: »Ich weiss nicht warum ich hierbleibe. Ich habe etwas angefangen, vielleicht will ich sehen was daraus wird. Dein Vater würde sagen: man kann nicht vor seinem eigenen Leben davonlaufen.« (›MüJ‹; Dialog Gesine – Jonas S. 216)

Abends, als drei Stunden nach Sonnenuntergang Gesine und Jonas von ihrem Spaziergang zurückkehren, sitzen bereits Rohlfs und Hänschen im Hause des alten Cresspahl. Langes Gespräch zwischen allen Beteiligten über ›Freiheit als Einsicht in die Notwendigkeit‹. Wortführer und Antipoden in dem Gespräch sind Jonas und Rohlfs. (vgl. ›MüJ‹; Dialog Gesine – Jonas S. 219).

Der alte Cresspahl zeigt sich entschlossen, notfalls, wenn Rohlfs seine Zusage nicht einzuhalten gedenkt, Gesine mit ihrer Pistole, die er schußbereit bei sich trägt, zu befreien (›MüJ‹; Erzähler S. 223/224).

Donnerstag – 25. Oktober 1956
Kurz nach Mitternacht wird Gesine – Herr Rohlfs hatte sicheres Geleit und ungehinderte Entscheidung zugesichert – von Jakob, Rohlfs und Hänschen im Dienstwagen des Staatssicherheitsbeamten zu dem verabredeten Treffpunkt auf einem Parkplatz an der Transit-Autobahn gebracht (vgl. ›MüJ‹; Erzähler S. 222). Dort steigt Gesine in ein Fahrzeug der Amerikanischen Militär-Mission (zu identifizieren an dem gelben Nummernschild; vgl. ›MüJ‹; Dialog Gesine – Jonas S. 225) um, mit dem sie wieder sicher in den Westen gelangt.

Während der Autofahrt verabreden Rohlfs und Gesine ein Gespräch am 10. November 1956 in West-Berlin (Vgl. ›MüJ‹; Erzähler S. 227).

Am frühen Morgen fährt Jonas mit dem Zug zurück von Jerichow in die ›Städte Berlin‹ (vgl. ›MüJ‹; S. 227), um sein Seminar (donnerstags von 14-16 Uhr) der Ankündigung gemäß abzuhalten.

Sein Chef, Professor und Institutsleiter, kommt ungewöhnlicherweise ohne die großen Taschen mit Büchern, die man ihm sonst nachtragen muß, ins Institut und spricht längere Zeit mit Blach. Als sie die Sekretärin ins Zimmer bitten, diktieren sie ihr ihre Kündigungsschreiben, weil offenbar ein Schreiben vorliegt, in dem ›man‹ dem Professor vorschreibt, ›Welchen Assistenten er behalten darf und welchen nicht (vgl. ›MüJ‹; Erzähler S. 230/231).

»Die Beurteilung wissenschaftlicher Äußerungen nach dem politischen Nutzwert ist eine durchaus läppische…« (Vgl. S. 231)

Rohlfs, von der Autobahn ›durch die Südvorstadt über die große Brücke‹ zurückgekehrt, sitzt wieder an seinem Schreibtisch vor den Berichtszetteln der letzten Tage (vgl. ›MüJ‹; Erzähler S. 227).

Die Nachricht vom Kündigungsschreiben des Professors und seines Assistenten kommentiert er später lapidar:

»Den Alten werden wir zurückholen, wenn sein Assistent unseren wissenschaftlichen Möglichkeiten über die Grenze ausgewichen ist...« (›MüJ‹; Monolog Rohlfs S. 232)

Zwischen dem 25. und dem 30. Oktober 1956 hat Jonas das Typoskript seines Aufsatzes in der Redaktion der philosophischen Zeitschrift abgeliefert. Es wird für den Druck angenommen mit dem Vorbehalt, daß die politischen Ereignisse der folgenden Tage die Veröffentlichung möglicherweise (eher) verhindern könnten (›MüJ‹; Dialog Rohlfs – Gesine S. 241).

Während dieser Zeit arbeitet Rohlfs an einem Gutachten ›über irgend eine waffentechnische Sache‹ für das Fernsehen (›MüJ‹; Dialog Gesine – Rohlfs S. 234).

Hänschen besorgt für Rohlfs regelmäßig die neuesten Illustrierten aus West-Berlin mit den Nachrichten vom Aufstand (vgl. ›MüJ‹; Dialog Rohlfs – Gesine S. 29).

Dienstag – 30. Oktober 1956 Jonas sucht Jakob im Turm des Stellwerks auf; es ist ein Besuch eines Arbeitslosen beim ›vernünftigen verantwortbaren praktischen Leben‹ (vgl. zum Datum ›MüJ‹; Dialog Gesine – Rohlfs S. 237; zum anderen S. 242). Jonas hatte eigens ein Hotelzimmer im Elbehotel genommen, weil er mit Jakob in Ruhe über die sichere Unterbringung eines Durchschlags seines Typoskripts reden wollte (vgl. Dialog Rohlfs – Gesine; ›MüJ‹ S. 215); spät abends sitzen sie an einem Tisch im Restaurant des Elbehotels zusammen (vgl. ›MüJ‹; Erzähler S. 251–253).

Während seines Besuchs erlebt Jonas – ›das ist ein Dienstgeheimnis‹ (›MüJ‹; Erzähler S. 246) –, wie Jakob energisch interveniert, als der angrenzende Dispatcherbezirk die Abfertigung bevorzugt zu behandelnder Militärtransporte der Sowjetarmee nach Ungarn verschleppt, so daß der erste Zug mit kaum merklicher Verzögerung dann doch die Strecke passieren kann, während der zweite den gesamten zivilen Zugverkehr über eine Stunde lang blockiert, weil er ›irgendwo‹ hängengeblieben ist.

»Jakob sank schweigend rauchend immer mehr vornüber, bis sein Arm plötzlich ausfuhr und auf den Tisch schlug, und Jakob schrie auf: ›Schreib mir den Namen auf von dem Kerl! Der hat eine Meinung über die Russen, hält sie auf, ja glaubt er denn dass wir uns nichts denken dabei! ich weiss auch wohin sie fahren, hält er sie auf. Als ob zehn Minuten was nützen. Mach ihm klar dass seine verdammte Ehrenhaftigkeit uns hier an den Rand bringt, wir können nicht ewig reinen Tisch machen, wir haben hier Züge stehen. Die Leute wollen nach Hause, die haben auch eine Meinung über die Russen, deswegen tun sie doch noch keinem Menschen was‹, zwei Minuten später kamen die Durchsagen aus dem Norden, der Militärzug bewegte sich nach unten, würde in zwanzig Minuten durchfahren, der Name des Ehrenpussels sei nicht rauszukriegen, ›in Ordnung‹ sagte Jakob.« (›MüJ‹; Erzähler S. 247)

Mittwoch – 31. Oktober 1956
Jakob reist ohne Uniform und ohne Dienstausweis, aber aufgrund einer per Fernschreiben aus Berlin von der Staatssicherheit übermittelten Anweisung mit den notwendigen Personalbescheinigungen versehen (und zudem noch mit einem Freifahrschein, obwohl sie für Westreisen gar nicht mehr ausgegeben werden (›MüJ‹; Erzähler S. 260/261), in die Bundesrepublik. Morgens vor der Abfahrt gegen zehn Uhr trifft er sich noch kurz mit Jöche auf dem Bahnsteig vor einem Mitropa-Kiosk (vgl. ›MüJ‹; Erzähler S. 256).

»›Dass man nichts machen kann‹ sagte Jöche erbittert. Jakob fragte nach der Verspätung, die er gestern gehabt hatte. Das hatte Jöche nicht gemeint. ›Ich weiss nicht ob ich sie gefahren hätte‹ sagte er grüblerisch zweiflerisch.« (›MüJ‹; Erzähler S. 258)

Sie sprechen schließlich auch über das Typoskript des Essays von Jonas Blach, das Jöche noch am gleichen Nachmittag in einem größeren Briefumschlag aus Jakobs Zimmer abholt. Er soll es aufbewahren, es dabei aber nicht gerade ins Bücherregal legen und es dem alten Cresspahl oder Jonas aushändigen. Von Jonas aber solle er sich den Personalausweis zeigen lassen, weil er ihn nicht kennt (›MüJ‹; S. 261).

Am Abend – in der Bundesrepublik angekommen – ruft Jakob von seinem Hotelzimmer aus Gesine an. Sie verabreden sich zum Abendessen und reden nahezu ausschließlich über »die durch und durch verluderten Engländer« (›MüJ‹; Monolog Gesine S. 263/264; Dialog Gesine – Rohlfs S. 264).

Suez-Krise
Am 31. Oktober 1956 beginnen britische und französische Truppen mit der Invasion und Bombardierung ägyptischer Städte. (Am 29. Oktober hatten israelische Truppen die ägyptische Grenze überschritten und waren in die Sinai-Halbinsel eingedrungen. Am

30. Oktober hatten England und Frankreich ultimativ gefordert, ihren Truppen Schlüsselpositionen am Suez-Kanal einzuräumen.)
Zwischen dem 31. Oktober und dem 8. November 1956
Während Jakob im Westen weilt – seinen Aufenthalt in der Bundes-republik finanziert er im wesentlichen mit dem nach geltendem DDR-Recht ungesetzlichen Verkauf einer mitgebrachten Klein-bild-Kamera (vgl. ›MüJ‹; Dilaog Rohlfs – Gesine S. 285) –, hält sich Jonas bei Freunden auf, dem Verlagslektor Manfred Bessiger und seiner Frau Lise. Als Gast nimmt er während dieser Zeit auch auf Einladung an der dortigen Universität an einem Seminar über ein Problem seiner Fachwissenschaft teil (vgl. ›MüJ‹; Erzähler S. 265).
Donnerstag – 1. November 1956
Morgens ruft Jakob Gesine, die ganz in der Nähe wohnt, an und lädt sie zu sich zum Frühstück ins Hotel ein (vgl. ›MüJ‹; Dialog Gesine – Rohlfs S. 275).
   Im Gespräch mit den Kellnern äußert der Pförtner des Hotels die Meinung, »man sehe es der Dame nicht an dass sie aus dem Osten komme, aber wenn einer nicht auskommen kann ohne Be-such, die Eltern, und nun noch der, aus dem Osten, dann kann man hier nicht gut leben. Entweder das eine oder das andere, beides geht nicht.« (›MüJ‹; Erzähler S. 276)
Sonnabend/Sonntag – 3./4. November 1956
Jakob und Gesine besuchen gemeinsam Frau Abs in einem Flücht-lingslager. Jakob gibt sich als Angehöriger der amerikanischen Armee aus (die sich routinemäßig im Lager aufhalten und Flücht-linge Befragungen unterziehen) und erhält unbehindert Zutritt ins Innere des Lagers (vgl. ›MüJ‹; Dialog Gesine – Rohlfs S. 280).
Ungarn
Am 3. November führt eine ungarische Regierungsdelegation un-ter Leitung von Verteidigungsminister General Paul Maléter zu-nächst im Parlamentsgebäude Verhandlungen mit einer sowjeti-schen Delegation über den Abzug sowjetischer Truppen aus Ungarn. Abends werden die Verhandlungen im sowjetischen Hauptquartier Tököl weitergeführt. In der Nacht werden die Mit-glieder der ungarischen Delegation von der NKWD verhaftet.
Sonntag – 4. November
Sonntagnachmittag kehren Jakob und Gesine von ihrem Besuch im Flüchtlingslager bei Frau Abs zurück. Unterwegs erfahren sie zur ›üblichen Zeit der Nachrichten‹ aus dem Autoradio, daß der

ungarische Aufstand niedergeschlagen worden sei (>MüJ<; Erzähler S. 293).

Die Stimme des Nachrichtensprechers gibt auch die neuesten Vermutungen über die bevorstehende Landung der britischen und französischen Truppen in Ägypten bekannt (vgl. >MüJ<; Erzähler S. 294).

»Sie werden landen<, sagte sie böse. Jakob sah nicht auf. Er zuckte die Achseln. Gesine hatte angesagt, dass sie dann nicht mehr für das Hauptquartier arbeiten werde.« (Vgl. >MüJ<; Erzähler S. 294)

Ungarn

In den Morgenstunden des 4. November 1956 wendet sich Imre Nagy – er hatte am 3. November eine neue Regierung gebildet, in der auch mehrere Nicht-Kommunisten Ministerposten innehatten – mit einem dramatischen Appell über den Sender Budapest an die Öffentlichkeit, in dem er erklärt, daß >sowjetische Truppen im Morgengrauen zu einem Angriff auf unsere Hauptstadt angesetzt< haben und damit die eindeutige Absicht verfolgen, die >gesetzmäßige demokratische Regierung der Ungarischen Volksrepublik zu stürzen< (vgl. hier: Peter Gosztony (Hg.), *Der Ungarische Volksaufstand in Augenzeugenberichten*, S. 382).

Konzentrierte Angriffe sowjetischer Truppen auf Budapest und andere Zentren des Freiheitskampfes in der ungarischen Provinz erfolgen.

Mit sowjetischer Unterstützung wird von Szolnok aus, einer Stadt in Ost-Ungarn mit einer starken sowjetischen Garnison, die Gegenregierung ausgerufen, die aller Wahrscheinlichkeit nach in Uschgorod in der Karpaten-Ukraine gebildet worden ist. An ihrer Spitze steht János Kádár als Ministerpräsident, der zwischen dem 1. und 4. November nicht aufzufinden war und dem Imre Nagy eine Beteiligung an der Regierung anzubieten versucht hatte. Sein Kabinett besteht ausschließlich aus Mitgliedern der Kommunistischen Partei, zumeist Orthodoxe und Stalinisten. Die Kämpfe in Budapest und im Lande flammen erneut heftig auf. Imre Nagy sucht Asyl in der jugoslawischen Botschaft.

Montag – 5. November 1956

Aus den Spätnachrichten, die Gesine und Jakob gemeinsam in Gesines Wohnung hören, erfahren sie, daß Engländer und Franzosen >zuverlässig< in Ägypten gelandet seien (vgl. >MüJ<; Erzähler S. 293/294).

Jakob und Gesine leben von nun an gemeinsam in ihrer Wohnung, bis Jakob wieder in die DDR zurückkehrt. Während dieser Zeit ist er ihr bei der Arbeit an einem Manuskript für eine Rundfunk-Sendung ›Sprechen Sie Deutsch‹ behilflich, die sich mit Ausdrücken aus dem Bereich der Eisenbahn befaßt und sich vordringlich an englischsprachige Armee-Angehörige in der Bundesrepublik wendet.

Dienstag – 6. November 1956
Noch schlaftrunken erzählt Gesine am Morgen Jakob ihren nächtlichen Traum, in dem sie den ›Ausgang‹ ihrer Wohnung – nicht in Cresspahls Haus, wie sie auf Jakobs Frage versichert, sondern hier in der Bundesrepublik – nicht mehr finden konnte.

Ihre Frage, wo denn er, Jakob, in seinen Gedanken gewesen sei, beantwortet er mit Erinnerungen an das gemeinsame Erleben des ›Drachensteigens auf den Rehbergen‹, damals als Gesine vierzehn Jahre alt gewesen war. Ihre Bitte, Jakob möge doch ›hier‹ bleiben (in der Bundesrepublik), beantwortet er mit der analogen Aufforderung, sie möge doch mit ihm in die DDR kommen (vgl. ›MüJ‹; Erzähler S. 295/296).

Donnerstag – 8. November 1956
In der ›Elbestadt‹ wartet Rohlfs in seinem einstweiligen Dienstzimmer auf Jakobs Rückkehr. Währenddessen ist er mit vorbereitenden Niederschriften zum Auftrag ›Die Taube auf dem Dach‹ beschäftigt (vgl. ›MüJ‹; Erzähler S. 196). Über Fernschreiber erhält er die Nachricht, daß Jonas nicht aufzufinden sei, wahrscheinlich habe er von der polizeilichen Durchsuchung der Redaktionsräume der philosophischen Zeitschrift erfahren.

Gegen Morgen kehrt Jakob mit dem Zug zurück in die ›Elbestadt‹. In seinem möblierten Zimmer zieht er sich wieder die Eisenbahner-Uniform über und geht zum Dienst. Auf dem Wege dorthin wird er auf dem Bahnhofsgelände beim Überqueren der Gleise bei dichtem Nebel in der Absicht, einer entgegenkommenden Lokomotive auszuweichen, überfahren und tödlich verletzt (›MüJ‹; Erzähler S. 299/300).

Am gleichen Morgen reist Jonas mit dem Schnellzug wieder in die Elbestadt. Er will das hinterlegte Manuskript seines Essays von Jakob abholen, nachdem er wahrscheinlich von der polizeilichen Nachforschung in den Räumen der Redaktion der philosophischen Zeitschrift erfahren hatte (vgl. ›MüJ‹; Erzähler S. 297). Doch er trifft Jakob nicht mehr rechtzeitig in seinem Zimmer an.

Nach einem kurzen Aufenthalt im Reichsbahn-Amt fährt er ins Krankenhaus und erfährt dort die Nachricht vom Tod Jakobs. Auf sein Betreiben hin wird der alte Cresspahl vom Krankenhauspersonal telegraphisch benachrichtigt und trifft noch am Nachmittag in der Elbestadt ein.

Auf dem Bahnhof der Elbestadt begegnen sich Cresspahl und Jonas kurz, denn Jonas ist (wegen der Kopie seines Essays) unterwegs zu Jöche nach Jerichow. Sie verabreden sich für den nächsten Morgen (vgl. ›MüJ‹; Erzähler S. 301).

Am Abend sitzen Jonas und Jöche aus Rücksicht auf ›Muschi‹ Altmann, Jöches Frau, die am nächsten Morgen wieder zum Dienst gehen muß, im Wirtshaus von Jerichow – im ›Krug‹ von Peter Wulf – zusammen und reden lange miteinander (vgl. ›MüJ‹; *alle Dialog-Partien des I. und des II. Kapitels*) (vgl. Erzähler S. 301-304).

Jöche verabschiedet sich mit der Aufforderung an Jonas, er möge doch am nächsten Tag Gesine anrufen und ihr Bescheid sagen (vgl. ›MüJ‹; Dialog Jonas – Jöche S. 141); er selbst habe Dienst am nächsten Morgen.

Freitag – 9. November 1956
Am Morgen versucht Jonas mit Gesine zu telefonieren. Ihr Gespräch wird auf Weisung von Rohlfs zwar abgehört, aber nicht auf Tonband mitgeschnitten. Nur seine Verabredung mit Gesine am nächsten Tag dürfe nicht erwähnt werden. An dieser Stelle wird das Gespräch auch getrennt (vgl. ›MüJ‹; Erzähler S. 304-307). Nach dem Telefonat wird Jonas vor dem Postamt von Rohlfs verhaftet. Im Autoradio hören sie die erste Sendung ›Sprechen Sie Deutsch‹, die von Gesine (noch gemeinsam mit Jakob) konzipiert worden ist und auch von ihr gesprochen wird (vgl. ›MüJ‹; *alle Dialog-Partien – Gesine/Jonas – des III. Kapitels*).

Sonnabend – 10. November 1956
Gesine und Rohlfs treffen sich – wie verabredet – in einem Lokal in West-Berlin und sprechen miteinander (vgl. ›MüJ‹; Erzähler S. 305; *alle Dialog-Teile des IV. Kapitels*).

Die *Mutmassungen über Jakob* sind in ihrem formalen Aufbau streng gegliedert. Es kann nicht die Rede davon sein, daß der »Nebel, das Geheimnis, das schlechthin Undurchdringliche der Existenz«[5] von Uwe Johnson zum Formprinzip seines ersten Romans erhoben worden sei. Vier der fünf Kapitel sind durch eine

montierte Folge von Dialog-, Monolog- und Erzählerteilen aufgebaut; allein die vier Abschnitte des abschließenden fünften Kapitels sind anders gestaltet. Das fünfte Kapitel wird einzig vom
Erzähler bestritten, hier beschreibt er näher, wie Umstände, Modus und Zustandekommen der Dialoge aus den ersten vier Kapiteln zu denken sind. In diesem Kapitel werden zur genaueren
Zuordnung der Situationen zu den Gesprächen und zur zweifels-
freien Identifizierung der einzelnen Gesprächspartner jeweils erste dialogische Äußerungen (noch einmal) im Wortlaut zitiert. So
wird der Dialog zwischen Jöche, dem Lokomotivführer, und Dr.
Jonas Blach, ein Dialog, der das erste und das zweite Kapitel des
Romans strukturiert[6], von dem Satz Jöches eingeleitet: »Aber er
ist doch immer über die Gleise gegangen.« (Vgl. ›MüJ‹; Erzähler
S. 304 und Dialog Jöche – Jonas S. 7) Das Gespräch findet am
Abend des 8. November 1956 im Gasthof von Peter Wulf in Jerichow statt, am Abend des Tages – es ist im übrigen ein Jahrestag
der Oktoberrevolution –, an dem Jakob Abs unter die Räder einer
Lokomotive geraten und tödlich verletzt worden ist. Der Dialog
zwischen Jonas Blach und Gesine Cresspahl, der das dritte Kapitel
strukturiert, findet am Morgen des 9. November 1956 als Telefongespräch auf einer Leitung zwischen der DDR und der Bundesrepublik statt. Der einleitende Satz: »Hier ist Cresspahl; wer
spricht. Teilnehmer bitte melden Sie sich. Weisst du es schon.«
(Vgl. ›MüJ‹; Erzähler S. 305 und Dialog Gesine – Jonas S. 142) Ihr
Telefongespräch am 9. November, dem Tag, an dem Jonas Blach
vom Staatssicherheitsdienst (Rohlfs) verhaftet wird, wird von Mitarbeitern des Staatssicherheitsdienstes zwar abgehört, aber auf
Anweisung von Rohlfs nicht auf Tonband mitgeschnitten. Die
Verbindung wird plötzlich unterbrochen, als das Gespräch darauf
abzielt, Rohlfs Verabredung mit Gesine am nächsten Tag zu er-
wähnen, denn der Hauptmann hatte seinen Mitarbeitern im
Staatssicherheitsdienst den Befehl gegeben, daß Jonas (und möglicherweise auch noch andere ›Mithörer‹ des allgegenwärtigen
Staats-Schutzorgans) nichts von seiner Verabredung mit Gesine
am Sonnabend in West-Berlin erfahren sollen.

Der Dialog schließlich, der das vierte Kapitel strukturiert, findet zwischen Gesine und Rohlfs am 10. November 1956 in einem
»nicht teuren Lokal« in West-Berlin statt (vgl. ›MüJ‹; Erzähler
S. 308) und wird von der in Frageform vorgebrachten Unterstel-
lung Gesines eröffnet: »Und da kamen Sie sich vor als hätten Sie

die Fäden aus der Hand verloren.« (Vgl. ›MüJ‹; Dialog Gesine – Rohlfs S. 233)

Das fünfte Kapitel, von dem aus der Aufbau-Plan des Romans schematisch zu rekonstruieren ist, ist nicht nur das kürzeste von allen, sondern es fehlen ihm auch (das ist bereits am äußeren Erscheinungsbild im Vergleich mit den anderen Kapiteln auszumachen) die drucktechnischen ›Zusatz‹-Signale als Hilfsmittel zur Orientierung im Romangespinst: der Kursivdruck als Merkmal für die Monologteile[7] und das Redezeichen › – ‹, das immer die zu einzelnen Abschnitten zusammengefaßten Dialogteile kennzeichnet und das zuweilen auch in kursiv gedruckten Monologteilen erscheinen kann. Das ist immer dann der Fall, wenn derjenige, der spricht, sich eines Gesprächs im Wortlaut erinnert.[8]

Die Montage seines Romans aus diesen drei Elementen hat Uwe Johnson den Vorwurf eingetragen, ein Formalist zu sein. Er habe, so (beispielsweise) Manfred Durzak in seinem Gespräch mit Uwe Johnson, da »etwas verrätselt und verkompliziert«, hinter dem »eigentlich keinerlei künstlerische Notwendigkeit«[9] stehe. Auf solchen Vorwurf – für Uwe Johnson sicherlich keine sonderlich neuartige Gesprächserfahrung, hatte man ihm doch von Anfang an, nicht nur anläßlich solcher Befragungen, die ›Nebelhaftigkeit seiner Darstellung‹ vorgehalten –, pflegte er gemeinhin zu erwidern, daß es nicht ›sein Eigensinn‹ sei, der das Buch schwierig mache, sondern ›solche Verhältnisse‹, wie sie in Deutschland nun einmal anzutreffen seien.[10]

Anmerkungen

1 Vgl. Jürgen Popp, *Einführung in Uwe Johnsons Roman ›Mutmassungen über Jakob‹*, in: *Der Deutschunterricht*, Beiheft zum 19. Jg. 1967; besonders Seite 95-100; Bernd Neumann, *Utopie und Mimesis*, Kronberg 1978, besonders S. 7-12; Sharon Edwards Jakiw, *The Manifold Difficulties of Uwe Johnson's ›Mutmassungen über Jakob‹*, in: *Monatshefte für deutschen Unterricht, deutsche Sprache und Literatur*, 65, 1973, No. 2, S. 126-143; vgl. bes. S. 132-134; vgl. auch Sharon Edwards Jakiw, *The Novels of Uwe Johnson*; Diss. Cornell Univ. 1969.

2 In den »Frankfurter Vorlesungen« hat Uwe Johnson jetzt selbst auf ›sachliche Fehler‹ aufmerksam gemacht und hierzu angemerkt: »Zum anderen sind Angaben zu Zeitabständen widersprüchlich. Soweit sie

von Jöche stammen, ist ihnen zu begegnen mit Vorsicht, ja: mit freundlichem Vorbehalt, dem übrigens er selber zustimmen würde. Denn Jöche muß es mitbekommen haben im Bauplan seiner Person, verstärkt durch ein Leben in damals unpünktlich eingehaltenen Fahrplänen, dass ihm der Unterschied von ein paar Jahren ist wie ein Leben. So erinnert er Jakobs Dienstalter ungefähr; er spricht von sieben Jahren bis zum November 1956; in Wahrheit ist Jakob angetreten im Februar 1947. Dieser Irrtum mag sich dem Umstand verdanken, dass sie damals einander unbekannt waren. (...) Allein die Verantwortung und Scham des Aufschreibers bleibt, dass einmal (auf Seite 16) das Alter Jakobs falsch angegeben ist. Wie das übersehen werden konnte, ist unerfindlich. Denn zu ihm gehört das Geburtsjahr 1928 wie eine Eigenschaft, weil er seinen ersten Winter erlebte als einen der härtesten in Menschengedenken und seitdem mit verborgenem Befremden geblickt hat auf Leute, die sagen: sie frieren. Zum anderen, für Gesine Cresspahl war an dem Leben unter einem Dach mit ihm einmal das Hinderlichste der Altersunterschied. Dennoch ist das ›achtzehn‹ da stehen geblieben, statt eines zutreffenden ›einundzwanzig‹, als eine Flüchtigkeit, die wohl zu erklären wäre aus Umständen beim Schreiben, jedoch nichtsdestotrotz unverzeihlich bleibt, unabbüssbar selbst durch Selbstanzeige und -anklage. Dieser Fehler unbewusst, hielt kräftig sich der Wahn, ein vermeintlich abgeschlossenes Manuskript, in satzfertige Reinschrift gebracht, müsse verwandelt werden in ein Buch.« (Uwe Johnson, *Begleitumstände, Frankfurter Vorlesungen,* Frankfurt am Main 1980, S. 150/151)

3 Zitiert nach Hans Magnus Enzensberger, *Allerleirauh. Viele schöne Kinderlieder,* Frankfurt am Main 1961, S. 88.

4 Im *Neuen Deutschland* (11. Jg. 1956; Nr. 244; S. 5) war am Freitag, dem 12. Oktober, folgender Bericht zu lesen: »In dem Augenblick, da sich im UNO-Sicherheitsrat ein Kompromiß in der SUEZ-Frage und eine Entspannung in Nah-Ost anzubahnen scheint, verübte Israel einen neuen schweren Anschlag auf den Nachbarstaat Jordanien. In der Nacht vom Mittwoch zum Donnerstag griffen schwerbewaffnete israelische Truppen mit Unterstützung von Artillerie und Bombenflugzeugen jordanisches Grenzgebiet an, sprengten bei Kalkija, nordöstlich von Tel Aviv, eine befestigte jordanische Polizeistation und beschossen mehrere Dörfer mit Artillerie. Die heftigen Kämpfe gingen bis in die frühen Morgenstunden des Donnerstag auf einer 11 Kilometer breiten Front weiter. Von jordanischer Seite wurden Verstärkungen herangezogen. Die israelischen Verluste werden in einem jordanischen Kommuniqué mit 60 Toten und mehreren Verletzten, die Verluste auf jordanischer Seite mit 25 Toten und 13 Verletzten angegeben.«

5 Vgl. bspw. Günter Blöcker, *Roman der beiden Deutschland*, in diesem Band S. 47 ff. In den Bemerkungen, die Martin Walser dem Vorabdruck

von Uwe Johnsons zweitem Roman *Das dritte Buch über Achim* (in der *Süddeutschen Zeitung* Nr. 204 vom 26./27. August 1961) unter dem Titel ›Was Schriftsteller tun können‹ mit auf den Weg in die Öffentlichkeit gegeben hat, ist noch sein Vorbehalt gegenüber der Form des ersten Romans zu erkennen. Walser schreibt: »Die eher verbergende Architektur des ersten Romans ist überwunden, sie stand schon damals in gelindem Widerspruch zu den Elementen, den Johnson-Sätzen nämlich, die sich nicht rhythmisch gebärden, sturzbachartig ausgießen und viel mehr Zeug mitschwemmen, als ihnen schicklich zukommt.«

6 Die beiden ersten Kapitel sind indes formal dadurch voneinander unterschieden, daß im ersten Kapitel nur Monologteile von Rohlfs und Gesine Cresspahl eingeblendet werden, im zweiten Kapitel hingegen nur Monologteile von Rohlfs und Jonas Blach. Im dritten und vierten Kapitel sind dann Monologteile von allen drei Protagonisten zu finden, während sie im fünften Kapitel, wie bereits erwähnt, gänzlich fehlen. In diesem Punkt irrt sich Bernd Neumann bei seiner Beschreibung des formalen Aufbaus (vgl. B. Neumann, *Utopie und Mimesis*, a. a. O. S. 38/39). Auch kann sein Versuch, eine Hierarchie zwischen den einzelnen Dialogen anzunehmen – ›übergeordnet sei der Dialog zwischen Rohlfs und Gesine‹ –, wenig überzeugen.

7 Daß der Gebrauch des Kursivdrucks als zusätzliches Stilmittel zur Kennzeichnung der Monologteile von Uwe Johnson in Anlehnung an Erzähltechniken William Faulkners entwickelt worden ist, hat Uwe Johnson im Gespräch mit Bienek angedeutet und in einem Brief an Sara Lennox bestätigt. »Likewise Johnson in his letter to me pointed to an aspect of point of view, or more specifically to its typographical presentation, as a borrowing from Faulkner of which he was consciously aware: ›Ich bin fast sicher, daß ich die Verwendung des Kursivdrucks als optische Kennzeichnung subjektiver Vorgänge (innerer Monolog etc.) in ›The Sound and the Fury‹ zum ersten Mal als wirksame Technik begriff und als solche übernahm.‹« (Brief von Uwe Johnson an Sara Lennox vom 28. Januar 1973); zitiert nach: Sara King Lennox, *The Fiction of William Faulkner and Uwe Johnson. A comparative Study*. Diss. (Univ. of Wisconsins) 1973; S. 93.
In seinem Aufsatz *Drucktypenwechsel. Ein Grenzphänomen der Sprachtheorie im Dienste der Leserforschung* (*Zeitschrift für Literaturwissenschaft und Linguistik*, 4. Jg. 1974, H. 15; S. 27-49) hat Harald Wentzlaff-Eggebert herausgearbeitet, daß die Verwendung des Kursivdrucks (in den *Mutmassungen über Jakob*) im Rahmen der Relation Autor–Leser drei Funktionen erfülle: »Zunächst enthält sie (was immer dann der Fall ist, wenn eine drucktechnische Hervorhebung nicht als bereits völlig konventionalisiert anzusehen ist) den Hinweis auf den Hervorhebenden, also den diesen Text bewußt strukturierenden Schreiber; dazu stellt sie als Signal für den Perspektivenwechsel eine

gewisse Hilfe für das Erkennen der jeweiligen Sprechsituation dar, und schließlich sieht sich der Leser – was seine Rezeptionshaltung zweifellos am stärksten beeinflußt – ständig aufgefordert, dieser den Text durchgehend strukturierenden Unterscheidung zweier Textebenen eine Bedeutung zuzuordnen. Dies wird ihm nur schwer gelingen, weil es für diese Art der Klassifizierung von Perspektiven in seiner Erfahrungs- und Vorstellungswelt keine Entsprechungen gibt. Die Strukturierung von Johnsons Roman durch die Verwendung verschiedener Drucktypen wirkt deshalb während des Lesens vornehmlich als stets erneuerter Entschlüsselungsauftrag, was beim Lesen den Eindruck der Fremdheit und Eigengesetzlichkeit des Textes zur Folge hat.« (S. 41/42)

8 So erinnert sich Jonas in einem seiner Monologe an ein Gespräch zwischen Jakob und einem Bewohner Jerichows (vgl. ›MüJ‹; Monolog Jonas S. 85/86). Jöche leitet im vorangehenden Dialogteil dessen Monolog ein, indem er die Situation beschreibt, in der Jonas das erinnerte Gespräch mit angehört hat. »Du hast bloss dabeigestanden und zugehört« (Vgl. ›MüJ‹; Dialog Jonas – Jöche S. 85). Das ist ein Beleg dafür, wie der ›strukturierende Dialogteil‹, in diesem Fall in der Funktion einer Art von Beglaubigungstopos, den Modus des nachfolgenden Teils mitbestimmt. (Vgl. für ein solches ›erinnertes Gespräch‹ auch: ›MüJ‹; Monolog Rohlfs S. 77.)

9 Vgl. Manfred Durzak, *Dieser langsame Weg zu einer größeren Genauigkeit. Gespräch mit Uwe Johnson,* in: Manfred Durzak, *Gespräche über den Roman. Formbestimmungen und Analysen,* Frankfurt am Main 1976, S. 431.

10 Vgl. hierzu: Uwe Johnson, *Über die Schwierigkeiten beim Schreiben der Wahrheit. Interview mit Arnhelm Neusüß,* in: »*Ich überlege mir die Geschichte...« Uwe Johnson im Gespräch,* hg. von Eberhard Fahlke, Frankfurt am Main 1988, S. 184-193.

Hans Mayer
»Mutmassungen über Jakob«

Die Geschichte, die Uwe Johnson in seinem ersten Roman zu erzählen gedachte (vielmehr in dem ersten Buch, das er drucken ließ, denn vorausgegangen war die Abfassung des Romanmanuskripts *Ingrid Babendererde*, das nach dem Tod des Autors publiziert wurde), läßt sich auch als traditionelle Story berichten: mit Weil und Darauf, Andererseits und Bevor. Folglich mitsamt allen kausalen und temporalen Zuordnungen, wie es der Leser gern hat bei einer spannenden und leicht überschaubaren Fabel.

Sogar Eigentümlichkeiten der Berichtszeit wären ohne sonderliche Mühe ins Gewohnte zurückzulenken. Dann spräche man, und hätte sogleich eine gewohnte literarische Gattung benannt, von Rahmenerzählung oder vom Erinnerungsroman. In der Tat gibt die Geschichte vom Tode des Eisenbahners Jakob Abs, irgendwo an der Elbe in »Ostdeutschland« und im Herbst des Jahres 1956, ein ganzes Buch lang einigen Anlaß zu Rekonstruktionen des Todesfalls und seiner möglichen oder mutmaßlichen Ursachen. Rückblenden und so. Analytische Erzähltechnik, wo der zu erzählende Sachverhalt längst abgeschlossen wurde, aber durch den chronikartigen Bericht irgendeines epischen Ego oder durch den allwissenden, objektiven Berichterstatter nach dem Herzen eines Flaubert mitgeteilt werden kann.

Dann läse sich die Geschichte, die Johnson als *Mutmassungen über Jakob* im Jahre 1959 publizierte, drei Jahre nach den Ereignissen, die den Hintergrund des Romangeschehens bilden, etwa so: In dem Städtchen Jerichow in Mecklenburg und an der Ostsee, politisch zugehörig dem Gebiet der Deutschen Demokratischen Republik, folglich zugleich dem militärischen und politischen Einflußbereich der Sowjetunion, lebt der Kunsttischler Heinrich Cresspahl. Seine Frau starb im Jahre 1938, seine Tochter Gesine, geboren 1933, im Augenblick der Geschichte also 23 Jahre alt, besuchte in Jerichow die Oberschule, begann darauf in Leipzig das Studium der Anglistik, ging aber, vermutlich nach den politischen Unruhen in der DDR im Juni 1953, nach Westdeutschland, wo sie zuerst in Frankfurt eine Dolmetscherschule absolvierte, anschließend als Übersetzerin eine Stelle beim Hauptquartier der NATO annahm.

Bei Kriegsende 1945 waren Flüchtlinge vor den Russen und Polen aus Pommern nach Jerichow gekommen. Darunter Frau Abs, deren Mann vermißt wurde, mit ihrem einzigen Kind: dem Sohn Jakob, geboren 1928, damals siebzehn Jahre alt. Cresspahl nimmt Mutter und Sohn bei sich auf. Jakob Abs und die fast fünf Jahre jüngere Gesine wachsen wie Bruder und Schwester auf. Jakob geht 1949 zur Reichsbahn, nämlich zur zentralen Eisenbahnverwaltung der DDR, die eigensinnig, obgleich es seit Kriegsende kein »Deutsches Reich« mehr gab – der westdeutsche Bundesstaat sprach deshalb folgerichtig von seiner »Bundesbahn« –, am alten Namen einer Reichsbahn festhielt. Zuerst Ausbildung in Jerichow, seit einiger Zeit jedoch, denn Jakob darf nun den Titel eines Reichsbahninspektors führen, in einer großen Stadt an der Elbe. Gelegentliche Andeutungen im Roman weisen auf Dresden hin.

Seit Gesine in Westdeutschland lebt, Jakob irgendwo an der Elbe, sind nur noch Cresspahl und Frau Abs im Haus an der Ostsee. Auch das ändert sich im Herbst, wahrscheinlich Ende September oder Anfang Oktober 1956. Das »Ministerium für Staatssicherheit« der DDR, wie der offizielle Name lautet, fungiert gleichzeitig als zentrale politische Polizei im Innern wie als zentraler Nachrichtenapparat im Dienst der äußeren Sicherheit. In beiden Tätigkeiten eng koordiniert dem sowjetischen Polizei- und Informationsdienst. Beide Apparate sind über die Tätigkeit der aus Jerichow geflüchteten Gesine Cresspahl beim Hauptquartier der westlichen Militärorganisation unterrichtet. In Gesprächen zwischen russischen und deutschen Nachrichtenoffizieren, wobei die deutsche Seite repräsentiert wird durch den Hauptmann Rohlfs vom Sicherheitsministerium, taucht der Gedanke auf, Gesine Cresspahl als Informantin des Ostens zu gewinnen. Das Unternehmen »Taube auf dem Dach« hat begonnen.

Der Vater Cresspahl scheidet als Vermittler aus: er ist weder zu bestechen noch zu bedrohen. Der Weg scheint über Jakob zu führen, der allgemein als vorbildlicher Arbeiter und Bürger eines sozialistischen Staates gerühmt wird. Seine Mutter soll dem Hauptmann Rohlfs den Zugang zu Jakob erleichtern. Die erschreckte Frau vertraut sich Cresspahl an, flieht nach West-Berlin, wobei ihr der einstige Gastgeber und langjährige Hausgenosse Cresspahl hilft. Übrigens verfolgt der Geheimdienst den Vorgang, den er inhibieren könnte, was nicht geschieht. Mutter Abs kommt in West-Berlin zuerst, gleich vielen anderen Flüchtlingen jener Jahre, in ein »Flüchtlingslager«, wo auch sie durch westliche Nachrichtendienste ausgefragt wird.

Nun muß es Herr Rohlfs, der sich ständig mit anderen Namen vorstellt und vermutlich auch nicht Rohlfs heißt, unmittelbar mit Jakob versuchen, der ihn durchaus nicht schroff abweist, sondern verspricht, sich eine mögliche Tätigkeit als Informant des politischen Apparats in Ruhe zu überlegen. Inzwischen setzt eine unerwartete Gegenbewegung ein. Gesine wird von ihrem Vater aus Jerichow angerufen, wobei – das Gespräch ist natürlich von der Geheimpolizei überwacht und wird aufgezeichnet – die Ankunft der Mutter Abs im Westen angekündigt werden kann. Ganz unverschlüsselt hingegen telegraphiert Cresspahl an Jakob: »Deine Mutter ist zum Westen.«

Am Telefon hatte Gesine dem Vater von einem Reiseplan gesprochen. Er vermutete eine Reise mit einem Freunde, dem in Ost-Berlin an der Universität arbeitenden Assistenten Dr. Jonas Blach, der Gesine einst in West-Berlin auf der Straße ansprach und eine Zeitlang ihr Freund wurde, auch mit ihr (und – unerlaubterweise – mit einem westdeutschen Paß) nach Italien reiste. Gesine aber meint eine andere Reise: sie will den Vater wiedersehen, obwohl sie sich, nach den Gesetzen der DDR, durch die Flucht strafbar machte. Sie kommt an die Elbe, trifft Jakob zu Hause nicht an, hinterläßt ihm Nachricht, wohnt in einem großen Hotel der Stadt. Dort wartet sie auf Jakob, dort aber wartet auch der Hauptmann Rohlfs auf ihn, der die Dame am anderen Tisch seit Grenzübertritt überwachen ließ, jetzt eigentlich die »Taube auf dem Dach« in seiner Hand hätte, aber nicht hat, denn Verhaftung und Bedrohung wären sinnlos. Er braucht eine freiwillig arbeitende Informantin bei der NATO, keine zusätzliche Gefangene irgendwo in der DDR.

Von nun an konvergieren alle Wege in Jerichow. Rohlfs spricht mit Jakob und läßt die heimliche Reise von Jakob und Gesine nach Jerichow als zweckdienlich geschehen. Als beide, die Geschwister, die es nicht sind und im Verlauf der Geschichte dann Liebende werden, in Jerichow eintreffen, finden sie dort den früheren Freund der Gesine, Dr. Jonas Blach. Er hat in Berlin an einer Oppositionsbewegung von Intellektuellen gegen die Politik der Sowjetunion und der DDR teilgenommen. Man schreibt den Oktober 1956. In Polen, dann in Ungarn drohen Aufstände gegen die sowjetische Oberherrschaft, über Dresden müssen Jakob und seine Kollegen die russischen Militärzüge dirigieren, die Prag und Budapest zum Ziel haben.

Jonas ist politisch verdächtig geworden, auch seine Geheimakte hat Herr Rohlfs zu bearbeiten. Der junge Wissenschaftler selbst hält es für geraten, nicht gerade in Berlin gefunden zu werden. Warum nicht eine Zeitlang den Vater der Gesine besuchen? Jerichow ist eine kleine Stadt, wo man weniger leicht auffallen dürfte.

Plötzlich sind alle in Jerichow im Hause Cresspahl: Gesine und Jakob und Jonas und der Hausherr. Eintrifft aber auch Herr Rohlfs, der sich als Rohlfs vorstellt. Ideologische Debatte zwischen dem oppositionellen Philologen und dem Mann der Geheimpolizei. Gesine wird angedeutet, was man von ihr haben möchte, sie wird es sich überlegen. Rohlfs bringt sie selbst an die Westgrenze. Auch Jakob soll es sich überlegen. Er will seine Mutter im Flüchtlingslager besuchen, was Rohlfs genehmigt. Jakob reist dann mit amtlicher Genehmigung in den Westen: zu Gesine, zu seiner Mutter. Gesines Vorschlag, dazubleiben und mit ihr zusammen durch Rundfunkvorträge für den amerikanischen Soldatensender sein Geld zu verdienen, nimmt er nicht an, sondern fährt wieder zurück an die Elbe. Abermals ist er mit Herrn Rohlfs verabredet, geht im Novembernebel nach seiner alten Gewohnheit quer über die Geleise zum Dienst, und wird von einer auftauchenden Lokomotive überfahren. Er stirbt während der Operation.

Jonas hatte ihn noch besucht. Der ruft Gesine an, führt mit ihr ein langes Telefongespräch, während draußen, wie er vermuten muß und darf, Herr Rohlfs wartet, um ihn zu verhaften und ein Verfahren wegen Gefährdung der staatlichen Sicherheit der DDR zu eröffnen, denn der ungarische Aufstand wurde inzwischen, am 9. November 1956, niedergeschlagen. Herr Rohlfs kann die Akte Jonas Blach weglegen und auch die Akte Jakob Abs.

Nicht dagegen das Projekt »Taube auf dem Dach«. Er hatte sich, als er Gesine zur westlichen Grenze zurückfuhr, mit ihr in West-Berlin zu einer Beratung verabredet. Auf den 11. November. Jakob ist tot, Jonas verhaftet, der Hauptmann Rohlfs aber wartet trotzdem am vereinbarten Termin in einer Westberliner Weinstube auf Gesine Cresspahl, Dolmetscherin im Hauptquartier der NATO. »Sie kam wenige Minuten zu spät, und Herr Rohlfs stand auf, als er sie in der Tür sah. Ich wäre froh eine Schwester zu haben. – Und sie sah nicht aus wie eine, die geweint hat; das wollen wir doch mal sagen.« – Mit diesen Sätzen beendet Uwe Johnson seinen Roman *Mutmassungen über Jakob*.

Das liest sich nicht schlecht. Eine spannende Geschichte mit allen Ingredienzien eines Romankonzepts nach dem Muster von Graham Greene: politisch-polizeiliche Komplikationen mit Geheimdienstgeruch, Liebesaffären zwischen privatem und öffentlichem Bereich, auch ein wenig Aura des Geheimnisvollen. Bei Greene – aber das könnte abgewandelt werden – meist verstanden als katholischer Weihrauchduft.

Nichts wäre falscher, als die *Mutmassungen über Jakob* in solcher Weise qualifizieren zu wollen. Greene ist sicherlich kein Autor nach Johnsons Geschmack, dann weit eher (Johnson hat Germanistik und Anglistik studiert, kennt sich daher aus) der Amerikaner William Faulkner. Dennoch hat der Aufbau der *Mutmassungen* keineswegs, wie man behauptet hat, besonders viel zu tun mit Faulknerwerken wie *Light in August*.

Überhaupt ist es an der Zeit, nüchtern festzustellen, daß jene knapp und in sich schlüssige Nacherzählung der Romanfabel, wie sie oben versucht wurde, der wirklichen Geschichte, die Johnson erzählte, durchaus nicht gerecht wird, im Grunde nur Mißverständnisse erzeugt. Das erweist sich sogleich beim Bemühen, in üblicher Art die Motive der Gestalten aus ihren Aktionen rekonstruieren, gar erklären zu wollen. Versucht man das nämlich, so handeln alle Romanfiguren absurd, unvernünftig, ohne Konformität mit Zeit, Ort und Umwelt.

Was kann eine Angestellte der Nato-Headquarters wie Gesine dazu bringen, heimlich in die DDR zu reisen, um ihren Vater wiederzusehen? Sie weiß doch, wohin sie reist, und welche Gesetze dabei notwendigerweise verletzt werden. Cresspahl kennt alle Schliche dörflicher Diplomatie, wenn es gilt, der Tochter durch ein Telefongespräch, das überwacht ist, wie man ahnt, die Flucht der Mutter Abs mitzuteilen; gleichzeitig teilt er Jakob auf offenem Telegramm ganz ohne Beschönigung mit, die Mutter sei »zum Westen«. Dr. Blach ist ein geschulter Marxist und Parteiintellektueller, der die Grenzen der »sozialistischen Gesetzlichkeit« präzise überblickt und genau weiß, daß sein Verhalten als Redner bei einer Oppositionsveranstaltung in Ost-Berlin den Tatbestand der »Staatsgefährdung« erfüllt, also schwere Freiheitsstrafe bedeutet, wenn die Opposition keinen Erfolg hat. Die Nachrichten von der Niederschlagung der ungarischen Aufstandsbewegung dringen zu ihm; er hat ein langes Gespräch geführt mit einem Offizier der Staatssicherheit und hat es gewußt. Was also kann ihn veranlassen, nicht nach West-Berlin zu flüchten, sondern ein letztes Gespräch über Telefon mit Gesine in West-Berlin zu führen, das abermals überwacht wird und ihn, wie er wiederum vermutet, von neuem belasten muß? Statt dessen streckt er die Hände aus, um sich im Auto des Herrn Rohlfs die Handschellen anlegen zu lassen.

Gar nicht zu denken an die Seltsamkeiten im Verhalten eben jenes Rohlfs, das mit dem Schema eines »östlichen« Geheimdienstes wahrlich nicht zu vereinbaren ist, weshalb scharf anti-östliche Kritiker dieses Romans und seines Verfassers mißvergnügt reagierten. Nun wieder Gesine: was mochte sie dazu bringen, die Verabredung mit Rohlfs für den 11. November in West-Berlin einzuhalten? Warum nur? Jakob ist tot, der brüderliche Freund ihrer Kinderzeit und Geliebte. Muß es ausgeschlossen erscheinen, daß der Mann, dem sie da bei einem Glas Wein gegenübersitzt, daß Rohlfs also mit diesem Tod etwas zu tun hat? Zumal er es war, der, wie Gesine erfahren haben mußte, Blach verhaftete, den Freund und zeitweiligen Geliebten. Warum nur trifft sie sich mit ihm?

Und gar Jakob: er hatte zwar, zu Besuch bei Gesine und der Mutter im Westen, auf die Bitte dazubleiben geantwortet, dafür gäbe es keinen ausreichenden Grund. Gab es den für seinen Tod auf den Geleisen? Freilich pflegte er sie stets »quer«, nämlich unvorschriftsmäßig, folglich fahrlässig zu überqueren, allein er kannte sich aus, wie alle wußten, hatte den Fahrplan sämtlicher Züge, die ankommen konnten, im Kopf. Trotzdem dieser tödliche Unglücksfall eines allwissenden Eisenbahninspektors. Hier beginnt sich die scheinbar so feste Kontur des Romangeschehens aufzulösen und nichts mehr zuzulassen als eben Mutmaßungen. Plötzlich ist die gesamte Struktur der Erzählung fraglich geworden, denn Jakobs Tod ist die vorgegebene Exposition: ihn zu motivieren, einsehbar zu machen, scheint das Buch geschrieben zu sein. Allein da wird nichts einsehbar.

An einer Stelle des Romans, wo man darauf achthaben muß, daß nicht die Figuren denken und reden, sondern der Erzähler selbst berichtet und reflektiert, heißt es: »Denn Cresspahl in der Ferne und seine (Jakobs) verschwundene Mutter und Gesines wahnwitziger Besuch, das alles half gar nichts, das waren wieder alles Leute mit ihren Handlungen für sich allein, die einander nicht erklärten.«

Darum eben bleibt man in der Hauptfrage, der Ursache von Jakobs Tod, von aller Sicherheit der Argumentation und Motivation entfernt. Vergleichbar den Debatten eines antiken Chores beginnt, gleich nach der Mitteilung »Aber Jakob ist immer quer über die Gleise gegangen«, die Konfrontation von These und Antithese. Unglücksfall oder Selbstmord. Jakob kannte sich aus: er hat sich überfahren lassen. Nein, es herrschte dichter Nebel, zudem wurden außerplanmäßig Lokomotiven eingesetzt, kurz vorher war auch ein gleichfalls informierter Rangierer erfaßt worden. Also Unglücksfall. Aber Jakob war kurz vorher sehr verstört aus dem Westen heimgekehrt, weg von der Mutter und Gesine. Selbstmord? Dann hätte er im Westen bleiben können. Wenn er zurückkehrte, so stand ihm nicht der Sinn danach, sein Leben zu beenden. Aber vielleicht hatte ihn die Verstörung unvorsichtiger gemacht als sonst, so daß er nicht auf die Züge achtete. Vielleicht.

Wie gar, wenn Herr Rohlfs die Hand im Spiel hatte, so daß gar kein Unglücksfall geschehen war, sondenr eine Beseitigung? Die Verbindung zu Gesine war hergestellt, das Unternehmen »Taube auf dem Dach« folglich angelaufen. Man brauchte Jakob nicht mehr, denn er hatte dem Geheimdienst sonst nichts zu bieten, war ein Mitwisser militärischer Geheimnisse, zudem in seiner Unbeirrbarkeit ein Sicherheitsrisiko an einer Eisenbahnstrecke, die damals gerade die sowjtischen Militärzüge nach Ungarn zu dirigieren hatte. Alles jedoch, was wir von Rohlfs wissen, spricht dagegen: auch das Verhalten von Gesine und Blach nach Jakobs Tode. Die wußten vielleicht nichts von den wahren Vorgängen. Vielleicht hatte Rohlfs »von oben«, wider seinen Willen und ohne daß der Roman davon berichtet, einen entsprechenden Auftrag erhalten. Vielleicht.

Andererseits spricht dagegen unsere Kenntnis des großen und epilogisierenden Gesprächs, das Rohlfs und Gesine in West-Berlin führen, wo der Mann der Staatspolizei feststellen muß: »Ich weiss sozusagen alles, und es nützt mir nichts.« Oder später: ». . . und es ist nicht bekannt, was Jakob eigens in die Wege geleitet hat und was sich zufällig ergab, wir mutmassen also . . .«

Mutmaßungen. Seit Johnsons Romantitel ist in der deutschen

Nachkriegsbelletristik, und nicht nur dort, eine modische Phalanx von Erzählungen und Erzählern einer koketten epischen Skepsis aufmarschiert, die sich viel darauf zugute tat, unscharf zu referieren, dem Leser spannende Unauflösbarkeiten darzubieten, ein bißchen mit dem »Geheimnis« zu spielen. Da ist es an der Zeit, Johnson gegen seine Imitatoren zu verteidigen. Der Verfasser der *Mutmassungen über Jakob* war ein sehr genauer Schriftsteller, der es sich mit seiner Präzision sauer werden ließ. Man denke an die von jedem Fachmann anerkannte Gründlichkeit im Beschreiben des Eisenbahnwesens. Wenn demnach alles Einzelwissen der Figuren und selbst ihres Verfassers nicht zum Gesamtwissen führt, sondern zu bloßen Mutmaßungen, so deshalb, weil sich die Gestalten vom Autor nicht dirigieren lassen, sondern immer wieder – in der Aktion wie Reflexion – ins Unkontrollierbare entgleiten.

Auch dies genügt nicht als Interpretation der Erzählung und Erzählweise. Die Unschärfe hat vielmehr mit dem gesellschaftlichen Hintergrund oder besser: Untergrund des Romans zu tun. *Dem geteilten Deutschland und der Notwendigkeit heutiger Deutscher, in diese Konstellation hineinzuleben.* Johnson hat sein Buch einmal als Versuch bezeichnet, »eine Grenze zu beschreiben«. Gemeint war nicht bloß jene Demarkationslinie, die sich durch das frühere Deutsche Reich zieht, auf östlicher Seite markiert mit Befestigungen der modernen Verteidigungstechnik, aber auch im westlichen Bereich gekennzeichnet durch starke Truppen eines sogenannten »Grenzschutzes«. Das zieht sich hin östlich der Städte Lübeck und Braunschweig, westlich von Magdeburg, trennt bei Hof im Frankenland die nunmehr »westlichen« Franken von »östlichen« Thüringern und Sachsen. Uwe Johnson hat auch diese materiellen Markierungen von Politik und Truppenmacht in seinem Roman beschrieben: den illegalen Grenzübergang der Gesine Cresspahl wie Jakobs gesetzestreue Bemühung um einen legalen Grenzübergang vom einen zum anderen Deutschland. Er vergaß dabei auch nicht die Grenze inmitten der Stadt Berlin, der einstigen Reichshauptstadt, weshalb in seinem Buch stets in absurder, jedoch exakter Terminologie von den »Städten Berlin« geredet wird.

Jene Markierungslinie aber zwischen deutschen Staaten beschränkt sich nicht auf Geographie, Politik und Staatsrecht, sondern verläuft gleichzeitig, *als innere Grenzziehung,* durch die in zwei Staaten lebenden Überreste einer einstmals »Deutschen Na-

tion«. Getrennt haben sich in ihren Lebensformen und Zukunfts-
erwartungen die westlichen von den östlichen Deutschen, wie
diese von jenen. Oft läuft jene Grenze, die Johnson zu beschreiben
gedachte, mitten durch die östlichen und die westlichen Staatsbe-
wohner: bisweilen gar als individuelle Daseinsaufspaltung. Gehört Gesine, die im Westen lebt, zum westlichen Denken und
Fühlen, oder ein marxistischer Intellektueller der DDR wie Jonas
Blach zu seinem Staat, der sich als »erster Staat der Arbeiter und
Bauern auf deutschem Boden« selbst zu charakterisieren liebt?
Wenn nicht, warum zog er die Haft im Osten der Flucht in den
Westen vor?

An diesen Fällen – und Jakob Abs gehört in seiner Art gleichfalls
dazu – wird deutlich, daß zur Grenzziehung in der Landschaft
und auf dem Papier des völkerrechtlichen Abkommens von Potsdam zwischen den Siegermächten kein ähnlich scharfes Kriterium
für die »innere Grenzziehung« gefunden werden könnte. Davon
vor allem handelte Johnsons Beschreibungsversuch. Ihm ging es
um die zahllosen Divergenzen zwischen innerem und äußerem
Tatbestand mit Namen »Grenze«.

Durch Ernst und Vorsicht seiner Erzählversuche unterschied
sich dieser Roman eines fünfundzwanzigjährigen Autors deutlich
von früheren Erzählungen mit dem geteilten Deutschland als
Thema. Westliche Epik hatte sich dieser Themenstellung zwischen
1945 und 1959 nahezu demonstrativ versagt: sieht man ab vom
romanhaften Klischee der Storyfabrikanten, die spannend, mit
Blick auf künftige Verfilmungsrechte, zu schildern unternehmen,
wie ein Spion aus der Kälte der DDR ins wohltemperierte Klima
des deutschen Westens kam. Die ostdeutsche offizielle Belletristik
hatte gleichfalls ihre epischen Klischees zur Disposition: man findet sie sogar noch in Christa Wolfs ernsthafter Bemühung des
Romans *Der geteilte Himmel*. Das Schema kannte nicht Unschärfe der Konturen: nach offizieller Doktrin entsprach der äußeren in allen Fällen auch eine markante innere Grenzziehung. Es
sei denn, ein westlicher Agent oder ein virtueller Überläufer agiere
mit dem Ziel, auf östlichem Boden den inneren gegen den äußeren
Grenztatbestand auszuspielen. Damit würde dann ein äußerer
Tatbestand geschaffen, nämlich polizeilicher Art, genannt »Gefährdung der Staatssicherheit«. So beurteilt, ganz folgerichtig,
Herr Rohlfs im Roman die Aktionen des Dr. Jonas Blach. Verurteilung zu langer Haft ist zu erwarten.

Johnson demonstriert gerade an diesen beiden Figuren, wie willkürlich jede Interpretation der deutschen Realität verfährt, wenn sie in ähnlicher Weise versucht, die geistigen mit den politischen Tatbeständen gleichzuschalten. Der westlichen Denkträgheit widersetzt er sich gleichzeitig mit einer umsichtigen Schilderung, die nichts übrigläßt von sentimentalen Träumen, wonach Bewohner einer östlichen »Unrechtsherrschaft« nichts sehnlicher herbeiwünschen als die endliche Befreiung und Wiedergutmachung »in Freiheit«: westlicher nämlich.

Leben und Tod des Jakob Abs lehren, wenn überhaupt irgend etwas, so das Gegenteil. Aus dem Flüchtlingskind wurde, mit staatlicher Förderung, ein fachkundiger Techniker und Verkehrsfachmann. Jakob mußte sich in der DDR nicht einschränken in seinen Berufsplänen: auf reiche Eltern kam es da nicht an. Reichsbahninspektor. Abs ist kein Mann für Feiertagsreden und Proklamationen, aber auch keinesfalls ein ohnmächtig gegen östliche Kommunisten und Russen konspirierender Rebell. Die Behörde des Herrn Rohlfs gehört, als evidenter Tatbestand, ebenso zu seiner Welt wie ein Dispatcherdienst für russische Truppentransporte. Diese nüchterne Annahme der eigenen Identität, die nicht mit emotionaler Harmonie verwechselt werden sollte, wird durch Rohlfs und Gesine fast gleichzeitig gestört. Die Identität wird unscharf. Weder Gesine noch Rohlfs. Ein Fall für Heinrich von Kleist als Vorgang einer »Verwirrung des Gefühls«. Der verstörte Jakob war nicht mehr umsichtig und verunglückte, denn es war doch wohl ein Unglücksfall, freilich keiner ohne Kausalitäten. Aber vielleicht sind auch das nur Mutmaßungen.

Das dritte Buch über Achim

Reinhard Baumgart
»Das dritte Buch über Achim«

Die deutsche Literatur, der man so gern Weltflucht nachsagt, behagliche Nebelschau im Schatten von Politik und Geschichte, erlebt im Augenblick eine wahre Inflation von engagierten Büchern. Kaum noch ein junger Autor, der sich die unbewältigte Vergangenheit, die unerledigte Gegenwart nicht auf die Schultern geladen hätte, ganz, als seien sie so schwer gar nicht zu tragen, als wären Rechtschaffenheit und Zorn die einzigen Gaben, die für die Erledigung derartiger Probleme legitimieren. Aus solchen Büchern erfahren wir, was wir immer schon wußten, so, daß SS-Ärzte tatsächlich Hölderlin gelesen haben, oder, daß die Schergen der Staatsmacht, unter den Nazis und in der DDR, mit Vorliebe in Kleppermänteln auftreten. Die Gesinnungen dieser Autoren sind so achtenswert wie ihre Einfälle plausibel. Alles leuchtet ein auf den ersten Blick. Wir kannten diese Bücher im Grunde schon, bevor wir sie gelesen hatten.

Solchen treuherzigen Naivitäten schien Uwe Johnson schon mit seinem ersten Roman, schon mit fünfundzwanzig Jahren entwachsen. Schon in den *Mutmassungen über Jakob* erzählte er so, als hätte er als einziger unter siebzig Millionen Deutschen keinerlei vorgenommene Meinungen, weder über die DDR noch über die Nato, als könnte sich irgend etwas Gewisses erst bei ganz genauem Hinsehen ergeben. Es ergab sich, natürlich, nichts Gewisses, es ergaben sich nur Mutmaßungen. Gerade für jemanden, der so genau hinsah wie Johnson, begann die Szene zu flimmern.

Jetzt, zwei Jahre später, liegt der zweite Roman vor, unter dem Titel *Das dritte Buch über Achim*. Auch er beschreibt die Situation »drüben«, in der DDR, oder genauer: er handelt von der fast unausmeßbaren Entfernung, welche diese Grenze zwischen den beiden Deutschland eingerichtet hat. Deshalb erzählt der Roman die Geschichte eines Besuchs, der von Westen nach Osten fährt. Dieser Herr Karsch, Journalist aus Hamburg, ist nach Leipzig nur eingereist, um eine Freundin von früher, die Schauspielerin Karin, zu besuchen. Das Land hinter der Grenze kommt ihm fremder vor als alle fremden Länder, die er bisher bereist hat. Es erstaunt ihn, ohne ihn zu entsetzen, denn er darf sich damit beruhigen, daß er schließlich nur privat, nur zu Besuch eingereist ist. Ein Buch jedenfalls, sagt er sich, wird er über diese Reise nicht schreiben müssen, wie etwa über frühere Reisen in fremde Länder.

Genau dazu kommt es aber. Durch Karin lernt Karsch nämlich den gefeierten Radrennfahrer Achim T. kennen, drüben ein Nationalheld, Weltmeister und Mitglied der Volkskammer. Eines Tages hat Karsch, selbst davon überrascht, den Vertrag eines ostdeutschen Verlags unterzeichnet: er soll ein Buch über diesen Achim schreiben. Damit hat Johnson sich selbst eine Fangfrage gestellt. Ist das Leben eines mitteldeutschen Radsportlers, so lautet sie etwa, unverfänglich, unpolitisch genug, daß ein Journalist aus Hamburg es für einen Verlag der DDR aufzeichnen könnte? Ist dieser bescheidenste aller unbescheidenen Aufrufe zur Wiedervereinigung, diese, wie Johnson sagt, »Wiedervereinigung für zwei Personen« noch möglich? Die schon in der Frage mitenthaltene Hoffnung – es *sollte* möglich sein, daß jemand aus Hamburg über jemand aus Leipzig ein Buch schreibt, das in Leipzig verlegt wird –, diese Hoffnung ist ebenso selbstverständlich wie absurd. Daß sie heute noch selbstverständlich sein kann, macht sie fast lächerlich. Daß sie absurd ist, sollte uns entsetzen. Genau auf diesem schmalen Grat, zwischen Gelächter und Entsetzen, balanciert der ganze Roman, balanciert Johnson mit der Fassung eines Nachtwandlers, mit der Seelenruhe des großen Erzählers. Die ganze Handlung trägt sich also zu im »östlichen deutschen Teilstaat«, wie Johnson schwermütig und salomonisch formuliert, unter Menschen, die deutsch sprechen, scheinbar unsere Sprache, die mit uns eine gemeinsame geschichtliche Vergangenheit teilen. Die Handlung spielt »nebenan«, aber diese Nachbarschaft trügt. Das Land, das Karsch bereist, Leipzig und seine Umgebung bis nach Thüringen hinein, scheint dem Reisenden aus Westen – exotisch. Früher, in den fremden Ländern Westeuropas, hatte er sich mit Vergleichen zurechtfinden können. Überall wiesen ihm ähnliche Gewohnheiten, ähnliche Reklamen, Automarken, Geschäftsauslagen den Weg. Hier dagegen finden alle Vergleiche ein Ende. Er spricht deutsch, ohne sich genau verständlich zu machen. Schon der Versuch, eine Schreibmaschine zu kaufen, erstickt in einem chinesischen Zeremoniell von Formalitäten und Rücksichten.

Karsch, ein Mann aus Hamburg in Leipzig, fühlt sich bald als ein Mann vom Mond. Fremder war auch der Landvermesser K. nicht, als er in das Territorium des Kafkaschen Schlosses einreiste. Aber Karsch läßt sich von dieser Fremdheit, die sich wie eine Glasglocke über ihn stülpt, keineswegs paralysieren. Obwohl von Beruf Journalist, verhält er sich so methodisch und unvoreingenommen wie ein Wissenschaftler auf Forschungsreisen, ein Ethnograph, der die Gebräuche unerschlossener Südseegebiete in Zettelkästen aufarbeitet. Die Verfremdung, in der das östliche Deutschland so abgebildet wird, erreicht schmerzhafte Grade. Karsch registriert das Straßenbild Leipzigs, das Benehmen der Bevölkerung bei Radsportveranstaltungen und in Tanzlokalen, den vorsichtigen Umgang der Menschen untereinander. Er umstellt vor allem sein eigentliches Forschungsobjekt, eben Achim, in seinen Aufzeichnungen und Gesprächen mit einem kunstvollen System von Spiegeln, und in jeder Spiegelung zeigt dieser scheinbar gemütsschlichte Mann ein anderes Gesicht. Er ist bescheiden und ehrgeizig, rechtschaffen, doch zu jeder zweckdienlichen Retusche seines Lebenslaufs entschlossen, ein Idol, ein guter Kerl, selbstsicher und voller Unruhe.

Wozu, fragen wir uns zwischendurch, wendet der Erzähler so unerschöpfliche Geduld auf für diesen biederen Sportsmann, der sein Pflichtpensum auf Rennstrecken so anstandslos erledigt wie im ostdeutschen Parlament, wo er von Zeit zu Zeit aufsteht, um in sächsischer Aussprache Ergebenheitsadressen aufzusagen? Könnten wir ihn auf Anhieb und in geläufigen Begriffen nicht viel schneller feststellen, als Mitläufer, als einen Nutznießer mit Gemüt, den nicht einmal unsympathischen Funktionär einer längst als schlecht durchschauten Sache? Mit solchen Begriffen wäre, auch in der Sprache und im Bewußtsein, der eiserne Vorhang vorgezogen, die Betonmauer von Berlin gerechtfertigt. Und wir, als Pharisäer, im Besitz des richtigen Denkens und der Wohlanständigkeiten, wären endlich unter uns.

Johnson aber leistet sich den ungeheuerlichen Luxus, wie der erste Mensch aufzutreten, in einer durch Informationen fixierten Welt. Wenn wir ihm zuhören, wissen wir nichts mehr. Wir müssen umlernen von Anfang an. Sicher, die Anstrengung, alles neu beim Namen nennen zu müssen, treibt in dieser Sprache auch Schnörkel. Wenn »Berichterstatter« umgetauft werden in »Erstatter von Berichten«, wenn stellenweise jeder Punkt und jedes Komma aus dem Text geblasen werden, um auf andere Stellen willkürlich niederzuregnen, so hat davon niemand Gewinn, weder der Autor, noch der Leser oder der Setzer. Meistens ist aber auch dieser bastlerische Eigensinn, diese dauernd versuchte Quadratur des Kreises, im Recht gegen unsere Ungeduld, so etwa, wenn uns Johnson Sätze zumutet wie diesen: »Fünfzehn Jahre nach dem verlorenen Krieg war Achim in Ostdeutschland berühmt für schnelles Fahren auf einer zweirädrigen Maschine, die angetrieben wurde durch kreisende Tretbewegung seiner Beine mit Zahnrädern und Kette in die Drehung der Hinterräder übersetzt.« Ohne Zweifel, einfacher ließe sich das auch sagen, aber man ahnt, worauf diese Prosa hinaus will, die rechtschaffen und zäh nur das Offensichtlichste und immer mehr Offensichtliches festhalten möchte. Sie ist der bis zur Erschöpfung vorangetriebene Versuch, alle vorgefaßten Meinungen zu unterlaufen, für alles neue Augen zu öffnen, uns die Sicherheit jedweder Wort- und Denkklischees unter den Füßen wegzuziehen. Während wir uns zum Tagesgebrauch alle Erscheinungen zukleben mit kleinen listigen Etiketts und lauter Namen erfinden, die in Wirklichkeit Kampfansagen sind – Ostzone, DDR, Nato, Ulbricht, Faschismus –, läßt Johnson durch Karschs Blick die Welt in jedem Augenblick neu, noch lange nicht verstanden, also auch absurd erscheinen. Diese Strategie des ersten Blicks ist poetisch wie politisch gleich kühn. Denn, wie Johnson in einem theoretischen Aufsatz kürzlich formuliert hat: »Der Text sollte so angelegt werden, daß die Raster von Schema B (sprich: westdeutsche Interpretation der Lage) oder A (sprich: das ostdeutsche Pendant) seine Bezüge weder umgruppieren noch eingemeinden können.«

Der Roman endet damit, daß ein drittes Buch über Achim nicht geschrieben werden kann. Karsch fährt, bedauernd, zurück nach Hamburg. Achim bleibt, bedauernd, in Leipzig. Es findet auch für zwei Personen keine Wiedervereinigung statt. Aber – haben wir das nicht vorausgeahnt? Wozu dieser Aufwand an Sprache, Dialektik, Verständnis, Humor und Verzweiflung, um nur in Ratlosigkeit zu enden? Auch Karsch, so dürfen wir zwischen den Zeilen lesen, hat vorausgeahnt, daß dieses Ende im Anfang schon mit enthalten war. Doch es ist etwas anderes, über diese Unmöglichkeit resigniert und ohne Stichprobe nur Bescheid zu wissen, oder sie Schritt für Schritt, Seite für Seite aus den Illusionen der Hoffnung heraustreten zu sehen. Ich hoffe, ich treibe nicht

Schindluder mit einem öft mißbrauchten Begriff, wenn ich diesen Prozeß, der uns so viele Vorurteile und Gewißheiten kostet, wenn ich Johnsons Erzählen überhaupt »sokratisch« nenne. Karsch beobachtet, hört zu und fragt genau, wie Kierkegaard den Sokrates fragen sah. »Man kann nämlich«, schreibt Kierkegaard, »fragen in der Absicht, eine Antwort zu erhalten..., oder man kann fragen..., um durch die Frage den scheinbaren Inhalt herauszusaugen und dann eine Leere zurückzulassen.« Genau das ist die Methode von Karsch. Er besucht »unsere Brüder und Schwestern in der Zone«, wie Sonntagsredner sie noch gern apostrophieren, und wendet auf die probeweise alle Illusionen an, mit denen wir uns über sie beruhigen. Er weiß, daß sie der Wirklichkeit nicht standhalten werden. Genau das will er uns zeigen. Zurück bleibt Ratlosigkeit und Leere, die Routine des Alltags: Karsch an der Schreibmaschine in Hamburg, Achim auf der Asphaltbahn in Leipzig. Ein sokratischer Roman, also ein Buch, das scheinbar mit Hoffnungen aufbricht, um mit fast leeren Händen zurückzukehren. Oder, wie Johnson sich selbst kommentiert hat: als »reine Kunst« kann nicht ausgegeben werden, was noch eine »Art der Wahrheitsfindung« ist. Das Gefälle der Spannung zieht den geduldigen Leser allerdings von der ersten Seite an mit sich. Diese Spannung wartet nicht mehr auf unerwartete Ereignisse, Todesfälle, Liebschaften oder den Deus ex machina, sie wartet schlechthin auf die Wahrheit. Natürlich wird sie uns auch am Ende nicht beschert. Wir können keine Gewißheiten über Achim oder Karsch, über Karin oder die Wiedervereinigung beruhigt nach Hause tragen und über ihnen einschlafen. Wir sind, im Gegenteil, nach den Erfahrungen dieser Lektüre unruhiger als vorher, mißtrauischer gegenüber allem Vorgedachten, also einer möglichen Wahrheit immerhin näher. Und: wir sind nicht nur über die DDR eines Besseren oder schlechteren belehrt worden, nicht als Pharisäer mit neuen Denkkonventionen versorgt, sondern haben etwas über die Unverläßlichkeit unserer Lage in der Welt schlechthin erfahren.

Auch für diesen Erzähler nämlich, der den Menschen als politisches Wesen so genau beschrieben hat wie kaum ein deutscher Autor vor ihm, auch für ihn sind seine Figuren mehr als nur die Funktionäre richtiger oder schlechter Ideologien. Was er am Ende seiner kostspieligen und schwermütigen Untersuchungen in den Händen zurückbehält, das ist der Mensch, entschlüpft dem Kostüm des Zeitgeistes, seltsam nackt, vorindividuell, allgemein wie aus einer poetischen Anthropologie: ein Wesen, das sich ängstlich anpaßt und doch über die Möglichkeit zur Ausnahme, zur Rebellion verfügt, das tapfer ist, bequem, ratlos und vernünftig.

Auch das ist in diesem Buch enthalten, aber ich möchte es deshalb nicht als »zeitlos« oder gar »ewig« jener Literatur der Weltflucht zuschlagen, die hierzulande gern »Dichtung« genannt wird. Es unterscheidet sich allerdings von der Flut jener Romane, die sich am Tag nur engagieren, um mit ihm vergessen zu werden. Es unterscheidet sich von solchen Büchern durch seine Sprache, Intelligenz, seine atemlose Ruhe, allerdings auch durch seine Schwierigkeit. Diese Schwierigkeit aber enthält die Schwierigkeiten unserer Welt, über die sich alles Einfache fast schon so leicht hinwegsetzt wie Lüge.

Marcel Reich-Ranicki
Registrator Johnson

Als im Jahre 1959 Uwe Johnsons Roman *Mutmassungen über Jakob* erschien, erwies es sich, daß die oft geschmähte Literaturkritik in der Bundesrepublik ihrer in diesem Fall nicht einfachen Aufgabe durchaus gewachsen war: So schwierig und sonderbar das neue Buch sich auch präsentierte – seine Bedeutung wurde sofort erkannt.

Mehrere Rezensenten führten, nach altem Brauch, die Namen der Schriftsteller an, deren Einfluß sich in der Prosa des Debütanten bemerkbar zu machen schien. Gewiß kannte Johnson die Meister des modernen Romans von Joyce bis Faulkner – und er hat viel von ihnen, vor allem in handwerklicher Hinsicht, gelernt. Es fällt jedoch auf, daß in den damaligen Besprechungen – abgesehen von Hinweisen auf Brecht – ausschließlich von westlichen literarischen Einflüssen die Rede war. Die Kritik behandelte den Verfasser der *Mutmassungen* eigentlich wie einen westdeutschen Autor.

Nun wuchs aber Johnson, der 1934 in Pommern geboren wurde, in der Welt zwischen Elbe und Oder auf. In einer mecklenburgischen Kleinstadt ging er zur Schule. In Rostock und in Leipzig studierte er von 1952 bis 1956 Germanistik. Bis 1959 war er Bürger des Staates, der sich »Deutsche Demokratische Republik« nennt. Dort entstand nicht nur seine erste literarische Arbeit, ein Roman *Ingrid Babendererde*, den der führende Verlag der DDR – der Aufbau-Verlag – aus politischen Gründen abgelehnt hat und der bis heute unveröffentlicht geblieben ist, dort wurde auch der Roman *Mutmassungen über Jakob* geschrieben.

Mithin scheint es legitim und angebracht zu sein, nicht nur von den westlichen literarischen Vorbildern zu sprechen, unter deren Einfluß Johnson gestanden haben kann, sondern sich auch zu überlegen, ob und inwiefern die *Mutmassungen* Spuren der offiziellen Kunstdoktrin der kommunistischen Welt und des literarischen Lebens zwischen Elbe und Oder aufweisen. Sollte Johnson etwa die Richtlinien der amtlichen Kulturpolitik gänzlich ignoriert haben?

Im Sinne des sozialistischen Realismus, wie er von den Literaturfunktionären in Ost-Berlin ausgelegt wird, ist es, wenn auch nicht unbedingt erforderlich, so doch sehr erwünscht, daß der Schriftsteller, zumal der Romancier, gesellschaftliche und politische Fragen der unmittelbaren Gegenwart an konkreten Beispielen verdeutlicht, die er vor allem dem Leben in der DDR zu entnehmen hat. In der Tat spielt die Handlung der *Mutmassungen* in der DDR, im Herbst 1956. In der Tat stehen im Vordergrund Fragen, die durch gesellschaftliche und politische Zustände verursacht wurden.

Als Romanhelden sieht der sozialistische Realismus am liebsten einen tüchtigen Vertreter der Arbeiterklasse, einen einfachen »Werktätigen«, der den bedürftigen, in der kapitalistischen Welt benachteiligten Volksschichten entstammt, es aber doch in der sozialistischen Welt zu etwas gebracht hat oder – im Laufe der Handlung – zu etwas bringt. Diesen Forderungen entspricht der Held der *Mutmassungen*: Jakob Abs, Sohn armer Leute, ist ein braver, vorbildlich pflichtbewußter Eisenbahner, der seine Laufbahn als gewöhnlicher Rangierer beginnt und mit der Zeit immerhin zum Inspektor der Reichsbahn avanciert.

Zum Personal eines im Sinne des sozialistischen Realismus geschriebenen Romans gehört stets ein unmittelbarer Vertreter des Systems: Es ist in der Regel ein Parteifunktionär, ein hoher Beamter oder ein Offizier. Eine solche Gestalt zeichnet sich nicht nur durch Intelligenz und Lebenserfahrung, Zielstrebigkeit und Opferbereitschaft aus, sondern auch durch Güte und Menschenfreundlichkeit und durch besonderes Verständnis für das Individuum, das vom rechten Weg abweicht und in heikle Situationen gerät. All dies trifft auf einen der Helden Johnsons zu, den Hauptmann Rohlfs vom Staatssicherheitsdienst der DDR. Fast immer gibt es in derartigen Romanen auch den Typ eines zwar gutwilligen, jedoch mit Komplexen belasteten, unentschlossenen und schwankenden Intellektuellen. Auch eine solche Figur fehlt nicht in den *Mutmassungen* – es ist Jonas Blach, ein wissenschaftlicher Assistent an der Ostberliner Universität.

Das Problem der Flucht aus der DDR nach Westdeutschland ist in den Romanen des sozialistischen Realismus eindeutig gelöst worden. Abgesehen von dunklen Individuen, die den Staat der Arbeiter und Bauern verlassen, weil sie den Arm der sozialistischen Gerechtigkeit fürchten, fliehen bisweilen junge Menschen, die den Versuchungen des Kapitalismus nicht widerstehen können. Es stellt sich meist heraus, daß sie im Westen Spionagedienste leisten müssen. Die dreiundzwanzig Jahre alte Gesine Cresspahl, die weibliche Hauptgestalt der *Mutmassungen*, ist nach der Bundesrepublik geflohen; sie wird in einem NATO-Hauptquartier als Dolmetscherin beschäftigt. Just am ersten Tag des Aufstands in Budapest kommt diese Gesine illegal nach der DDR. Da sie mit einem Revolver und mit einer doch nicht ganz alltäglichen Kamera ausgerüstet ist, die als »ein fingerlanges Ding« bezeichnet wird, liegt es auf der Hand, daß sie diese nicht ungefährliche Reise im Auftrag ihrer Arbeitgeber angetreten hat.

Wenn sich jedoch der Hauptheld eines derartigen Romans nach dem Westen begibt, so hat er dort – dem üblichen Schema zufolge – sofort eine Enttäuschung zu erleben und schleunigst nach der DDR zurückzukehren. In der Tat, Johnsons Jakob Abs besucht im Schlußkapitel seine Freundin Gesine, die ihn bittet, bei ihr, also in der Bundesrepublik, zu bleiben. Obwohl Jakobs Mutter ebenfalls im Westen ist und er die Gefühle Gesines offensichtlich erwidert, reagiert er auf ihre Aufforderung »Bleib hier« lediglich mit den Worten: »Komm mit« – und fährt sogleich nach Hause.

Ferner werden die Autoren des sozialistischen Realismus angehalten, der Arbeitswelt ihrer Gestalten viel Aufmerksamkeit zu widmen und den Prozeß der beruflichen Betätigung nicht als etwas Nebensächliches zu behandeln, sondern ihn in seiner ganzen Bedeutung für das Leben des Menschen darzustellen. Mit einer Genauigkeit und Ausführlichkeit, die jedem Buch eines linientreuen DDR-Autors zur Ehre gereichen würde, schildert Johnson die Arbeit des Tischlers Cresspahl, des wissenschaftlichen Assistenten Blach, des Offiziers im Staatssicherheitsdienst Rohlfs und vor allem des Titelhelden, der im Stellwerk einer Großstadt an der Elbe wichtige Schalthebel bedient.

Aber Johnson zeigt auch – und daran ist dem sozialistischen Realismus besonders gelegen – die innere Beziehung des Helden zu seiner beruflichen Tätigkeit, in der er völlig aufgeht. So heißt es einmal: »Die Minuten seiner Arbeit musste er sparsam ausnutzen und umsichtig bedenken, er kannte jede einzeln. Das Papier auf der schrägen Tischplatte vor ihm war eingeteilt nach senkrechten und waagrechten Linien für das zeitliche und räumliche Nacheinander der planmässigen und der unregelmässigen Vorkommnisse, er verzeichnete darin mit seinen verschiedenen Stiften die Bewegung der Eisenbahnzüge auf seiner Strecke von Blockstelle zu Blockstelle und von Minute zu Minute, aber eigentlich nahm er von dem berühmten Wechsel der Jahreszeiten nur die unterschiedliche Helligkeit wahr, am Ende machten die Minuten keinen Tag aus sondern einen Fahrplan.«

Kein Zweifel: verschiedene Motive, Gestalten und Elemente, die typisch sind für die Literatur, die in der DDR gefördert wird, sind von Johnson in den *Mutmassungen* übernommen worden. Allein, es muß vor allem Trotz gewesen sein, der ihn hierzu veranlaßt hat. Denn zwischen der Konzeption dieses Romans und den Bestrebungen der Partei auf dem Gebiet der Literatur besteht zwar ein unmißverständlicher Zusammenhang, doch macht sich der Einfluß im reziproken Sinne geltend. Der Roman *Mutmassungen über Jakob* ist als epische Manifestation eines ebenso jugendlichen wie bedächtigen Widerspruchs zu verstehen.

Johnsons Protest richtet sich nicht etwa gegen die dortige Gesellschaftsordnung oder den dortigen Staat schlechthin, sondern verfolgt – zunächst einmal – ein bescheideneres Ziel: Er rebelliert gegen die vereinfachende und verfälschende Darstellung des Lebens der Durchschnittsmenschen in der DDR, gegen die offizielle Auslegung der Phänomene, gegen die ideologisch determinierte und begrenzte Perspektive.

Versucht der Schriftsteller des sozialistischen Realismus, das Bild der Welt mit einer philosophischen Doktrin in Übereinstimmung zu bringen und ein präzises ideologisches Koordinationssystem anzuwenden, so scheint die Johnsonsche Betrachtungsweise einem tiefen Mißtrauen gegen jegliche Denkschemata, gegen philosophische Deutungen und ideologische Interpretationen entsprungen zu sein.

Während der sozialistische Realismus die Parteilichkeit des literarischen Kunstwerks postuliert, sie zum entscheidenden Kriterium erhebt und demzufolge den Autor zwingt, ethische und vor allem moralpolitische Urteile zu fällen, zu tadeln und zu loben, anzuklagen und zu verherrlichen – bekennt sich Johnson in seiner epischen Praxis zur programmatischen Unparteilichkeit. Nicht zu deuten und zu werten, fühlt sich dieser argwöhnische Beobachter berufen, sondern zu zeigen und zu vergegenwärtigen. Ein gerechter Registrator will er sein.

Der sozialistische Realismus empfiehlt, Licht und Schatten säuberlich zu trennen, für klare Konturen der Gestalten und Phänomene zu sorgen und konsequent die Eindeutigkeit des Geschehens anzustreben. Johnson hingegen will das Zwielichtige betonen, dem Vagen und Diffusen gerecht werden, die Vieldeutigkeit der Vorgänge bewußt machen.

Wird der Schriftsteller des sozialistischen Realismus angehalten, ein übersichtliches Bild der Welt zu entwerfen, in der alle Rätsel gelöst und alle Widersprüche überwunden werden, so ist Johnson daran gelegen, ihre Verworrenheit zu demonstrieren, die Rätsel nicht zu verheimlichen und die Widersprüche augenscheinlich zu machen.

Während die Literatur des sozialistischen Realismus Antworten gibt oder, richtiger gesagt, sich müht, die Antworten, welche die Partei bereits erteilt hat, mit künstlerischen Mitteln zu formulieren und zu illustrieren, begegnet Johnson dem Leben als Fragender. Während der Schriftsteller des sozialistischen Realismus behauptet und behaupten muß, er kenne und vermittle die Wahrheit, gibt Johnson seinen Lesern immer wieder zu verstehen, er sei lediglich auf der Suche nach ihr. Nicht mit Thesen kann er aufwarten, wohl aber mit seinem Zweifel, nicht mit Gewißheiten, sondern mit Mutmaßungen.

Die Grundlagen der Johnsonschen Ästhetik, wie er sie in den Romanen *Mutmassungen über Jakob* und *Das dritte Buch über Achim* praktiziert und in der Skizze *Berliner Stadtbahn* in Umrissen dargestellt hat, sollten also weniger auf westliche Vorbilder zurückgeführt werden als auf seinen Widerstand gegen den sozialistischen Realismus: Viele Eigentümlichkeiten, zumal in den noch jenseits der Elbe geschriebenen *Mutmassungen über Jakob*, erklären sich also aus der Gegenposition, in die sich Johnson gedrängt fühlte.

In der Skizze *Berliner Stadtbahn* erklärt er: »Der Verfasser... sollte nicht verschweigen, daß seine Informationen lückenhaft sind und ungenau... Dies eingestehen kann er, indem er etwa die schwierige Suche nach der Wahrheit ausdrücklich vorführt, indem er seine Auffassung des Geschehens mit der seiner Person vergleicht und relativiert, indem er ausläßt, was er nicht wissen kann, indem er nicht für reine Kunst ausgibt, was noch eine Art der Wahrheitsfindung ist.«[1]

Diese Sätze deuten die Methode an, die Johnson in den *Mutmassungen über Jakob* angewandt hat. Gesucht wird die Wahrheit über den Tod des Helden, mit dem der Roman beginnt. Ist Jakob Abs, als er von einer Rangierlokomotive überfahren wurde, einem gewöhnlichen Betriebsunfall zum Opfer gefallen? Ehe der Leser irgend etwas über Jakob erfahren hat, wird eine solche Auslegung seines Todes bereits in Frage gestellt. Denn der erste Satz des Romans lautet: »Aber Jakob ist immer quer über die Gleise gegangen.« Selbstmord also? Indem diese Möglichkeit auftaucht, wird die Frage nach dem Tod des Jakob Abs zur Frage nach seinem Leben. Um wiederum die Geschichte aufrollen zu können, die Jakobs Tod vorangegangen ist, muß der Autor auf das Leben weiterer Menschen eingehen, die in den letzten Wochen mit seinem Helden zu tun hatten.

Es gelingt Johnson tatsächlich, statt dem Leser die Ergebnisse der »schwierigen Suche nach der Wahrheit« mitzuteilen, ihm diese Suche vorzuführen. Neben die Darstellung des Erzählers setzt er die inneren Monologe jener drei Gestalten, die mit dem Schicksal Jakobs am engsten verknüpft waren, sowie Fragmente von Gesprächen, die um die Person des Helden kreisen und von nicht genannten und nicht immer identifizierbaren Personen geführt werden. Den objektiven, jedoch höchst lückenhaften Bericht des Erzählers ergänzen also Bekenntnisse, die zu Darstellungen desselben Geschehens aus anderen Perspektiven werden, sowie bruchstückhafte Wahrnehmungen und Spekulationen.

Die Auskünfte, die der Leser auf diese Weise im Laufe der Handlung erhält, vermögen manches aufzuhellen und lassen vieles ahnen – aber die Gestalten müssen verschwommen bleiben, da die vom Autor gebotenen Elemente, die psychologische Porträts ergeben könnten, von ihm meist wieder in Frage gestellt werden. Dennoch geht von diesen Gestalten eine eigentümliche Anziehungskraft aus.

Die Diskrepanz zwischen der Unklarheit der Johnsonschen Helden und der Intensität, mit der die zwischen ihnen bestehenden mannigfaltigen Spannungen spürbar gemacht werden, hat keinen mysteriösen Grund. Sie ist eine logische Folge der generellen Absicht Johnsons. Er vergegenwärtigt die Infiltration der Politik in das Leben eines jeden Individuums im totalitären Staat von heute und zeigt das Resultat: Der Mensch tarnt sich; nicht nur für die Machthaber, auch für seine Umgebung wird er undurchschaubar. Daher ist er für den Romanautor ebenfalls nicht durchschaubar – nur die Art der Beziehungen zu den Mitmenschen kann angedeutet werden und auch dies mit allerlei Vorbehalten. »Jedermann ist eine Möglichkeit« – heißt es einmal in den *Mutmassungen*. Und etwas weiter: »... er wusste dass die Lebensumstände nichts zu tun haben mit einer Person (während Herr Rohlfs zu meinen schien, dass der Lebenslauf oder die Biographie einen Menschen hinlänglich und jedenfalls bis zur Verständlichkeit erkläre: als ob der Staubstreifen hinter einem fortgerückten Schrank und ein nutzloser Nagel in einer leeren Wand und die alberne Traulichkeit eines Blumentopfes auf dem Fensterbrett eines ausgeräumten Zimmers noch verlässliche Nachrichten wären).«

Hier zeigt sich abermals Johnsons Gegenposition: Er widersetzt sich dem jenseits der Elbe üblichen primitiven Biographismus, der sich ebenso im täglichen Leben bemerkbar macht wie in der Literatur des sozialistischen Realismus und der darauf hinausläuft, daß das Bild des Menschen aus biographischen Umständen mechanisch abgeleitet wird – vornehmlich aus seiner sozialen Herkunft, seiner politischen Vergangenheit und seiner gesellschaftlichen Stellung.

Aber eben weil Johnson keinerlei »verlässliche Nachrichten« sieht, stürzt er sich in jenem »ausgeräumten Zimmer« – um bei dem soeben zitierten Vergleich zu bleiben – auf die wenigen greifbaren, unzweifelhaften Spuren: den Nagel in der leeren Wand, den Blumentopf auf dem Fensterbrett, den Staubstreifen. Das sind die in beiden Romanen immer wieder auftauchenden exakten Beschreibungen. Sie haben nichts gemeinsam mit der Detailbesessenheit, die für Martin Walsers *Halbzeit* charakteristisch ist. Walser inventarisiert Einzelheiten, weil er vorerst keine Möglichkeit sieht, mit anderen Mitteln der Welt, die er zeigen möchte, beizukommen. Bei Johnson hingegen haben die Beschreibungen eine geradezu pädagogische Funktion.

Die Organisation einer Post, das Funktionieren einer Signalanlage oder einer automatischen Telephonzentrale, die Betriebsordnung für Eisenbahner – all das wird minuziös geschildert, doch mit jenem unmißverständlichen Spott, der andeutet, daß eben nur derartige Vorgänge und Phänomene erfaßt und dargestellt werden können, während sich die Empfindungen und Gedanken der Menschen nie gänzlich erkennen, sondern bestenfalls ahnen lassen. Anders ausgedrückt: die Existenz dieser Inseln der Präzision und der Klarheit im nicht auslotbaren Meer der Johnsonschen Mutmaßungen macht dem Leser den Unterschied zwischen dem

Durchschaubaren und dem Undurchdringlichen bewußt: zwischen dem Beschreibbaren und dem Nicht-Beschreibbaren. Die exakten Schilderungen technischer Prozesse und gegenständlicher Einzelheiten dienen als ironisch-didaktische Kontrastmotive. Durch die provozierende Überbelichtung des einen wird die hoffnungslose Dunkelheit des anderen betont.

Es erweist sich, daß der Nebel, in dem Jakob an jenem Novembermorgen überfahren wurde, ebenso real wie zugleich metaphorisch ist. Aber so konsequent in diesem Roman die Verdunkelung angestrebt und die Verworrenheit realisiert wird, sooft Johnson auch die Fäden bis zur Unkenntlichkeit verschlingt – die im Mittelpunkt stehende Geschichte zeichnet sich durch die überwältigende Einfachheit großer Parabeln aus. Es ist das Gleichnis vom gerechten Mann in einer ungerechten Zeit, vom trotzigen Einzelgänger im heutigen Deutschland.

Jakob will nichts anderes als in Ruhe leben, seine Pflicht erfüllen und seine moralische Integrität bewahren. Er will weder der Spionageabwehr dienen, die seine Hilfe sucht, noch fliehen. Unheimlich wird ihm der Staat, in dem er lebt – fremd bleibt ihm der andere deutsche Staat. Er versucht, quer über die Gleise zu gehen. Eine Lokomotive fährt ihm entgegen, er weicht ihr aus, wird jedoch von einer anderen Lokomotive erfaßt. Die Richtungen, aus denen diese beiden Lokomotiven kommen, sind zwar nicht angegeben, aber wir können sie vermuten: Ost und West.

Die Frage, ob es Selbstmord oder ein Unfall war, wird nicht gelöst und braucht nicht gelöst zu werden, denn Bedeutung kommt lediglich dem Endergebnis zu: daß er, der Gerechte, auf einem ihm wohlvertrauten Gelände zwischen zwei Lokomotiven geraten ist. Und die diskrete Schlußpointe: Der Mann des östlichen Spionagedienstes und das Mädchen aus dem Westen, das dort für eine ähnliche Organisation arbeitet, treffen sich, um den Toten zu betrauern.

Die Umrisse des Lebens der Durchschnittsmenschen in der DDR hatte Johnson in den *Mutmassungen* aus der Nahsicht angedeutet. Dieser Perspektive verdanken viele Teile des Buches ihren merkwürdigen Reiz. Indes konnte man sich des Eindrucks nicht ganz erwehren, daß Johnson in manchen Abschnitten vor lauter Bäumen den Wald nicht sah, daß ihn also die geringe Distanz mitunter an dem Überblick hinderte.

Im *Dritten Buch über Achim*, das im Unterschied zu den *Mut-*

massungen im Westen geschrieben wurde, ist er wiederum bestrebt, die Atmosphäre in der Welt zwischen der Elbe und der Oder einzufangen. Aber die Perspektive hat sich grundlegend geändert. In den zwei Jahren, die zwischen diesen beiden Romanen liegen, hat Johnson jenen Abstand gewonnen, den man in den *Mutmassungen* noch vermissen mußte.

Auch für dieses Buch ist jedoch etwas Trotziges charakteristisch, es läßt ebenfalls eine Gegenposition erkennen. Gewiß, hier wird nicht mehr gegen den sozialistischen Realismus Widerstand geleistet, wohl aber gegen westliche Denkschablonen, gegen oberflächliche und klischeehafte Vorstellungen vom Leben jenseits der Elbe, gegen die »handelsüblichen Namen« der Phänomene. Auf die neugewonnene Distanz des Verfassers muß auch der Umstand zurückgeführt werden, daß jetzt nicht mehr ein Bewohner der DDR im Mittelpunkt steht, sondern ein Besucher aus der Bundesrepublik.

Freilich hat dieser Journalist Karsch aus Hamburg, der im Jahre 1960 aus privaten Gründen eine Großstadt in der DDR aufsucht, doch etwas mit dem Eisenbahner Jakob gemeinsam. Über Karsch heißt es: »Sah von der Galerie hinunter auf den dichten Strom nachmittäglicher Fußgänger und war sicher dass er nichts verstehen werde mit Vergleichen ...: dies war etwas für sich allein und zu erfassen nur von sich aus; er kannte es nicht.« Und: »Er war kaum je vorher so unsicher gewesen in einem fremden Land: in diesem war ihm der Rückhalt seiner Lebensweise gänzlich abgegangen ...«

Dieser Satz hätte auch über Jakob Abs in der Bundesrepublik gesagt werden können. Nur, daß dem Helden der *Mutmassungen* schon vorher der »Rückhalt seiner Lebensweise« auch in seiner östlichen Heimat verlorengegangen war. Die Erkenntnis der Entfremdung im anderen Teil Deutschlands hatte daher für Jakob katastrophale Folgen. Dieselbe Erkenntnis verursacht bei Karsch lediglich den Entschluß, die Entfremdung zu überwinden oder zumindest ihre Ursachen zu begreifen. *Das dritte Buch über Achim* beginnt also da, wo die *Mutmassungen über Jakob* aufhörten.

Beide Helden lassen sich von ihrer Umwelt nicht beirren und versuchen – unpathetisch und still –, ihren eigenen Weg zu finden: Auch Karsch aus Hamburg ist ein verkappter Trotzkopf, der quer über die Gleise gehen will. Ein programmatisch unvoreingenommener Intellektueller, der jegliche Vergleiche östlicher und westlicher Phänomene für sinnlos hält, wird also mit der ihm fremden Realität konfrontiert.

Wie in den *Mutmassungen* ergibt sich auch in diesem Fall die Handlung aus der Initiative einer DDR-Instanz: Der Staat wendet sich an das Individuum mit einem Ansuchen oder einem Vorschlag – und das Individuum gerät bald in schwierige Situationen und Konflikte. Der Staatssicherheitsdienst brauchte Jakobs Hilfe, weil Gesine für Spionagezwecke gewonnen werden sollte; ein staatlicher Verlag tritt an Karsch heran, weil die Partei ein neues Buch über den gefeierten Radrennfahrer Achim wünscht.

Die Bemühungen Karschs, den Werdegang dieses Achim kennenzulernen und die erlangten Informationen in einer Lebensbeschreibung zu verarbeiten, und die Auseinandersetzungen mit den Funktionären, welche die Arbeit des Biographen überwachen, bilden einen Handlungsfaden, den die eigentliche Geschichte des Rennfahrers als zweiter Bestandteil des Romans ergänzt.

Auch die Klarheit dieser Komposition ist eine Folge der neugewonnenen Distanz Johnsons: Seine schriftstellerische Ausgangsposition, der Versuch also, der Verworrenheit und Undurchschaubarkeit der Welt mit einem ebenso verworrenen und undurchschaubaren epischen Gebilde zu begegnen, scheint mit dem *Buch über Achim* schon überwunden zu sein. Die Kunstgriffe und Mittel des modernen Romans, derer sich Johnson in den *Mutmassungen* bedient hat, werden jetzt in der Regel sparsamer und sicherer angewandt, weswegen formale Extravaganzen nur selten stören. In vielen Kapiteln ist die Technik zur Selbstverständlichkeit geworden. Es dominieren: der sachliche Bericht, die ironischfeierliche Chronik, die herkömmliche Er-Erzählung.

Dadurch wurde Johnsons Prosa keinesfalls ärmer, denn ihre Originalität wird nicht so sehr – wie manche meinten – durch diese Mittel und ihre Montage bewirkt, sondern durch die sprachliche Kraft, durch die herbe und spröde Diktion, die sich offensichtlich von norddeutschen Mundarten prägen ließ. *Das dritte Buch über Achim* zeichnet sich durch jene scheinbare epische Gleichgültigkeit aus, jene Gelassenheit, die ebenso von Leidenschaft wie von Skepsis zeugt, jene Nüchternheit, hinter der sich die Gefühle verbergen, jene Ruhe, die die Erregung des Lesers provoziert.

Indem jedoch Johnson wenigstens teilweise auf den dichten Nebel verzichtet, der ein nicht wegzudenkendes Element der Geschichte über Jakob war, setzt er die Gestalten und Motive des *Dritten Buches über Achim* einer rationalen Kritik aus, die in den *Mutmassungen* oft unmöglich gemacht wurde. So erscheinen Ausgangspunkt und Basis der Handlung recht fragwürdig. Johnson und Karsch interessieren sich für den Rennfahrer, weil er – von den Machthabern gern gesehen und zugleich von den Massen bewundert – »eine sehr vermittelnde Figur«[2] ist. Das leuchtet ein, nur hat Johnson keine Möglichkeit gefunden, die beiden Gestalten auf überzeugende Weise in Beziehung zu setzen. Die bereits existierenden zwei Biographien über Achim mißfallen der Partei, weil sie unpolitisch sind. Klar wird gesagt, was die erforderliche dritte Biographie bieten soll: »Das Buch, in dem ein Durchreisender namens Karsch beschreiben wollte, wie Achim zum Ruhm kam und lebte mit dem Ruhm, sollte enden mit der Wahl Achims in das Parlament des Landes, das war die Zusammenarbeit von Sport und Macht der Gesellschaft in einer Person... auf dies Ende zu sollte der Anfang laufen und sein Ziel schon wissen.« Es widerspricht der Logik, daß Instanzen der DDR eine derartige, rein propagandistische Aufgabe, die zwei einheimische Autoren nicht lösen konnten, gerade einem Neuankömmling anvertrauen, dessen politische Ahnungslosigkeit in die Augen springen muß.

Auch die Gestalten überzeugen diesmal weniger als in dem Erstling. Die Profile von Jakob, Rohlfs und Gesine lassen sich in dem Nebel der *Mutmassungen* nur ahnen, sind aber dennoch unverwechselbar. Karsch hingegen ist ein Medium ohne individuelle Züge. Die weibliche Hauptgestalt, Karin, wurde von Johnson allzu spärlich beleuchtet. Und schließlich und vor allem: Achim mag ein Typ sein, als Individuum kann er schwerlich gelten; daher wirkt er als »vermittelnde Figur« kaum glaubhaft. Offenbar liegt dem Verfasser des *Dritten Buchs über Achim* weniger an den Charakteren als an der Darstellung der Verhältnisse; nicht um Aktionen geht es ihm, sondern um den Hintergrund. Wichtiger als die Gedanken, die geäußert werden, sind für Johnson die Umstände, die sie verursacht haben. Wie Walser in der *Halbzeit*, strebt auch er die zeitgeschichtliche Bestandsaufnahme an. Die psychologische Analyse hingegen interessiert ihn nur gelegentlich.

Während sich aber die Geschichte vom Eisenbahner Jakob als eine epische Struktur erwies, die alles zu umfassen vermochte, was der Autor sagen wollte, ist die Fabel um Achim im Grunde nur eine Hilfskonstruktion. Der Geschichte vom westlichen Journalisten und östlichen Radrennfahrer geht das Gleichnishafte ab. Mögen manche Abschnitte der *Mutmassungen* weniger gelungen sein – das Ganze zeichnet sich doch durch innere Geschlossenheit und Einheitlichkeit der Stimmung aus. Dem *Dritten Buch über Achim* fehlt indes eine Achse, ein Zentrum: Oft hat man den Eindruck, als sei der Roman aus einzelnen Bestandteilen zusammengefügt worden.

Im Gedächtnis des Lesers bleiben daher nicht Gestalten, sondern Situationen, nicht Handlungsfäden, sondern Episoden, nicht Ereignisse, sondern Zustandsschilderungen: der Kauf einer Schreibmaschine, ein FDJ-Umzug, ein Wahllokal in der DDR, eine Szene in einem Westberliner Laden, die Beschreibung eines Bahnhofs. Aber in diesen – meist in sich abgeschlossenen – Situationen, Episoden und Zustandsschilderungen wird der Zeitgeist augenscheinlich. In ihnen vermag Johnson die Beziehungen zwischen dem totalitären Staat und dem Individuum in ihrer Vielschichtigkeit und Fragwürdigkeit konkreter und präziser zu vergegenwärtigen als in den *Mutmassungen*.

Im Mittelpunkt steht die Diskrepanz zwischen den Vorstellungen, die sich die Funktionäre von der Vergangenheit des jungen Achim und somit von der Biographie eines vorbildlichen DDR-Bürgers machen – und dem wirklichen Entwicklungsweg des Star-Sportlers. Wenn Johnson diesen Gegensatz am Beispiel verschiedener Episoden aus der Kriegs- und Nachkriegszeit verdeutlicht und ihn über die Ereignisse vom 17. Juni 1953 bis in die Gegenwart verfolgt, so ist hier die Bloßstellung von Propagandamethoden gewiß das wenigste. Johnson greift tiefer. Seine Geschichte vom primitiven Rennfahrer, dessen Leben doch weit komplizierter war, als es die Partei wahrhaben will, richtet sich im Grunde gegen eine Theorie, die das Dasein unentwegt vereinfacht, gegen eine Welt, in welcher der Mensch als restlos deutbare, berechenbare und daher stets auswechselbare Größe behandelt wird.

Achim selbst jedoch, der Vertreter einer Generation, die kurz nach dem braunen Hemd der HJ das blaue Hemd der FDJ erhielt, möchte sich – und das ist das ironische Leitmotiv des Romans – eben als vereinfachtes und restlos deutbares Wesen sehen. Auch er wünscht sich eine möglichst schematische Darstellung, denn zum Starsportler, der »gern mit Notwendigkeit gekommen sein wollte durch die Zeit hierher aber nicht durch Zufall und bloss überredet dazu... passte nun nicht mehr der vergangene Tag«.

Johnson betonte, er wolle Geschichten erzählen, die »interessant wegen ihrer Neuheut« seien, »wegen der in ihnen enthaltenen Erfahrungen und Kenntnisse«.[3] In der Skizze *Berliner Stadtbahn* sagte er: »Von einem Erzähler werden Nachrichten über die Lage erwartet, soll er sie berichten mit Mitteln, über die sie hinausgewachsen ist?«[4] So und nicht anders sollten die beiden Romane verstanden werden: als Bemühungen, die Gegenwart mit epischen Mitteln zu erfassen. Johnsons Avantgardismus dient einer eindeutigen Aufgabe: Er will »Nachrichten über die Lage« bieten, »Erfahrungen und Kenntnisse« auf die der Kunst gemäße Weise zugänglich machen. Seine formalen Experimente sollen lediglich die »Wahrheitsfindung« ermöglichen und erleichtern.

Die Suche nach dem adäquaten Ausdruck kann nicht geradlinig verlaufen und frei sein von Irrtümern und Mißverständnissen. Vorerst konnte Johnson Manieriertheiten und Primitivismen sowie Schwankungen vom allzu Verschlüsselten bis zur störenden Direktheit nicht vermeiden. Dies ändert jedoch nichts an der Tatsache, daß es heutzutage nur wenige deutsche Schriftsteller gibt, deren Bücher es verdienen, so aufmerksam gelesen zu werden wie die Prosa des Uwe Johnson.

Anmerkungen

1 Uwe Johnson, *Berliner Stadtbahn*, in: U. J., *Berliner Sachen*, Frankfurt a. M. 1975, S. 20 f.
2 Horst Bienek, *Werkstattgespräche mit Schriftstellern*, München 1962, S. 89
3 Ebenda, S. 93
4 Uwe Johnson, *Berliner Stadtbahn*, a. a. O., S. 21

Gisela Ullrich
»Das dritte Buch über Achim«

Inhalt, Titel und Aufbau

Der westdeutsche Journalist Karsch reist in die DDR und lernt dort den gefeierten Radrennfahrer Achim T. kennen. Dessen beruflicher und politischer Aufstieg, seine Identifikation mit der Rolle als Massenidol und die Sympathien, die ihm die Bevölkerung entgegenbringt, erwecken in Karsch den Gedanken, ein Buch über Achim zu schreiben. Ein ostdeutscher Verlag interessiert sich für Karschs Plan und gewinnt durch den Abschluß eines Vertrages Einfluß auf die Produktion. Im Verlauf der Arbeiten an der Biographie kommt es zu Kontroversen zwischen den propagandistischen Absichten der Verlagsvertreter und Karschs Bemühungen um vorurteilslose, neutrale Beschreibung seines Helden. Aber auch das Verhältnis zu Achim wird gestört durch Karschs Recherchen über Achims Vergangenheit und durch Karschs Suchen nach dem wirklichen Menschen, der hinter dem unpersönlichen Leitbild steht. Höhepunkt dieser Auseinandersetzungen ist der – durch ein Foto ausgelöste – Verdacht, daß Achim am Aufstand des 17. Juni teilgenommen habe. Er führt zur Abreise Karschs und zum Scheitern des Biographieversuchs. Unter dem Eindruck, daß seine objektive Beschreibung ins Leere geht und daß der Verzicht auf den eigenen Standpunkt des Autors nur die Standpunktlosigkeit des Beschreibungsobjekts offenbart, gibt Karsch die Verständigungsbemühungen auf.

Die Geschichte wird unterbrochen und umrahmt vom Gespräch eines Ich-Erzählers mit einem anonymen, nur durch Zwischenfragen zu identifizierenden Zuhörer. Hier werden nun das Scheitern des Projekts an den unterschiedlichen Erwartungen und Mißverständnissen, die Probleme einer adäquaten Beschreibung fremder Wirklichkeit, die Umsetzung erfaßter Daten in eine Lebensbeschreibung und nicht zuletzt die Wahrheitsfrage diskutiert. Die Wahrscheinlichkeit, daß es sich bei dem Ich-Erzähler um den nach Westdeutschland zurückgekehrten Karsch handelt, wird dem Leser durch Andeutungen, vor allem am Romanende, nahegebracht.

Der Romantitel enthält den Hinweis, daß im Mittelpunkt des Romans nicht ein Held, sondern ein Buch stehe, genauer: das dritte Buch über Achim. Der Aufbau zeigt denn auch, daß sich die zunächst anzunehmende zentrale Bedeutung Achims zugunsten des Journalisten Karsch und seines dreifachen Produktes verschiebt; denn um drei ineinander verschachtelte Bücher handelt es sich bei diesem Roman.[1]

Das erste Buch ist die beabsichtigte, jedoch mißglückte Biographie über den Sportler Achim T., die seinen Aufstieg, seine Vita einschließlich der historischen Vorgeschichte und soziokulturellen Umwelt zum Thema hatte und der Berichte und Meinungen anderer sowie die Eindrücke Karschs von Achim zugrunde lagen. Das Projekt scheiterte, das Buch wurde also nicht realisiert.

Das zweite Buch handelt von dem Versuch, in der DDR eine Biographie zu schreiben, und wird nach seiner Rückkehr verfaßt. Nicht Achim steht im Mittelpunkt, sondern die Beschreibung des Versuchs und die Hintergründe für das Scheitern der Aktion. Noch vorhandene Vorarbeiten, die für das erste Buch – die Biographie – gemacht wurden, gehen in dieses zweite Buch ein.

Das dritte Buch ist das um eine Rahmensituation erweiterte zweite Buch, in welcher ein Ich-Erzähler mit einem Zuhörer oder Leser einen Dialog über das Erzählte führt. Im Mittelpunkt stehen Kommentare, Interpretationen und Reflexionen. Der Text wird gegliedert durch die Fragen des anonymen Dialogpartners und enthält die Antworten und Erklärungen, die ihm gegeben werden.

Das vorliegende »dritte Buch über Achim« ist somit die Gesamtmenge, in der das zweite Buch und die Fragmente aus dem nicht realisierten ersten Buch enthalten sind. Der Aufbau zeigt, daß wir eine fingierte Dialogsituation (als Rahmen) und eine fiktive Handlungssituation zu unterscheiden haben. Während in der Handlungssituation in der Er-Form über Aktionen berichtet wird, an denen Karsch beteiligt, also selbst auch Erzählobjekt ist, hat sich der Ich-Erzähler im fingierten Dialog vom Geschehen distanziert und nimmt subjektiv zu ihm Stellung. Es findet also vom ersten zum dritten Buch hin eine zunehmende Subjektivierung der Erzählposition statt: Karsch als Biograph klammert einen eigenen Standpunkt zugunsten seines Helden aus; im Bericht des Scheiterns dagegen kann Karsch als Autor schon nicht mehr von sich selbst absehen; und im Dialog ist die subjektive Vermittlung des Erzählten schließlich von entscheidender Bedeutung. Parallel hierzu nimmt der Fiktionalitätsgrad des Textes ab, so daß die Dialogsituation als Simulation eines möglichen Gesprächs zwischen dem Autor Johnson und einem realen Leser betrachtet werden kann.

Am Romanaufbau wird deutlich, daß die Spaltung des Erzählers keine artistische Marotte ist. Sie wird provoziert vom wechselnden Erzählobjekt und von der daraus resultierenden unterschiedlichen Rolle des Erzählers.

Im Gegensatz zum fingierten Leser des Dialogs bleibt der reale Leser über die Identität von Karsch und Ich-Erzähler bis zum letzten aufdeckenden Satz des Romans im unklaren. Jedenfalls ist der Wissensvorsprung des fingierten Lesers aufgrund von zwei Äußerungen anzunehmen: 1. durch dessen – offensichtlich als Fehlleistung getarnte – Zwischenfrage an den Erzähler: »Deswegen bleibst du da? Blieb Karsch da?« (37), und 2. durch eine Bemerkung des Erzählers selbst: »Schließlich widerstrebte es Karsch: dir in halben Worten eines erfundenen Gesprächs« usw. (56). An diesen Stellen kommt im realen Leser höchstens ein Verdacht auf.

1. Die Handlungssituation

1.1. Verschiedene Voraussetzungen der Partner

Karsch bereist auf eine private Einladung hin die DDR mit dem Vorsatz, nach einer Woche wieder nach Hamburg zurückzufahren. Die Situation verändert sich von dem Augenblick an, als er sich für Achim T., genauer gesagt: für dessen Rolle als gefeierter Sportler und Volksvertreter, zu interessieren beginnt. Er wird »neugierig auf dies Land und wie darin zu leben wäre. Also blieb er noch. Für eine Weile: dachte er.« (40)

Akzentuiert wird die Lage dadurch, daß er offiziell von einem ostdeutschen Verlag mit dem Abfassen einer Biographie über Achim beauftragt wird. Ohne sogleich zu erkennen, daß ihm von der Seite des Verlages her die Rolle des »Gastes aus dem westlichen Bruderland« zugedacht wird, der »mit seinem Besuch den guten Willen zeige« und in dem »die westdeutsche Publizistik auf dies Sinnbild« für »Kraft und Zukünftigkeit des Landes« treffe (43/44), unterwirft sich Karsch bestimmten Erwartungen, die sich nicht mit seinen naiven Voraussetzungen (Neugier, Interesse) decken. Implizite – also nicht ausdrücklich durch Vertragsbedingungen benannt – übernimmt Karsch zugleich mit dem Auftrag gewisse Verpflichtungen gegenüber Normen und Sanktionen eines ihm *fremden Wertsystems,* deren Kenntnis er sich im Verlauf der Interaktion aneignen muß.

So kann die Handlungssituation beschrieben werden als eine, in der zwei verschiedene Wertsysteme mit je verschiedenen Voraussetzungen in den Interaktionspartnern aufeinandertreffen. Karsch unterscheidet sich von den anderen dadurch, daß ihm das selbstverständliche, unreflektierte Wissen über deren gesellschaftliche Wirklichkeit fehlt. Wie der Ortsfremde das fotografiert, »was den Einheimischen des Aufnehmens nicht wert« scheint (211), so wird für Karsch zum Objekt der Aufmerksamkeit, was für alle anderen unbeachtet bleibt.

Diese Vorgaben der anderen müssen jedenfalls von Karsch identifiziert werden, wenn die Interaktionen erfolgreich verlaufen sollen. Karsch, der offensichtlich über ein teilweise verschiedenes Alltagswissen verfügt, beschreibt die verlorengegangene Orientierung am Gewohnten als Verunsicherung:

»Immer noch und auch bei alltäglichen Entscheidungen kam er nicht aus ohne nachträgliche Besorgnis: als hätte er doch lieber einen Einheimischen um Rat fragen sollen« (290);

und:

»Er war kaum je vorher so unsicher gewesen in einem fremden Land: in diesem war ihm der Rückhalt seiner Lebensweise gänzlich abgegangen, wurde blaß, war fast nicht anzuwenden.« (46)

Die gleichen Schwierigkeiten ergeben sich für Achim in der spiegelbildlichen Situation anläßlich einer Reise nach Westdeutschland:

»(...) er sah alles, er erriet nichts. Fremde sprachen über Fremdes in fremder Sprache, neben ihm lebten sie im warmen Abend eines anderen Staates mit einander und waren sicher im Unbekannten, er war von ihnen entfernt wie das Gefühl des Sonntagmorgens ihn trennte vom Leben in der Woche.« (233)

Karsch versteht sehr bald, daß ein Vergleich auf der Basis seines eigenen *Bezugsschemas* nicht möglich ist. Die hier vorgefundene Wirklichkeit ist nur »von sich aus«, d. h. unter den hier geltenden

Voraussetzungen zu erfassen. Schon gar nicht läßt sich der Unterschied etwa aus dem Straßenbild erklären. Karsch begegnet der gesellschaftlichen Wirklichkeit der DDR, indem er Menschen begegnet, mit ihnen zusammenarbeitet und ihre Erwartungen und Intentionen kennenlernt.

1.2. Diskrepanzen zwischen Erwartungen der Partner

Mit der Übernahme seiner Rolle als Autor tritt Karsch mit den *Verlagsvertretern* Ammann und Fleisg in Beziehung. Hier treten die ersten Erwartungsdiskrepanzen auf: Während Karsch in ihnen Leute sieht, mit denen er plaudern oder ein Glas Bier trinken gehen kann, definieren diese sich selbst als Repräsentanten des Staates.[2] Diese Information muß Karsch berücksichtigen, wenn er mit ihnen erfolgreich interagieren will. Weiter erwartet man von ihm Leistungen, die nicht durch individuelle Eigenheiten geschmälert werden, ferner Solidarität mit den Werktätigen und die Fähigkeit, mit diesen ins Gespräch zu kommen, sie mitzureißen, anzuleiten und zu belehren. Allmählich wird Karsch die Disparität der Rollenerwartungen klar. Er hatte nicht nur die Rolle seiner Vertragspartner falsch eingeschätzt, sondern erkennt sich nun auch selbst nicht in dem vorgezeichneten Bild der Autorrolle.

Darüber hinaus haben die Auftraggeber eine sehr genaue Vorstellung über das Buch, das Karsch zu schreiben gedenkt. Es soll vor allem den politischen Aspekt hervorheben, Achims Leben in die gesellschaftliche Wirklichkeit seines Landes einbetten und aus ihr hervorgehen lassen. Es soll nicht nur ein »nützliches« Buch werden, aus dem der Leser richtiges Verhalten lernt, sondern »ein rundes: ein ganzes Buch« (60), Achim darin als Vorbild erkennbar, von allem Beliebigen und Zufälligen seiner Person befreit. Erwartet wird ein idealistischer Held, der die allgemeinen Forderungen aus individuellem Antrieb heraus unmittelbar und unreflektiert erfüllt: die harmonische Einheit von individuellen und institutionellen Bedürfnissen.

Die verschiedenen Versionen, die Karsch seinen Vertragspartnern vorlegt, sind für diese »noch zu privat« und »noch nicht mehr als die Wahrheit«. Entstellungen und Manipulationen der Wirklichkeit, die man von Karsch verlangt, konfligieren mit dessen Wahrheitsbegriff. Um der Nützlichkeit des Buches willen soll die

Vergangenheit zurechtgerückt und stimmig gemacht werden, damit die biographische Konsistenz des vorbildlichen Staatsbürgers gewährleistet ist.

»Wer auf unserer Seite steht, muß da längst gestanden haben, der Verteidiger der sozialistischen Ordnung muß es schon gewesen sein zur Zeit der Verbrechen.« (136)

Die Interaktionen zwischen Karsch und *Achim* sind anfangs weniger durch rigide Erwartungen gekennzeichnet als durch ein Rollenverhältnis, wie es sich schlechthin aus der Problematik einer Biographie ergibt: also Fragen der Übereinstimmung zwischen der Art, wie einer sein Leben sieht und dargestellt haben möchte und wie es sein Biograph sieht und darstellt, Fragen der Selektion, der retrospektiven und idealisierenden Umdeutungen, der biographischen Konsistenz, der Authentizität usw. Karschs Kompromißbereitschaft gegenüber Achims Wünschen beruht auf seiner Intention, neutraler Sammler und Herausgeber von Material zu sein, das ihm ein anderer liefert und zu dem er keine Meinung hinzufügt.

Erste Schwierigkeiten treten bei der Darstellung der Kindheit auf, wo sie unter normalen Umständen (d. h. dort, wo Biographien unter Zugrundelegung eines gemeinsamen Bezugsschemas geschrieben werden) nicht üblich sind.[3]

Schwierigkeiten bereiten die politische Vergangenheit des Vaters und Achims Mitgliedschaft in der Hitler-Jugend. Achim verleugnet die Fakten nicht, er lehnt nur deren Veröffentlichung ab. Ebenso fallen weitgehend die Berichte aus den ersten Nachkriegsjahren Achims Zensur zum Opfer. Die verlangten Tilgungen zeigen klar, in welchem Konflikt er sich hinsichtlich solcher dunklen Stellen in seiner Vita befindet: So wird das Gesellschaftsmitglied zwar in eine historische und politisch unbeständige Epoche hineingeboren, steht aber dennoch unter dem Zwang biographischer Konsistenz. Um für die neue gesellschaftliche Wirklichkeit ein zuverlässiges und brauchbares Mitglied abzugeben, muß es die durch Wechsel von Herrschaftssystemen und Ideologien verursachten Bruchstücke seines Lebens selbst zusammenkleben und glaubwürdig als Einheit präsentieren.

Zudem steht gerade in Zeiten politischen Wandels die biographische Einheit unter besonders strenger Kontrolle, weil die neu sich formierende Gesellschaft mögliche Unsicherheitsfaktoren ausschließen will. Sie verurteilt nicht nur vergangenes Verhalten, das unter den nun geltenden Wertmaßstäben verwerflich ist, sondern erwartet vom Individuum kurzerhand Zustimmung gegenüber den neuen Werthaltungen und Zielen. Gegen diese institutionelle Erwartung steht aber die eben erst vom Gesellschaftsmitglied gemachte Erfahrung, daß es für politisches Engagement oder selbst für Mitläufertum bestraft wird. Für Achims Biographie entsteht die brisante Frage, *wie* bald nach dem Kriege er – gezwungen oder freiwillig, aus Überzeugung oder aus Konformismus – der FDJ beigetreten sei. Seine Abneigung gegen »Fanfarengetön und Trommelschlag« ist in einer Biographie mit Wirkungsabsichten auf die Leser nicht unterzubringen. Sie wird kaschiert zu der formelhaften Wendung: »Nach anfänglichem Zögern erkannte ich (...)« (190). Die Fehler seines Lebens bleiben in seiner Erinnerung eingeschlossen, die sich höchstens im vertraulichen Gespräch öffnet. Der Öffentlichkeit aber führt er eine geradlinige und folgerichtige Lebensgeschichte ohne Abweichungen und Irrtümer vor. Im Verlauf der Zusammenarbeit lernt Karsch die Voraussetzungen kennen, unter denen Achim auf sein Projekt eingegangen war. Da sie jedoch nie ausgesprochen wurden – denn man nahm gleichzeitig mit dem gemeinsamen Interesse auch adäquate Intentionen an –, treten die Differenzen erst nach und nach zutage. Will man die Biographie erfolgreich zu Ende führen, wird vorwiegend Karsch zu Konzessionen bereit sein müssen.

Karschs Kompromißbereitschaft ergibt sich aus seinem Selbstverständnis als *neutraler Beobachter:* Ihm »lag an Achims Erfahrungen und nicht an denen, die andere hätten haben können oder hatten« (170). Die intendierte Objektivität des Biographen verlangt eine Ausschaltung seiner eigenen Meinungen, die allerdings dann an die Grenzen des Zumutbaren führt, wo er nur noch ausführendes Organ ist, wenn also z. B. Achim verlangt: »(...) das müssen Sie beschreiben als hätten Sie es verstanden.« (192) Hier stehen zwei Intentionen des Autors Karsch miteinander in Konflikt, die Intention der Authentizität und die der Wahrheit. Um authentisch zu berichten, muß Karsch sich Entscheidungen über die Wahrheit seines Materials versagen, denn Achims Aussagen können innerhalb von dessen Wertsystem wahr sein, wenn sie Karsch als unwahr erscheinen. Die authentische Wiedergabe beruht somit auf Karschs Vermögen zu schreiben, *als ob* es sich so und nicht anders zugetragen hätte.

Aber auch bei der notwendigen Auswahl aus dem vermittelten Material kommen Karschs Intentionen ins Schwimmen:

»Karsch wollte nicht alles von Achim sondern nur beschreiben was ihn (nach seiner Auffassung) kenntlich machte vor den Menschen und Radfahrern, dazu wählte er aus.« (237)

Achim dagegen fordert:

»Sie müssen auswählen, ja, und da nimmt man doch das Wichtigste, ja? worauf es ankommt, Mensch!« (195)

Zwei Auswahlkriterien stehen sich gegenüber: des Charakteristischen und des Idealtypischen. Schließlich will Karsch allein aus den Fakten die Entwicklung zum Massenidol erklären. Achim dagegen interessieren nicht Umstände noch Zeugen, sondern die Leitlinie: »Meine Entwicklung zu einem politischen Bewußtsein« (239), und das heißt die Interpretation seiner Lebensgeschichte aus einer Meinung, einer Tendenz.

Man sieht, daß bei derart unterschiedlichen Intentionen entweder die Identität Karschs oder sein Projekt Biographie auf dem Spiele steht. Bleibt er seinem Authentizitätsideal treu, muß er sich den Meinungen der anderen anpassen und gefährdet seine eigene Identität. Will er sich selbst und seinem Wahrheitsideal treu bleiben, muß das Projekt aufgegeben werden.

Anlaß zum offenen Konflikt ist ein Brief, der Karsch anonym zugesandt wird und ein Foto enthält, auf dem Achim beim Aufstand des 17. Juni zu erkennen ist. In einem Streitgespräch über die politischen Situationen der beiden deutschen Staaten verläßt Karsch seinen neutralen Standpunkt. Im einander gegenübergestellten ›Wir‹ und ›Ihr‹ artikuliert sich das am Wettkampf orientierte Vergleichen. Das gemeinsame Relevanzsystem, das bisher stillschweigend unterstellt worden war, erweist sich als täuschende Idealisierung. Statt dessen tritt die Diskrepanz der soziokulturellen und politischen Welten von Ost und West zutage.

1.3. Rollenverhalten der Personen

1.3.1. *Achim* versteht sich als *Repräsentant* einer Rolle, die das Ergebnis verschiedener, sich wechselseitig bedingender Faktoren ist. Um ihn überhaupt erst einmal für die Vorbildrolle als geeignet erscheinen zu lassen, mußte er über bestimmte Eigenschaften verfügen wie Höflichkeit, Bescheidenheit, Kameradschaft. Wirkungsvoll für die Massen ist sein »bescheiden verwirrtes Lächeln« (200) und »ein Gesicht, mit dem jeder dieses Alters vorkommen wollte in den Träumen seines Mädchens: jung und keiner bösen Regung fähig« (322). Diese Eigenschaften, zusammen mit seinen sportlichen Leistungen, machen ihn nützlich für den Staat, der ihn nun seinerseits fördert und zum Leitbild aufbaut. Achim wiederum kommt dem entgegen durch Anpassungsbereitschaft und weitgehenden Verzicht auf Individualität. Er ordnet sich mühelos in die Gemeinschaft ein (symbolisch hierfür: das Fahren in der Mannschaft) und verhält sich ›vernünftig‹, was für ihn heißt: den Normen und Erwartungen entsprechend. Um nicht fehlzugehen, verläßt er sich auf institutionelle Regelungen:

»So sagten ihm die Versammlungen: wofür und wofür nicht.« (191)

Idol und Institution Staat bilden eine Symbiose; ist dieser angewiesen auf leicht faßliche Beispiele, wozu es das Gesellschaftsmitglied bringen kann, wenn es sich nur konform verhält, so erhält jenes durch den Staat Sicherheit und Bestätigung. »Der Staat liebte ihn, er liebte den Staat.« (47) Achims Aufstieg zum Volksvertreter ermöglicht ihm Sonderrechte und dem Staat die politische Beeinflussung der Massen durch ihn. Denn sein Bekenntnis zum Staat wirkt nachahmenswert und einsichtig. Dagegen rückt er in eine unpersönliche Distanz zu den anderen:

»Von ihm war nichts zu wollen, um was sollte man ihn noch angehen, der hatte Größeres zu tun.« (19)

In seiner Rolle als Leitbild gehen ihm Individualität und Einzigartigkeit verloren. Der Verlust an persönlichen Eigenschaften macht ihn zum rollenkonformen Repräsentaten, der eigener Identitätsentwürfe enthoben ist. Um mit sich eins zu sein, braucht er nur den Rollenerwartungen zu entsprechen.

1.3.2. Ein anderes Rollenverhalten und eine andere Weise, auf Konformitätszumutungen zu reagieren, zeigt *Karin*, die Lebensgefährtin Achims. Sie wird geschildert als eine Person, die ursprünglich bemüht war, aufrichtig zu sein, doch unter dem Druck der Verhältnisse ihren Widerstand gegen alles, was ihr nicht ehrlich und gerecht erscheint, allmählich aufgibt.

»Sie war der Anständigkeit müde, die nicht mehr kann und sagt als Nein.« (300)

Da Alternativen zum Bestehenden nicht toleriert werden, muß sie die Kritik unterdrücken und sich ebenfalls anpassen. Sie geht aber nicht – wie Achim – in dieser angepaßten Normalrolle auf, sondern erfüllt die Erwartungen nur nach außen hin und bleibt innerlich distanziert. Dazu befähigt sie ihr Beruf: Sie tut es mit der professionellen Gewandtheit der *Schauspielerin,* die Maske und Kostüm benutzt, jedoch auch wieder ablegen kann. Hinter Tarnung und – notfalls – Schweigen bewahrt sie trotzdem ihre Individualität.

Das Verhältnis zu Achim war in der Phase ihrer politischen Unangepaßtheit gestört. Zweimal hatte sich Achim wegen ihrer öffentlich gezeigten kritischen Einstellung zur Regierung mißbilligend von ihr getrennt. Die von neuem aufgenommene Beziehung zu ihr beruht auf dem Grundsatz:

»Ich darf seinem Ruf nicht schaden er nicht meinem.« (302)

Damit bleiben die wirklichen Überzeugungen unausgesprochen und der gesamte Problemkomplex aus ihrer Kommunikation ausgeschlossen. An die Stelle von Diskussionen tritt ihrerseits Vertrauen als ein Kredit gegenüber Achims Person, der in seiner Andersartigkeit von ihr respektiert wird. In jenem Foto, das Achim beim 17.-Juni-Aufstand zeigt, wird für Karin offenbar, daß Achim nicht identisch ist mit dem Bild, das er – sowohl im öffentlichen als auch im intimen Bereich – von sich entworfen hat. Die Erkenntnis seiner Verstellung selbst ihr gegenüber machen ihn für sie vertrauensunwürdig.

1.3.3. Karschs Begegnung mit der gesellschaftlichen Wirklichkeit der DDR erfolgt in Interaktionen mit den Verlagsvertretern, mit dem Rennfahrer Achim und der Schauspielerin Karin. Dabei handelt es sich immer um Privilegierte, die sich von der Masse der *Bevölkerung* abheben. In verschiedenen Situationen trifft aber Karsch auch mit dem »Mann auf der Straße« zusammen: beim Gespräch mit seiner Zimmervermieterin, in der Kneipe an der Ecke und bei Sportveranstaltungen mit begeisterten Massen. Welches Rollenverhalten, welche Selbstdarstellung findet er dort?

Da sich die sozialistische Gesellschaft als harmonische Einheit von kollektiven und individuellen Interessen beschreibt, ist eine konfliktfreie Lösung des Identitätsproblems zu erwarten.[4]

Karschs Eindruck vom Durchschnittsbürger der DDR ist anders, als aufgrund des offiziellen Bildes zu erwarten war. Nicht viel anders als im kapitalistischen Gesellschaftssystem[5], zieht sich auch der Durchschnittsbürger der DDR in einen Privatbereich zurück, spaltet sich also in eine private und eine öffentliche Person und muß zwischen den Teilbereichen so balancieren, daß weder die Identität gestört noch die institutionelle Erwartung verletzt wird. »Die möchten eigentlich leben im neunzehnten Jahrhundert, die kümmern sich nicht um den Sachwalter, denn er tut nichts gegen sie (...) Sie hätten alle einen Herrn Fleisg herzlich begrüßt und mit Schweigen behandelt (...), die möchten in Frieden leben für sich immer so weiter«, erfährt Karsch (288/289).

Die Bevölkerung kommt also der gebotenen Eingliederung in das System mit *vorgetäuschtem Einvernehmen* nach, wofür ihr die Institution ihrerseits einen gewissen Freiraum einräumt. Auf dieser Basis wird nun regiert, *als ob* man das Volk hinter sich habe, und gelebt, *als ob* man diese Regierung bejahe. Die Elastizität der Umgangssprache, Gesten, Ironie und Zweideutigkeiten begünstigen, wie Karsch beobachtet, dieses Verhalten. Zudem kann der einzelne seine wahre Meinung hinter institutionalisierten Formeln und Parolen verbergen. Im Dilemma von Lügenmüssen oder Bestraftwerden entwickelt er Tricks und Kniffe, sich so auszudrükken, daß ihm keine Abweichung von der Norm nachgewiesen werden kann, er aber dennoch vor sich selbst sein Gesicht wahrt. Als letzte Ausflucht bleibt ihm immer noch das Schweigen.

Wurde Karsch vom Verlag die »kameradschaftliche Verständigung« mit den Arbeitern und Kenntnis ihres Verhaltens dringend empfohlen, so zeigt sich in der Praxis, daß der Kontakt mit dem zukünftigen Leser seiner Biographie andere als die von Frau Ammann vorgestellten Kommunikationen hervorbringt.

»Von den Arbeitern sprach Frau Ammann als täten sie alle das nämliche und waren insgesamt einer.« (128)

Gegenüber dieser Typisierung trifft Karsch aber auf eine ganze Skala zwischen wohlwollendem und ausweichendem bis abweisendem Verhalten. Der kameradschaftliche Schulterschlag mit dem potentiellen Rezipienten seines geplanten Buches und die Biertischgespräche mit einem homogenen Lesertyp, die der Verlag im Auge hatte, mochten von der Vorstellung der »neuen und nützlichen Literatur« hervorgerufen sein – sie kommen aber nicht zustande. Das Interesse der Bürger ist vielmehr weit größer an

Achims Einkommen und seiner vergleichsweise wenig beschwerlichen Art der Güterbeschaffung als an seiner Vorbildlichkeit. Damit bestätigen sich Karschs Zweifel, ob Theorie und Praxis übereinstimmen, »ob das Leben unter den handelsüblichen Namen wohnte« (53).

Wir können drei Formen der Reaktion auf institutionellen Konformitätszwang unterscheiden:

1. Achim: der Typ des Repräsentaten einer Rolle, der unter Verzicht seiner Individualität ganz den Erwartungen entspricht (symbolisch: der ›Radfahrer‹);

2. Karin: der Typ des Schauspielers, der sich distanziert zu seiner Rolle verhält und damit gesellschaftliche Anforderungen und eigene Bedürfnisse auszubalancieren versucht;

3. der Durchschnittsbürger: der Typ des Mitläufers, der in einem öffentlichen Bereich die vorgegebenen Erwartungen erfüllt, seine Selbstrepräsentation jedoch in einen privaten Bereich hinein rettet.

2. Die Rahmensituation

Die Situation läßt sich vorstellen als ein Gespräch, das in Westdeutschland nach Karschs Besuch der DDR zwischen einer Ich-Figur und einem anonym bleibenden Freund geführt wird. Dieses ›Ich‹ hat die Erfahrungen niedergeschrieben, die Karsch bei dem Versuch, eine Biographie über Achim T. in der DDR zu schreiben und zu veröffentlichen, gemacht hat. Aus den Zwischenfragen und Bemerkungen des zuhörenden Freundes und den Antworten entsteht ein Dialog. Er leistet mehrerlei:

2.1. Informationen über eine fremde Wirklichkeit

Der Zuhörer hat gegenüber dem Erzähler ein Informations- und Erfahrungsdefizit. Die Fragen, die er stellt, zeigen, daß seine Vorstellungen über die gesellschaftliche Wirklichkeit der DDR teils naiv, teils übertrieben sind. (Naiv: »Was hatte Frau Ammann gegen Karschs Entwürfe?« [135]; übertrieben: »Fühlte Karsch sich [...] verfolgt?« [26].) Die Funktion des Dialogs besteht u. a. darin, die falschen Vorstellungen zu korrigieren. Dabei wird dem Erzähler bewußt, wie heikel sein Unternehmen ist, die deutsche Teilung zu beschreiben. Schon zu Beginn seiner Niederschrift versucht er, sich vor Mißverständnissen zu schützen:

»Nun erwarte von mir nicht den Namen und Lebensumstände für eine wild dahinstürzende Gestalt (...) ein Schuß, unversehens fällt jemand hin, das wollte ich ebensowenig wie der Schütze es am besten behaupten sollte gegen Ende seines Lebens.« (8)

Der Erzähler sieht seine Aufgabe darin, *Vorurteile* gegenüber der anderen gesellschaftlichen Wirklichkeit abzubauen und sie in der ihr eigenen Folgerichtigkeit darzustellen.

»Denn: (...) alles in diesem Land will für sich angesehen werden und zeigt sich nicht im Vergleich.« (133)

2.2. Interpretation fremden Verhaltens

Was in der Handlungssituation unmittelbar zutage trat – nämlich die im Verhalten implizierten unterschiedlichen Voraussetzungen –, will der Erzähler im Dialog mit dem Zuhörer explizieren und dadurch Motive und Umstände aus einer andersartigen Lebenswelt verstehbar machen. Er sieht seine Funktion gegenüber dem westlichen Zuhörer auch als *Vermittler zwischen zwei Wertsystemen*. Was er bei seinem Partner erreichen will, ist, daß die anderen Voraussetzungen mitgesehen werden. Die Geschehnisse können folglich nicht nur berichtet, sie müssen auch interpretiert werden.

Ein Beispiel dafür, daß es sich um scheinbar völlig neutrale Themen handelt, ist das Radfahren. Meint also der Zuhörer: »Na, Radfahren bleibt aber Radfahren« (247), ganz gleich, wo es praktiziert werde, so zeigt ihm der Erzähler, daß das sozialistische Verständnis von Sport ein anderes ist. Der Dialogpartner hält die Darstellung für übertrieben, wird aber darüber belehrt, daß der Aufstieg zum berühmten Radrennfahrer in der DDR nicht allein durch Kraft und Leistung zu bewerkstelligen sei, sondern der staatlichen Förderung bedürfe.

Es tritt aber auch der Fall ein, daß dem Zuhörer das Verhalten Karschs unverständlich ist, obwohl dieser ja dem eigenen Wert- und Deutungssystem angehört. Der Grund dafür liegt in dem Unterschied zwischen dem *Handeln* selbst und der *erzählten Handlung.* Der Zuhörer steht den Erlebnissen Karschs nicht unmittelbar, sondern vermittelt gegenüber, d. h., er erfährt sie aus zweiter Hand in einer vom aktuellen Geschehen zu unterscheidenden Geschichte. Die Geschichte hat zwischen Anfang und Ende eine Folgerichtigkeit, die in actu nicht zu erkennen gewesen ist. Für den Erzähler ergibt sich daraus die Aufgabe, die gestaltete Erzählung in die ursprüngliche Situation der Unkenntnis und Unklarheit zurückzuübersetzen. So ist dem Zuhörer unverständlich, warum Karsch unter den gegebenen Umständen einen Vertrag mit dem Verlag abschließt. »Man lernt doch die Leute kennen, bevor das Geschäft anfängt.« (125) Mit der Bemerkung: »so deutlich klang es nicht« (130), weist der Erzähler seinen Dialogpartner auf den erwähnten Unterschied zwischen Erzähltem und Erlebtem hin, der das ursprünglich Verdeckte aufgedeckt hat. Der Zuhörer weiß unter Umständen mehr, als der Handelnde in der Situation wissen konnte.

Die *Rückübersetzung* in die Handlungssituation betrifft ein allgemeines Identitätsproblem, das durch retrospektive Deutungen entsteht. Hier aber, in der Unterschiedlichkeit zweier Deutungssysteme, wird Karsch bewußt, daß er dort ein anderer war, als er hier ist, daß sein Verhalten dort dem Verständnis seiner Freunde hier fremd ist. Dieses Problem stellte sich Karsch bereits, als er anfing, seine Biographie über Achim zu schreiben, und sich dabei seine Freunde vorstellte:

> »Er dachte anzufangen wie du und ihr es gebilligt hättet; darüber wußte er nicht Bescheid, durch diese Frage dachte er oft.« (49)

2.4. Rückkoppelung

Die *Zwischenfragen* und -bemerkungen des Zuhörers sind nicht so sehr als Kapitel*überschriften* zu betrachten, sie stehen vielmehr *zwischen* den Kapiteln. Das bedeutet: Sie sind sowohl Verständnisfragen in bezug auf das vorher Erzählte als auch Anregungen zum Erzählen des dann Folgenden. Dem Erzähler bieten sie Stimulus und Response, wie umgekehrt das Erzählte den Zuhörer zu Fragen provoziert und seine Fragen beantwortet. Das Erzählte kann also aufgefaßt werden als kognitiver Akt auf einer Meta-Ebene zur Handlungssituation, aber auch als Rückübersetzung von Reflexionen in die Unmittelbarkeit der Erlebniswelt. Oft ist nicht genau zu ermitteln, wer erzählt oder reflektiert: die Ich-Figur oder Karsch. Den ganzen Bericht steuert die Frage des Zuhörers: »Wie war es denn?« (Seite 337 = Romanschluß), gerichtet an Karsch nach seiner Rückkehr aus der DDR und Beendigung seines Berichtes über seine Erlebnisse. Sie identifiziert damit nicht nur Karsch als Ich-Erzähler, sondern leitet auch zurück an den Anfang des Romans, wo (Seite 10) dieselbe Frage gestellt wird.

Richtet sich die Frage »Wie war es denn?« auf die fiktive Situation, so provoziert sie Erzählen; der Erzähler ist dann der authentisch Berichtende. Entsteht die Frage aber aus der Dialogsituation heraus, so fordert sie Interpretation des Erzählten; der Erzähler ist dann Übersetzer.

Die Antworten, die dem Zuhörer auf seine Fragen gegeben werden, kommen oft zögernd und auf dem Umweg über die darstellende Erzählung, d. h., sie entstehen nicht im Denkakt allein, sondern im Kontext der Handlungen von Personen. So erfolgt beispielsweise die Antwort auf die Frage: »War Achim das so recht?« in Form eines dreizehnseitigen Handlungsberichts. Erst danach wird die Frage wieder aufgegriffen und dazu vermerkt:

»Ich habe versucht dir zu beantworten ob es Achim recht war.« (203)

Die Rückkoppelung über die Verstehensfragen des Zuhörers kontrolliert und korrigiert das Erzählen; sie hilft z. B. bei der Frage der Auswahl (das »mag dir am Ende gar nichts sagen« [36]; »Ich kann ja etwas über den Stuhl sagen [...] oder sagt es doch nichts« [150]). Sie deckt aber auch Erwartungsdiskrepanzen zwischen den Dialogpartnern auf. Der fingierte Leser oder Zuhörer drückt in seinen Fragen eine Erwartung aus, die er auf die Geschichte richtet: Er will unterhalten werden. Oder er erwartet bestimmte literarische Muster, etwa eine Dreiecksgeschichte bei der Konstellation: zwei Männer – eine Frau (»Wird es nun doch die Geschichte von der Dame und den beiden Herren?« [133]); er erwartet Erotik bei der Schilderung einer ersten Liebe (»Er hätte sie anfassen sollen« [181]), sentimentale Klischees bei der Beschreibung von Aufstieg (»Denkst du auch an den alten reichen Mann in der Wärme und Stille seines Hauses [...] als Junge mußt er an einer zugigen Ecke Schnürsenkel verkaufen?« [57]), vor allem aber erwartet er Spannung. Werden seine Erwartungen enttäuscht, reagiert er verärgert (»Hör endlich damit auf!« [265]; »Es ist so gar nicht spannend!« [157]). Zuweilen geht der Erzähler spielerisch auf die Erwartungen ein, an anderer Stelle weist er die Erwartungen ab und erklärt, daß Spannung nicht versprochen wurde (165), ja sogar, daß »dies keine Geschichte« sei (133).

Aber auch der Erzähler sieht sich in seinen Erwartungen in bezug auf seinen Leser enttäuscht. Die Diskrepanz ergibt sich aus den je verschiedenen Ansichten über die Relevanz von bestimmten Fakten für das Erzählen. Dabei entscheidet der Autor nicht allein aus seinem eigenen Interesse heraus über die Notwendigkeit einer Mitteilung, sondern bezieht die Vorstellungen, die er von seinem Leser hat, in seine Erwägungen ein.

2.5. Aufarbeitung des Erlebten

Die Fragen seines Zuhörers und dessen Abstand zum Erzählten rücken auch den Erzähler vom Erlebnis ab, so daß er andere Einsichten gewinnt, als dies in der Handlungssituation möglich war:

»An den offenen Stellen hätte er damals schon begreifen können was er nicht wahrnahm: daß er die Vereinigung versuchen sollte.« (133)

In der Dialogsituation kann er mit seinem Partner die Ereignisse als Fallstudie durchspielen und erörtern. Sie ist daher kontrafaktisch zur Handlungssituation zu verstehen: War deren gefordertes Ziel die Biographie von einer einheitlichen Person mit einem einheitlichen Weltbild, um dessentwillen Unbequemes verschwiegen, Unpassendes umgedeutet und Ungereimtes geklärt werden sollte, so will der Erzähler nun mit seinem Zuhörer im offenen Gespräch alles *Widersprüchliche zur Sprache bringen,* unausgesprochene Voraussetzungen explizieren und undurchschaubares Handeln aus Motiven und Verhältnissen der Handelnden zu erklären versuchen.

Wie die letzte Frage des Zuhörers auf den Anfang des Erzählens zurückweist, so wird der Leser beim Wiederlesen erst begreifen können, was er vorher nicht wahrnahm. Während die Biographie auf ein festes Ziel (Wahl in die Volkskammer) hin konzipiert war, hat der Roman keinen Anfang und kein Ende. Held, Erzähler oder Leser haben die Chance, immer noch besser zu begreifen.

3. Die Erzählsituation

Die Analyse von Handlungs- und Rahmensituation hat die Gründe gezeigt, warum der Erzähler in zwei ganz verschiedenen Erzählerpositionen erscheint. Als Er-Erzähler berichtet er, was vorgefallen ist, als Ich-Erzähler macht er das Erzählte verständlich. Wo Handlungen nicht mehr unmittelbar verstanden werden, müssen sie gedeutet und kommentiert werden.

Das wird dem Ich-Erzähler bei den ersten Schwierigkeiten des Romananfangs klar. Seine Intention, mit dem Satz »Sie rief ihn an, über die Grenze« (7) unmittelbar in die Handlung hineinzuführen, erweist sich nicht als praktikabel. Der Satz kann nicht unkommentiert stehenbleiben. Ergänzungen sind notwendig, die ›unbequem‹ neben dem Erzählten stehen: Da ist ein zukünftiger Leser zu berücksichtigen, der zusätzlich informiert werden muß, daß Deutschland in den fünfziger Jahren durch eine Staatsgrenze geteilt ist. Da müssen vor allem auch die weiteren Umstände dieser Grenze einbezogen werden, d. h., die Grenze ist als gefährlich zu beschreiben. Damit verläßt jedoch der Erzähler bereits seinen neutralen Standpunkt, Parteilichkeit und mögliche Mißverständnisse kommen ins Spiel (»man könnte [...] meinen ich sei gehässig« [9]). Erzählen und Deuten treten auseinander und verlangen ihr eigenes Medium. Betrachtet man den Roman im ganzen, so ließe sich die Erzählsituation auf den ersten Blick hin am ehesten als auktorial kategorisieren. Doch fehlt hierzu dem Erzähler die Überlegenheit des Allwissenden. Zwar bekennt er sich im Detail zur Fiktion, zu den Finessen der Schreibkunst, fühlt sich aber doch auch wieder der Realität verpflichtet. Meint er das Kunstprodukt, so hat er dazu einen distanzierten, wissenden Standpunkt, geht es ihm um die Darstellung der Wirklichkeit, so ist er engagiert um Verstehen bemüht. So könnte man den Roman eher als personalen auffassen, der sich auf reine Darstellung beschränken möchte, bei seinen Objektivitätsbemühungen an Grenzen stößt und nun seine Hauptfigur (Karsch) verdoppelt. Der Ich-Erzähler wäre unter diesem Aspekt der aus seiner Rolle fallende Karsch, der nicht mehr neutraler Beobachter sein kann, weil die – aus sich selbst heraus nicht zu verstehende – Geschichte erklärt werden muß. Schließlich könnte man aber auch von einem Ich-Erzähler sprechen, der die »Konvention der Selbstidentifizierung« (Stanzel) durchbricht und diese vom Romananfang an das Romanende verlegt hat. So verstanden objektiviert der Ich-Erzähler sein Ich zur Hauptfigur, die von ihm losgelöst agiert und das Geschehen unvermittelt, aus der Handlungsgegenwart heraus, wiedergibt. Solange der Leser die Identität von Ich- und Er-Figur noch nicht ahnt, existieren für ihn zwei Personen. Die Spaltung des Ich-Erzählers in erzählendes und erlebendes Ich ist – nach Stanzel – im Ich-Roman angelegt. Man könnte sie um die Johnsonsche Variante erweitern zum Ich-Ich-Ich-Schema: erlebendes – erzählendes – deutendes Ich (genauer: das Deuten thematisierendes Ich).

Da die Kategorisierung nach Stanzels Erzählsituation für die Gründe der Spaltung des Erzählers keine Klärung bringt, müssen andere Kategorien herangezogen werden. Ich meine, zusätzlich zum personalen Selbstverständnis des Erzählers müßte das Kunst- und Wirklichkeitsverständnis, wie es sich in den Romanen ausdrückt, aufschlußreich sein, wenn man die komplizierten Erzählsituationen moderner Romane erfassen will.

3.1. Fiktion und Fiktionsnennung

Betrachten wir den Anfang des Romans, so erkennen wir die Bemühung des Ich-Erzählers um Darstellung der Wirklichkeit. Um Fakten anschaulich zu machen, bedient er sich der Fiktion: Die Erwähnung der Staatsgrenze und des Zehnmeterstreifens genügt ihm nicht. Er setzt seine Vorstellung frei, versäumt es jedoch nicht, den Leser *auf die Erfindungen hinzuweisen:*

»Vielleicht sollte ich blühende Brombeerranken darüberhängen lassen, so könntest du es dir am Ende vorstellen.« (7)

Während der Er-Erzähler auf Authentizität bedacht ist, bekennt sich der Ich-Erzähler zum fiktiven Charakter des Erzählten. Durch Einblicke in das Zurechtmachen seines Kunstprodukts ironisiert er künstlerisches Schaffen: Er führt dem Leser den Zettelkasten und verschiedene Entwürfe vor, nach denen er das zu-

sammengetragene Material über Achims Leben ordnen und struk-
turieren wollte, und enthüllt die ›Regeln der Kunst‹: wie man ein
Fotoalbum in Bildbeschreibungen verwandelt (284); wie man mit
Hilfe der Phantasie chronologische Lücken ausfüllt (82 ff.); wie
man von anderen Berichtetes anschaulich macht (226 ff.), wie man
Spannung in eine Geschichte bringt (157 ff.); wie man mit diversen
Erzähltechniken umgeht (267 ff.).

Zu Beginn des Romans steht der Ich-Erzähler deutlich im Vordergrund und in Kontakt mit dem Leser. Am Ende der zweiten
Seite tritt er plötzlich mit dem Satz »Karsch wohnte am Rande von
Hamburg« (9) zurück und zieht den Leser in die fiktive Roman-
welt hinein. Im Gegensatz zu dem problematisierenden ersten
Satz: »Da dachte ich schlicht und streng anzufangen so: (...)«,
signalisiert der Satz »Karsch wohnte am Rande von Hamburg« in
traditioneller Weise das fiktive Geschehen, so daß der Leser sofort
erkennt: So beginnt ein Roman.

Am Ende des Romans geschieht in umgekehrter Richtung das
gleiche. Mit der Rückkehr Karschs und der Vollendung des Manuskripts wird der Leser wieder aus der Fiktion entlassen. Karsch
nimmt das Blatt aus der Maschine, das Telefon klingelt – die Spielfigur wird zum (fingierten) Autor, beide fallen im Erzähl-Ich
zusammen. Erzählte Wirklichkeit und Wirklichkeit des Erzählens
werden so miteinander verklammert. Das Erzählte wird dem Leser als Fiktion bewußtgemacht.

3.2. Fakten und Fiktion

Das Hinübergleiten vom Erzählakt zur Fiktion korreliert mit dem
Erscheinen und Verschwinden des Erzählers und mit der Bedeu-
tungslosigkeit und Wichtigkeit der Spielfigur (Karsch). Wenn es
anfangs von Karsch hieß: »(...) der und sein Aussehen und der
Grund seiner Reise sind bisher weniger wichtig als der naturhaft
plötzliche Abbruch der Straßen« (8), so trifft die Bedeutungslosig-
keit Karschs für die Beschreibung der Wirklichkeit zu. Hier hat
die Spielfigur nur die Bedeutung, eine Geschichte in Gang zu setzen; und die Geschichte hat nur die Bedeutung, eine gesellschaft-
lich-historische Wirklichkeit anschaulich zu machen. Der Roman
ist ein Beschreibungsversuch. Es geht um »die Grenze: die Entfernung: den Unterschied« (9), nicht um Karsch, Achim und die

anderen Figuren. Der reale Sachverhalt ›Grenze‹ steht im Mittelpunkt des Interesses, und die Geschichte ist Konkretisierung, Anschaulichkeit des Sachverhalts. Erzählen ist so die Vermittlung zwischen Realität und Fiktion, ist Mitteilung der Realität mittels einer Geschichte. Damit erhält der Erzählakt einen eigenen Stellenwert.

Im fiktiven Bereich haben Karschs Aussehen und der Grund seiner Reise jedoch Bedeutung. Unter dem Vorbehalt, daß die Geschichte nicht um ihrer selbst willen erzählt wird, daß sie nicht an die Stelle von Realität tritt, ist sie also dennoch von Belang. Alle Hinweise auf das Fiktive und Artifizielle laufen nicht darauf hinaus, die Geschichte unglaubwürdig zu machen. Die *Geschichte* behält ihren Wert als *Einkleidung eines Sachverhalts*. Karsch existiert nur, solange erzählt wird. Er wird aufgehoben im Erzähler und hat eine letzte Realität im Autor selbst.

3.3. Authentizität und Artefakt

In seinem Bericht *Berliner Stadtbahn* schreibt Johnson:

>»Der Verfasser sollte zugeben, daß er erfunden hat, was er vorbringt, er sollte nicht verschweigen, daß seine Informationen lückenhaft sind und ungenau.«[6]

Reinhard Baumgart »frappiert die Paradoxie« dieses Satzes[7] von der Lückenhaftigkeit von Erfindungen. Faßt man jedoch literarische Texte als Modelle der Wirklichkeit auf, so ist Johnsons Satz nicht paradox, sondern die exakte Beschreibung der Haltung eines Autors, der diese Wirklichkeit in ein Kunstwerk umsetzt. Im Gegensatz zur reinen Dokumentation vermittelt der Autor Fakten in Form von Geschichten.

Wenn Johnson am Ende seines Romans die Identität von Karsch und Ich-Erzähler zeigt, dann handelt es sich nicht um einen faulen Kompromiß nachträglich vollzogener Harmonie von Erzählen und Deuten oder um die »scheinbare Identität von Mitteilung und Mitgeteiltem«.[8] Der Autor ist sich der Aporie von Authentizität und Artefakt bewußt und sucht die Lösung in der Spaltung seines Erzählers.

Dessen Doppelfunktion ist es, eine Geschichte zu erzählen und zugleich das Zurechtgemachte dieser Geschichte einzugestehen.

Die Identitätsherstellung am Romanende ist nur ein Hinweis darauf, daß Romanfigur und Erzähler, Dargestelltes und Darstellung im realen Autor zusammentreffen, der zwischen Gegebenem und Geschaffenem steht. Er erzählt eine Geschichte. Die Geschichte stellt einen Sachverhalt dar, aber sie verändert den Sachverhalt, weil sie als Mitteilung eben nicht identisch ist mit dem Mitgeteilten. Auf diesen Unterschied weist der Autor hin, indem er den Doppelcharakter von Geschichten: reproduziertes, aber eben produziertes Geschehen, Wiedergabe und Nachbildung, thematisiert.

Durch Illusionsstörungen und Aufdecken der Fiktion im Kunstprodukt erreicht der Autor eine Glaubwürdigkeit, die nicht versucht, Fiktion mit Wirklichkeit gleichzusetzen, die aber das Kunstwerk – als Reaktion auf Wirklichkeit – *authentifiziert*. Dazu tragen auch die zahlreichen Fragen bei, mit denen der Autor die Schwierigkeiten beim Schreiben der Wahrheit deutlich macht: »Ist wahr wie es gewesen ist?«, »Ist Unvollständigkeit gelogen?«, »Und was willst du mit der Wahrheit?«

Karsch als Biograph will die Vita seines Helden authentisch darstellen. Er läßt seinen Helden selbst sprechen. Der aber macht aus den kontingenten Fakten seines Lebens eine bedeutungsvolle Geschichte.

Der Grenzgänger Karsch will seine Erfahrungen in der DDR authentisch darstellen. Sein Zuhörer aber erwartet eine spannende Geschichte.

Der Autor Johnson will eine Grenze, einen Unterschied darstellen. Er erfindet, ohne jedoch zu »verschweigen, daß seine Informationen lückenhaft sind und ungenau«.

Anmerkungen

1 Der Titel ist mehrdeutig und kann ebenso darauf hinweisen, daß es neben der geplanten Biographie Karschs bereits zwei propagandistische Bücher über Achim gibt. (Die Seitenzahlen in Klammern beziehen sich auf Uwe Johnson, *Das dritte Buch über Achim,* Frankfurt a. M. 1961, seitenidentisch mit Edition Suhrkamp Leipzig Frankfurt a. M. 1992, Band 1819.)

2 »Nicht mit ihr (= Frau Ammann) werde er reden, nicht sie werde kennt-

lich sein: sondern in ihr die Leute und die Regierung des Landes, denen dringlich gelegen sei an einem nützlichen Buch über Achim.« (126/127)

3 Hierzu eine Bemerkung aus Johnsons *Eine Reise wegwohin:* »Karsch staunte nicht schlecht, als Achim schon hier keine Druckerlaubnis hergab. So frühe Lebenszeit hatte noch keiner zensieren mögen, ja es konnte Manchem das Kapitel Kindheit nicht lang genug anhalten, nicht flüchtig genug das Kapitel der folgenden Jahre, in denen einer eher unberaten sein kann oder gezwungen zu Handlungen, deren sich zu schämen er erst imstande ist in großzügigeren Umständen (...) Verwandte Mißverständnisse stießen Karsch auf den Verdacht, er habe es hier nicht mit typischen Problemen einer Biographie zu tun.« (Uwe Johnson, *Karsch, und andere Prosa*, Frankfurt am Main 1990, S. 47.)

4 Interessant in diesem Zusammenhang ist die offizielle östliche Stellungnahme zum Persönlichkeitsproblem: »Die Entwicklung der sozialistischen Gesellschaft zur sozialen Einheit widerspiegelt sich in der Ideologie und gesellschaftlichen Psychologie als Wachstum des Kollektivbewußtseins, als Gleichklang der Meinungen, Ansichten und Wertungen. Das allerdings bedeutet nicht Entpersönlichung, Entindividualisierung. Je höher und umfassender ein Mensch gebildet ist, je weiter sein Gesichtskreis, um so größer ist seine Selbständigkeit im Denken und Urteilen. Die wachsende ideologische Einheit wird nicht durch eine Nivellierung der Individualität erreicht, sondern durch die Berücksichtigung und Entwicklung aller mannigfaltigen Erfahrungen und Kenntnisse der Erbauer des Kommunismus.« Einschränkend wird allerdings festgestellt: »Freilich ist die sozialistische Gesellschaft noch nicht völlig frei von Muttermalen der alten Ordnung, in deren Schoß sie entstanden sind.« (*Grundlagen der marxistisch-leninistischen Philosophie*, Berlin 1973, S. 519 und 513.)

5 »Eine moderne Industriegesellschaft erlaubt es, zwischen einer öffentlichen und einer privaten Sphäre zu unterscheiden. Wesentlich für die psychische Realität einer solchen Gesellschaft ist, daß ihre Mitglieder diese Spaltung als ein fundamentales Ordnungsprinzip ihres täglichen Lebens auffassen. Daher zeigt die Identität selbst die Tendenz zur Dichotomie, mindestens zur Spaltung in ein öffentliches und ein privates Selbst. In dieser Situation ist die Identität typisch unsicher und unstabil. Mit anderen Worten, die psychische Begleiterscheinung des Strukturmodells der Industriegesellschaft ist das weithin zu beobachtende Problem der Identitätskrise (...) Manche Menschen lösen das Problem dadurch, daß sie sich in erster Linie mit ihrem öffentlichen Selbst identifizieren (...) Diese Möglichkeit dürfte für die große Masse auf den mittleren und unteren Stufen der Beschäftigungshierarchie allerdings nicht verlockend sein. Solche Menschen werden sich in der Regel dafür entscheiden, ihrem privaten Selbst den Vorrang zu geben.« (Peter L.

Berger, zitiert nach Hans-Ulrich Wehler, *Soziologie und Psychoanalyse*,
Stuttgart 1972, S. 162/163.)
6 In: Uwe Johnson, *Berliner Sachen*, Frankfurt a. M. 1975, S. 20.
7 In: R. Baumgart (Hg.), *Über Uwe Johnson*, Frankfurt a. M. 1970,
S. 170.
8 Baumgart, a. a. O., S. 173.

Karsch, und andere Prosa

Norbert Mecklenburg
Vorschläge für Johnson-Leser
der neunziger Jahre

Das Werk des großen, schwierigen Erzählers Uwe Johnson wird heute auf neue Weise aktuell und zugleich fremd. In Osteuropa und in der DDR haben demokratische Revolutionen eine jahrzehntelange kommunistische Herrschaft beendet. Endlich können Johnsons Bücher auch in dem Land verbreitet und gelesen werden, aus dem er kam und dem er den größten Teil seiner schriftstellerischen Arbeit gewidmet hat. Seine Werke lassen sich heute lesen und studieren als literarische Archäologie jenes deutschen Teilstaates, der mit den neunziger Jahren der Geschichte angehört. Das macht sie auf neue Weise aktuell. Mit dem Anschluß der DDR an Westdeutschland im Zeichen eines triumphierenden Konsumkapitalismus jedoch droht die Erfahrung der Differenz verlorenzugehen, die alle Werke Johnsons erfüllt. Deren unerbittliche epische Kritik an einem bürokratisch deformierten Sozialismus orientiert sich nirgendwo an einer Vorbildlichkeit westlicher Verhältnisse, vielmehr an der hartnäckig materialistischen, am Ende verzweifelt festgehaltenen Utopie einer Gesellschaft, die anders wäre als die gegenwärtig auf weltweite Herrschaft sich einrichtende. Das macht Johnsons Werke heute auf neue Weise fremd.

Fremd war dieser Autor breiteren Leserschichten seit je. Oberflächlicher Lektüre erschien seine Erzählweise als gewollt vertrackt und umstandskrämerisch, sein Insistieren auf dokumentarisch exakter Wahrheitssuche als unpoetische Besserwisserei, seine unermüdliche erzählerische Arbeit an den Unheils- und Schuldzusammenhängen der jüngsten deutschen Geschichte als vergangenheitsfixiertes Moralisieren. Aktuell war er zeitlebens, also im Zeitalter der deutschen Teilung, als der »Dichter der beiden Deutschland«. Mit dieser Kritiker-Formel konnte man ihn »jagen«. Allein, sie bezeichnet ebenso genau wie grob ein thematisches Kernfeld von Johnsons literarischer Produktion. Mit seinen eigenen Worten, am Anfang und Ende des *Dritten Buchs über Achim*: Es kam ihm an »auf die Grenze: den Unterschied: die

Entfernung«. Gemeint ist die deutsche Grenze zwischen zwei Teilstaaten, mittelbare Folge der verbrecherischen Politik des nationalsozialistischen Deutschen Reiches; der weltpolitische Unterschied zwischen zwei Systemen, die beide, in verschiedener Hinsicht, als »unrichtig« angesehen werden; die Entfernung, das Auseinanderleben und Fremdwerden von Menschen, die demselben Volk angehören und die gleiche Geschichte erlebt und erlitten haben.

Es gibt verschiedene Möglichkeiten, sich lesend dem schwierigen Autor Uwe Johnson anzunähern. Ihn produktiv lesen hieße, das Spannungsfeld von Aktualität und Fremdheit in seinen Büchern ausmessen. Da ist die zeitgeschichtliche Genauigkeit seiner überwiegend deutsch-deutschen Erzählstoffe. Da ist der unabgegoltene Problemgehalt seiner stummen Frage nach einer menschlich-gesellschaftlichen Lebensform, die anders wäre. Da ist vor allem die erzählerische Kunst, mit welcher diese Stoffe und dieser Gehalt vermittelt werden. Wie bringt man sich selbst oder anderen Johnsons Erzählwerk nahe? Man kann die kompositorisch schwierigen frühen Romane *Mutmassungen über Jakob* und *Das dritte Buch über Achim* und das Hauptwerk *Jahrestage* zunächst umgehen und erst kleinere Prosaarbeiten lesen. Dafür eignet sich die späte, unheimliche, Max Frisch gewidmete *Skizze eines Verunglückten*. Ebenso empfehlenswert ist die Ausgabe der Fragmente *Versuch, einen Vater zu finden* und *Marthas Ferien* mit Johnsons eigener Stimme auf Toncassette. In besonderem Maß geeignet ist *Karsch, und andere Prosa*. Sie führt auf Nebenwegen ins Zentrum von Johnsons Erzählen.

Dieser Prosaband von 1964 enthält vier sehr kurze Erzählungen und eine sehr lange. Die drei Kurzgeschichten *Osterwasser*, *Beihilfe zum Umzug* und *Geschenksendung, keine Handelsware* gehören stofflich zu Johnsons erstem veröffentlichten Roman *Mutmassungen über Jakob*. Sie erzählen von Jakobs Freundin Gesine Cresspahl, der späteren Zentralfigur in *Jahrestage*: eine Episode über das dreizehnjährige Mädchen zu Ostern 1945 in der mecklenburgischen Kleinstadt Jerichow; zwei Skizzen über die komplizierten Beziehungen Gesines, die seit 1953 in Westdeutschland lebt, zu ihren Jerichower Bekannten jenseits der deutsch-deutschen Grenze. Die lange Erzählung *Eine Reise wegwohin, 1960* gehört stofflich aufs engste mit Johnsons Roman *Das dritte Buch über Achim* zusammen. Wie dort wird von einem mehrwöchigen

Aufenthalt des Hamburger Journalisten Karsch in der DDR berichtet, während dessen er den Versuch einer Biographie des Radrennfahrers Achim T. unternimmt und abbricht. Aber zusätzlich
wird hier berichtet, welche Schwierigkeiten Karsch nach der
Rückkehr bekommt, als er seine neugewonnene Ansicht über den
ostdeutschen Staat vertritt. Der kleine Text *Jonas zum Beispiel*
erzählt die Geschichte von dem biblischen Propheten Jona in par-
odistischer Verfremdung als moderne Parabel nach. Von diesem
letzten und dem ersten Stück abgesehen, zeigt sich die Sammlung,
wie die Mehrzahl von Johnsons Romanen, vom Thema der deutschen Teilung bestimmt.

Die künstlerische Eigenart des Johnsonschen Erzählens, das
Spektrum seiner Schreibverfahren, läßt sich an diesen überschaubaren Texten exemplarisch studieren. Am meisten fällt, im Unterschied zum Jakob- und zum Achim-Roman, ein durchgehender
präsenter Erzähler auf, der sogenannte auktoriale Erzähler, den
Johnson, bei all seinen erzähltechnischen Rollen- und Versteck-
spielen, auch in seinem übrigen Werk niemals wirklich verabschiedet hat. Von diesem Erzähler aus, der das Heft immer fest in der
Hand behält, entfaltet sich ein kennzeichnendes stilistisches Spannungsfeld. Die Erzählerstimme schaltet einblendungsweise, mon-
tageartig unvermittelt auf Figurenstimme um. In den schrift- und
literatursprachlichen Diskurs, der manchmal ins altmodisch Gra-
vitätische gerät, dringen die Stimmen der alltäglichen sozialen
Welt ein, die anonymen regionalen und ideologischen Töne, die
Redensarten und das Gerede. Typisch der archaisierende biblische
Ton als satirisches Verfremdungsmittel für die monologisch-auto-
ritäre Stimme der kommunistischen Staatsmacht: »auf seinen
kleinen Betrieb da waren unverhältnismäßige Behörden zugekom-
men und fingen an und sagten, er habe damit gesündigt an der
Wirtschaft des Volkes«. Ebenso typisch jedoch die getreuliche
Reproduktion dessen, was und wie die Leute reden: »du denkst
dir wohl doch meine Enkelkinder, na legn Riegel Sch'lade zu.«
Verfremdende Stilisierungen und Mimesis an Mündlichkeit – zwischen diesen beiden Polen bewegt sich der Johnsonsche Erzähl-
ton. Ein symptomatologischer Realismus verknüpft gezielt ge-
wählte, scharf belichtete Details zu kritischen Konstellationen.
Ein epischer Humor verwandelt die bedrückende Wirklichkeit in
erzählte Gesten und Sprüche, komische Situationen und Andek-
doten. Eine Kunst des topischen, d. h. an klaren gedanklichen

Mustern orientierten Fügens, Verklammerns und Abrundens verbindet kurze, in sich durchorganisierte und relativ selbständige Texteinheiten reihend miteinander. In *Karsch* lesend, blicken wir in die Werkstatt eines Erzählers, der sich noch und gerade mit seinem vielhundertseitigen Epos *Jahrestage* als Meister der kleinen epischen Form erweist.

Osterwasser hat unter den Texten der Sammlung die höchste poetische Intensität, die größte atmosphärische Dichte – ein Musterstück der kleinen Form, eine exemplarische Kurzgeschichte. Frühling nach dem Krieg in der mecklenburgischen Provinz, die schlafende Kleinstadt Jerichow. Durch kühle, sehr norddeutsche Landschaft mit Erlenholz, Schilfwiesen und »Koppelschleeten« stakt frühmorgens ein mageres Mädchen, »Osterwasser« soll schön machen, sagt der Volksglaube. Die Geschichte hat idyllische Züge: Naturnähe, eine Wohnküche mit »Kacheltisch«, ein »Bischofsmützenturm«, ein grünes Samtkleid aus Großmutters Zeiten. Dagegen stehen scharf konturiert die Züge des Nachkriegselends: Hunger, einquartierte Flüchtlinge, Selbst- und Kindsmorde im Bruch, nahebei ein russisches Militärlager. Das naiv-abergläubische Abenteuer einer sommersprossigen Dreizehnjährigen wird plötzlich sehr gefährlich für Leib und Leben: Ein im Wald versteckter, verwilderter deutscher Soldat versucht sich an ihr zu vergehen. Im letzten Moment greift, in der Retterrolle des großen Bruders, Jakob ein und hilft Gesine sogar noch zu ihrem Osterwasser.

Das ist scheinbar recht locker, skizzenhaft hingetupft, mit vielen kleinen Sprüngen und Leerstellen. Das ist, bei genauem Lesen, sehr sorgsam durchgeplant und fugenfest gebaut. Ein episch-lyrisches Genrebild, eine dramatische Vergewaltigungs- und Zweikampfszene – diese Kontrastspannung wird erzählerisch versöhnt durch das humoristisch festgehaltene Titel-, Klammer- und Leitmotiv des Osterwassrs: Nichts sprechen darf man, soll es wirken, und es muß vor Sonnenaufgang sein. Als Gesine von ihrem Bad im Wehr zurückkommt (ob sie wohl wirklich noch in Stimmung dafür gewesen sein sollte?), wird die Ostsee hell – die magische Frist ist um, die Sonne geht eben auf.

Weitere Motive spielen hinein in diese gestörte und gerettete Idylle. Da ist die einfühlsame, diskrete Darstellung erwachender, erotisch noch unentfalteter Weiblichkeit: der Schönheitswunsch, die sinnliche Berührung mit Natur, das vieldeutige Katzenmotiv.

Damit locker verbunden das Motiv des Hungers, die eingelöste Hoffnung auf gebratene Eier. Was aber mag auf das Konto einer doch wohl männlichen Phantasie des Erzählers gehen, der das Mädchen aus den Fängen des Verführers an die Hand des super-brüderlichen Beschützers zwingt? Was mag an der symbolischen Zuweisung des Vergewaltigungsmotivs an einen kaputten Wehr-machtsoldaten in einer von Sowjettruppen besetzten Szenerie auf das Konto eines erzählerischen Gerechtigkeitssinnes gehen, der an Eigensinn grenzt? So dicht das poetische Gewebe dieser kleinen Erzählung, so intensiv ihr zeitgeschichtlicher Gehalt, so offen ist sie für neue Lektüre, die solche kritischen Fragen einschließt.

Die beiden kurzen Texte *Beihilfe zum Umzug* und *Geschenk-sendung, keine Handelsware* gehören sehr eng zusammen. Ge-sine, seit Jahren im Westen lebend, gerät in Briefwechsel mit Jerichower Bekannten, als 1962 ihr Vater dort gestorben ist und sie zur Beerdigung nicht einreisen darf; darum wünscht sie sich »Zeu-gen«. Eine mögliche Zeugin ist Grete Selenbinder, »eine der meh-reren Nenntanten Gesines«. Als deren über die Grenze gegange-ner Sohn es unterläßt, ihr in den Westen zu helfen, springt Gesine ein und leistet Tante Grete »Beihilfe zum Umzug«. Die Erzählung entwirft den zeitgeschichtlichen Hintergrund eines verordneten Sozialismus: Behörden, die im Interesse der »Wirtschaft des Vol-kes« private Kleinbetriebe zum Aufgeben zwingen und Rentner abschieben, nicht ohne ihnen die Ausreise durch bürokratische Schikanen zu erschweren. Den Vordergrund indessen bildet eine epische Fallstudie über provinziell-kleinbürgerliche Engherzig-keit. Gesines gute Tat vermag weder das gehässige Gerede über ihr Weggehen aus der Heimat zum Schweigen zu bringen noch die Mutter mit dem Sohn auszusöhnen, dem sie aus Besitzborniertheit einst die Liebschaft mit einem Flüchtlingsmädchen verdorben hatte. Denn die alte Selenbinder ist froh, nicht ihm, sondern nur Gesine »abbitten« zu müssen. Charakteristisch für Johnson, wie in diesem kleinen Text der ironische Akzente setzende Erzähler zugleich das Stimmenspektrum der Provinz, das Gerede der klein-städtischen Verwandt- und Bekanntschaft, mimetisch in seinen Diskurs aufnimmt.

Ganz ähnlich angelegt ist die epische Skizze *Geschenksendung, keine Handelsware*. Der Titel zitiert die vorschriftsmäßige Formel des damaligen innerdeutschen Postverkehrs und spielt damit auf zeitgeschichtliche Verhältnisse an, richtiger: auf materielle und psychologische *Miß*verhältnisse zwischen den Bewohnern der Bundesrepublik, die sich in ihrem Wirtschaftswunder einrichteten, und den Ostdeutschen, die mit der ihnen verordneten Art von Wirtschaft »den Krieg bezahlten immer noch«. Der Kalte Krieg der ›Liebesgaben‹ (»Dein Päckchen nach drüben«), heuchlerische Kompensation dafür, daß die Regierung Adenauer die stets im Munde geführte deutsche Einheit von Anfang an hintertrieben hatte; östliche Gegenmaßnahmen gegen den mit der «Päckchenhilfe« erweckten richtigen Eindruck, »im Osten werde ein wenig mehr gehungert«; postalische und steuerpolitische Anpassung des westdeutschen Staates an diese Maßnahmen des ostdeutschen, den es angeblich gar nicht gab – all das hat Johnson auch in einem kritisch-dokumentarischen Paralleltext zu dieser Kurzgeschichte minuziös festgehalten (*Begleitumstände*, S. 381-391). Gesine versucht nach dem Tod ihres Vaters, Paketsendungen von Düsseldorf nach Jerichow, an die Leute, von denen ihr Vater »Briefe lang geschrieben hatte«, richtig zusammenzustellen. Dadurch sieht sie sich genötigt, die vermutbaren Reaktionen der Empfänger als ›innere Stimmen‹ zu antizipieren: die Alten, die Jungen, Pastorswitwe Brüshaver, Kern von der Tischlerinnung, Oll Klupasch, Jöche, Niebuhr, auch die Selenbinder – erneut also die regionale, kleinstädtische Stimmenvielfalt, humoristisch eingeblendet in eine Erzählung, die doch diskret indirekt von einer Trauerarbeit berichtet. Der Schluß schlägt bereits den nostalgischen Ton an, der dann in *Jahrestage* zu einem Leitmotiv der Gesine-Figur werden sollte: Der Paketwagen – so stellt sie sich vor – fährt am Friedhof vorbei, wo Cresspahl begraben liegt, auf dessen Torflügeln fahren die Enkel von Kern Halbkreise – »wie sie einmal, damals«.

Eine Reise wegwohin, *1960*, der umfangreichste und, wie deren Titel anzeigt, Haupttext der Sammlung *Karsch, und andere Prosa*, ist zu zwei Dritteln eine kürzere, einfacher gebaute Parallelerzählung zu dem Roman *Das dritte Buch über Achim*. Das letzte Drittel berichtet über das bittere Nachspiel der dreimonatigen DDR-Reise von Karsch: Kneipengespräche über die Reise, eine deprimierende Redaktionskonferenz, eine Fernsehsendung, die Karsch durch seine zornige Rede über Wiedervereinigungsphrasen und fällige Anerkennung der DDR zum Platzen bringt, eine polizeiliche Haussuchung mit dem Verdachtstitel Landesverrat, unter Mitnahme von Material, das Karsch acht Jahre Arbeit gekostet hat, seelische Erschütterung durch Wiedersehen seiner geschiedenen Frau, physischer Zusammenbruch (so wird man die markante Leerstelle füllen müssen), wochenlanger Klinikaufenthalt, Niederlassung und journalistische Arbeit in Italien.

In Unterschied zum Roman, der im Rahmen der Geschichte von Karschs Reise die Lebensgeschichte von Achim T. darbietet, richtiger: die Stücke von ihr, die der Journalist herausfindet, steht dieser ganz im Zentrum der Erzählung, genauer: seine krisenhafte Arbeits- und Lebenssituation, »angefangen mit seinem Gesundheitszustand«, der vom ersten Satz bis zum letzten Abschnitt ein wiederholt angeschlagenes Leitmotiv bildet. Gegen Ende des Textes gibt sich der Erzähler als einer von Karschens Hamburger Freunden zu erkennen, die den aus der BRD emigrierten Journalisten nicht mehr verstehen wollen, wegen vermehrter »Eigenheiten«, zu denen sie vor allem seine nonkonformistische Ansicht von der »Not der deutschen Teilung« zählen. Berichtet wird, parallel zum Achim-Roman, von Karschs Umgang mit Karin und Achim in der fremden sächsischen Stadt, von seinen Recherchen für eine Biographie Achims und ihrem Scheitern an dessen Widerstand. Erzählt wird darüber hinaus von seiner wachsenden Offenheit für die ihm bisher unbekannte Wirklichkeit der DDR – bis hin zu einer unheimlichen »Empfindung von Dazwischen«. Unter den journalistischen Erkundungen und Fahrten ist – wie ausgewogen! – je ein Besuch in einem Lager mit westdeutschen und einem mit ostdeutschen Flüchtlingen. Dazwischen eingeschoben ein Besuch in Mecklenburg bei den »Schleusen-Niebuhrs«, denen wir auch in *Ingrid Babendererde* und in *Jahrestage* begegnen. Das ist eine nahezu selbständige Kurzgeschichte über die bedrückende Wiederbegegnung mit einem Ort und mit dem Mann, der 1945 dem jungen Deserteur Karsch Unterschlupf gewährt und damit wohl das Leben gerettet hatte – eine dicht komponierte epische Studie über Entfremdung als Folge der Teilung, aber auch von mitmenschlicher ›Vergeßlichkeit‹.

Die Erzählung hat mehrere thematische Schwerpunkte. Da sind Beschreibungen von Karschens journalistischer Arbeitsweise und seinem Berufsethos: »Demokratie, Berichtigung des Staatswesens, Kenntnis von der Verwendung der Steuer (. . .), Genauigkeit der Nachrichten«. Da ist das Registrieren von Symptomen sprachlicher Entfremdung zwischen Ost- und Westdeutschen: die Sprache der Grenzposten bereits, der Abstand von den »ungetümen Sätzen« und »eigenartigen Fremdworten« der Angestellten des

Staates zu dem – für Karsch gleichfalls manchmal schwer verständlichen – »Reden der gewöhnlichen Leute«, die wechselseitigen Sprach- und Verstehensprobleme zwischen Karsch und Achim. Da ist vor allem die an vielen Einzelheiten physiognomisch scharf und unbestechlich umrissene ostdeutsche Wirklichkeit: von dürftigem Hotelservice bis zu den Übergriffen des autoritären Regimes auf das Alltagsleben. Den thematischen Kern der Erzählung bildet das implizit vorgetragene Plädoyer gegen ideologische Vorurteile und für Wahrnehmungsbereitschaft, für Anerkennung der politischen und menschlichen Wirklichkeiten des geteilten Deutschland und der DDR »im erkenntniskritischen Sinn«. So ist die nüchterne Fallstudie über die Lebens- und Arbeitskrise eines Journalisten zugleich eine Exempelgeschichte: ›Karsch zum Beispiel‹. Indem die Erzählung an ihrer Figur einen Lernprozeß vorführt, appelliert sie an die Lernbereitschaft ihrer westdeutschen Leser von 1964. Wie sehr die journalistische und schließlich politische Haltung von Karsch der Sicht des Autors selbst entspricht, bezeugt ein unerbittlich ausführlicher Abschnitt in *Begleitumstände* (S. 338-392), wo Johnson mit dokumentarisch-grimmiger Exaktheit genau das getan hat, was er seiner Figur zuschreibt: »Zusammenstellen der Angebote, die die ostdeutsche Seite der abgewandten westdeutschen vorgetragen hatte, bis neuerdings eine deutsche Einheit nicht einmal mehr um Neutralität zu haben war.« (Wie aber sind die Karteikästen von Karsch aus den Fängen der Polizei in Johnsons Hände gelangt?)

Jonas zum Beispiel, das letzte Stück der Sammlung, die kürzende Paraphrase einer biblischen Prophetenlegende, ist eine leichthändig gemachte und doch ein wenig gezwungen wirkende Parodie – mehr in der Art von Brechts uneingeschüchterten Ummontierungen als im ironischen Geist Thomas Mannscher biblischer Geschichten. Die Vorlage, das Buch Jona aus den ›Kleinen Propheten‹ des Alten Testaments, ist bei aller Archaik doch eine bereits spätzeitliche religiöse Weisheitsdichtung mit selbstparodistischen Zügen, eine Art von theologischer Unsinnspoesie, die durch slapstickhafte Wunderhäufung weniger den streikenden Propheten als seinen göttlichen Arbeitgeber der Lächerlichkeit preisgibt. Johnson hat den Text der Zürcher Bibel um alles allzu Theologische erleichtert und durch eine Reihe kleiner Veränderungen und Einschübe verfremdet, die man, je nach Geschmack, witzig, gewaltsam oder läppisch finden mag. Wenn er seinen zornigen Gott einen gewaltigen Wind ins Meer ›drücken‹ läßt, anstatt, wie es in der Vorlage heißt, aufs Meer zu ›werfen‹, dann ist aus psalmodierender Blumigkeit grobianische Derbheit geworden: Jehova gewissermaßen als dickärschiger Poseidon oder windlassender Gargantua – eine groteskkomische Figur. Die Heilige Schrift wird, im Ansatz, karnevalistisch-subversiv ›entmythologisiert‹.

Wo er es ernst meint, belehrt uns der Erzähler über den Typus des Propheten, des »Vorbedachten«: seine Seele sei »empfindlich und wissend und zweiflerisch«. So dürfen wir uns denn diesen Jonas zum Beispiel des modernen gesellschaftskritischen Intellektuellen machen, der die bekannten Schwierigkeiten mit dem Widerspruch von Theorie und Praxis und darum eine traurige Wahl hat: Er kann trotzig festhalten an der reinen Lehre, er kann in eine »moralische Schweiz«, hier Tharsis genannt, zu fliehen versuchen oder in den Tod, er kann aber auch zum ›Klassenfeind‹ überlaufen. Der Intellektuelle gerät aus dem Dogmatismus eines übereifrigen Parteimannes – ihn verkörpert schon der biblische Jona – in den Schmollwinkel der Rechthaberei, weil er von der Macht, mit der er sich affiliiert hat, »wegen taktischer Schwankungen sitzengelassen« wird. So Johnsons eigene Deutung seiner skurrilen Parabel. Dieser Fingerzeig macht es leicht, diesen Jonas als *marxistischen* Intellektuellen zu identifizieren, diesen Jehova, in zweideutiger Doppelrolle, als ›Weltgeist‹ und als sozialistische Staatsmacht, sein Gesetz als dialektischen und historischen Materialismus, das Volk der Juden als die Länder des ›sozialistischen Lagers‹ und Ninive als den modernen Kapitalismus der westlichen Metropolen, der entgegen marxistischer Verkündigung seines »nahen Untergangs« rätselhaft lebensfähig zu sein scheint oder noch einmal Glück gehabt hat (aber, seit 1989, was für eines!). Die heutige Aktualität und Fremdheit des gesellschaftskritischen Schriftstellers und linken Intellektuellen Uwe Johnson erweist sich also auch an seiner *Jonas*-Erzählung, diesem unscheinbaren parodistischen Spielchen von vor mehr als dreißig Jahren.

Die Aufnahme der *Karsch*-Prosa durch die Kritik war sehr unterschiedlich. Zu dem alten, durch den Haupttext der Sammlung bestätigten Topos vom Dichter der deutschen Teilung kamen zwei neue hinzu, die später auch noch die Rezeption von *Jahrestage* mitprägen sollten: der Rückfall- und der Provinzialismus-Topos. Art, Umfang und Zeitpunkt der Veröffentlichung, nach drei Jahren Publikationspause seit Erscheinen des Achim-Romans, drängten einigen Kritikern außerdem den Eindruck auf, es handle sich hier um verworfene Versuche, Restverwertung, ein Stück »Nachlaß zu Lebzeiten«. Läßt man die abwertende Tendenz solcher Kennzeichnungen beiseite, dann bleibt die nüchterne Frage nach der Entstehung von Texten, die, abgesehen vom letzten, stofflich so eng mit dem Jakob- und dem Achim-Roman verflochten sind. Einiges spricht dafür, sich die zeitliche Folge der Entstehung umgekehrt zur Anordnung in der Buchausgabe zu denken: Das parodistische Spiel mit dem Buch Jona, das an ähnliche Streiche des Primaners Niebuhr in Johnsons Jugendwerk *Ingrid Babendererde* erinnert, könnte schon vor Mitte der fünfziger Jahre entstanden sein. Das Thema ›Intellektueller und Macht‹ weist auf Nähe zu *Mutmassungen*. »Schriftlich durchgenommen« wurde der Fall des »Ideologen« Jonas – so heißt es in *Begleitumstände* – im November 1957. Auch der Briefwechsel zwischen Uwe Johnson und Hans Mayer zeigt, daß der Text spätestens 1957 vorlag. Die Karsch-Erzählung wurde – vom Schlußteil wohl abgesehen – vermutlich nicht nach, sondern vor dem Achim-Roman, also 1959, geschrieben. Die ersten drei Prosastücke der Sammlung entstanden mit Sicherheit 1963.

Vergleicht man *Eine Reise wegwohin* genau mit dem Achim-Roman, so stößt man auf Unstimmigkeiten, die nicht zu einer Poetik der Parallelerzählungen passen, die den Realismuseffekt steigern würde. Da nur einige Episoden aus dem Roman auch in der *Reise* vorkommen, fragt man sich, warum gerade diese, warum dagegen wichtige Motive wie das Achim-Photo zum 17. Juni fehlen. Zu den unauffälligen, gleichwohl erklärungsbedürftigen Differenzen gehört die sechs Jahre zurückliegende Ehescheidung Karschs, die im Roman nicht vorkommt, statt dessen eine Trennung von Karin vor acht Jahren. Dazu gehört auch eine Frau Liebenreuth, die in der *Reise* »zum ersten Mal in ihrem alten Leben« Zimmerwirtin wird, im Roman jedoch bereits unbestimmt lange »von den Übernachtungen durchreisender Besucher« lebt. Der naheliegende Schluß lautet: *Eine Reise wegwohin, 1960* ist früher entstanden als die Druckfassung von *Das dritte Buch über Achim*, wahrscheinlich als einer der frühen Schreibansätze zu diesem Projekt, ganz ähnlich wie Johnson 1983 mit dem Projekt *Heute neunzig Jahr* auf eine Vorstufe seines bereits vollendeten Werks *Jahrestage* zurückgreifen wollte, den *Versuch, einen Vater zu finden*. Mit der nachträglichen Veröffentlichung von *Reise weg-*

wohin richtete sich der Autor, außer daß er damit einem vermutbaren Publikationsdruck Genüge tat, auch gegen einseitige, antikommunistische Lektüren seines Achim-Romans. Mit dieser Intention hat Johnson wohl 1963 das ältere Manuskript bearbeitet und ihm eine Fortsetzung hinzugefügt, die politischen Schwierigkeiten vorführend, die Karsch nach seiner Rückkehr im Westen bekommt und die denen des Autors genau entsprachen. Das mag erklären, warum Johnson selbst dann die *ganze* Erzählung als »Nachtrag« und »Exkurs« zum Achim-Roman bezeichnet hat. Keineswegs also handelt es sich bei *Eine Reise wegwohin* um eine bloße Materialskizze, vielmehr um einen eigenständigen, erzählerisch sorgfältig durchgeformten Text, der freilich im Schatten des komplexer angelegten Achim-Romans verbleibt.

Die drei Gesine-Geschichten sind nach Johnsons eigener Angabe 1963 entstanden. Hier wird am epischen Gewebe des Jakob-Romans und der Jerichow-Welt weitergesponnen, zeitlich jedoch in die Vor- und Nachgeschichte ausgreifend: Gesine nicht mehr 1956, sondern 1945 und 1962. In den beiden Kurzgeschichen, die 1962 spielen, bildet der Tod von Gesines Vater Heinrich Cresspahl den Ausgangspunkt. Das ist ebenso in einem zur gleichen Zeit entstandenen kurzen Prosatext, der in einem biographischen Abriß, mit dem wir die Keimzelle des späteren Hauptwerks *Jahrestage* vor uns haben könnten, »Neuigkeiten von Cresspahls Tochter« mitteilt. Da diese Skizze aber nur eine »Krücke von einem Lebenslauf« war, blieb sie ungedruckt. (Das Typoskript befindet sich im Nachlaß.) Sie und die gedruckten Gesine-Geschichten der *Karsch*-Sammlung markieren also den entstehungsgeschichtlichen Beginn von Johnsons epischer Ausarbeitung der Jerichow-Welt vom Früh- zum Spätwerk hin: Versuche, einen erzählerischen Zugang zu Jakobs Freundin Gesine zu finden. Diese Versuche wurden dann, vorläufig, wieder abgebrochen, weil Gesine ihrem »Genossen Schriftsteller« offenbar den Auftrag gab, ihr Nachdenken über das Leben ihres Vaters, ihren »Versuch, einen Vater zu finden«, für sie aufzuschreiben: die Lebensgeschichte Heinrich Cresspahls also – ein weiterer Baustein für *Jahrestage* –, die Johnson sich schon hatte »Mühe geben müssen, aus den *Mutmassungen* herauszuhalten«.

So gehören die Texte dieser Sammlung teils zum Frühwerk, teils ins Vorfeld des späteren Hauptwerks. Wenn in ihnen durchgängig, anders als in den beiden frühen Romanen, eine deutlich akzentuierende, auktoriale Erzählerstimme vorherrscht, so berechtigt das nicht, von Rückfall zu sprechen, von künstlerischer Regression auf konventionelles Erzählen. Dafür ist auch diese Prosa zu deutlich mit Hilfe der charakteristischen Johnsonschen Schreibverfahren modelliert, die von *Mutmassungen* bis zu *Jahrestage* konsequent ausgefeilt worden sind. Zu kurz greift auch der andere Kritiker-Topos einer nostalgisch-provinzialistischen Verengung, dessen Nachgeschichte bis in Nachrufe auf Johnsons Tod reicht. Niemals grenzte etwas in Johnsons Werk an ›Heimatkunst‹ oder gar an ›Blut und Boden‹. Sein Regionalismus ist eine Dimension seines erzählerischen Realismus, seiner Intention, die Menschen nicht freischwebend, in der Luft, sondern »baben der Erde« zu zeigen, in Gegenden, »Lebensgebieten«. Gewiß, es mag bei Johnson auch einen leisen Hang zum ›einfachen Leben‹ geben, eine deutsch-protestantische Neigung, Innerlichkeit gegen Öffentlichkeit zu setzen, eine Vorliebe für altväterlich-humoristische Gebärden. Seine Erzählkunst indessen, wie sie sich an der *Karsch*-Prosa studieren läßt, besteht gerade auch darin, solchen Tendenzen in produktiver Spannung entgegenzuwirken.

Fremd mag diese Kunst auf manche Leser der neunziger Jahre wirken, jedoch nicht weil sie, wie frühere Johnson-Kritiker meinten, Utopie auf Mimesis zurücknähme, vielmehr weil sie in unbestechlich gewissenhafter Mimesis – heute vergangener – deutsch-deutscher Verhältnisse der Utopie trauernd die Treue hält.

Zwei Ansichten

Uwe Johnson
Auskünfte und Abreden zu »Zwei Ansichten«

(Auf Fragen von Mike S. Schoelman)

Mit dem Stoff zu beginnen, der Trennung von Liebesleuten gegen beider Willen, Sie nennen ihn veraltet, erschöpft durch die berühmten Beispiele am Hellespont im 6. Jahrhundert, in Siena und Verona im 16. Jahrhundert und im vorigen »auf dem Dorfe«, seitdem aus der Zeit, eine solche Geschichte nur noch als Anekdote denkbar, und zwar eine von der abseitigen Art –
ich stimme Ihnen zu, mit dem einen Vorbehalt: in Friedenszeiten. In einem Land wie dem unseren sind Beispiele für eine dermaßen altmodische Geschichte alltäglich, und als ein Beispiel zeigt dies Buch die Trennung einer jungen Krankenschwester, Bürgerin der ostdeutschen Republik, von einem jungen Fotografen, Bürger der westdeutschen Republik, durch die Schließung der Grenze zwischen ihnen. Sogar einige der alten Motive stellen sich modern ein: die Familienfehde, die der Verbindung der Kinder widersteht, ist heutzutage ersetzt durch die Fehde der Staaten, die ihre Bürger für sich behalten wollen; die Verständigung zwischen den beiden ist so erschwert und demnach fehlerhaft, daß sie sich vergleichen läßt mit dem falschen Brief, den Romeo in Alessandria erhielt; und die absolute Trennung durch den Tod gibt sich zumindest als Risiko so zeitgemäß wie vor vier oder vierzehn Jahrhunderten. Einige der Motive finden sich in den alten Fassungen nicht: diese Liebe, begonnen als Bekanntschaft zum beliebigen Vergessen, wächst sich erst nach der Trennung und eigentlich durch sie aus, als immer mehr verstiegene, eben nicht überprüfbare Einbildung von Zusammengehörigkeit und Verpflichtung; zweitens, sie ist so kräftig nicht, daß die Getrennten sich an jedem Ort, wo auch immer vereinigen wollten: ihm fällt ein Leben im Osten nicht ein, sie kann sich nur noch im Westen eins denken. Drittens, so erstaunlich wie neuartig, sie bekommen Hilfe. Es kann nicht ausbleiben, daß das Ende anders ausfällt als in den Fassungen bisher.

Entsprechend meint der Titel auch die alten Bedeutungen des Wortes Ansicht, die vue, den Prospekt, »von einer Seite her gesehen«, bis hin zur schlichten Verschiedenheit der Meinungen.

Die Orte sind vornehmlich die Städte Berlin, auch eine kleine Stadt in Holstein, und die Flugzeuge dazwischen.

Das Wort »gesamtdeutsch« verstehe ich nicht, es ist in der Wirklichkeit schwer zu belegen, und mit dem Etikett »Dichter beider Deutschland« können Sie mich jagen, freilich auch wegen der Berufsbezeichnung. Wohlmeinende geben mir zu verstehen, das Erzählen ausschließlich von beiden Seiten unserer Grenze müsse auf einen Tick zurückgehen, und raten mir, die Entfernung zwischen den deutschen Restgebieten mit den Augen der Regierungen zu sehen, als nicht verringerbar; es wird dann hingewiesen auf Vorgänge an unseren Grenzen gegen Westeuropa und ihr Fehlen in der Literatur. Verzeihen Sie, ich nahm Ihnen das Wort aus dem Munde; aber mögen Ihre Verdachte gegen Literatur mit beiden deutschen Schauplätzen nicht auch aus Ihrem Unbehagen an dem einen Schauplatz rühren?

Tatsächlich nicht Engagement; En-Gagement müßte ja zwei Seiten haben, nicht nur die Ausführung der Arbeit, auch den Auftrag dazu und das Honorar dafür. Es sind lediglich meine Erfahrungen, Lebenszeiten in beiden deutschen Staaten, und die Überzeugung, ihre Unterschiede seien beachtlich genug, daß wir daran umkommen können.

Wirkungen? um sie zu versuchen, müßte man sie berechnen können. Es ist nicht mehr, als daß ein erzählendes Buch ein Modell der Welt anbietet, Geschichten als Beispiele, die Welt in der Version des Verfassers, Lesern vorgelegt zum unterhaltsamen Vergleichen mit ihrer eigenen Version. Eine Art Information, in der Form von Erzählung, wahrscheinlich weit weniger wirksam als die regelrechte Nachricht.

Übrig bliebe da »Vertrauen auf die Neugier der Leser«, wie Peter Suhrkamp es zuversichtlich annahm, auf die Neugier nach Geschichten, und zwar neuen, in neuen Formen.

Solche Vergleiche sind zweischneidig; wenn Sie diesem Buch Einfachheit zugute halten, und zwar nicht aus Gründen der Fabel, so verdächtigen Sie die Schwierigkeit der vorigen, als sei die vermeidbar gewesen. Es ging aber, bei den *Mutmassungen über Jakob* wie dem *Dritten Buch über Achim*, lediglich darum, für die Erzählung ein Benehmen zu finden, das der Geschichte jeweils genau paßte und geeignet war für die Bewegungen und Schnelligkeiten der Fabel, für die persönlichen und gesellschaftlichen Beziehungen, ihre Lokale, Gefühlsfarben, auch Ereignisse. Der Versuch, in dem einen Fall den Lebenslauf eines Toten und die Ereignisse vor seinem Sterben zusammenzufinden aus Vermutungen, Behauptungen und knappen Zeugenberichten, ein solcher Versuch muß »schwierig« ausfallen, ebenso in dem anderen Fall, der Beschreibung eines Lebenslaufes gleichzeitig mit den Hindernissen, ihn zu beschreiben. Hier aber sind es lediglich »zwei Ansichten«, in der Hauptsache nur zwei Personen, deren Aufenthaltsorte, Handlungen, Auffassungen und Entschlüsse streng auseinandergehalten sind. Es ist eben eine einfachere Geschichte, großenteils sogar geeignet für das traditionelle Verfahren, die Entwicklung von Gefühlsregungen zu beschreiben.

Unter einer solchen Geschichte verstehe ich einen erfundenen Zusammenhang, dessen Beschaffenheit die Art der Erzählung vorschreibt; aber über eine »Poetik«, wie die Klappe des Schutzumschlages [bezieht sich auf die gebundene Originalausgabe des Buches] sie mir nachsagt, verfüge ich nicht.

Die Ausstattung, also auch das Bild auf dem Umschlag, fällt in die Zuständigkeit des Verlages.

Sie rechnen die beiden Personen in dieser Geschichte zu den »einfachen Leuten«; meinen Sie da mehr als ihre gesellschaftliche Geltung? Der Seufzer Heinrich Bölls über die wiederholte Nachricht, daß die Großen der Welt Rolex-Uhren tragen, und daß er dem nichts hinzuzufügen wisse, erscheint mir nach wie vor unübertrefflich. Ich bin überzeugt, daß die »einfachen Leute« das erheblichere Beispiel abgeben für Lebensverhältnisse in unserer Zeit, nicht allein wegen ihrer Überzahl, auch nicht nur weil sie in der Verteilung des Nationaleinkommens jenseits allen gerechten Verhältnisses benachteiligt sind; insbesondere weil sie jede Verschlimmerung der Lage unerbittlich ausbaden müssen, ihre Schwierigkeiten mit dem schärfsten Risiko überwinden müssen, ohne daß Geldreserven sie auffangen und Privilegien sie schützen, ohne daß sie in der Schule und später an die höheren Tricks herangekommen wären, meist auch ohne Hilfe.

Erlauben Sie mir zu bemerken, daß zwischen den Zeilen nichts steht, weder gedruckt noch geschrieben.

Was die Hilfe bei der Flucht aus der ostdeutschen Republik angeht, so ist das Buch in dieser Hinsicht historisch. In einem Exkurs oder Kommentar zu diesem Buch, *Eine Kneipe geht verloren,* gedruckt in H. M. Enzensbergers erstem *Kursbuch,* habe ich versucht die Geschichte einer Illusion darzustellen, die Illusion von Studenten, denen bisher noch jeder Ansatz zu vernünftigen politischen Handlungen weggespielt worden war, und die sich im Herbst 1961 entschlossen, wenigstens einmal republikanische Überzeugungen in Taten umzusetzen, mit dem Fälschen von Personalpapieren und dem Verkleiden von Personen, und zwar mit dem Einsatz der eigenen Person, und ohne Honorar, und ohne Schußwaffen, und das in einer Umwelt, die für solche Bürgerhilfe, wenn es hoch kam, Verlegenheit aufbrachte, bis schließlich die Illusion von der Richtigkeit des Mitleids und der Hilfe zugrunde ging und sie zurückkehrten in die »vernünftige« Art, bei uns zu leben; das ist historisch im Vergleich zu den Leuten, die heute sich dick tun mit Schießereien und schweren Wagen, die tausend Prozent der wirklichen Kosten kassieren, die ihre Leute und die reisewilligen Ostdeutschen bedenkenlos in die Falle laufen lassen und schicken.

Historisch ist aber auch die Situation der Krankenschwester in Ostberlin von 1961, die verbreitete bittere Stimmung, das blindwütige Verlangen aus dem Staat heraus, der Blick auf nichts als die Grenze, das Verhalten wie bei einer schweren inneren Verletzung; heute, vier Jahre später in Ostberlin lebend, mit aufgefangenem Gefühl, in den aufgefangenen Verhältnissen, vom Resignieren längst zum Akzeptieren der Zustände fortgeschritten, jetzt würde sie einen fremden Paß wohl nicht mehr nehmen, wohl nicht drei Jahre Lebenszeit riskieren einer Liebschaft zuliebe und für nichts als ein Leben im Währungsgebiet Westmark. Und, zudem, die Leute in der Kneipe in diesem Buch, die damals sich Mühe gaben für sie, wären da nicht mehr zu finden, und würde ihr nicht geholfen werden.

Wie Interviews in der Regel; penibel übersetzt verspricht das Wort nicht mehr als eine »Zwischensicht«. Ein Interview zu einem Buch schließt oftmals aus, daß man es liest; ein Interview zum Verfasser nützt nicht dem Buch; aber Fragen muß man beantworten.

Skizze eines Verunglückten

Peter von Matt
Die Einsamkeit des moralischen Subjekts
in der Moderne

Der Bereich ist abgesteckt, in dem Uwe Johnsons *Skizze eines Verunglückten* in Analogie und Kontrast zu den Texten von Frisch und Tolstoi tritt. Man muß hier ebenfalls ganz zentral mit dem Begriff der Einsamkeit operieren, nur ist sie in diesem Fall nicht bloß eine Dimension der Katastrophe, des langen Lebens mit der Schuld, sondern sie erscheint bereits, und hier positiv beleuchtet, am Anfang, im Ursprung der Liebe und in der Einrichtung, die für diese getroffen wird. Die Einsamkeit des Lebens mit der Schuld ist bei Johnson so schrecklich wie bei den andern. Dennoch ist die Einsamkeit des schuldlosen Anfangs aufschlußreicher; sie macht den Text zu einem Meßpunkt im Feld der vielen literarischen Liebestheorien der Gegenwart.

Einsamkeit als die Befindlichkeit derer, die sich mit einer wesentlichen Dimension der eigenen Existenz außerhalb der Übereinkunft aller vernünftigen Zeitgenossen sehen, solche Einsamkeit kann auch etwas Stolzes und Großartiges haben. Es ist der Fall in der Art und Weise, wie Johnsons Erzähler Joe Hinterhand seine Ehe einrichtet. Im klaren Bewußtsein, gegen die Gepflogenheiten und Überzeugungen seiner Zeit zu handeln, entwirft Hinterhand ein Modell von Ehe, das, wie nur je in den Spekulationen der frühen Romantik, in Schlegels *Lucinde* oder bei Novalis, die ganz große Liebe mit einem unbedingt bindenden Vertrag verknüpft. Das ist nicht ein Experiment. Ein solches würde seiner Definition nach nur prüfen, ob das Unternehmen überhaupt glücken kann. Es rechnete grundsätzlich mit der Möglichkeit des Scheiterns. Hier aber geht es um den Ernstfall. Dem eigenen Leben wird die endgültige Gestalt gegeben. Es gibt nur dieses Leben, und das wird eingerichtet auf immer, bis zum »gemeinsamen Alter«.[1] Ein Scheitern ist nicht nur nicht vorgesehen – in der Art etwa, daß man gewisse Maßnahmen für den Fall ins Auge fassen würde –, es ist nicht einmal als Gedanke existent, so wie man sich selbst nicht tot denken kann. Dem Leben und der Liebe zugleich wird eine Satzung gegeben, ein Gesetz allein für dieses eine Paar, allein für nur

diese zwei Menschenlebenszeiten. Dazu gehört ganz selbstverständlich, als Inhalt und Erfüllung des Gesetzes, die große Liebe
ohne Minderung und ohne Ende. Das ist ein fundamentalistisches
Konzept wie nur je eine Erklärung des alten Posdnyschew, aber es
ist Fundamentalismus ganz nur für sich, ganz nur auf diesen einen
Fall der eigenen Existenz hin, und also ist es atavistisch und zugleich radikal modern, ist singulär, abnorm, etwas entschieden
Verrücktes in den Augen der Vernünftigen, Erfahrenen, mit allen
Wassern der Wissenschaft Gewaschenen. Man verpaßt den Nerv
der Erzählung vollständig, wenn man die Beschaffenheit der Hin-
terhand-Ehe nicht als dergestalt extrem erkennt. Die Erzählung
äußert sich dazu mit aller wünschbaren Offenheit: »Für sich selbst
noch einmal erfinden müssen« habe Hinterhand die »Vorstellung
vom Leben in einer Ehe«, und diese Vorstellung habe sich als »eine
anachronistische« herausgestellt.[2] Das Stichwort anachronistisch
weist auf den voraufklärerisch-fundamentalistischen Zug; der
Ausdruck »für sich selbst noch einmal« zeigt den absoluten Ein-
zelfall, die Einsamkeit des moralischen Subjekts in der Moderne.
Hinterhand sieht die Herkunft seines Unternehmens denn auch
ausdrücklich in der Einsamkeit, in der er als Kind, ein Findelkind
und Pflegekind, gelebt habe. Dieses »einsame Kind« stehe hinter
dem »auserlesenen Entschluß« – wahrhaftig und wörtlich: »auserlesenen Entschluß« –, »wenigstens für die eigene Person wirklich
zu machen, was gegen die Regel gegangen sei«.[3] Die Signale des
Normenbruchs kommen gehäuft daher: »anachronistisch«, »gegen die Regel«, »gegen die bürgerlichen Normen«[4], und sie werden bestätigt von den andern, den Normalen, den Trägern der
Übereinkunft, die auf das Unternehmen bald mit Ironie, bald mit
Schrecken reagieren. Das Paar wird »belächelt wegen der symbio-
tischen Art ihres Betragens zueinander«[5], und man fragt den
Mann »mit einer Art von Entsetzen (. . .), wie denn er sich habe
einlassen können auf einen andern Menschen so ganz und gar,
ohne einen Teil der eigenen Person in einem Versteck zu halten!«[6]

Ganz allein gegen alle Welt wird hier also eine wahrhaft fanati-
sche Ehe begründet. Die literarische Vermittlung aber erscheint
nicht als Traktat und moralisierender Exkurs – moralisiert werden
kann da gar nicht, weil es in keinem Moment um eine auch für
andere gültige Gesetzlichkeit, weil es immer nur um die Existenz-
regel dieses einen Paars geht, das sich nicht als prototypisch

versteht. Die literarische Vermittlung erscheint vielmehr am zwingendsten auf den zweieinhalb Seiten lyrischer Prosa, in denen Joe Hinterhand während einer USA-Reise der daheimgebliebenen Frau ausmalt, wie sie beide, älter geworden, einmal in Amerika zusammen leben würden.

Das ist ein Reden in so verhalten entzückter Poesie, herausblühend aus allen Ritzen der Johnsonschen Gemessenheit, daß man nicht nur hilflos umherschaut und nach Vergleichbarem sucht in der erzählenden Literatur der Gegenwart, sondern auch dem Unternehmen dieser Ehe beinahe Glauben zu schenken bereit wird. Das tönt so:

>>Wenn wir hingegen alt sind: du etwas dicker und ich mit längeren Falten, wollen wir allerdings leben daß wir uns rächen an diesen Betten wie sie in ihrer Breite ein Zimmer ganz bewohnen und mir gegenwärtig noch kommen dürfen als Katafalk und Schaustück unter Baldachin mit kein Mal weniger als zwei Kopfkissen auf der unermeßlichen Fläche. [. . .]

Solche werden wir aufstellen in einem Haus, das in New York den Central Park und den Hudson in einem überblickt vom fünfzehnten Stockwerk, und vom Fahrstuhl an soll ein leinenes Dach den Regen vom Bürgersteig halten wo du gehst und ein Kerl in der Uniform versunkener Fürstentümer soll immer die Mütze abnehmen und sagen welcher Wochentag es ist. [. . .]

Oder wir verlegen alles in eine von diesen neuenglischen Gegenden im Frühling wo in weiten Bogenschwüngen ausgebreitet zwischen all dem grünen und braunroten Laub weiße Häuser zierlich stehen, sind aus Holz und erinnern dich an etwas das schien auch so alt und bürgerlich; in einem kommt das Wasser in sehr bequemen Wärmeunterschieden aus der Wand und läuft heizend rundum und jagt als Eis die Butter wie den Gin in kühlen Schreck und draußen sitzt es als Schwimmbad im weich rasierten Rasen umgeben von altrömisch verwitterten Steinbänken und Figuren und ist von der Terrasse aus zu sehen als ein See in jahreszeitlich wechselnden Sandbänken verschwimmend nun immer so weiter: fahren wir abends zwischen all den dicken Autos in die Stadt und zeigen dich und erklären den Touristen die Vorteile einer breiten Mittelschicht für den Bestand einer im Grunde demokratischen Gesellschaftsordnung und die dir gefallen nehmen wir mit in das Haus, das hölzern pocht und knackt in der Nacht mit den Dielen und den Möbeln, die sehen nach deinen Großmüttern aus und wir wie die du etwas dicker und ich mit längeren Falten auf einer bereits vergilbten Fotografie nebeneinander: ja.<<[7]

Wie subtil und genau das »ja« hier gesetzt wird – scheinbar nur als rhythmisches Element, und meint doch tatsächlich alles, was »Ja-sagen« und »Jawort« nur immer heißen kann zwischen zwei Menschen. Von solchen gewaltigen Winzigkeiten ist die Erzählung voll, wie sie denn überhaupt ein ausgewachsenes Werk ist auf ihren schmalen 75 Seiten.

Die Idylle dieser zweieinhalb Seiten, geschaffen aus dem Wissen heraus um die literarische Tradition des Idyllenschreibens und dessen ursprüngliche Sprengkraft, ist, obwohl im späten 20. Jahrhundert entstanden, legitim in jedem Wort. Poetisch redend besiegelt sie den Vertrag, der »in einer Zeit, da der Ehebruch zum bürgerlichen Schwank verkommen« ist, eine Ordnung nur für zwei, eine vernunftgetragene folie à deux stiftet, in der ein Ehebruch folgerichtig auch zum Gegenteil des bürgerlichen Schwanks, zum Trauerspiel mit schrecklicher Nemesis und dem Untergang aller Beteiligten führen müßte – führen wird, wie der Leser von Anfang an weiß.

Die Besiegelung durch Poesie ist keine Zutat. Das Geheimnis der hier entworfenen radikalen Ehe ist nämlich von Anfang an verknüpft mit dem Geheimnis der Sprache, des Ineinanderwachsens durch die Rede. Indem der Mann der Frau sein Leben erzählt, gibt er sich so vollständig in ihre Hand, daß sie nun, wie in Sagen und Legenden, seine Seele besitzt: »Und es sei ihm diese Mitteilung vorgekommen weder als Opfer noch als Verlust; im Gegenteil als sichere Bewahrung.«[8] Das muß man ganz ernst nehmen, um zu begreifen, was beim Verrat geschieht.

Parallel zu dieser »Auslieferung der Seele« im vollständigen Reden über sich selbst geht die Fundierung von Hinterhands Autorschaft, seiner gesamten literarisch-sprachlichen Existenz. Aus dieser im letzten sprachmystisch sanktionierten Ehe heraus entsteht auch sein literarisches Werk. Alles bespricht er mit der Frau:

»Satz für Satz, Kapitel für Kapitel, Person für Person, geschrieben für sie, ohne Täuschung oder Irrtum im mindesten zu besorgen.«[9]

Und auch der Verrat – das Wort fällt hart und laut an den entscheidenden Stellen – wird dann von Hinterhand in strenger Konsequenz zum Gesetz dieser Ehe erfahren. Hier reißt die Treulosigkeit nicht ein aufgeklärtes Bewußtsein in barbarisches Dunkel, wie es bei Frisch geschieht, sondern sie ist nun ebenfalls ein sprachmystisches Ereignis, »sprachdiabolisch« müßte man sagen. Der Mord an der Frau wird entscheidend ausgelöst durch die Erkenntnis, daß mit der Sprache, über welche die Liebe ihre Gestalt gewonnen hat und in welcher der Schriftsteller Hinterhand liebend und arbeitend seiner selbst gewiß war – behaust in der Liebe, die aus der Sprache lebte, behaust in der Sprache, die aus der Liebe lebte –, etwas unheilbar Entsetzliches passiert ist. Zum Tatmotiv befragt, sagt er nicht einfach, die Frau habe ihn während 15 Jahren ihrer Ehe betrogen, sagt nicht, sie habe stets ein Verhältnis gehabt mit einem politischen Agenten aus einem feindlich-totalitären Staat, sondern formuliert als einzigen Grund die Auswirkung der Treulosigkeit auf die Sprache, sein Leben mit der Sprache:

>Sie sei ihm verwandelt erschienen in ein Prinzip, eine Verkörperung aller Kräfte, die seinem Leben entgegen seien, als die Drohung, die Gültigkeit der Worte abzuschaffen.«[10]

Mehr ist offenbar nicht zu berichten, weder von den Werkzeugen noch von den Umständen des Mordes. Außerordentlich aber ist, wie die Einsamkeit außerhalb aller Normen und Gebräuche, aus der sich einst die Ehe begründete, nach dem Mord nun auch die Erfahrung von Gericht und Vergeltung bestimmt. Das Gefängnis berührt den Mann kaum. Das Wesen dieser Strafe, Eingesperrtsein, ist für ihn belanglos. Er steht auch da jenseits des allgemeinen Erfahrungskonsenses. Was man ihm als Strafe aufbürdet, weil man weiß, daß es von jedem Normalen als Strafe erlebt wird, ist für ihn kein Leiden. Sein tatsächlich schweres Leiden aber liegt ihm auf, ob er nun vor Gericht kommt oder nicht, ob er verurteilt wird oder nicht. Er hofft sogar, durch die Todesstrafe die Last loszuwerden, die er nun ertragen muß, das Weiterleben bis zum Tod. Denn so total war jene Liebeseinrichtung, so sehr war die radikale Ehe das Leben selbst, daß er jetzt nicht mehr im vollen Sinne des Wortes lebt, nur noch als beschädigtes Wesen fortexistiert. Die Verwüstung zeigt sich an allem, was mit Sprache zu tun hat. Die Handschrift ist »zerstört«[11], so sehr, daß man an den Schaltern und Kassen seiner Unterschrift nicht mehr traut – wie unheimlich genau korrespondiert das mit jener Aussage über die »Auslieferung der Seele« an die Frau: Der alltägliche Identitätsbeweis ist nicht mehr möglich! Des weiteren hat er plötzlich die »nordamerikanische Satzmelodie« verloren, spricht wieder mit einem schwerfällig-deutschen Akzent. Vor allem aber ist er als Schriftsteller kaputt. Er kann nicht mehr arbeiten. Sein Sprachsystem funktioniert nur noch mechanisch, auf einer automatischen Ebene. Er übersetzt wie ein Apparat, und dies sogar vorbildlich:

»Vom Schaltsystem des Bewußtseins sei eine Automatik allerdings erhalten geblieben, ausreichend für die Übertragung von fast allen amerikanischen Texten in die deutsche Sprache. Joe Hinterhand, ein geschätzter Übersetzer, akkurat, pünktlich und all das; ein Betriebsunfall.«[12]

Es wäre aufschlußreich, diesen Zustand der nur noch mechanisch-technischen Produktionsfähigkeit des Schriftstellers Hinterhand mit der Verfassung des Malers Berthold in E. T. A. Hoffmanns Erzählung *Die Jesuiterkirche in G.* aus den *Nachtstücken* zu vergleichen. Dort wird ein ganz analoger Beschädigungszustand bei einem Künstler beschrieben – und die Verkrüppelung der Existenz ist ebenfalls die Folge einer Ehe und eines (ungeklärten) Mordes an der Frau. Nur bewegt sich alles im Rahmen eines ganz und gar andern Liebesbegriffs. Das erotische Zusammenleben mit einer Frau ist für Hoffmanns romantischen Manichäismus ein Fehlverhalten. Die lebendige Frau verhindert in dem Maße die unbedingte Kunst, wie sie bei Johnson diese erst ermöglicht. Dennoch führt auch bei Hoffmann die Befreiung von der Frau nicht zur Lösung, sondern zur kreativen Debilität. Über diesen Vergleich ließe sich Johnsons Erzählung präzis in die Tradition der deutschen Künstler-Novelle, des Künstler-Romans einfügen. Sie dürfte vor diesem Hintergrund zusätzliches Profil gewinnen, so wie sie selbst diese Tradition, insbesondere was den Aspekt von Liebe und Sexualität betrifft, um eine bemerkenswerte Position erweitert hat.

Zu solchen Studien und Betrachtungen wird es allerdings noch lange nicht kommen, und zwar aus dem einfachen Grund, weil Johnsons Erzählung autobiographisch ist, so sehr und so erschreckend und so bekenntnishaft autobiographisch, daß man sie sicher auf Jahre hinaus nur als Dokument und Zeugnis behandelt. Dennoch übersteigt die allgemeine Bedeutung des Werks bei weitem die biographische. Die Fakten selbst hatte Johnson ein Jahr vor der Erzählung schon bekanntgegeben, am Schluß seiner »Frankfurter Vorlesungen«:

»Dem Verfasser wird im Juni 1975 [. . .] endlich eröffnet: [. . .] er habe bei den ›Jahrestagen‹ sich helfen lassen von der Absolventin eines prager Semesters, die er für seine Frau bloss gehalten, für seine Mitarbeiterin bloss angesehen habe [. . .]. In Wahrheit sei sie seit dem Herbst 1961 in inniger Verbindung mit einem Vertrauten des S. T. B., des tschechoslowakischen Staatssicherheitsdienstes. [. . .] Eine Beschädigung der Herzkranzgefässe war begleitet von einer Beschädigung des Subjekts, das ich in der I. Vorlesung eingeführt habe als das Medium der schriftstellerischen Arbeit. [. . .]

Jemand in der Lage der Depression wird sich zur gewohnten Zeit an die Schreibmaschine setzen, [...] erleben wird er eine umfassende Unfähigkeit, etwas zu Papier zu bringen.«[13]

Wenn man Johnsons Lebensdaten mit den Daten in der Erzählung vergleicht, sieht man, daß diese zwar 28 Jahre früher spielt, das Verhältnis zwischen den einzelnen Zeitangaben aber durchweg stimmt. Hinterhand ist 1906, Johnson 1934 geboren, und entsprechend kommt es bei beiden nach der angegebenen Zeit zur ersten Begegnung mit der Frau, zum ersten Buch, zur Ehe, zur Ausbürgerung (dort aus Nazi-Deutschland, hier aus der DDR), zur Geburt des Kindes, schließlich zur Entdeckung des Verrats. Im Juni 1975, dem Datum der tatsächlichen Entdeckung, stirbt der Joe Hinterhand der Erzählung. Er ist 69 Jahre alt. Uwe Johnsons eigene Natur hat dann das Spiel nicht länger mitgemacht; er starb 1984, mit 50 Jahren. Die 19 Jahre, die ihm sein Joe Hinterhand voraushat, hat er allerdings wettgemacht durch den der Depression schließlich doch noch abgekämpften letzten Band der *Jahrestage* – und auch durch die Erzählung *Skizze eines Verunglückten*.

So viel an diesem Text auch der gelebten Wirklichkeit entsprechen mag – oder der Vorstellung des Autors von der gelebten Wirklichkeit –, es bleibt aufs Ganze sekundär, eine Fleißaufgabe für die Biographen. Sein Gewicht gewinnt das Werk aus dem, was es unabhängig von allem Dokumentarischen ist und sagt und darstellt. Das wird deutlich, sobald man es in die literarischen Zusammenhänge, in das Weltgespräch der Dichtung rückt, welches Weltgespräch ja schließlich auch die Welt als Ganzes meint, dieser gilt, um ihretwillen geführt wird und nicht zur Information neugieriger Zeitgenossen über die Schlafzimmerschicksale und das eheliche Tassenschmeißen anderer Genossen.

Übrigens hat Uwe Johnson seine Ehefrau Elisabeth, geborene Schmidt, gar nicht getötet.

Die Mörder sind unter uns, auch in den achtziger Jahren des 20. Jahrhunderts, nicht immer gerichtsnotorisch, oft nur literarisch bezeugt. Gerade daß sie dann gerichtlich nicht erfaßbar sind, macht ihr Wesen aus. Das minutiös Autobiographische in Johnsons Erzählung wird erst dadurch zur Provokation, daß die Geschichte in einem Mord mündet. Die Schuld sowohl des Chirurgen wie auch des Bahnreisenden in Frischs Erzählungen gewinnt ihr Profil und ihre Unauflösbarkeit dadurch, daß sie absolut belanglos ist in den Augen aller andern, juristisch inexistent. Die objektive Geringfügigkeit macht entweder die Figuren mit ihrem dunklen Kummer lächerlich, oder sie rückt diese Objektivität selbst in ein zweifelhaftes Licht. Bei Tolstoi, der die voraufklärerische Sittlichkeit mit dem Zerfallsprozeß der freiheitlichen Ethik, den moralischen Atavismus mit einer zynischen Modernität tollkühn konfrontiert; bei Frisch, dessen Gestalten sich als Mörder wissen, aber die Instanz nicht kennen, die das Urteil spricht und das Gesetzbuch hat; bei Johnson, dessen Held seine Ehe als Eiferer lebt, gläubig und im Trotz gegen die illusionslose Skepsis der Umwelt – bei allen dreien ereignen sich Liebe und Verrat, Verbrechen und Schuld in einem Raum der Einsamkeit, der als solcher nur ihnen selbst ganz vertraut ist. Die andern begreifen nichts, weil ihnen alles so mühelos begreiflich erscheint.

Die Geschichten von Treulosigkeit, Verrat und Rache sind in der Gegenwart nicht mehr Studien über die Charakterdifferenz der Geschlechter – Frailty, thy name is woman; La donna è mobile –, und sie sind auch nicht mehr pädagogische Unternehmen zur Rettung der bürgerlichen Ehe und Familie, wie das 19. Jahrhundert sie verstand, vielmehr sind sie dramatische Untersuchungen über die Einsamkeit des moralischen Subjekts in der Moderne. Sowohl für den Verrat wie für dessen Vergeltung, für die fremde wie für die eigene Schuld fehlt das Gericht und das Gesetz. Die Figuren sehen sich als Mörder, als Opfer und Täter, blutbefleckt wie in der alten Tragödie, aber unter lauter Wohlmeinenden, beredt Verständnisvollen, die ihnen auf die Schulter klopfen: Du hast es auch nicht immer leicht gehabt...

So kann es dann kommen, daß einer von dieser Art, wenn er sich auf Grund falscher Indizien eines Mordes beschuldigt sieht, mit dem er nichts zu tun hatte, diese Tat gesteht, um doch noch, mit einem Trick gewissermaßen, zu einem Gericht und einem Urteil zu kommen. Das geschieht in Max Frischs *Blaubart,* erschienen ein Jahr nach Johnsons *Skizze eines Verunglückten.* Die von der Kritik flüchtig und ungenau rezipierte Erzählung läßt das Verhältnis der seelischen Zerstörtheit zu einer Schuld, für die es keine normativ gesetzten oder diskursethisch gewonnenen Kategorien gibt (nicht einmal im Diskurs des Subjekts mit sich selbst), als schauerliches Schauspiel zur Erscheinung kommen. In allen diesen Texten geht die spezifische Einsamkeit mit Symptomen schweren Kaputtseins zusammen. Mag sich das bei jenem Chirurgen auf das Hinausschwimmen in ein leeres Meer unter einen unbewohnten Himmel verkürzen, es ist doch zuletzt das gleiche wie der Ruin der Männer bei Tolstoi, im *Blaubart* und bei Johnson.

Während die Figuren Frischs verbissen zu einem Punkt des letzten Alleinseins hinstreben – als müßte das Leiden szenisch werden – und die Stelle suchen, wo der Horizont ganz leer ist, ein reiner Kreis und nichts dahinter, das Ich ein bloßer Punkt, der einzige Sinn und also vollkommen sinnlos, versucht Johnson sehr vorsichtig einen Bezug zu knüpfen zu jenem literarischen Werk, in dem die Einsamkeit des moralischen Subjekts angesichts von Liebe und Verrat erstmals mit aller tragischen Konsequenz dargestellt wurde, den *Wahlverwandtschaften*. Nichts zeigt so anschaulich, wie hintergründig und in den einzelnen Zeichen schwer entzifferbar Johnsons Erzählung ist, wie die Stelle, wo er ein Hauptmotiv der *Wahlverwandtschaften* aufgreift, die stumme Geste der Ottilie. Unmittelbar vor den großen Glücksvisionen in Johnsons Geschichte heißt es, die Frau habe bei Trennungen in ganz besonderer Weise Abschied genommen:

> »Und er entsinne sich ihrer Abschiedsgeste am Fernschnellzug nach London auf dem Bahnhof Friedrichstraße, eines stillschweigenden Versprechens, wobei sie die Hände flach vor der Brust gegeneinander verschoben habe.
>
> Dieses Grußes, von ihr für allein sie beide erfunden, sei er eingedenk gewesen von Boston bis New Orleans.«[14]

Die Gebärde ist ein Teil der gemeinsamen Sprache, jener Verständigungsweise nur für sie beide, das Paar in seiner triumphalen Singularität. Der Mann versteht sie als eine Art Schwur, einen heiligen Eid in Analogie zu den sakralen Gesten vor den Altären, versteht sie als nochmalige Besiegelung dieser ausschließlichsten Zusammengehörigkeit, für die ein Wort wie »Treue« gar nicht mehr gebraucht wird. Indem er »dieses Grußes eingedenk« ist, lebt er auch in der Ferne das Ganze der Beziehung. Ein Ritual des Liebesvertrags also wird da vollzogen, das sich seinem Gewicht nach von keiner der magischen und religiösen Zeremonien unterscheidet, die die Literatur für solche Momente kennt. Am Ende des Kapitels aber folgt in einem »N. B.«, als ominöse Vorausdeutung auf das, was aufgedeckt werden wird, der Hinweis: »Auch bitte er darum, [. . .] die Worte ›für allein sie beide‹ [. . .] aufzufassen mit einem Mißtrauen.«[15] Daß er diese Bemerkung macht und es nicht dem Leser überläßt, sich zu der Stelle seine Sache zu denken, zeigt, welches Gewicht er der Gebärde zumißt. Sie wird tatsächlich zum Eid und zum Eidbruch zugleich, ist Schwur und Verrat in einem. Denn was die Frau damit wortlos gelobt, bricht sie nicht später einmal in einer fernen Zukunft, sondern sie bricht es jetzt schon, sie hat es schon gebrochen und wird es gleich wieder tun, kaum ist der Mann verschwunden.

Ein Vergleich mit der Stelle aus den *Wahlverwandtschaften* zeigt nun, daß in der Geste der Frau die Verneinung bereits enthalten ist – »Verneinung« im durchaus diabolischen Sinn, wenn man an den Hintergrund einer sprachmystischen Hochzeit denkt. Von Ottilie nämlich heißt es, wenn sie, die von andern nie etwas fordert, einmal in die Lage komme, einen fremden Wunsch abschlagen zu müssen, tue sie das nicht mit Worten, sondern mit einer Gebärde, »die für den, der den Sinn davon gefaßt hat, unwiderstehlich ist«:

»Sie drückt die flachen Hände, die sie in die Höhe hebt, zusammen und führt sie gegen die Brust, indem sie sich nur wenig vorwärts neigt und den dringend Fordernden mit einem solchen Blick ansieht, daß er gern von allem absteht, was er verlangen oder wünschen möchte.«[16]

Diese Beschreibung aus dem sehr langen Anfang des Romans wird am Ende, im stürzenden Finale, mit auffälliger Wörtlichkeit wiederholt:

»Dann drückte sie die flachen, in die Höhe gehobenen Hände zusammen, führte sie gegen die Brust, indem sie sich nur wenig vorwärts neigte, und sah den dringend Fordernden mit einem solchen Blick an, daß er von allem abzustehen genötigt war, was er verlangen oder wünschen mochte. Diese Bewegung zerriß ihm das Herz.«[17]

Daß Johnsons Text auf diese Stellen Bezug nimmt, ist evident. Schon in den Frankfurter Vorlesungen, die unmittelbar vor der *Skizze eines Verunglückten* entstanden, hat er sich gleich zu Beginn auf die *Wahlverwandtschaften* bezogen, insbesondere auf zwei Passagen zu Ottilie. Er muß sich im Vorfeld der Erzählung lange mit dem Roman auseinandergesetzt haben.

Wenn man nun die Gebärde bei Goethe mit jener bei Johnson vergleicht, wirken die beiden wie ein Ja und ein Nein. Für sich allein betrachtet, ist jede ein Zeichen, das nur aus dem Kontext verständlich wird. Die Gegenüberstellung geschieht allein im Kopf der Leser, jener Leser, die die wichtigsten Arbeiten Goethes präsent haben. Wie sehr Johnson mit ihnen rechnet, zeigt sich am Schluß der Erzählung, wo er von den Gingko-Bäumen im Riverside Park und dem »dazugehörigen Gedicht«[18] spricht. Er setzt voraus, daß die Leser das Gedicht *Gingo biloba* aus dem *West-östlichen Divan* kennen, sehr genau kennen, denn er sagt, wegen der »Zeilen 5 bis 12« dieses Gedichts sei der Gingko-Baum »früher eines seiner Wappen gewesen«.

Aber was gewinnt denn die Erzählung überhaupt mit diesem Bezug? Es ist nicht so, daß etwas Schwieriges und Verworrenes durch den Verweis auf eine eindeutige Gegebenheit in der literarischen Tradition geklärt wird, wie es etwa geschieht, wenn literarische Texte auf mythische Figuren anspielen, oder wie es geschehen wäre, wenn Johnson den »Abschiedsgruß« der Frau auf irgendeine Weise mit einem berühmten Meineid assoziiert hätte. Schon die Deutung der zwei Gebärden als mimische Bejahung und Verneigung ist ja nur ein nicht ganz beweisbarer Vorschlag. Die Erzählung von der radikalen Ehe des Schriftstellers Joe Hinterhand und ihrer Zerstörung durch Lüge und Verrat öffnet sich durch solche Verweise bloß ganz behutsam auf den abgründigsten Eheroman der deutschen Literatur hin, deutet wie mit einem fahrenden Lichtschein in diese Richtung – mehr nicht. Eine Bitte ist das im Grunde, man möge bei dieser Geschichte an jene andere denken, nicht eine Information über Entsprechungen und Unterschiede. Auf die Bitte mag man eingehen oder nicht. Man verfehlt nichts Wesentliches, wenn man es nicht tut. Dennoch ist der Wink, den der Erzähler gibt, für das Problemfeld, in dem sich alles bewegt, von großem Gewicht. Er lenkt die Meditation der Leser in eine bestimmte Richtung – und daß er für meditative Leserinnen und Leser schreibt, zeigt die Widerständigkeit der Erzählweise von der ersten Seite an. Wenn man dieser Richtung folgt, gelangt man in eine Gegend, wo lauter Zerstörte, von Liebe und Verrat auf den Tod vernichtete Menschen sind. Man wird hingelenkt auf eine Abfolge der Verzweiflung und des Zugrundegehens über Jahrhunderte hin, als änderte sich nichts an den Menschen.

Ändert sich wirklich nichts? Bei Goethe ist Liebe die innerste Bewegung des Kosmos, nicht metaphorisch, sondern ganz real, anschaubar in allem, was in der Natur, in Pflanzen und Tieren, Wolken und Steinen, in Sternen und Flüssen und Gewittern passiert. Wer liebt, fügt sich in diese Weltbewegung ein, atmet mit den Blumen und mit den Milchstraßen. Das ist dann Glück. Die Teilhabe an der Selbstbewegung der Welt, in der Liebe, Glück und Erkenntnis zusammenfallen, rechtfertigt sich selbst. Wer diese Teilhabe gewinnt, wer liebt, hat recht, immer und überall, und er hat sogar nur dann wirklich und im tiefsten recht, lebt nur dann dem Ganzen gemäß. Dieses Recht ist da, sobald die Liebe da ist in einer Frau oder einem Mann, und es ist da, solange die Liebe da ist, und wenn sie ihren Gegenstand wechselt, ist das Recht immer noch und weiterhin da. Insofern ist es fürchterlich. Es bewirkt den Verrat und erkennt ihn nicht an. Goethes Werk spricht immer davon, daß, wer liebt, unbedingt recht hat, und daß diese Wahrheit schrecklich ist, weil sie so viel Glück vernichtet, wie sie schafft. Die innerste, heiligste, göttliche Bewegung der Welt wirft die Ordnung der Menschen zusammen, ohne die es doch für die Menschen kein menschenwürdiges Leben gibt. Eine solche Ordnung ist die Ehe. Davon redet der Roman *Die Wahlverwandtschaften*. Wer sich für die Ordnung entscheidet, rottet das Leben aus der eigenen Brust aus und vergeht sich gegen den Gott in der Mitte der Welt. Wer sich gegen die Ordnung entscheidet, zerstört die Voraussetzungen des Zusammenlebens und der fruchtbaren Arbeit, vergeht sich gegen den Menschen. Das ist, was die vier übers Kreuz Glücklichen und Unglücklichen in diesem Roman austragen müssen, und keines trägt es mit so äußerstem Bewußtsein aus wie Ottilie. Sie lebt sich in diesem Wissen zu Tode, ganz gesammelt, ihrer Liebe und der Ordnung treu, was sie beides nur sein kann, indem sie sich darüber zu Tode lebt.

Die Einsamkeit von Ottilies Ende, die die Einsamkeit Werthers und Mignons, Margaretes und Tassos in dem Maße übersteigt, als das Bewußtsein dieser Frau umfassender, wahrhaftig Himmel und Erde umfassend ist, wird im 20. Jahrhundert anders gelesen als beim Erscheinen des Romans. Ihre Nähe zur Einsamkeit des moralischen Subjekts in der Moderne ist so bedrängend, daß der Roman in die Mitte der Auseinandersetzung mit Goethe gerückt ist. Über ihn führt der Weg zum Verständnis aller Treulosen und Verräter in Goethes Werk, und die Treulosen und Verräter in aller Literatur gewinnen vor dem Hintergrund dieses Romans einen Umriß, der es möglich macht, sie gegeneinander trennend abzuheben, sie ebensosehr in der Besonderheit ihres historischen Orts zu erkennen wie im Ungestüm ihrer Gegenwärtigkeit über Jahrhunderte hinweg.

1 Uwe Johnson, *Skizze eines Verunglückten*, Frankfurt am Main (3. Aufl.) 1984 (erstmals erschienen in *Begegnungen. Eine Festschrift für Max Frisch zum siebzigsten Geburtstag*, Frankfurt am Main 1981, S. 69-107), S. 48.

2 A. a. O., S. 20.

3 A. a. O.

4 A. a. O., S. 26.

5 A. a. O., S. 47.

6 A. a. O., S. 70.

7 A. a. O., S. 29 ff.

8 A. a. O., S. 25, vgl. dazu auch den zitierten Satz über die Auslieferung der Person (S. 78).

9 A. a. O., S. 25.

10 A. a. O., S. 56.

11 A. a. O., S. 69.

12 A. a. O., S. 68.

13 Uwe Johnson, *Begleitumstände. Frankfurter Vorlesungen*, Frankfurt am Main 1980, S. 451 f.

14 Johnson, *Skizze*, a. a. O., S. 28.

15 A. a. O., S. 34.

16 Hamburger Ausgabe. Bd. VI (1958), S. 280.

17 A. a. O., S. 473.

18 Johnson, *Skizze*, a. a. O., S. 73.

Jahrestage

Rolf Becker
Jerichow in New York

Das fängt gut an. Man weiß, noch zwei Bände etwa gleichen Umfangs werden diesen 480 Seiten folgen. Jetzt schon sehr viel, sehr Entschiedenes über Johnsons Tagebuch-Roman *Aus dem Leben von Gesine Cresspahl* (so sein Untertitel) zu sagen, wäre ein wenig leichtfertig. Nicht nur, weil wir nicht wissen, wie die Stimme des Erzählers sich nach über tausend Seiten anhören wird – da sind auch inhaltliche Fragen offen:

Heinrich Cresspahl zum Beispiel, Gesines Vater, der einstige Sozialdemokrat, der auf gut Johnsonsch wortkarge, einzelgängerische Kunsttischler, der eigentlich in England leben wollte, um seiner Familie willen aber doch nach »Jerichow« in Mecklenburg zurückkehrt, erwägt 1934 den Eintritt in die Nazipartei; Lisbeth, seine Frau, Gesines Mutter, hat sich 1938 das Leben genommen – wir wissen dies vorerst nur aus wenigen andeutenden, vorausgreifenden Sätzen, mehr darüber noch nicht.

Wir wissen auch noch nicht, wie sich Gesines Beziehung zu »D. E.«, ihrem Landsmann im Dienste der US-Rüstung, entwickeln wird. Und: Bleibt Gesine, ganz das sperrige Kind ihres Vaters und immer noch ganz des Autors so sehr redlich-spröder Schwarm – bleibt Gesine, die »in Deutschland nicht noch einmal leben möchte«, am Ende wirklich in New York, im New York der *New York Times* und ihrer aus Vietnam registrierten »Nachrichtentoten«, im New York des alltäglichen Verbrechens und der nur durch »Dreck«, durch allgemeine und gleiche Luftverschmutzung hergestellten »Gerechtigkeit«, in jenem New York aber auch, das manchmal für Gesine, obwohl das »eine Täuschung« ist, »sich anfühlt wie Heimat«?

Vorläufiges also über diesen Roman, ein paar Eindrücke von seinem ersten Drittel. Mit Sicherheit jedoch schon: Das fängt gut an. Mit Vorsicht: Das könnte uns besser gefallen als Früheres von Johnson.

Es habe ihn »interessiert zu erfahren«, so hat Johnson gesagt, was aus »dieser Person« Gesine, dem Mädchen aus den *Mutmassungen über Jakob,* geworden sei nach Jakobs Tod. Das ist eine

Erzählerhaltung, die, was immer sie sonst noch bedeutet, gewiß auch Erzählerbehagen ausdrückt.

Fortphantasierender Umgang mit dem Personal des eigenen früheren Werkes, Weiterweben am schon einmal erfundenen Lebensstoff – wie Johnson die Neuigkeiten aus dem Leben von Gesine Cresspahl vorträgt, wie er Jakob und Jerichow zitiert (und sogar die Babendererdes seines ersten, ungedruckten Romans), wie er auch Karsch, den *Achim*-Biographen, wiederauftreten läßt, das hat, so unbehaglich die Vorgeschichten auch sind, als Erzählvorgang, als Begegnung mit Vertrautem durchaus auch für den Leser etwas Behagliches. Sollte das unzulässig sein?

Dabei ist es dem Autor mit seinem neuen Buch so ernst wie je. Johnson beharrt auf seinem alten Thema, jenem, das tiefer sitzt als die Thematik der deutschen Teilung: wie ist richtig zu leben und wahrhaftig zu sprechen in dieser Welt allseitig haftbar machender Systemzwänge, ihrer ideologischen Täuschungen und propagandistischen Sprachregelungen?

Zu erfahren und zu erzählen, was aus seiner Gesine geworden ist, hat dem Schriftsteller sein zweijähriger Aufenthalt in New York erleichtert: Gesine ist mit ihrer, mit Jakobs Tochter Marie von Düsseldorf dorthin verzogen und arbeitet in einer Bank; die monströse Stadt hat – zu seinem Besten – den deutschen Erzähler mit frischem Anschauungsmaterial versorgt, mit neuen Milieus und Physiognomien, neuem Beschreibungsstoff.

Herauszufinden, welches Leben, welches Verhalten richtig ist angesichts des Vietnam-Kriegs, jenseits der »ostdeutschen Militärbasis« und der »westdeutschen Militärbasis«, angesichts sowjetischer Schriftsteller-Verfolgung und amerikanischer Rassen-Diskriminierung; herauszufinden, wie man in dieser Welt ein Kind erzieht, mit welchen Worten ihm Wahrheit zu vermitteln ist – das bleibt für Johnsons Gesine die entscheidende Existenzerschwerung; darin steckt für Johnson die nach wie vor sein Schreiben konstituierende Schwierigkeit.

In Gedanken rechtet Gesine mit ihrem Vater, der 1933 wider besseres politisches Wissen in Hitlers Deutschland, »zum Krieg«, zurückkam. Doch durch Cresspahls Mundart, Johnson ist nach Fritz Reuter ihr Meister, antwortet sie sich selbst: »Wo sittst denn du Gesine? Kannstu din Kriech nich seihn? Worüm geihst du nich wech, dat du kein Schult krichst?« Und ein andermal fragt sie, sich verteidigend: »Wo ist die moralische Schweiz, in die wir emigrieren könnten?«

Gesines Alltag in New York, ihre Erinnerungen an Deutschland, Ost und West, ihre Reminiszenzen und Recherchen, ihre Mutmaßungen und Meditationen über die Geschichte von Vater und Mutter, die Geschichte von einem »Ereignis namens Umschwung«, wie es sich 1933, im Jahr ihrer Geburt, in der mecklenburgischen Kleinstadt darstellte, dies teilweise dem zehnjährigen, amerikanisierenden Kind Marie erzählt, und dazu die in Zitaten aus der täglich gelesenen, skeptisch geliebten *New York Times* reflektierte Zeitgeschichte sind die zumeist assoziativ und echohaft kombinierten Teilstücke, die vielfach – und jedenfalls der erste Band erlaubt zu sagen: variationsreich – verschränkten Bauteile dieses Romans.

Das mag sich komplizierter anhören, als es ist. Zwar gibt es auch hier wieder Passagen jener introvertierten Johnsonschen Erzählweise, die den Leser die erzählte Situation nur mühsam orten, die jeweils redenden Personen nur mit Anstrengung identifizieren läßt. Aber im allgemeinen fließt Johnsons Erzählen doch leichter als früher, er kommandiert sein Talent mit mehr Souveränität.

Vorläufige Eindrücke vom ersten Drittel der *Jahrestage*: Nicht nachgelassen hat Johnsons eigensinnige, auch manchmal kauzig-umstandskrämerische Benennungssorgfalt: er sagt »Bildfunk« statt Fernsehen. Vermieden ist die lähmende Übergenauigkeit bei der Beschreibung von Sachen und Techniken. Geblieben, aber gebändigt sind eine gewisse Preziosität des Schlicht-Gediegenen, dieser Habitus handgearbeiteter Solidität, die gravitätischen Gesten seines Satzbaus: »Papenbrock mochte nicht sich anfreunden mit einem Mann, der trug keinen Hut.« Nazis, so scheint es, und das erscheint ein wenig bedenklich, sind bei Johnson vorwiegend unsolide, arbeitsscheue Elemente, Leute mit zwei linken Händen, schlechte Handwerker sozusagen.

Entfaltet haben sich Ironie, auch Selbstironie, und Humor dieses Autors, der nun auch die mittlerweile schon berüchtigte Binnenproblematik seines Metiers, die Fragwürdigkeit der Fiktion, eher heiter-spielerisch behandelt: »Wer erzählt hier eigentlich, Gesine?«, so läßt er seine Erzählung fragen und deren Heldin antworten: »Wir beide. Das hörst du doch, Johnson.«

Er tritt auch selber auf in dieser so privaten wie politischen Chronik aus einem New Yorker Jahr, die auch Uwe Johnsons eigenes Tagebuch ist: Er spricht vor New Yorker Juden über die Wahl Kiesingers zum Bundeskanzler und hat dabei, Gesine sagt es dem »Genossen Schriftsteller«, wenig Glück. Er läßt Gesine – kopfschüttelnd, möchte man meinen – in der *New York Times* von »Frau Enzensbergers« Plan eines Pudding-Attentats auf den US-Vizepräsidenten Humphrey lesen, und er läßt seine Figurantin in London dem »Herrn Anselm Kristlein« Martin Walsers begegnen – unverhoffte Späße.

Er erzählt fabulöse Geschichten wie die von Karschs Entführung durch die Mafia oder von den New Yorker »Telefonverwechslern«. Er erzählt sie mit Behagen, wie er mit Behagen Landschaften und Witterungen zeichnet und Menschen, ihre Gesichter und ihre Kleidung, manchmal richtige Charakterköpfe; er zeichnet sie mit individualisierender Präzision und mit Poesie (manchmal mit etwas zuviel davon: »Der Atlantik im Süden häkelte zierliche Fransen an das Land«) – ein altmodischer Autor?

Er beschreibt ein Mädchen, »für die das Wort schön übriggeblieben war«. Er beobachtet in einem Restaurant »die von Ehe mundtoten Paare«. Mit einer Erfahrung von Gesines Mutter in England formuliert er ein Stück deutscher politischer Psychologie der dreißiger Jahre: »Als sie dem Kapitalismus zum ersten Mal begegnete, hielt sie ihn für etwas Ausländisches« – ein hervorragender Autor!

Den stärksten Eindruck in diesem Buch haben mir jene mecklenburgischen Partien gemacht, in denen Johnson den Aufstieg der Nazis, den Untergang der Republik und das heraufdämmernde Ende deutscher Honoratioren-Bürgerlichkeit am Beispiel Jerichows und seiner Einwohner nachzeichnet: Da sind Politik und Gesellschaftsanalyse rückstandslos in Erzählung individueller Lebensläufe aufgegangen, Geschichtsschreibung in Biographie.

Zum Schönsten der *Jahrestage* zähle ich, vorläufig, den erzählten Dialog zwischen Gesine und ihrer Tochter Marie: Die Darstellung eines Eltern-Kind-Verhältnisses, diese Geschichte einer wechselseitigen Erziehung, ist in der auf so viel Spätpubertäres fixierten zeitgenössischen Literatur eine willkommene Rarität.

Fortsetzung folgt: voraussichtlich, hoffentlich 1971.

Marcel Reich-Ranicki
Die Sehnsucht nach dem Seelischen

Der erste Band des Prosawerks *Jahrestage*

Wo im literarischen Leben nach wie vor die simple Faustregel gilt: Wer provoziert, der profitiert, wo brüskierende Manifestationen vieler Schriftsteller kaum mehr sind als harmlose Allüren, die längst zum professionellen Habitus gehören – da fällt ein Mann wie Uwe Johnson ganz und gar aus dem Rahmen. Der Satz, mit dem seine *Mutmassungen* beginnen – »Aber Jakob ist immer quer über die Gleise gegangen« –, gilt ja auch für ihn selber und wird von jedem seiner Bücher aufs neue bestätigt. Denn ob man ihn für eigenwillig und konsequent oder eher für engstirnig und dickköpfig hält, ob man ihm Zielstrebigkeit und Unbeirrbarkeit nachrühmt oder Sturheit und Verstocktheit vorwirft, sicher ist, daß er mit großer Entschiedenheit seinen eigenen Weg sucht. Daß dieser eine Sackgasse oder ein Irrweg sein kann, versteht sich von selbst – das gehört zum Risiko des Gewerbes.

Johnsons Epik ergibt sich stets – grob gesagt – aus einer generellen Gegenposition. Auf sein Verhältnis zur Umwelt und auf seine Schreibweise üben Trotz und Widerspruch keinen geringen Einfluß aus. Indes ist es ein solider und bedächtiger Trotz, ein Widerspruch ohne Pose und ohne Schaumschlägerei. Gewiß, auch er mag einer von den Provokateuren sein, doch hat er nichts gemein mit jenen, die provozieren, weil sie nicht schreiben können. Ähnlich wie einst die *Mutmassungen über Jakob* ist sein Buch *Jahrestage. Aus dem Leben von Gesine Cresspahl* wiederum eine Provokation und eine Zumutung, diesmal freilich in einem anderen Sinne. Während die noch in der DDR entstandenen *Mutmassungen* als direkte und indirekte Reaktion auf die Postulate des sozialistischen Realismus zu verstehen waren, scheint sich Johnson mit den *Jahrestagen* von allem distanzieren zu wollen, was heutzutage in der Literatur des Westens, der deutschen zumal, als zeitgemäß gilt, was diskutiert und geschätzt wird: So hochmodern die *Mutmassungen* 1959 waren, so traditionell und streckenweise altmodisch scheint das neue Buch zu sein. Es ist, wie man es auch beurteilen mag, gegen diese Zeit geschrieben.

Schon die Dimensionen weisen darauf hin: Der jetzt veröffentlichte Band, dem zwei weitere folgen sollen, enthält nicht etwa ein in sich abgeschlossenes Opus, sondern die ersten rund 480 Seiten eines Prosawerks, in dem die epischen Elemente so eindeutig überwiegen, daß wir – mag auch Johnson diese Gattungsbezeichnung vermeiden – ohne Skrupel von einem Roman sprechen können; er wird insgesamt 1400 bis 1500 Buchseiten umfassen. Also wird es schiefgehen.

Nein, nicht auf den Tod des Romans spiele ich hier an. Gewiß, er stirbt, aber er tut dies, was sich leicht nachweisen läßt, schon sehr lange. Er wird nicht gerade in unserer Zeit aufhören zu sterben. Die Zahl jener nämlich, die auf ihn keineswegs verzichten wollen, ist enorm – und nicht nur Leser sind es, sondern auch Schriftsteller. Kurz gesagt: Sie lieben diese Form, weil sie unbegrenzte Möglichkeiten bietet. Denn der Romancier muß nichts und darf alles. Für ihn gilt nach wie vor: Was gekonnt ist, ist erlaubt. Diese außergewöhnlichen Chancen werden sich die Autoren nicht entgehen lassen.

Statt jedoch darüber zu meditieren, ob Romane möglich sind, werden sich die Autoren in Zukunft – und auch diese Zukunft hat schon begonnen – häufiger als früher fragen müssen, für wen sie eigentlich erzählen und was demjenigen, dem sie Zeit abverlangen, die heutige Welt sonst noch offeriert. Dies wird ihre Bücher knapper und prägnanter machen. Epische Riesenfresken gehören längst der Vergangenheit an, auch wenn sie immer wieder einmal vorkommen. Nicht nur, daß sie mir am wenigsten geeignet scheinen, das Spezifische unserer Epoche wiederzugeben und ihrem Lebensgefühl gerecht zu werden. Sie setzen auch ein Leserbewußtsein voraus, das heute – und wir haben keinen Grund, dies zu bedauern – nicht mehr existiert.

Im Zusammenhang mit den *Mutmassungen* sagte Johnson: »Ich habe das Buch so geschrieben, als würden die Leute es so langsam lesen, wie ich es geschrieben habe.« Von dieser fatalen Mischung aus Weltfremdheit und Selbstvertrauen – denn um den Geisteszustand von Menschen, die so langsam lesen, wie anspruchsvolle Romane in der Regel geschrieben werden, muß es besonders schlecht bestellt sein – zeugen auch die ungewöhnlichen Dimensionen der *Jahrestage*. Um es überspitzt auszudrücken: Für Leser, die heute Zeit und Geduld für 1500-Seiten-Romane haben, lohnt es sich nicht, 1500-Seiten-Romane zu verfassen. Und bis das Gegenteil bewiesen ist, erlaube ich mir die Ansicht, daß sich derartige Vorhaben nur als totale Fiaskos erweisen können.

Das Ganze beginnt mit einer an klassische Romananfänge erinnernden, poetisch-bedeutungsvollen Naturschilderung. Zwar handelt es sich nicht um die Beschreibung eines Sonnenaufgangs, wohl aber des Meeres, dessen »rollende Monotonie« (Thomas Mann) schon oft den epischen Kunstgeist zu symbolisieren hatte. Gemeint ist der Ozean vor der Küste New Jerseys, der indes gleich mit der Ostsee verglichen wird. Im Mittelpunkt steht Gesine Cresspahl, die einst aus der DDR in den Westen geflüchtete Freundin Jakobs, die seit 1961 in New York wohnt. Warum? Für eine Anzahl von Impressionen und Skizzen, Reportagen und Szenen aus dem Alltag New Yorks, wo Johnson selber über zwei Jahre gewesen war, brauchte er offenbar einen Rahmen und eine Klammer, eine zentrale Gestalt und einen Ich-Erzähler. Nur zu diesem Zweck verpflanzte er jene Gesine Cresspahl aus Düsseldorf nach den USA.

Aber kein Romancier kann mit seinen Figuren, sofern sie etwas taugen, umspringen, wie es ihm gerade paßt. Wenn er sie aus dem Fundus wie alte Theaterkostüme hervorholt, die sich wieder einmal verwenden lassen, wenn er sie zu Demonstrationsobjekten degradiert oder als seine unmittelbaren Sprecher mißbraucht, verrät er nur seine Hilflosigkeit angesichts einer schriftstellerischen Aufgabe, die er nicht anders zu lösen wußte.

In den *Mutmassungen* war die junge Gesine (nicht ohne guten Grund) bloß in verschwommenen Umrissen sichtbar; jetzt hat diese Gestalt, zusammen mit ihrer Undeutlichkeit, auch ihren Reiz und ihre Originalität eingebüßt. Sie scheint, obwohl älter geworden, immer noch ein so gehemmtes wie naives Geschöpf zu sein. Sie ist brav und fleißig, sehr sauber, natürlich und wohl ungeschminkt, scheu und versonnen, stolz und wortkarg. Sie wirkt sehr blond, auch wenn ihre Haare fast schwarz sein sollen, und sehr deutsch, auch wenn sie mit Deutschland nichts zu tun haben will. Inmitten des Trubels von Manhattan fehlt ihr nie ein Hauch von stiller Trauer, nie die Aura trotziger Einsamkeit. Sie übt immer Treu und Redlichkeit, und wer sich ihr auch zu nähern versucht, wird, versteht sich, abgewiesen. Denn sie denkt stets an ihren längst toten Freund Jakob, mit dem sie oft (wohl im Traum) Zwiesprache hält: Er, der zu Lebzeiten fast stumm war, erteilt ihr jetzt gute Ratschläge. Und da sie von ihm eine Tochter hat, gehört

zu ihren vielen Tugenden auch noch die vorbildliche Mutter-
liebe.

Kaum in New York angekommen, muß sie einen Schock erleiden: Man will ihr eine Wohnung mit dem Hinweis schmackhaft
machen, daß in dieser Gegend Schwarze nicht geduldet werden.
Da ist Johnsons Heldin, der bisher offenbar die Negerfrage in den
USA ganz entgangen war, gleich sehr böse. Derartiges kann sie
nicht akzeptieren: »Gesine war bereit aufzugeben. Unter solchen
Leuten ist nicht zu leben.« Und noch am selben Abend findet sie
sich samt Kind und Gepäck auf dem New Yorker Flughafen ein –
zwecks Rückkehr nach Düsseldorf. In dem Flughafenrestaurant
liest sie jedoch eine politische Nachricht aus Deutschland, die ihr
mißfällt – und da bleibt sie doch lieber in Amerika. So spielt das
Leben, wenn der Romancier Johnson seine schwachen Stunden
hat.

Für jede Geschichte, sagte er einmal, suche er die passende
Form. Hier hingegen sucht er nicht für eine Geschichte die Form,
sondern für einen Stoff die Geschichte – und er findet sie nicht,
jedenfalls nicht auf diesen fast fünfhundert Seiten. Da wird ein
gewöhnlicher Arbeitstag Gesines (sie ist in einer Bank als Übersetzerin tätig) geschildert, da hören wir von allerlei Abenteuern und
Schulerlebnissen der kleinen Marie, da machen die beiden mal am
Wochenende einen Ausflug in die Umgebung New Yorks. Gelegentlich unterhält sich Gesine mit Kollegen oder mit zufälligen
Passanten, sie bekommt Briefe, sie trifft den aus früheren Büchern
Johnsons bekannten Journalisten Karsch und, häufiger noch, einen deutschen Physiker in amerikanischen Diensten, der myste-
riöserweise immer nur mit den Initialen D. E. bezeichnet wird.

Freilich lassen derartige Szenen und Episoden gerade das erkennen, was sie verbergen sollten – daß Gesine diesmal vor allem als
Medium gebraucht wurde. Sie ist es ja, die Johnsons New-York-
Eindrücke übermitteln muß: Sie erzählt von den Straßen und dem
Verkehr, dem Broadway und der U-Bahn, vom UNO-Gebäude
und dem Flughafenbetrieb, von den Supermarkets und den Imbiß-
stuben, von Juden und Negern, von politischen Demonstrationen
und wunderlichen Vorfällen. Auch über den Kummer mit der
Zentralheizung oder mit unerwünschten Telefonanrufen und äh-
lichen Schwierigkeiten im Alltag berichtet Gesine nicht wenig.

Zu dem New Yorker Tagebuch gehört ferner die regelmäßige
Zeitungslektüre. Was Johnson zwischen August und Dezember

1967 in der *New York Times* aufgefallen ist – politische Meldungen und Lokalnachrichten, Interviews und Reportagen –, kann man jetzt in den *Jahrestagen* nachlesen: Manches wird zitiert, anderes ironisch oder kühl-sachlich referiert, manches ist mit erläuternden Bemerkungen versehen, anderes bleibt unkommentiert. Hier als Beispiel eine Eintragung vom 15. September 1967: »In der letzten Woche sind in Vietnam 2376 Menschen beruflich am Krieg gestorben. Gestern bestritten die Sowjets, daß sie einen ihrer Schriftsteller im Arbeitslager mißhandeln. Die Lehrer der öffentlichen Schulen streiken weiter. Südkorea will einen Zaun aus Draht und Elektronik an seiner Nordgrenze errichten. Jan Szymczak aus Brooklyn ist die Frau weggelaufen, die erst im Februar zu ihm zog; nun wird er auch nicht ihre Schulden bezahlen, und zwar ab heute.«

Na und? Was soll das eigentlich? Es soll, versteht sich, den Geist unserer Zeit bewußt machen und verdeutlichen. Aber so einfach läßt sich keine Epoche wiedergeben, die übernommenen Nachrichten erweisen sich – ob sie Weltbewegendes betreffen oder nur Kurioses – als simple Eselsbrücken. Was beispielsweise Stalins Tochter 1967 zu berichten hatte und wie es von der *New York Times* kommentiert wurde, war schon damals nicht sehr aufregend und wird dadurch, daß Johnson es umständlich, wenn auch bisweilen nicht humorlos referiert, kaum interessanter.

Überdies hatte ich oft den Eindruck, daß Gesine Cresspahl erst während ihres Amerikaaufenthalts dazu kam, westliche Zeitungen zu lesen, weshalb sie die *New York Times* insgeheim immer mit dem *Neuen Deutschland* vergleicht. Denn was sie an der *New York Times* verwundert und was sie mit offensichtlichem und nur zuweilen ironisch gedämpftem Respekt hervorhebt, gilt mehr oder weniger auch für einige westeuropäische Blätter. Und wozu hat Johnson seine Gesine nach New York geschickt, wenn das, was sie über Amerika notiert, zum großen Teil doch auf Zeitungslektüre beruht? In Düsseldorf läßt sich die *New York Times* ebenfalls abonnieren und studieren.

Übrigens besteht dieses Tagebuch, das neben zahlreichen schriftstellerischen Pflichtübungen auch einige lesenswerte sarkastische und parodistische Prosastücke enthält, aus den Aufzeichnungen nicht nur Gesines. Bisweilen meldet sich noch ein anderer Tagebuchschreiber zu Wort; doch werden die Leser über seine Identität nicht im unklaren gelassen: »Wer erzählt hier, Gesine. –

Wir beide. Das hörst du doch, Johnson.« Das scheint mir in der Tat die bequemste Lösung des Problems der Perspektive im modernen Roman. In diesem Fall allerdings ist die Frage, wer jeweils erzählt, schon deshalb unerheblich, weil Gesine die Sprache Johnsons spricht und Johnsons Horizont sich von demjenigen Gesines nicht unterscheidet.

Doch ist das noch nicht alles, was der Roman enthält: Innerhalb des New Yorker Tagebuchs von 1967 gibt es auch eine in sich geschlossene zweite Handlung, die in den dreißiger Jahren vorwiegend in Mecklenburg spielt. Die beiden Zeitebenen sind auf einfache Weise miteinander verbunden: »Marie besteht darauf, daß ich ihr weiter erzähle, wie es gewesen sein mag, als Großmutter den Großvater nahm. Ihre Fragen machen meine Vorstellung genauer...« Diese Erzählposition will mir nicht einleuchten. Daß die schon in New York erzogene und vom amerikanischen Alltag faszinierte zehnjährige Marie sich unentwegt für das Leben der Großeltern, die sie nie gekannt hat, unentwegt interessiert, ist zumindest wenig wahrscheinlich. Andererseits erzählt Gesine zwar für Marie, ohne sich jedoch darum zu kümmern, was ein Kind, und mag es noch so intelligent sein, überhaupt begreifen kann, ja, sie setzt häufig die Kenntnis historischer und politischer Umstände und Begriffe voraus.

Ferner: Da Gesine 1933 geboren ist, kann sie nur ihre »Vorstellung» von den Vorgängen wiedergeben, also nur sagen, »wie es gewesen sein mag«. Davon läßt jedoch die in das Tagebuch eingebettete Chronik mit ihren vielen Beschreibungen, Dialogen und Details nichts spüren. Hier werden nicht die Möglichkeiten einer Geschichte ausgebreitet, sondern ihre offenbar unzweifelhafte Fassung. Es regiert nahezu immer der eindeutige Indikativ. Was soll somit die vorgeschobene Ich-Erzählerin Gesine, wenn die Geschehnisse in Wirklichkeit nicht aus ihrer Perspektive gesehen werden? Wozu soll die fiktive Erzählposition gut sein, wenn doch die Manier des allwissenden Erzählers vorherrscht? Dies aber, mag man es auch auf den ersten Blick für eine Frage vornehmlich des schriftstellerischen Handwerks halten, rührt an die Basis des Buches und hat mit seiner fundamentalen Fragwürdigkeit zu tun.

Was die Eltern Gesines erleben, ist aufs engste mit der historischen Entwicklung in Deutschland in den dreißiger Jahren verknüpft. Immer wieder erwähnt und registriert Johnson politische

Maßnahmen und zeitgeschichtliche Vorfälle, er spart nicht mit allerlei Hinweisen und Ausführungen, die lediglich den Zweck haben, den Leser über den gesellschaftlichen Hintergrund zu belehren. Öffentliches und Privates bedingen sich in dieser Chronik gegenseitig – für mein Empfinden oft allzu deutlich und allzu direkt. Johnson zeigt vor allem den Druck der Verhältnisse, dem die Individuen ausgesetzt waren, er verheimlicht niemals die Grausamkeit der Epoche. Absurd wäre es also, ihm zu unterstellen, er habe die damaligen Zustände verharmlosen wollen. Dieses Sittenbild aus einer norddeutschen Kleinstadt um 1933 beschönigt nichts – und ist dennoch, meine ich, höchst bedenklich.

Der Kunsttischler Cresspahl, die zentrale Figur der dürren und zähen mecklenburgischen Familiensaga, ist ein Mann »mit schweren Knochen und einem festen Bauch über dem Gürtel, breit in den Schultern... Er war damals füllig im Gesicht, mit trockener, schon harter Haut. In der Stirn war sein langer Kopf schmaler.« Seine Stimme »muß damals ein schwerer Baß gewesen sein, mit heiseren Vokalansätzen, in malchower Platt«. Neben dem knorrigen Cresspahl ist seine stille Frau Lisbeth zu sehen: »Sie hielt ihr Gesicht fast unbeweglich. Ihre Haut war kalt und gerötet vom Wind. Ihr Blick war sonderbar klar, zeigte keine Gedanken.« Über ihren Vater: »Papenbrock mochte sich nicht anfreunden mit einem Mann, der trug keinen Hut.«

Dieser Satz scheint besonders symptomatisch, weil hier durch den schwerfälligen Satzbau und den prätentiösen Tonfall nicht nur ein Mann charakterisiert, sondern zugleich auch ein einfacher Sachverhalt mit Bedeutung aufgeladen wird. Und das gilt mehr oder weniger für die ganze biedere und – gelinde gesagt – nicht gerade kurzweilige Chronik: Ihre steife und altbackene Sprache stilisiert auf penetrante Weise zusammen mit den Personen auch jene Realität, der sie beizukommen wünscht: »Er war sich nicht vermutend«, heißt es, »daß der Alte ihn in Gedanken mit Horst... verglich.« Oder: »Sie merkte sich Dinge tun, die sie nicht geplant hatte.« Bezeichnend für die antiquierte und bemühte Diktion ist die (häufig ungenaue) Verwendung allzu anspruchsvoller Verben: »Er erbaute sich in den Mundwinkeln über den Anblick...«; »Papenbrock wuchtete sich in zwei Ansätzen aufrecht, um seinem Schwiegersohn ins Gesicht sehen zu können«; »er kochte gar nicht Wut auf Cresspahl gar.«

Auch fehlt es in dieser mühseligen Prosa nicht an pathetischen und pseudopoetischen Wendungen: »Die Stille schlug über ihm zusammen und machte ihm die Ohren dröhnen wie unter Wasser.« Und: »Als er in Semigs Hof auf den Kutschbock kletterte, nahmen ihm aufgebrachte Gefühle fast die Besinnung.« Gelegentlich verbindet sich Johnsons unbeholfene Feierlichkeit mit barer Sentimentalität: »Er war nicht mehr gut auf den Augen. Immer wieder der Geruch des ungeschwächten frischen Laubes mit dem Westwind. So viel kränkende Hoffnung.« Mit manchen Naturbeschreibungen gerät Johnson sogar in die unmittelbare Nachbarschaft der Blut- und Boden-Literatur von gestern: »Hinter dem Haus stand ein schwarzer Baum voller Amseln. Nach Süden, Westen, Norden hin war es leer um den Hof. Nur der Wind sprach. Im Norden war ein Loch zwischen Erde und Himmel, ein Streifen Ostsee.«

Die Folgen sind verheerend: Durch Johnsons vertrackte, teils betuliche und teils raunende Darstellung wird das Leben in der mecklenburgischen Kleinstadt archaisiert und verklärt. Die Patina entrückt es sofort der realen Sphäre. Indem die gekünstelte Sprache die Vorgänge und Verhältnisse mystifiziert, entwertet oder entschärft sie die Gesellschaftskritik. Gewiß bewirkt Johnsons Stil keine Idylle, wohl aber trägt er zu einem Mythos bei. Hinter seiner angestrengten und gravitätischen Ausdrucksweise verbirgt sich die alte deutsche Sehnsucht nach dem Seelischen, nach dem unverfälschten Gemüt, nach den einfachen Lebensformen. Was in der ledernen, nein, kunstledernen mecklenburgischen Chronik – ähnlich wie im Porträt Gesines – Urständ feiert, ist nichts anderes als herbe Innerlichkeit und spröde Sentimentalität. Diese in Johnsons Werk keineswegs überraschende Hinwendung hängt mit seinem Verhältnis zur Gegenwart zusammen, mit seinem Unbehagen an dem, was man die moderne Konsumwelt zu nennen pflegt. Seine Antwort auf die Gesellschaft, in der er lebt, ergibt sich also wieder einmal aus einer entscheidenden Gegenposition. Aber es ist eine in jeder Hinsicht anachronistische Antwort.

Joachim Kaiser
Faktenfülle, Ironie und Starrheit

Ehrgeiziger und ausführlicher, weltläufiger und ironischer, selbst-
bewußter und verspielter hat Uwe Johnson noch nicht geschrieben
als in seinem neuesten Buch, das *Jahrestage* heißt und *Aus dem
Leben von Gesine Cresspahl* berichtet. Es scheint naheliegend,
nun ebenso objektiv wie abschreckend darüber zu referieren, wie
der vorliegende Band mit Johnsons Gesamtwerk zusammenhängt.
Jedem Leser würde dann die Angst eingejagt, er müßte ein wohlin-
formierter Johnson-Spezialist sein, sich etwa in den *Mutmassungen über Jakob* ebenso wie in *Karsch, und andere Prosa* genaue-
stens auskennen, um die New Yorker Erlebnisse der Gesine
Cresspahl verstehen zu können. Denn offensichtlich gehören ja
alle epischen Arbeiten Johnsons zu einem riesigen, in sich ver-
schlungenen Erfahrungs- und Erinnerungskontinuum. Da wird,
Buch für Buch, hinzugefügt, nachgeholt. Vorgeschichten, die man
nicht vermissen konnte, melden sich zu Wort und versuchen zu
beweisen, warum man sie doch nicht missen darf; neue Figuren
treten hinzu und sprechen mit anderen, längst bekannten.

Doch diese Johnson-Kontinuität braucht nicht zum Schuldkomplex potentieller Johnson-Leser zu führen, die vielleicht die
Jahrestage gern in die Hand nehmen würden, wenn sie nicht be-
fürchteten, noch alle mögliche Vorarbeit dazu leisten zu müssen
(und sich deshalb die ganze Mühe schenken). Schließlich beziehen
sich ja auch Romane von Faulkner, von Günter Grass oder von
Balzac aufeinander, nicht nur infolge der Identität ihrer Autoren,
sondern auch im Zusammenhang mit der jeweiligen Identität immer wiederkehrender, geschilderter Orte und Personen. Trotzdem gilt das »Alles-oder-Nichts« ja für keinen Balzac-, Grass-
oder Faulkner-Leser. Auch das an Johnson interessierte deutsche
Leservolk braucht kein Volk von Philologen zu werden.

Kurz und schlicht: Die bisher vorliegenden 478 Seiten der *Jahrestage* versteht man auch so. Der Johnson-Kenner wird sich
vielleicht wundern über die bislang ja noch nicht so sehr deutlich
hervorgetretene Anglophilie des Kunsttischlers Heinrich Cresspahl aus Jerichow oder über die Tageszeitungssüchtigkeit der

Gesine, die selbst Karschs professionelles Interesse zu übertreffen scheint.

Was das Buch, zumindest seine Beurteilung heikel macht, ist der Umstand, daß wir hier nur ein erstes Drittel kennenlernen. Diese Veröffentlichungsungeduld unserer Verlage mag verständlich sein, sie ist aber nicht zu billigen. Johnsons *Jahrestage* meinen nicht vier Monate, sondern ein *ganzes* Jahr. Wenn man weiß und sieht, wie weiträumig dieser Autor disponiert, wieviel Zeit er sich läßt, den Erzählfaden aufzunehmen oder liegenzulassen, Konflikte zu schürzen, Figuren einzukreisen, dann ist es eben doch vielleicht eine Irreführung, hier nur mit dem, zugegeben umfänglichen, Eröffnungsakt eines Dreiakters konfrontiert zu werden.

Denn so leicht macht es der Johnson ja hoffentlich sich und uns nicht, daß simpel-literarische Hochrechnung bereits genügen dürfte, um von vier Monaten auf ein Jahr zu schließen. Tatsächlich richten sich die Haupteinwände dieser Besprechung paradoxerweise gegen den bisher sichtbar gewordenen Mangel an Eindringlichkeit und Entfaltung. Es ist dies ein Mangel, der in auffälligem Widerspruch steht zu einer Überfülle an allzu vielen, gleichartig vorgebrachten, zeitgeschichtlichen Daten.

Johnson geht langsam vor. Erst auf Seite 388, beispielsweise, liest man, warum Gesine Cresspahl, die 34jährige Witwe mit Kind, so auffällig und unergiebig spröde gegenüber ihren Freunden bleibt, bleiben will (bleiben wird?). Gesine gesteht, indirekt, ihrer Tochter:

»Von deinem Vater weiß ich nur was man über Tote wissen kann... Er konnte gut mit alten Frauen, mit Cresspahl meistens, mit Katzen, mit allen seinen Freunden... Mit mir konnte er wie ich mit Niemandem...

Wenn ich mich auf einen Menschen einlasse, könnte sein Tod mich schmerzen. Ich will diesen Schmerz nicht noch einmal. Ich kann es mir also nicht leisten, mich auf jemand einzulassen. Diese Bestimmung wird nicht angewandt auf ein Kind namens Marie Cresspahl.

Entschuldige.

Tagsüber spreche ich ja nicht.«

Wie dem auch sei: Über die ersten vier Monate liegen fast 500 Seiten vor. Sie pochen, trotz der »I«, auf Selbständigkeit. Was verraten sie über den Schriftsteller, den Chronisten, den Erzähler Uwe Johnson?

Gesine Cresspahl lebt im Jahre 1967 in New York, arbeitet in einem Bankhaus, unterhält sich mit Lebenden und Toten, erzählt, ist Erzählobjekt. Was sie und ihre Tochter Marie in der Hauptstadt der westlichen Welt erfahren, steht in einem weitläufigen, oft assoziativ konstruierten, oft auch nicht weiter motivierten Erinnerungszusammenhang mit der in London und Mecklenburg sich abspielenden Liebes- und Ehegeschichte Heinrich Cresspahls, also des Vaters, beziehungsweise Großvaters unserer Heldinnen.

Das Buch setzt ein mit epischem Faltenwurf: »Lange Wellen treiben schräg gegen den Strand, wölben Buckel mit Muskelsträngen, heben zitternde Kämme, die im grünsten Stand kippen. Der straffe Überschlag, schon weißlich gestriemt, umwickelt einen runden Hohlraum Luft, der von der klaren Masse zerdrückt wird, als sei da ein Geheimnis gemacht und zerstört worden. Die zerplatzende Woge stößt Kinder von den Füßen, wirbelt sie rundum, zerrt sie flach über den grauplichen Grund...

Das Dorf liegt auf einer schmalen Nehrung vor der Küste New Jerseys, zwei Eisenbahnstunden südlich von New York... An den Eingängen lümmeln uniformierte Rentner und suchen die Kleidung der Badegäste nach den Erlaubnisplaketten ab. Offen ist der Atlantik für die Bewohner der Strandvillen, die behäbig unter vielflächigen Schrägdächern sitzen, mit Veranden, doppelstöckigen Galerien, bunten Markisen, auf dem Felsdamm oberhalb der Hurrikangrenze. Die dunkelhäutige Dienerschaft des Ortes füllt eine eigene Kirche, aber Neger sollen hier nicht Häuser kaufen oder Wohnungen mieten oder liegen in dem weißen grobkörnigen Sand.«

Man muß das, so lesbar es ist, genau lesen. Wenn ein Autor das »Sich-Lümmeln« nicht reflexiv gebraucht, wenn er den eindringlichen letzten Satz unseres Zitats gegen die deutsche Spracherwartung mit der Ortsbestimmung abschließt, wenn er »rundum« gewirbelte Kinder vorführt, dann ist dieser Autor doch anscheinend das Gegenteil eines Blut-und-Boden-Dichters, nämlich ein sprachschöpferischer Raffinierter. Und wenn es zwischen Hamsun auf der einen Seite und Ehm Welks *Gerechten von Kummerow* auf der anderen, zwischen Anderschs *Sansibar* auf der einen und Hans Grimms Hauptwerk auf der anderen Seite so etwas wie raffinierte, gleichsam asphaltierte Blut- und Bodenliteratur geben sollte – gewiß gibt es sie, denn weder Blut noch Boden haben ja »an sich« Vorwürfe verdient –, dann wäre das denunziatorische Begriffspaar bereits in eine andere, nicht mehr denunziatorische Dimension gehoben.

Nun geht Johnson mit Hilfe seiner offenbar in New York erarbeiteten Erzählfreiheit aber nicht nur weiter als früher, sondern er sucht das »Gesuchte«. Werden Geheimnisse »gemacht« – oder nicht aus etwas gemacht? Wer das »weißlich gestriemt« aus obenstehendem Zitat im Gedächtnis behält, wird zwei Seiten später über »verstriemte Fenster« nun schon etwas maniert informiert; wer die Redensart »es regnet junge Hunde« vergnügt akzeptiert, wird schwerlich für akzeptabel halten, daß im gleichen Absatz, fünf Zeilen vorher, ganz anderen Sinnes das Hundebild strapaziert wurde – als nämlich vom »Kettenhund der ostdeutschen Militärbasis« die Rede war. Um des Effekts willen beschreibt Johnson ausführlich nicht nur, was jemand ist, sondern auch, was der Betreffende glücklicherweise nicht ist: »Ihm nimmt sie das Trinken nicht übel (er liegt nicht auf den Stufen vor den Notausgängen des Kinos in der 97. Straße, zerlumpt, verschuppt in Schmutz und Bart, heiser schnarchend, die Hand noch an der Flasche in brauner Tüte, er ist kein Broadwaybettler, er ist ein Professor).«

Nun wäre es spiel- und prosaverderberisch, einem Autor Brillanz anzukreiden, zumal wenn zahlreiche zeitgenössische Schriftsteller in dieser Hinsicht auffallend wenig Grund für Vorwürfe geben. Aber bei Johnson fällt, wenn auch erst allmählich im langsamen Verlauf der Lektüre, doch eine gefährliche Tendenz zum mehr oder weniger verhaltenen epischen »Kabinettstück« auf. Seine Intelligenz, sein ausgeglichen gesunder, abwägender Menschenverstand und sein Präzisionsfanatismus wirken abschließend und verschließend. Die Fakten und die Erinnerungen der *Jahrestage* sind im Grund lauter meist allzu kurze Fallstudien.

Johnson, selbst wenn er Gespräche mit Toten vorführt, wenn er das Zeitkontinuum außer Kraft setzt, Gedichte, Dialoge, Zeitungsmeldungen und Berichterstattungen zitiert, scheint dabei fast nie etwas zu riskieren. Weder in New York noch in Mecklenburg läßt er sich auf Gegenstände ein, die abenteuerliche Herausforderungen für ihn sein könnten. Er führt immer vor, was er beherrscht, statt, wie sein Riesenvorbild Faulkner, den Schritt in wilde Landschaften (der Seele, der kollektiven Tendenzen) zu wagen, statt, wie sein – schwächerer – Vorgänger John Dos Passos, zumindest um eine Montage-*Totalität* bemüht zu sein. Darum kommen die *Jahrestage* während dieser ersten vier Monate schwer in Bewegung. Johnson riskiert nur besinnliche Länge. Der Rest ist transatlantisches Tagebuch, ist unvollständige, aber witzige Kritik an der tantenhaften Attitüde einer Tageszeitung, ist eine auch nicht gerade ins Exzentrische der Darbietung oder Bedeutung vorgetriebene, unerotische Liebesgeschichte, ist die interessant dargebotene Chronik vom Beginn und Sieg der Nazis in Mecklenburg, ist gelassene, teils witzig weltbürgerliche, teils wehmütig mundartliche Erzählhaltung...

Man darf sich nicht in den Sog einer »kritischen« Begründung hineinziehen lassen, und dabei die schönen Leseerlebnisse – während der ersten und der letzten hundert Seiten des Buches – sozusagen unterschlagen, nur weil sie nicht in den Gedankengang passen. (Das böseste Unrecht wird immer »systematisch« getan...) Zuzugestehen wäre also, daß Johnson kunstvoll mit den Erwartungen und Aktivitäten des Lebens spielt. Wenn er, beispielsweise, das herb konservative, couragierte »Herren«-tum des 52jährigen Papenbrock zunächst mit scheinbarer, Hans Grimmscher, Sympathie schildert und dann, anders grimmig, in einem glänzenden Absatz vorführt, daß der Herrenmensch – »Ich gebe Ihnen mein Wort als Offizier. Bei mir sind keine Waffen. (Wenn Sie trotzdem suchen wollen, seien Sie bitte im Kinderzimmer leise und lassen die Mädchen schlafen.)« – einfach gelogen hat.

Johnson ist auch witzig. Er verspottet sich selber (wegen eines New Yorker Leseauftritts), kommt auf Frau Enzensberger zu sprechen, die ja spektakulär seine Berliner Wohnung umfunktionierte, greift ein Walsergeschöpf, eine Thomas-Mann-Wendung auf. Grass und andere wären dann ja wohl noch zu erwarten. Es stehen noch zwei Bände leer.

Aber trotz leichtem Witz und herzlicher, verborgener Menschenkenntnis: Der Johnson der *Jahrestage I* scheitert an der *New York Times*.

Er mag sich nur wenig um die Psychologie, das heißt um die Beweggründe, die entfaltbaren Eigentümlichkeiten seiner Personen kümmern. Man ist schon für diskrete Hinweise dankbar und atmet auf, wenn antikapitalistischer Eros den Autor produktiv macht, bei der Schilderung eines eleganten Superbosses oder eines unangepaßten, großartig aggressiven, eingeladenen Negerjungen, wenn antidiktatorischer Elan ihn zu ausführlicher Ironie provoziert. Da die Individualpsychologie so kurz kommt, erhofft und erwartet man dann doch ein Zeitgemälde; oder zumindest, bei dieser Anlage des Buches, ein beweiskräftiges Zeitungsgemälde.

Am Anfang besticht noch die Ironie, mit der Johnson darstellt, wie die *New York Times* die Welt darstellt. Er fixiert die ewige Unangemessenheit zwischen gepflegtem Publizistenton und irdischem, blutigem Lärm. Aber Johnson bleibt dabei, diese Unangemessenheit ironisch zu konstatieren. Was er, ermüdend, zitiert und immer wieder zitiert, sind Berichte über Morde in New York, blutige Lokalereignisse. Natürlich auch anderes: Aber in dem Grau in Grau der Fülle und in der offensichtlichen Tendenz, immer nur Meldungen gleicher Art buchenswert zu finden, liegt ein Moment tödlicher Erstarrung. »Ja, gut, nur weiter«, denkt man ein paar hundert Mal. Wo Johnson tatsächlich auswählen muß aus zeitgeschichtlichem Material (fürs Jahr 1933 hielt er sich, Gott sei Dank, nicht an die *Frankfurter Zeitung*), da delegiert er die Verantwortung nicht – und gleich wird's besser. Wenn er aber die *New York Times* zum Spiegel der Welt macht, dabei aber Ökonomisches, Kulturelles, Kontrovers-Analytisches kaum erwähnt, dann ist er ein Sklave seines Zettelkastens.

»Welt« entsteht auf diese Weise gerade nicht, nur mehr oder weniger berechtigte, maliziöse Kritikhaltung. So werden wir vielfach mit dem *New-York-Times*-Kult um Stalins geflohene Tochter bekanntgemacht: »Und was hat die *New York Times* uns heute aus dem Leiden von Stalins Tochter ans Herz zu legen?« Aber längst hat Johnson die Essenz seiner unentwegten Ironie mitgeteilt: »Zum erstenmal seit sechs Tagen erspart uns die *New York Times* das bittende Gejaul von Swetlana Dshugashwili.« Und wie nennt er, der Gründliche, die Zeitung? Antwort: »Umstandskrämerin.«

In seinem sehr lesenswerten Nachwort zu Barbara Grunert-Bronnens Dokumentation *Ich bin Bürger der DDR und lebe in der Bundesrepublik* schrieb Johnson folgendes über Wert und Verführungskraft der Zeitungen des Westens: »Die Leistungen der oppositionellen wie der institutionalisierten Publizistik machten das Leben im Gebiet der Westmark von Anfang an annehmbar. Von allen Freuden des Konsums ist diese echt unverzichtbar. Wem aber sogar die politische Kommunikation als Genußmittel vorkommt, dem darf man getrost nachsagen, daß er eingebürgert ist, Spaß beiseite.«

Daraus ist der Irrtum entstanden, die (wahrscheinlich) von der

New York Times behutsam entstellte Welt produziere, beim ironischen Nacherzählen, (wahrscheinlich) doch so etwas wie zumindest negative Realität. Es bleibt bei Lesefrüchten.

Die Folge: Ein totes Zeitungs-New York schiebt sich zwischen
behutsame Erinnerungen und punktuelle Realitäten. Und zwar so
sehr, daß Mitteilungsflug und Ironie diese *Jahrestage* ersticken.
Fülle und Gründlichkeit führen dazu, daß kostenlose Überlegenheit zu lauter Blitzlichtern gerinnt. Oder sollte man auf diesen 478
Seiten nur den ersten epischen Schritten beiwohnen, die vielleicht
doch noch zur Bewegung, zur Reise weg wohin führen werden?
Das epische Unternehmen wäre, trotz aller geglückten Einzelheiten, sehr, ja tödlich gefährdet, wenn alles so bliebe.

Rolf Becker
Eine Bitte für die Stunde des Sterbens

Zurück ins New York des Jahres 1968, zurück nach Jerichow, frühe Nachkriegszeit. Zurück zu Gesine Cresspahl am Riverside Drive und zum »Kind das ich war« im sowjetisch besetzten Mecklenburg. Zurück zu Jakob Abs, Marie und »D. E.«, zu den Anfängen der DDR und zur *New York Times* mit ihren Nachrichten vom Krieg in Vietnam und einem Frühling in Prag...

Es ist eingetreten, womit wir fast nicht mehr gerechnet hatten: Uwe Johnson hat seine steckengebliebenen *Jahrestage* doch noch fertig geschrieben.

1970/71 waren Band eins und zwei des großangelegten Romans erschienen. Im Klappentext des dritten Bandes, der 1973 herauskam, wurde ein vierter für »nächstes Jahr« angekündigt. Dieser Termin konnte nicht eingehalten werden.

Erst jetzt, ein Jahrzehnt später, erhalten wir die vierte und letzte Lieferung »Aus dem Leben von Gesine Cresspahl« – das Ende eines Erzählwerks, das uns auch in unvollendeter Gestalt längst als eines der eigentümlichsten und bedeutendsten der neuen deutschen Literatur galt.

Erinnern wir uns: Gesine Cresspahl aus dem (fiktiven) Ort Jerichow in Mecklenburg, fortgeschriebene Figur aus Johnsons *Mutmassungen über Jakob*, aufgewachsen zu Zeiten Hitlers, Stalins und Ulbrichts, aus dessen DDR emigriert, im westlichen Deutschland nicht heimisch geworden, diese politisch und moralisch hoch empfindsame Deutsche vom Jahrgang 1933 lebt seit mehreren Jahren in New York. 1967/68 arbeitet sie dort in einer großen Bank, informiert sich durch regelmäßige Lektüre der *New York Times* (und ziemlich regelmäßige des *SPIEGEL*) über das Zeitgeschehen und erzählt ihrer 10- bis 11jährigen Tochter Marie »für wenn ich tot bin« ihr Leben, Vorleben im schuldbeladenen, geschlagenen und gespaltenen Deutschland.

Gesines Erinnerungen an Mecklenburg; ihr New Yorker Alltag; ihre Gedankendialoge mit Toten, der Mutter, die sich aus religiöswahnhaftem Schuld- und Schamgefühl in der »Reichskristallnacht« 1938 umbrachte, dem Vater, den die Sowjets 1945 als

Bürgermeister von Jerichow beschäftigten und nach kurzer Zeit verhafteten, und Jakob, dem 1956 in der DDR verunglückten jungen Eisenbahner, Vater Maries, Held der *Mutmassungen*; dazu Gesines Aktualitätszitate aus der kritisch geliebten »Tante Times« – diese verschiedenen Elemente verschränken sich zu einer erzählten Chronik, die Privates politisch nimmt, die Gesellschaftskritik und Geschichtsschreibung in individueller Biographie aufgehen läßt. Gerüst des Romans ist die tagebuchartig notierte Chronologie vom 20. August 1967 bis zum 20. August 1968.

Von New York aus, dem freigewählten Exil, das sich für sie und mehr noch für ihre Tochter manchmal schon »anfühlt wie Heimat«, beobachtet Gesine mit banger Hoffnung, was sich in der ČSSR als ein »Sozialismus mit menschlichem Gesicht« zu entwikkeln versucht. Sie lernt Tschechisch, sie soll im Auftrag ihrer Bank nach Prag reisen, wo der Volkswirtschaft des Reformkommunisten Dubček ein nützlicher Dollarkredit zu vermitteln wäre.

Mit dem Kapitel vom 19. Juni 1968 endete Band drei der Romanchronik, begann die zehnjährige Unterbrechung der *Jahrestage*, ein Kapitel für sich.

Seltsames Schicksal eines Buches: Fast hätte sich die Geschichte seines Steckenbleibens vor die Geschichte gedrängt, die es erzählt. Der Autor selber hatte dazu beigetragen: erst mit erstaunlichen öffentlichen Andeutungen über eine Schreibhemmung, die durch die Enthüllung eines Treubruchs seiner Frau verursacht worden sei; dann mit der Erzählung *Skizze eines Verunglückten*, die ein auffällig ähnliches Schriftstellerschicksal vorführte.

Jenem fiktiven »Verunglückten« gab Johnson den Namen Joachim de Catt und das Autorenpseudonym Joe Hinterhand. Der Schriftsteller Joachim de Catt kommt auch im vierten Band der *Jahrestage* vor, nebenbei. Seine Erwähnung am Rande ist die einzige deutlich sichtbare Spur, die Johnsons Krisenjahre im Schlußband hinterlassen haben, eine nur noch spielerisch anmutende Anspielung auf überwundene Schwierigkeiten.

Die Schwierigkeiten, die Krise, die Hinterhand-Hintergründe (welcher Art auch immer sie wirklich waren) – sie können nun erst mal vergessen werden.

In den Jahren 1966 bis 1968 hatte Uwe Johnson in New York gelebt und als Lektor in der Schulbuchabteilung eines US-Verlags gearbeitet. Als er im Januar 1968 die Geschichte der Gesine Cresspahl aufzuschreiben begann und auch noch 1973, als der dritte Band erschien, waren die *Jahrestage* mit ihrer Spiegelung des Vietnamkriegs und des Prager Frühlings gewissermaßen ein Zeitroman. Die um ein Jahrzehnt verzögerte Vollendung macht ihn partiell zu einem zeithistorischen.

Dennoch schließen sich die nachgetragenen 500 Seiten den voraufgegangenen fast 1500 bis auf einige stilistische Saloppheiten, ein gelegentliches geringes Nachlassen der erzählerischen Konzentration so gleichstimmig und bruchlos an, als habe es jene lange Unterbrechung nie gegeben. Was an den Bänden eins bis drei zu bewundern war, es ist auch am vierten zu preisen. Was uns damals weniger gefiel, wir finden es auch jetzt wieder.

Das hohe Lob, das dem Autor bei Erscheinen des ersten Bandes von vielen Seiten erteilt wurde, muß heute nicht zurückgenommen werden. Was aber schon am Fragment der *Jahrestage* als Konstruktionsschwäche zu bemerken war, es konnte mit der Fertigstellung des Riesenromans, diesem Akt einer außergewöhnlichen Werk-Treue, nicht behoben werden.

Gern lesen wir also weiter aus dem Leben von Gesine Cresspahl, mit erneuerter Bewunderung für die bedächtige Bravour, die Veranschaulichungs- und Aussparungskunst, die Genauigkeiten und Lakonismen des Erzählers, des Menschen-, Gesellschafts- und Landschaftsschilderers Johnson; mit neuer Freude auch an den spröden Schönheiten seines Spracheigensinns. (Das Kauzige, das der manchmal hervortreibt, wollen wir nicht mehr so krumm nehmen. Mag er denn also Ansichtspostkarten »Ansichtenpostkarten« nennen, einen Gastgeber »Geber der Gastlichkeit«.)

Allerdings: unsere Bewunderung gilt nun doch etwas mehr den mecklenburgischen Vergangenheitspartien als dem anderen Erzählpart, Gesines New York anno 67/68 mit der obligaten *New York Times*-Auswertung. (Schon damals hatten wir uns gewünscht, die gewissenhafte Leserin Gesine möge doch ab und zu eine Nummer der fabelhaften Zeitung überschlagen.)

Gern folgen wir weiterhin dem Gespräch Gesines mit Marie. Wir freuen uns an den Zärtlichkeiten dieses Erziehungsdialogs (Erziehung wechselseitig). »Soll ich was lernen?« fragt Marie. »Du willst was erzählt«, antwortet Gesine. Allerdings haben wir nach wie vor unsere Schwierigkeiten mit der außerordentlichen Aufgewecktheit dieses Kindes.

Vergnügen bereitet uns die Wiederbegegnung mit Johnsons Humor, der von jener Art ist, die er an früherer Stelle seines Romans als spezifisch mecklenburgisch gekennzeichnet hat: »Ironie in Schiefhalsigkeit... steinerne Versteckmiene, überhaupt das Anschlägige, Schabernacksche.« Noch einmal läßt er den Anselm Kristlein des Kollegen Martin Walser durch New York geistern, Spenden sammelnd für den Kampf gegen den Vietnamkrieg und hinter hübschen Amerikanerinnen her.

Und auch das bedachtsam-kapriziöse Spiel, das der Autor mit seiner Autorschaft treibt, wird fortgesetzt. Wieder hält Johnsons Gesine mit Johnson Zwiesprache, weist sie den »Genossen Schriftsteller«, den sie mit der Aufzeichnung ihrer Jahrestage »beauftragt« hat, bei Gelegenheit zurecht: »Meine Psychologie mach ich mir selber ... Du mußt sie schon nehmen, wie du sie kriegst.«

Doch so bewundernswert kunstvoll im einzelnen Johnson immer wieder die Zeit- und Realitätsebenen verschränkt, Vergangenheit und Gegenwart, Jerichow und New York assoziiert, und mit so viel Kunst und Überlegung er den Erzählvorgang zu legitimieren bemüht ist – unübersehbar zeigt sich doch an dieser Romanstruktur, dieser entschlossenen Erdichtung einer Lebensrealität, dieser Biographiefiktion im Großformat, eine leicht überanstrengte Künstlichkeit.

Man vergißt diesen Zug des Künstlichen, des Erzwungenen, sobald Johnsons Erzählen länger und tiefer in die Jerichow-Welt eintaucht; da ist es ganz in seinem Element.

Im Schlußband der *Jahrestage* wartet das Mädchen Gesine auf die Rückkehr ihres Vaters aus der unverschuldeten Sowjet-Haft, wird sie von Jakob Abs wie von einem älteren Bruder beschützt, bekommt die Schülerin, dann Studentin Cresspahl den Sozialismus mit Ulbricht-Gesicht zu spüren.

Die Erzählung einer Jugend- und Schulzeit unterm Druck des sich etablierenden SED-Regimes, diese dokumentarisch instrumentierte Geschichte von neuer Anpassung an neue Macht und ohnmächtigem wie listigem Widerstand, von auch komischem Indoktrinationseifer und schändlicher Repression, ist das starke Hauptstück des vierten Bandes.

Hier finden sich Geschichten von Schülern, die zu Spitzeln, und von solchen, die zu 15 Jahren Zuchthaus verurteilt wurden, Geschichten von Freundesverrat und Freundestreue, von Menschenquälerei und sich behauptender Menschlichkeit, mit großartiger Ungerührtheit erzählt und deshalb um so bewegender zu lesen.

Hier prägen sich uns unvergeßlich Figuren ein wie Gesines Klassenkameradin Anita, das als »Russenliebchen« geschmähte Flüchtlingskind, später Fluchthelferin in West-Berlin und Gesines Freundin fürs Leben, oder wie der Studienrat Kliefoth, den Gesine als einen (von gar nicht so wenigen) »goden Minschen«, als ihren »Lehrer für Englisch und Anstand« in Ehren hält.

Und hier finden wir auch, dank dem vom »Genossen Schriftsteller« kommandierten, schließlich doch allwissenden Geist der Erzählung, einen Brief Thomas Manns an Ulbricht zitiert, einen Protest gegen die »Massenaburteilungen von Waldheim«, gegen Terrorjustiz in der DDR um 1950, laut Johnson von »Thomas Manns Familie unterdrückt in der (Brief-)Sammlung für den vorläufigen Gebrauch... © by Katja Mann«.

Noch einmal entfaltet sich Johnsons großes Thema: Wie ist mit Anstand zu leben, wie ist gerecht zu urteilen und wahr zu sprechen in einer Welt allseitig haftbar machender Systemzwänge, ihrer ideologischen Täuschungen und parteiischen Sprachregelungen? Wie lebt man mit dem »Bewußtsein schuldnaher Anwesenheit«, von dem kein Land- und Staatswechsel Gesine entlasten kann?

Hinter diesem Leitthema aber tritt nun deutlich noch ein anderes hervor, und es geht uns am Ende näher als das der persönlich-politischen Moral.

Gesines Erinnerung imaginiert einen Schulausflug nach Güstrow 1951 und einen Anblick, den sie und die Freundin Anita dort hatten, »auf dem Kamm des Heidberges, wo ein Abhang sich öffnet, Güstrower Kindern wohlbekannt als Schlittenbahn, auch dem Auge freien Weg öffnend über die Insel im See und das hinter dem Wasser sanft ansteigende Land, besetzt mit sparsamen Kulissen aus Bäumen und Dächern, leuchtend, da die Sonne gerade düstere Regenwolken hat verdrängen können«. Und sie bittet, betet, dieser Anblick möge ihr »gegenwärtig sein in der Stunde meines Sterbens«.

An dieser Stelle unterbricht sich Gesine wieder mal für ein (präventives) Widerwort an ihren Auftragschronisten Johnson: »Es ist uns schnuppe, ob dir das zu deftig beladen ist, Genosse Schriftsteller! Du schreibst das hin!... Dir sollte erfindlich sein, wie wir uns etwas vorgenommen haben für den Tod.«

Dann fährt sie mit ihrer Güstrow-Erinnerung fort: »Wir vertrauten einander etwas an über die Unentbehrlichkeit der Landschaft, in der Kinder aufwachsen und das Leben erlernen...«

Diese Episode – mit der ironischen Rechtfertigung eines John-sonschen, also äußerst verhaltenen Gefühlsausbruchs ein beson-ders hübsches Beispiel für das Spiel mit der Erzähleridentität –, diese Stelle schlägt das andere, das tiefer gründende Leitmotiv Johnsons an: Seine *Jahrestage* sind ein Buch von der Vertreibung und vom Heimweh, dieser »schlimmen Tugend«, ein Buch von Verletzung, Verlust und Tod.

Weil sie die Stimmen von Toten hört, weil sie mit den Toten Gespräche führt, schreibt Gesine an einen Psychiater, einen Pro-fessor in Frankfurt, um Rat. Er schreibt ihr zurück, sie sei »auf dem richtigen Wege mit der Vermutung, hier wirkten Folgen von Verletzungen fort, von Verlusten... angefangen hat es in der Tat mit der Mutter, die sich aus der Welt ›ver-rückt‹ hat«. Beruhigend für die Mutter Maries: Es bestehe »keine Gefahr von Verer-bung«.

Der Professor am Frankfurter Forschungsinstitut für Psycho-analyse, der Gesine – oder Johnson? – beriet, wird im Roman mit den Initialien »A. M.« bezeichnet, darf also wohl als Alexander Mitscherlich identifiziert werden. Sein Auftritt im Roman ist wie-derum ein Einfall Johnsonscher Erzählerironie und gleichwohl ernst zu nehmen.

Im Sommer 1968 rückt die Reise der Bankangestellten Cress-pahl von New York nach Prag näher und ebenso eine Ehe mit »D.E.«, Professor Dietrich Erichson, Gesines mecklenburgi-schem Landsmann im Dienst der US-Luftwaffe. Ihn wünscht sich Marie als eine Art Vater. Mit ihm könnte Gesine aus ihrem stren-gen Lebensernst herausfinden, mit ihm könnte sie sich »das Leben gefallen lassen«.

Am 4. August 1968 stürzt D.E. mit einer Cessna in Finnland ab. Wie Johnson Gesine von D.E.s Tod erfahren und auf ihn rea-gieren läßt, ist ein erzählerisches Glanzstück des Buches.

Am 20. August 1968 ist Gesine, eine »doppelte Witwe, die von ihren Beerdigungen beide verpaßt« hat, mit Marie unterwegs nach Prag – wir wissen, welcher andere, historische Exitus und Verlust einer letzten Hoffnung sie dort unter diesem Datum erwartet. Daß es ein historischer Jahrestag sein würde, ahnte der Autor nicht, als er vor 15 Jahren seinen Roman anfing und auf eben jenen Tag hin terminierte.

Am Tag, an dem die Sowjetmacht den Prager Frühling zertritt, »Last and Final« datiert ihn der Romancier-Chronist, führt eine

Zwischenlandung die Passagiere Gesine und Marie Cresspahl in Kopenhagen mit einem alten Freund zusammen, dem schon lange pensionierten Lehrer Kliefoth aus Jerichow.

Mit einem Spaziergang an der See, »rasselnde Kiesel um die Knöchel«, am Strand der Ostsee, hinter der die verlorene Heimat, die verlorene Kindheit, die verlorenen Lieben liegen, mit dem Versprechen Maries an Kliefoth, ihre Mutter gut zu behüten, und mit einem Bild verhaltenster Poesie, zartesten, zerbrechlichen Trostes endet der Roman:

»Wir hielten einander an den Händen: ein Kind; ein Mann unterwegs an den Ort wo die Toten sind; und sie, das Kind das ich war.«

Das Buch aus dem Leben von Gesine Cresspahl, die Uwe Johnson war, das literarische Kunstwerk, in dem verlorene Heimat, verlorene Kindheit, verlorene Liebe und Hoffnung wiedergefunden und aufgehoben sind, in dem unsere Zeit aufgehoben ist und in dem wir uns selber wiederfinden – es ist zuletzt doch das Werk eines Meisters zu nennen.

Fritz J. Raddatz
Ein Märchen aus Geschichte und Geschichten

> Nur genesene Midasse schreiben ein Märchen, das dann,
> á sùo tono, ebenfalls gesund und immer schöner und
> schöner wird.
>
> Georg Lukács

Mit der Beendigung des vierten Bandes seines gigantischen Romans *Jahrestage* – also dem Abschluß eines knapp 2000 Seiten umfassenden Werkes – liegt eines der grandiosen Literatur-Werke des letzten Viertels unseres Jahrhunderts vor. Ich bin mir sicher, daß es eines der unvergänglichen Denkmale der Zeit ist, unvergleichlich in seiner schwer entzifferbaren Komposition aus gläserner Klarheit und rätselhafter Dunkelheit. Die letzte, nur scheinbar lakonische Seite des Riesenepos – »29. Januar 1968, New York, N.Y. – 17. April 1983, Sheerness, Kent« – faßt nicht nur die 15 Jahre zusammen, die ein Künstler an diese Prosa-Architektur wandte; der Satz ist auch Kürzel eines Lebens.

Das begann – als schriftstellerische Laufbahn mit einer Nichtveröffentlichung; am 22. Februar 1957 ging dieser Brief an Peter Suhrkamp: »Sehr geehrter Herr Doktor Suhrkamp: dieser Brief betrifft das Manuskript ›Ingrid Babendererde/Reifeprüfung 1953‹, über das Sie durch Herrn Professor Mayer gesprächsweise unterrichtet sind und das ich Ihnen nun übersende. Ich bitte Sie also nachzusehen, wie Sie es lesen mögen und ob Ihr Haus ein Buch daraus machen will. Ich versichere Sie meiner außerordentlichen Hochachtung. U. J.«

Dieser Roman, bis auf entlegen publizierte Auszüge, wurde nie gedruckt. Statt dessen dann, 1959, *Mutmassungen über Jakob*; und Uwe Johnson konnte konstatieren: »Mir war bekannt: wenn da ein Manuskript liegt, so ist es bestimmt, ein Buch zu werden. Und erst, als es gedruckt und rezensiert wurde, begriff ich, daß ich für einen Schriftsteller gehalten wurde.«

Schon dieser erste Roman hält das Figurenensemble des späteren *roman-fleuve* bereit, in Andeutungen und einer so vertrackten Fabel, daß der Verlag dem Buch eine Art Lesefahrplan beigab. Der Titel-»Held« Jakob und Gesine Cresspahl scheitern bei dem Versuch, gemeinsam die DDR mit dem Westen zu tauschen:

»Jakob verläßt Westdeutschland. Die Alternative hat ihren Sinn für ihn verloren. Er läßt Gesine endgültig zurück und nimmt seinen Dienst wieder auf. Aber auf dem Weg zur Arbeit fällt er einem rätselhaften Unfall zum Opfer. Die Mutmaßungen über seinen Tod sind die Mutmaßungen über sein Leben, das im Westen fremd und im Osten nicht mehr heimisch war.«

Dies alles läuft organisch zu auf Johnsons Haupt- und Meisterwerk *Jahrestage*. »Und wenn ich mich nun nicht erinnere, ist es dann auch noch wirklich?« – heißt es, ziemlich in der Mitte des ersten Bandes, der mit einem Namen beschlossen wird: Jakob. Die Frage also nach Gedächtnis, Vergegenwärtigung und Wirklichkeit wird neu gestellt, heraufgeholte versunkene Zeit wird eingeschmolzen ins Gegenwärtige, faßbar gemacht an einem Figuren-Panorama, das dem Johnson-Leser vertraut ist. Also: Proust.

Wir haben es nicht zu tun mit einer Paraphrase oder direkten Nachfolge. Zu tun aber haben wir es mit einem Prosagewebe, das zu entschlüsseln sich jene beiden Begriffe anbieten, die Walter Benjamin in seinem Baudelaire-Aufsatz für Proust angewandt hat: *mémoire involontaire* und *mémoire volontaire*. Unwillkürliches und willkürliches Gedächtnis. Das sind die beiden Bewußtseinsebenen, die vergangene und gegenwärtige Erfahrungen zusammenzwingen zu einer Prosa sondergleichen.

Gesine Cresspahl lebt in New York (wie Uwe Johnson, der sich zwar allerlei annehmlichen *writer-in-residence*-Angeboten verweigert, aber mit Hilfe seiner amerikanischen Verlegerin Helen Wolff als Schulbuchlektor im Verlag Harcourt Brace arbeitet und – Nachbar der befreundeten Hannah Arendt – am Riverside Drive wohnt; wie Gesine Cresspahl).

Aus der Verbindung mit Jakob Abs, von dem ja unklar, nur mutmaßlich blieb, starb er auf den Gleisen einen Unfall-, einen Attentats- oder einen Freitod, hat sie eine Tochter Marie. Der hat sie auf streng-altkluge Fragen Bericht zu erstatten über die Vergangenheit – und zwar eine doppelte: ihre eigene, erlebte; und die davor liegende, die Gesine – Jahrgang 1933 – selber nur aus Berichten ihres Vaters, des Tischlermeisters Heinrich Cresspahl kennen darf. Drei Zeitebenen: die Vorvergangenheit = Nazideutschland; die Vergangenheit = Nachkriegsdeutschland Ost, Nachkriegsdeutschland West; die Gegenwart, Jahrestage also, sehr genau datiert August 1967 bis Dezember 1967 für Band 1, ist als erlebte Alltäglichkeit US-Amerika im Vietnamkrieg. Da lebt Gesine, Bankangestellte mit dem Sonderauftrag, sich auf mögliche amerikanische Kapitalinvestitionen vorzubereiten in der auf Liberalisierungskurs steuernden Tschechoslowakei. Band 2 trägt die Daten »Dezember 1967 bis April 1968« und Band 3 »April 1968 bis Juni 1968«. Johnson hat in einem Brief an seinen Verleger Siegfried Unseld die Konstruktion und Schwierigkeiten des Buches so erläutert:

»... mittlerweile habe ich jene Mrs. Cresspahl, Jahrgang 1933, Bankangestellte in New York City – ich bin mit ihr jetzt in den Jahren nach dem Krieg. Zu der Zeit ist sie 12, 13, 14. Da fängt es deutlicher an mit einem Menschen. Was aber sie da sieht in ihrem britisch-sowjetischen Mecklenburg ist die Einführung einer sozialistischen Ordnung von oben. Aus den bürgerlichen Zeiten ist ihr erzählt worden, das war mehr vergangen als dies, ließ sich abkürzen. Nun, fast mit einem Mal, ist sie selbst dabei, spürt die Tücken von Wahrheit und Wirklichkeit am eigenen Leibe, mit eigenen Augen. Mehr noch, sie wird ihre Beteiligung daran nicht los; obendrein muß sie es so ordnen, daß da in New York nicht eine 11jährige Antikommunistin heranwächst in Gestalt der eigenen Tochter. Die Personen der Nachkriegszeit werden also wichtiger, sichtbarer, beides in anderer Weise. Da ließ sich viel nicht abdrängen aus dem Manuskript. Gewiß, diese G. Cresspahl geht später weg aus einem Staat der Arbeiter und Bauern, bloß weil Bauern und Arbeiter Aufstand machen gegen solchen Staat; jene frühe Erziehung im Sozialismus sitzt fest in ihr, sie hat ja auch das Schwimmen nicht verlernt und nur mit ausführlicher Beschreibung des Anfangs werde ich zeigen können, wie sie es, im Alter von 35 Jahren, doch noch einmal versuchen will mit dem Sozialismus, nach reichlich Enttäuschungen mit dem, der in der Tschechoslowakei fast ein halbes Jahr dauerte.«

Da setzt der letzte Band ein von Uwe Johnson: *Jahrestage 4 – Aus dem Leben der Gesine Cresspahl.* Er trägt die Daten-Unterzeile Juni 1968 – August 1968: die Endphase jenes Versuchs eines menschlichen Sozialismus, der unter Panzerketten starb.

Das ist das Thema des gesamten Roman-Zyklus, eine einzige Paraphrase über Politik und Verbrechen, über den Versuch der Menschen, sich zu befreien, und über die Vergeblichkeit dieses Versuchs – Johnson kann die große Lüge durch winzige Messerschnitte freiritzen –, ob er nun daran erinnert, daß Picassos Friedenstaube ein Tier bezeichnet, das von unverträglichem Wesen ist, Vögel, die »einander die Nester zerstören und ein Unglück bedeuten für jedes Haus, das sie mit Nistplätzen angreifen«; ob er die Wertskala der ostdeutschen Währung entziffert: »die Geldscheine zeigten Humboldt zu fünf Mark, Goethe zu zwanzig, Karl Heinrich Marx zu hundert... Auf den Markstücken stand noch das Wort ›Deutsche‹, auf den Pfennigen fehlte es bereits«; oder ob er die Harlem-Erfahrung eines New Yorker Politikers summiert: »Ratten hat er keine gesehen, aber er zweifelt eben, ob Ratten so ein Haus an der 119. Straße zwischen Park und Lexington aushalten.« Das möchte, wer will, sogar noch abtun als Politklöppelei (während es doch nadelfeines Aufspießen von Verkehrung und Versehrung ist).

Die Trauer über Schamlosigkeit: Vielleicht ist es das, was dieser Prosa ihre Würde gibt; sie ist nicht eifervoll, »nur« exakt – und sie deckt auf diese Weise Kausalitäten auf. Wenn es heute so ist, dann, weil es damals so war und nie anders wurde. Nun könnte das noch immer ein fade-bläßlich-gerechtigkeitssatter Leitartikel sein. Warum ist es große Prosa? Weil ihre Wahrheit nie platterdings einherkommt.

Die Strenge des Berichts, den Gesine ihrer unerbittlichen Tochter Marie erstattet – »ich muß nicht solch Kind werden wie du eins warst« –, ist ja beides zugleich: strenges Gericht über historische Schuld wie die Geschichte einer Zärtlichkeit; »manchmal denke ich: das ist nicht sie. Was heißt hier sie, was ich; gedacht kann es werden. Es ist nicht zu denken.«

Nicht zu denken nämlich (darf man ergänzen: nicht auszudenken?) sind die Verletzungen, die Brüche, Abschiede und der große Verrat, den Geschichte uns im Angebot hält. Man weiß aus Johnsons früheren Büchern, wie wichtig der Stellenwert von Naturschilderungen in seiner Prosa ist; deshalb ist eine solche Szene nicht nur gelungenes Landschaftsbild:

»Die Erinnerung blieb weg, es kam bloß der Anstoß an eine Minute Vergangenheit, der so sich nennt. Was aber sie meinte, war der Eintritt in die ganze Zeit der Vergangenheit, der Weg durch das stockende Herz in das Licht der Sonne von damals. Einmal hatten sie auf dem Hohen Ufer nebeneinander gestanden und unzweifelhaft die Umrisse von Falster und Möen gesehen: Alexandras Oberarm war mit einer leichten Körperdrehung an Gesines Schulter gerückt, ohne sie zu berühren; das Gefühl der Annäherung lag verkapselt im Gedächtnis, begraben gleichsam, wurde nicht lebendig. Einmal ging sie durch die Boddenwiesen, bis zum Knöchel im quatschenden Wasser, wollte Paepckes Kate heimlich von hinten ansehen, hoffte gar nicht mehr als auf den Anstoß. Sie sah die verwilderte Hecke, den Rundlauf, ein Stück Fenster vom Boddenzimmer. Die Stahltür mit dem Maschendraht war mit Kette und Vorhängeschloß gesichert. Sie hörte eine Frau sprechen, wie man es tut mit kleinen Kindern, die schon Worte annehmen. Alles das brachte die verlorene Zeit nur wieder als einen Gedanken: Als wir...; die gedachten Worte kamen nicht zum Leben.«

Vielmehr ist das auch ein Stück Geschichte; und es ist die Meisterschaft des Romanciers, wie er – scheinbar durch Klüfte, tatsächlich durch Verhakungen – Bewußtseinsebenen, Erinnerungsfetzen und damit schließlich Vergegenwärtigungen ineinanderschiebt. Gleich im Anschluß an den zitierten Absatz sackt »das schmutzige Gold ab in den Hudson«; doch darauf heißt es: »1947, im Sommer, war ich auf Fischland. Niemals mehr.« Das ist der Abschied von Rügen. Gestohlene Heimat.

Und es wäre in sich, ein bitteres Konstatieren, schon meisterlich. Nun beginnt aber der nächste Absatz, übergangslos, kommentarlos, mit einem Notat – das erklärt sich selbst, muß nicht ausrutschen in die Deklamation, warum mögliche andere Heimat wurde zum »Kein Ort. Nirgendwo«:

»Gestern in Bonn verhandelte ein Gericht wieder einmal gegen jenen Fritz Gebhardt von Hahn, bei den Nazis in der Jüdischen Abteilung des Außenministeriums, angeklagt der Mitschuld am Tod von mehr als dreißigtausend bulgarischen und griechischen Juden. Für die Verteidigung trat auf ein Zeuge, auch ehemals in leitender Funktion beschäftigt beim Außenministerium der Nazis, Abteilung Abhören.

Er nannte seine Vornamen, war als Kiesinger bekannt. Beruf: Bundeskanzler. Solche Silberhaarigen haben das Vertrauen der Westdeutschen. Mit solchem arbeitet die Sozialdemokratie in einer Regierung.

Wann ist er eingetreten in die Partei der Nazis? Gleich 1933. ›Nicht aus Überzeugung, aber auch nicht aus Opportunismus.‹ Was für Gründe bleiben möglich? Das wurde er nicht gefragt. Er will mit der Partei nichts zu tun gehabt haben bis 1940, außer daß er seine Mitgliedsbeiträge zahlte. Dann war er vertrauenswürdig genug, die Auswertung ausländischer Rundfunkmeldungen zu beaufsichtigen. Wenn die feindlichen Sender die Ausrottung von Juden erwähnten, verhielt Herr Kiesinger sich einfach ungläubig, ließ es aus dem Funkspiegel für seine Vorgesetzten, so daß den Nazis dunkel blieb, was sie taten. (So konnte Herr von Hahn nicht erfahren, was denn mit den Juden geschah, die er auf den Weg schickte.) Desgleichen war dem Kollegen von Hahn der Ausdruck ›Endlösung‹ unbekannt, bis zum Ende des Krieges. Erst spät, langsam, ganz allmählich brachten das Verschwinden von Trägern des Gelben Sterns und Erzählungen von Fronturlaubern ihn auf den Gedanken, ›daß da irgend was nicht richtig war‹. Daß mit den Juden etwas ›ganz Schlimmes im Gange‹ sei. Something very ugly. Dienstlich nahm er zur Kenntnis Nichts. Unter Eid. Verläßt den Gerichtssaal ohne Fesseln.«

Uwe Johnsons Bücher waren auch stets Strafgerichte; die *Jahrestage* zumal – ob im wiedergegebenen *New York Times*-Zitat über einen Autokauf von Stalins Töchterlein oder einer Party der Mrs. Onassis. Oft funktioniert das als schleichend-erhellendes Blitzlicht einer Situation – wenn die Angestellte Gesine Cresspahl im VIP-dining-room ihrer Bank essen »darf«:

». . . die Heiligsprechung des Glaubens, daß die U.S.A. den Besitz der vollkommensten Ordnung in Wirtschaft wie Politik nicht für sich behalten, sondern anderen Völkern schenken dürfen. Die Angestellte Cresspahl hält die Augen auf ihrem Besteck; genauso hat sie es auf der Schule gelernt, bloß mit anderen Worten, dazu die Einbildung, Menschen ohne Kenntnis des dialektischen Materialismus seien im Denken nicht recht für voll zu nehmen.«

Das ist die Methode, aus Geschichten Geschichte zu kristallisieren; so hat Johnson selber einmal das System seiner schriftstellerischen Arbeit erläutert. Das ist oft so eng ineinander verzwirnt, daß der Leser es nur mit großer Anstrengung entwirren kann: Wird da noch aus Nazi-Mecklenburg berichtet oder schon aus der frühen Zeit der DDR, sind wir noch in Westberlin oder schon am Riverside-Drive? Seinen radikalen Bruch mit jeder traditionellen Erzählform – die unterschiedlichen Erfahrens-, Berichts- und Erinnerungsebenen schieben sich oft in einem einzigen Satz ineinander – hat er vor Jahren seinem amerikanischen Lektor fast schnippisch-kurz erklärt, auf dessen Erkundigung nach traditioneller Form:

»Das ist eine ziemlich grundsätzliche Frage – und sie erfordert eine umfassende Antwort, und ich weiß keine umfassende Antwort. Ich bin sicher, es gibt Geschichten, die man so einfach erzählen kann, wie sie zu sein scheinen. Ich kenne keine.«

Bei der Klärung, ob dieses hochfliegende Konzept auch genuin im 4. Band durchgehalten wurde, zögere ich. Vielleicht irre ich mich, wenn ich die Abnahme an Kraft, an Sinnlichkeit, ein Nachlassen der dialektischen Spannung zu spüren meine, eine Minderung heimlicher Nistplätze der Phantasie. Vielleicht bin ich auch – oder darf ein Kritiker das nicht? – nach wie vor verletzt durch eine nackte Bosheit: Der Moralist Uwe Johnson, ausgerechnet, hielt es für angebracht und sittigend, der Öffentlichkeit intimste Details des Scheiterns seiner Ehe bekanntzugeben – als eine der Ursachen der langen Schreibpause. Ob nun Paranoia oder Realität: Mir schien und scheint nach wie vor etwas Unerlaubtes, Menschenentblößendes vorgefallen zu sein, ohne Präzedenzfall in der Literatur. Nach diesem Vorfall veröffentlichte Johnson eine geschliffen-vielfacettierte Erzählung, *Skizze eines Verunglückten*, die grausige Camouflage seiner Denunziation von Elisabeth Johnson als Ost-Agentin. Der Verunglückte zumindest, der Schriftsteller Johnson, hatte sich gerettet. »Ce sont les beaux sentiments, avec lesquels on fait la mauvaise littérature« – dieser kühle Satz von André Gide hatte sich auf neue, böse Weise bestätigt. Johnson hatte ja den ehemaligen Pakt einmal beschrieben, der seine Identifikation mit den Figuren des Romans beschloß:

»Hier bei den ›Jahrestagen‹ habe ich von einer zugegebenermaßen erfundenen Person quasi den Auftrag, oder ich habe mit ihr den Vertrag, ihr Leben wiederzufinden und aufzuschreiben in einer Form, die sie billigen würde. Da ist also eine gewisse Nähe zwischen Erzähler und Subjekt, und sehr oft wechselt da das erzählende Subjekt aus dem von dem Erzähler dargestellten Zustand der dritten Person in den der ersten Person, wenn nämlich die Vertragsperson findet, es sei jetzt besser, daß sie es einmal von sich aus, vom Ichstandpunkt aus, sagt... Das ist eine scherzhafte Umschreibung für eine Lage. Ich habe diese Person in New York wiedergefunden, das heißt, ich kannte sie recht gut aus einem früheren Buche. Und mir kam da der Einfall, ihre Biographie zu beschreiben, und ich habe mich jetzt (für Sie in nicht ganz ernsthafter Weise) bemüht, von dieser Person die Genehmigung zu bekommen, ihr Leben zu beschreiben. Daraus rührt ein Vertrag her, so kann man es ausdrücken.«

Diese sehr heikle Balance aus Identität und Distanz schafft die Schönheit des Romanwerkes, produziert auch die Unsicherheit, die schöne Verstörung beim Leser: Wer spricht?

Das verschlungene Prosa-Mäander der ersten Bände hatte eine sonderbare Innigkeit, Zärtlichkeit der Figuren miteinander geschaffen – eine poetisch-leise Erotik, die in ihrer Diskretion das Buch »ungeheuer oben« dahinschweben ließ; die schönste Stelle wohl die, als Jakob und Gesine sich fanden: »Ich bin hellwach still wie ein schlafender Fisch... seine Augenbrauen in einem einzigen scharf gleitenden Ruck wie Flüstern« – unvergeßlich diese Zeilen, ähnlich den dringlichsten Versen des Bertolt Brecht.

Davon nun kaum noch etwas im letzten Band. Er hat dann doch eher etwas Additives, wirkt stellenweise wie das Absolvieren eines Pensums. Johnsons stilistische Manieriertheiten wirken gelegentlich unkontrolliert – ein so »schweres« Wort wie »jettschwarz« sollte nicht mehrfach vorkommen, »barfte Beine« auch nicht und jemanden etwas »verkasematuckeln«: Ich weiß nicht, ob das nicht eher in eine Bierzeitung gehört.

Schon anläßlich früherer Bücher hat Johnson sich – etwa von seinem ersten Lektor Guggenheimer – vorhalten lassen müssen, daß »der Verein für große Verschlechterung des Lebens in Deutschland« eine reichlich holzbeinige Umschreibung für die NSDAP war. In diesem Abschlußband häuft sich derlei: Ob nun ein Auto entliehen wird »von jenen Leuten, who try harder« – statt bei Avis; ob gesprochen wird von einer »Einbahnstraße«, die ein paar Jahre lang nach einem Österreicher geheißen hatte« – statt Adolf-Hitler-Straße, oder ob von einer »mecklenburgischen Ananas« die Rede ist, worunter man wohl eine Kohlrübe zu verstehen hat. Das verkommt zum koketten Ratespiel, statt borstiges Fremdmachen von Gewohntem zu sein: es verrät ein Kichern des Autors – »ich weiß, wißt Ihr es auch?«

Warum gibt es »eine Zeitschrift aus der halben Hauptstadt, mit farbiger Bauchbinde, Form hieß sie, oder Sinn, die Botschaft der ostdeutschen Staatskultur an den Rest der Welt, darin schrieb der amtierende Fachmann für sozialistische Theorie in der Literatur, Heft 2, Seite 44-93 über Fontanes ›Schach von Wuthenow‹: die Erzählung sei ein ›Geschenk des Zufalls‹. Die darin geübte Kritik am preußischen Wert sei ›absichtslos‹, sei ›unbewußt‹.«

Was wäre denn, Uwe Johnson nennte den Titel der Ostberliner Zeitschrift *Sinn und Form* korrekt und den Autor des Aufsatzes

Der alte Fontane, Georg Lukács, bei Namen? Wahrlich, seine Prosa nähme daran keinen Schaden – so wenig, als gäbe er uns Ungebildeten an, daß der so listig verschwiegene Autor eines Romans – »Ginster? fragtest du: So wie der, der das Buch geschrieben hat, von ihm selbst?« – Siegfried Kracauer heißt. Das ist Bildungsgeblinzel; albern.

Zumal Johnson ja sonst durchaus die Dinge beim Namen nennt – etwa das Plagiat, das der DDR-Nationalhymne zugrunde liegt: »Good-bye, Johnny« sangen Hans Albers und René Deltgen nach der Musik von Peter Kreuder 1936(!) in *Wasser für Canitoga*. Keine so ganz schöne Herkunft für Becher/Eislers »Auferstanden aus Ruinen . . .«.

Es mutet den Leser an, als vertraue der Autor der eigenen Kraft nicht mehr – er scharrt Verstecke da, wo die genaue Information bislang Streben seines Kunstbaus war, und macht umgekehrt Fabel und Sprache eher plan dort, wo sie verwinkelt und verzwackt bisher in die Schluchten des Märchens lockte.

Oder ist es nur Zaghaftigkeit? Denn immer wieder – etwa mit dem Strauß-Porträt, beginnend mit dem Satz »Hätt' ich je Heimweh nach der westdeutschen Politik, ein Bild hängt ich mir auf von dem«, dessen Lektüre dem bayerischen Ministerpräsidenten empfohlen sei (S. 1874 ff.) – immer wieder also beweist Johnson die Kraft seiner Konkretheit. Da ist er nicht bigott, da ist er lakonisch bis zur Lyrik; wenn dieses Paradox erlaubt ist. Und da gibt es dann diese Sätze, die man nicht oft genug lesen kann, sie »lesen sich nicht aus«: »Emil konnte immer zurück mit der Wahrheit, daß er fett gewesen war wie zehn Schafe mit Schachtelhalm im Bauch« – so schneidet er die Figur eines, der sich aus der Lüge hinter die Besoffenheit zurückziehen kann. Oder jene ziehende Leisheit: ». . . weswegen im Norddeutschen die Mütter von ihren Kindern sagen: mein Herzschlag.«

Mütter, Kinder – und der Schöpfer dieses Pandämonismus? Wer ist in wem wer und wessen Ich? Das ist das Geheimnis dieses Wunderbaus aus Worten: Eine vielfach überlagerte Identität, ein Autor, der beide Heldinnen *ist* – nicht spielt –; ein Mann, der die Frau, die Mutter und die Tochter in einer Stimme spricht; ein Vater schließlich auch und (verhaßter?) Ehemann, der die Liebe des Jakob *und* der Gesine gelebt hat – und dazu die des Kindes Marie, das den Vater nur kennen darf durch Gesines (also: Uwe Johnsons) Bericht, die sich erinnert:

»Einmal hatt' ich mich geschnitten, gab Jakob den Fuß in die Hand aus dem Stand. Er sah sich das an, ließ den Fuß abgleiten im selben Rhythmus wie meine Hand auf seine Schulter sich stützte; die Bewegung ging mir durch den Leib ohne einen Schmerz. Ich glaube das geschieht einem im Leben ein einziges Mal.«

Das steht auf der letzten Seite des Buches, ein Prosastück von so rhapsodischer Vollendung, man möchte es wieder und wieder lesen – eine einzige machtvolle, schmerzliche, geschichtssatte, emotionsgewittrige Paraphrase von Flauberts Satz »Madame Bovary – c'est moi«: denn so heißt das letzte Wort, mysteriös und nackt zugleich, mit dem Uwe Johnson dieses Stück durchpflügtes Leben, gelebte Mühsal entschlüsselt und beschließt:

»Wir hielten einander an den Händen: ein Kind, ein Mann unterwegs an den Ort wo die Toten sind; und sie, das Kind das ich war.«

Joachim Kaiser
Für wenn wir tot sind

Zum Abschluß von Uwe Johnsons großer
Jahrestage-Tetralogie

I

»Der Roman ›Jahrestage‹ soll im Herbst 1970 erscheinen«, versprach Uwe Johnson 1969 in einer »Vita«. 1970 kamen dann stattliche 477 Seiten heraus, aber das war nur der erste Band, waren nur die ersten vier Monate des epischen Jahres. Weiter kein Unglück – denn der zweite Band lag pünktlich 1971 vor, und der, wie Johnson meinte, abschließende dritte Band erschien immerhin 1973. Doch für die 365 Tage des Lebens und Sich-Erinnerns von Cresspahl reichten diese drei Bände immer noch nicht. Die Fülle des Ganzen erzwang einen abschließenden vierten. Darum verspricht denn auch der letzte Klappentext-Satz des dritten Bandes wohlgemut: »Nächstes Jahr, wie üblich, mehr.«

Seitdem vergingen aber zehn Jahre ohne die abschließenden *Jahrestage*. Eine schwere private Krise setzte den Schriftsteller Uwe Johnson physisch und psychisch außerstande, die Tetralogie zu Ende zu bringen. Im *Spiegel* und in der *Zeit*, in Johnsons Novelle *Skizze eines Verunglückten* (erschienen in der Max-Frisch-Festschrift, 1981) und in dem Text *Begleitumstände,* den der Suhrkamp Verlag auch zu drucken für richtig hielt, wurden schlimme Aspekte von Johnsons Unglück ausgebreitet.

Er kam, offenbar, irgendwie darüber hinweg... Der vierte Band führt – gelassener manchmal in Form und Sprache, erbitterter, gnadenloser in der antitotalitären Sache – bruchlos und beeindruckend zu Ende, was die vorhergehenden Jahrestag-Werke exponiert hatten.

Wir halten jetzt in Händen ein opus magnum. Eine Tetralogie, die den großen Werken unserer deutschen Literaturgeschichte an die Seite zu stellen ist, ein Zeit-Mosaik von staunenerregender, präziser Fülle, von politisch-aufklärerischem Rang, von verhalten melancholischer Zartheit auch und von einsamer schriftstellerischer Meisterschaft.

Alle möglichen Bedenken, die sich nach dem Erscheinen des

ersten, auch noch des zweiten Bandes einstellten: sie waren vielleicht nicht einmal vorlaut oder vorschnell. Aber sie besitzen kaum mehr Gewicht. Sie wurden nicht *widerlegt,* sie verflüchtigten sich jedoch zur Unbeträchtlichkeit angesichts dessen, was nun das Ganze erbringt und bedeutet.

Johnson ist nämlich gelungen, was so noch kein Autor der deutschen Nachkriegs-Literatur fertigbrachte: Bei ihm wurden die Ereignisse des politisch-gesellschaftlichen Geschehens von 1968, zusammen mit dem Entwicklungs-Roman von Gesine in den vierziger und fünfziger Jahren, zum immer spannender sich darstellenden Handlungs-Verlauf. Johnson gelang es, sich mit der Politik des Jahres 1968 und mit dem Protest der heranwachsenden Gesine Cresspahl gleichsam als Autor zu verbünden. Sein Werk hat die power einer strengen politischen Dokumentation und die Seelen-Substanz einer persönlichen, individuellen Geschichte.

Auch Fakten-Häufungen, die an den Schiffskatalog aus *Ilias* erinnern (Dutzende von ostzonalen Zuchthaus- oder Todes-Urteilen gegen Lehrer, Arbeiter, Intellektuelle, Kleinbürger), fügt Johnson so in den Erzähl-Zusammenhang ein, daß sein Rhythmus und sein unerbittlich redliches Wahrheitspathos auch Sperrigstes einzuschmelzen vermögen ins Epische. Er schreibt ein zugleich schwerblütiges, ironisches, über alle Parodie hinweg mimetisches, wunderbar rhythmisches und eigenständiges Deutsch. Johnsons Hauptfiguren drängen sich weder temperamentbesessen, sonderfallhaft, pittoresk, noch modisch exhibitionistisch vor. (Johnson hat Takt. Wer was zu sagen hat, kann sich den leisten.)

Man kapiert nicht immer alles, und schon gar nicht rasch. Johnson fügt Fremdsprachen ein, wobei er, etwas versnobt, nicht alles übersetzt; er schwelgt in mecklenburgischem Platt (liest man es laut, ist man gar ein wenig norddeutsch belastet, dann wird's ganz leicht). Er holt in erinnerungsempfindsamen Beschreibungen die mecklenburgische Landschaft heim in seine epische Welt. Er rettet viele alte (nicht veraltete) Worte, die unserem Fernsehzeitalter nicht schick genug sind. Was die Satzstellung betrifft, so hat er Manieren – und liebt die Manier. Nur: Seine »Manier« leistet etwas, sie erreicht meist, gegen die Usancen geschleckter Grammatik, in harter Fügung die Hervorhebung des Hervorzuhebenden.

Im vierten Band scheint die Sprache etwas geläufiger, heiterer, gelenkiger. Oder man hat sich mittlerweile ans Sperrige gewöhnt, nimmt Manier für Natur. Und als Allerwichtigstes sei nicht vergessen: Die Lektüre macht Lesespaß! Man muß sich Tage, ja Wochen mit den Bänden zurückziehen, gewiß; leichter ist ihre Wahrheit, ist die Sprach-Wahrheit der *Jahrestage* nicht zu haben. Doch die Tetralogie hat Zeit. Sie ist kein Saisonrenner, sondern von Dauer. Im Band I heißt es vorsorglich auf Seite 285: »Es gehört nicht zu den Kennzeichen der deutschen Nation, ihre Bücher gleich zu lesen.«

Vier Bände also. Fast 2000 Seiten. Ein Lebenswerk – zumal Johnsons Erstling *Mutmassungen über Jakob,* wo Gesine und ihr Vater Cresspahl bereits existieren, oder *Das dritte Buch über Achim,* aus dem wir Karsch kennen, und manche andere Gestalt aus Johnsons *Vor-Jahrestage-Zeit* auch mit der Tetralogie verbunden sind.

Man muß sich vor Augen halten, daß der Suhrkamp Verlag, weil die Sache so umfänglich und unübersichtlich ist, soeben ein *Kleines Adreßbuch für Jerichow und New York* von Rolf Michaelis hat zusammenstellen lassen, ein sehr hilfreiches Register, in dem man die wichtigsten Zitate über alle vorkommenden Figuren und ihr Schicksal nachschlagen kann. Dieses »Jahrestage-Who-is-Who?« ist seinerseits, obschon *klein* genannt, 302 Seiten stark.

II

Roland H. Wiegenstein, Karl Heinz Bohrer und manche andere seriöse Kritiker haben nach Lektüre des ersten und zweiten Bandes der *Jahrestage* bewundernd Johnsons eindringliche Fähigkeit gerühmt, »eine Kleinstadt und ihre Bewohner während der Nazizeit« zu zeigen, also einen politischen Roman zu schreiben. Vorgeschichte und Anfangs-Geschichte der kleinbürgerlichen Nazi im mecklenburgischen Jerichow, gespiegelt in Tagebuchnotizen der Jahre 1967/68, die von Vietnam-Krieg, Großstadt-Leben und Großstadt-Terrorismus·New Yorks vibrieren – das ist der Inhalt des ersten Bandes. An dergleichen erinnert Gesine im Gespräch (und auch auf Tonband »für wenn ich tot bin«) ihre lobens- und liebenswert wissensdurstige, manchmal geradezu hebammenhaft alle möglichen Historien der Mutter entbindende Tochter. Die 35jährige Gesine – keine Dame, eine Frau – geht einer relativ ruhigen Tätigkeit als Bankangestellte nach. Um Zeitgeschichte in ihre

kleine Wohnung (und in die *Jahrestage*) zu bringen, liest sie fana-
tisch die *New York Times*, wobei ihr der Erzähler gedankenvoll-
ironisch über die Schulter blickt.

Im zweiten Band ist die traurige Geschichte von Gesines Mutter
Zentrum: Die mochte nicht mit ihrem Mann, Heinrich Cresspahl,
zurück nach England, obschon er dort beruflich ganz erfolgreich
gewesen war. Jetzt nimmt sie im NS-Deutschland ein undeutliches
Selbstmord-Ende und provoziert einen vorher beflissen vorsichtigen Pfarrer bei der Begräbnisrede zu heillosem Mut. Dieser zweite
Band enthält auch Johnsons berühmte, heftig höhnische Abrech-
nung mit Hans Magnus Enzensbergers damals noch arrogant,
allzu unkonventionell und unangemessen selbstbewußt wirken-
den Brief an Amerika, und warum er die USA in Richtung Cuba
verlasse.

Im dritten Band der *Jahrestage* dominiert die Kriegs- und die
beginnende Nachkriegszeit. Gesines Vater (Jahrgang 1888, zunächst in der SPD, später ausgetreten, während der Nazizeit
widerstrebend nach Deutschland zurückgegangen, nominelles
NSDAP-Mitglied, für die Engländer spionierend) – dieser Cresspahl wird nach 1945 Bürgermeister, aber dann absurderweise von
den Russen verhaftet; kommt in ein Straflager: Fünfeichen. »Nach
wie vor leitete die Rote Armee die Anstalt« – selbst hier, wo es
blutig wird, gibt sich Johnson noch ironisch, denn diese Worte
wiederholen ausführlich travestierend den Anfang von Thomas
Manns Sanatoriums-Novelle *Tristan* (»Nach wie vor leitet Dr. Le-
ander die Anstalt«).

In der Finsternis schlimmer Rechtsunsicherheit, in der Nacht
mies nötigender und mit Zuchthausstrafen drohender sowjetischer und deutsch-kommunistischer Gewalt, beginnt also der
Band IV.

Die Augen einer (nichtchristlichen) Bürgerlichen, die so partei-
isch zuschaut, *sehen Schlimmes und halten es fest.* Solange in
unserer Welt überhaupt noch jemand liest, solange Worte Wirkung
haben in einem Bewußtsein und einer Seele, solange wird man mit
Erbitterung und Zorn zur Kenntnis nehmen, was Uwe Johnson
und Gesine Cresspahl im Band IV der *Jahrestage* mitzuteilen haben über das Verhalten der Sowjets und der deutschkommunisti-
schen Behörden gegen alle, die nicht einverstanden schienen, die
nicht gern gleich kuschten, die nicht bedingungslos logen, mit-
machten oder sich anpaßten. Johnson beschwört die Erinnerung

an geschändete Menschenwürde. An ein wüstes »Vae victis« (Wehe den Besiegten!). Natürlich weiß man von alledem, könnte man es wissen. Johnson selbst hat bereits in seinem Nachwort zu Barbara Bronnens Piper-Büchlein *Ich bin Bürger der DDR und lebe in der Bundesrepublik* (München, 1970) kühl zusammengefaßt, was in der DDR positiv versucht wurde, aber auch, was an Abstoßendem geschah.

Diese schlimme Wahrheit trifft nun aber im Band IV der *Jahrestage* zusammen mit der 1968 ja immer heftiger, immer donquixotehafter, freilich auch immer spannend-unheimlicher werdenden Euphorie des »Prager Frühlings«. Herzstück des vierten Bandes ist das – von Johnson in glänzender, überzeugender deutscher Fassung vorgelegte – berühmte, hierzulande viel zu wenig bekannte Prager »Manifest der 2000 Worte«.

Noch etwas sei festgehalten. Johnson und Gesine schauen, trotz aller ihrer Erbitterung über den absurden Zwiespalt zwischen herrschendem Propagandawort und Wirklichkeit in ihrer Arbeiter- und Bauernwelt, doch nicht ganz so verzweifelt zum Sozialismus hin, wie es etwa die prominenten russischen Dissidenten und Emigranten tun. Für Johnson und Gesine erscheint der »Prager Frühling«, der erhoffte und dann strangulierte »Sozialismus mit menschlichem Antlitz« doch eine mögliche Alternative zu sein. Solschenizyn oder Wladimir Bukowski dürften nicht so denken. Bukowski hat beispielsweise in seinem jüngsten Buch *Dieser stechende Schmerz der Freiheit* unterschieden: »Außerdem unterstützt die überwältigende Mehrheit der Emigranten aus der Sowjetunion – im Gegensatz, sagen wir, zu einem auffallenden Teil der tschechischen Emigranten – den Sozialismus nicht und ist überzeugt, daß er sich kein ›menschliches Antlitz‹ zulegen kann. Unsere Erfahrungen gehen tiefer, sind grausamer und länger.« Freilich, was Gesine nach 1945 in Mecklenburg durchzustehen hatte, das war schon schlimm und bestürzend genug.

Zwingend und aufregend verknüpft nun Uwe Johnson die weltpolitische Entwicklung in der ČSSR mit Gesines privat-beruflichem Geschick. Weil Gesine Tschechisch gelernt hat, läuft ihre Karriere auf eine verantwortungsvolle Position in Prag zu, wo sie die Interessen ihrer New Yorker Bank wahrnehmen soll.

Ihr Lebensschicksal hängt von zwei Männern und einer auch nach Westen geöffneten ČSSR ab. Der eine Mann ist D. E., Dieter Erichson, ein junger, diskreter und origineller Wissenschaftler.

Der probiert als hoher Geheimnisträger für die amerikanische Luftwaffe Frühwarnsysteme aus (was Gesine eher mißfällt). Zur geplanten Heirat kommt es nicht; er verunglückt tödlich in Finnland. Der andere Mann, ihr Bankpräsident, bestimmt Gesines berufliche Karriere. Johnson schildert diesen Präsidenten ausführlich, ja sogar etwas detailbesessen, detailprotzend. Trotzdem wird die Figur nicht so selbstverständlich präsent wie manche, weniger umfangreich beschriebene Mecklenburger. Aus dem New Yorker Bankpräsidenten kann (will?) Johnson kaum mehr machen als einen guttrainierten Popanz. Der also entschließt sich, Gesine nach Prag zu schicken.

Dort will die Bank bei Devisengeschäften mit der ČSSR ihre gottgefällig kapitalistische Pflicht tun und auch ein wenig Profit machen. Gesine reist am letzten Tag der *Jahrestage*! (Es ist der 20. August 1968, der Tag an dem die sowjetischen Panzer sich in Bewegung setzten.)

Das Neue an Band III und IV aber ist der antitotalitäre, antisowjetkommunistische Parallelismus, ist die Verurteilung aller unmenschlichen Gewalt in Prag sowie in der DDR! Johnsons frühere Schilderung der Nazi-Untaten – *Jahrestage* Band I und II – galt einem ja wahrlich besiegten, erledigten, von aller Welt verdammten Ungeist. Seine herbe Chronik der Gemeinheiten nach 1945 indessen gilt Kräften, die immer noch existieren und sich nicht übermäßig distanzieren von dem, was heute noch Lebende dort einst ihren Landsleuten antaten. Die Mittel, mit denen Johnson vernichtend beschreibt, wie man mit den Besiegten verfuhr, sind Ironie, Pathos und Dokumentation.

So sind die kleinen Miserabilitäten des Alltags in totalitärer Gesinnungsschnüffelei: man muß aktivistisch protestieren, Schwachsinn daherreden, Lippenbekenntnisse leisten, Prozesse durchstehen, Angst haben...

Aber Johnson geht einen Schritt weiter, den ihm manche verargen dürften. Er – und nicht irgendeine Flüchtlings-Postille, irgendein Propaganda-Blättchen, das sich nie ein Wort gegen Heuss oder Kiesinger erlauben würde vor lauter konjunkturdemokratischer Beflissenheit –, er also gibt die ergreifende Schilderung eines jungen Märtyrers.

Dieter Lockenvitz, so heißt der bebrillte, schüchterne, verbiestert kluge (eigentlich Johnson selbst nicht unähnliche) junge Held, dem es gelingt, seine Lehrer überlegen zu verunsichern, dem es lange Zeit glückt, Urteile deutsch-kommunistischer Gerichte gegen Andersdenkende (Zuchthaus, Zuchthaus, Tod, Tod) geheim abzuschreiben und seinen Landsleuten anonym vervielfältigt zuzusenden. Lockenvitz wurde gefaßt und eingesperrt, klar. Aber seine Dokumentation dessen, was Deutsche in Mecklenburg erleiden mußten nach 1945, bleibt.

Dabei geht Johnson mit zähneknirschender Intelligenz vor. Sein Märtyrer nimmt nämlich *nur* die ideologischen Urteile aufs Korn – nicht die wirtschaftlichen. Folgendes ist diesem idealistischen deutschen Genius als zu meldendes Unrecht *nicht* genug: »Dem Verfasser« (also Lockenvitz) »war es als Wirtschaftspolitik zu geringfügig, daß der Bauer Utpathel in Alt Demwies wegen seiner Rückstände in der sollgemäßen Ablieferung von Fleisch, Milch, Wolle, Ölsaaten zu zwei Jahren Zuchthaus kam; obwohl er hinwies auf seine dreiundsiebzig Jahre, auf die minderwertige Qualität des vom Staat gelieferten Saatgutes, auf den Verlust seines gesamten Viehbestandes an die Rote Armee 1945, auf die Viehseuche von 1947...« (Armer alter Mann).

III

»Ich meine nicht«, hat Johnson vor langer Zeit geschrieben, »daß die Aufgabe von Literatur wäre, die Geschichte mit Vorwürfen zu bedenken. Die Aufgabe von Literatur ist vielmehr, eine Geschichte zu erzählen.« Diejenigen, die Johnsons literarische Entwicklung »kritisch« betrachten, haben ihm geglaubt. Er schreibe seit Beginn der *Jahrestage* wieder traditionalistischer, rückschrittlicher, bedauert Bernd Neumann in einer Habilitationsschrift (*Utopie und Mimesis*, Athenäum-Verlag), die Johnson eine Wende von Brecht zu Lukács vorwirft und ihm als ehemalige Tugend die avantgardistische Technik vorhält, die er 1967 in seinem *Brief aus New York* beherrschte. Auch Heinrich Vormweg bedauert, daß die Objektivität des traditionellen Realismus aus Johnsons Erzählen »das Element des Protestes« herausnehme.

Aber die *Jahrestage* sind am Ende doch ein einziger Protest im Namen des Prager Frühlings gegen die, die nur Geewalt anwenden können. Protest auch gegen Nazi in Bonn.

Die Sprache des Bandes IV hat sich gegenüber den früheren erstaunlich wenig verändert. So wie selbst sehr kundige Wagner-

Freunde kaum hören können, wo im *Siegfried* nach 12jähriger (!) Pause Wagner mit dem Komponieren fortfuhr, so fließt auch der Wortstrom der *Jahrestage* unbeirrt weiter. Vielleicht sind im vierten Band anfangs die Scherze gar zu harmlos. Nebenbemerkungen jemandes, der wieder in Schwung kommen will. Offenbar gibt es auch, wenn Johnson beispielsweise einmal die Kinderperspektive ins Sprachspiel zu bringen scheint (S. 1490-92), ein momentanes Ermatten der Sprachkraft. Gegen Ende spürt man, wie der Autor platterdings fertig werden will. Manches, was möglich und nötig wäre, verschenkt er. Übrigens druckt Johnson seinen *Brief aus New York* (*Kursbuch*, 1967) hier nur unwesentlich verändert wieder ab. Jetzt darf freilich das Magazin *Time* nicht mehr erwähnt werden, weil doch die im Band IV Gott sei Dank nicht mehr so dominierende *New York Times* die einzige Informationsquelle sein soll. Beim Einfügen des Textes von 1967 in einen Zusammenhang von 1983 rauht Johnson (Dissertanten kommender Jahrzehnte haben da was zu vergleichen) das alte Prosa-Stück sogar eher gestisch auf, als daß er es glättete. Solche Selbst-Zitate können als Zeichen einer gewissen Schwäche, eines Zusammensuchens alter Bestände genommen werden – wenn nicht Johnsons prinzipielle Tendenz, alles vorherige in dieses Fazit-Werk hineinzuholen, ohnehin offen zutage läge.

Was die Parallel-Schaltungen betrifft, so werden sie von Johnson jetzt nicht mehr demonstrativ vorgenommen. So lange sie irgend etwas zu »beweisen« hatten, waren sie künstlich und äußerlich. Jetzt, da das Hin und Her mehr wie Ein- und Ausatmen wirkt, wie ein *Zusammen* im gleichen Bewußtsein, in gleicher Angst, in gleicher Welt – scheint alle Veranstaltungshaftigkeit dieses Prinzips zum Ruhme höherer Natürlichkeit getilgt.

Die *Jahrestage* sind kein *Frauen-Roman*. Sie sind eine Chronik, in der eine selbständige Frau auf ihre Weise leben darf und sich dabei heiter-maskulin verhält. Das ist ein pedantischer Nachteil und ein chronikalischer Vorteil. Wäre sie hysterisch oder ein »Typ« – viele ihrer Erinnerungen und Ansichten blieben allzu privat. Wäre sie indessen nichts als ein Sprachrohr – das Buch bliebe ohne Leben, unmenschlich. Aber es ist ja Gesine, die dem Erzähler gebietet, trotz seiner scheuen Bedenken hinzuschreiben, was ihr durch die Seele geht über Heimat-Erinnerung und Tod.

Johnson schreibt nicht »tief«, auch nicht »platt«, sondern ernst; seine virtuose Rhythmisierung einfachster Sätze kann das nicht verschleiern. Diesmal ist ihm sein Stoff-Anliegen zu wichtig, als daß er es einem unendlichen Relativismus opferte. Hier wird der Erzähler denn doch, schlechten Gewissens, fast allwissend.

1500 Seiten nehmen wir als epische Gegebenheit hin, daß Gesine – eine Heilige Johanna im New Yorker Bankgewerbe – sich nicht nur wunderbar erinnern, sondern auch »Stimmen« längst Verstorbener hören kann. Merkwürdig, ja forciert wirkt es, daß sie diese Voraussetzung der Riesenchronik plötzlich anzweifelt und sich vom Psychiater ihre geistige Gesundheit, trotz Stimmenempfangs, bescheinigen lassen möchte. Als ob Fidelio plötzlich fragte: Wieso kann ich im Gefängnis eigentlich Arien singen?

Das Prinzip des Zeit-Ebenen-Wechsels gefährdet die Triftigkeit, wo es auf Blackouts, auf süffige Schlußsätzchen hinausläuft. Dadurch entsteht Kurzatmigkeit und Welt-Verlust. Lauter kleine epische Punkte springen hin und her – bilden aber keine Linie. Doch je weiter die Chronik fortschreitet, desto umfangreicher und ruhiger konstituieren sich die Ganzheiten.

Ein allerletztes: Johnson kann auch wunderbar zart schreiben. Er weiß, was Innigkeit, was Landschaft ist – und wie schnell alles zerredet werden, zu Tode formuliert werden kann. Wenn er gar von seinen geliebten Tieren, von Katzen etwas zu erzählen hat, vom Erschießen eines gutartigen, vertrauensvollen Pferdes – dann herrscht er so vollkommen, so ohne Rest über die Seele seines Lesers und Opfers, wie, dies die tröstliche Utopie der *Jahrestage,* auch die rücksichtsloseste Diktatur nicht die Seelen ihrer Opfer zu beherrschen vermag.

Uwe Johnson
Wie es zu den »Jahrestagen« gekommen ist

Die ehrlichste Antwort ist: zu diesem Buch sollte es gar nicht kommen. Ich hatte dreieinhalb Bücher geschrieben, hatte meist in Deutschland gelebt und hatte Gründe, einen Abschied, eine Pause, zu wünschen. So ging ich also umher und fragte, ob sie Arbeitsplätze zu vergeben hätten in Amerika, und ob sie mir einen ablassen würden. Das hing damit zusammen: ich hatte durch die USA zwei Reisen gemacht, solche wie diese. Man tritt auf ein Podium, die Leute sind interessiert an deutscher Literatur, und dann lesen Sie ihnen etwas vor, wobei wir uns im Ausland immer damit herausreden konnten, daß nur der Verfasser genau weiß, was für rhythmische, für akustische Dimensionen er beim Schreiben des Textes mitgedacht hat. Es waren zwei Reisen, und dann hatte ich von diesem Land Amerika einiges gesehen, nämlich genau das, was vor dem Fenster des Busses vom Flughafen, vor dem Hotelzimmer oder was überhaupt passiert zwischen Sehenswürdigkeiten und Flugplatz. Durch das viele Vorenthalten wurde ich neugierig auf das Land und hatte wohl auch eine etwas dumme Theorie, nämlich daß das Amerika von heute in sehr vielen Hinsichten unsere Zukunft sein kann. Das wollte ich nachprüfen. Aber man glaubte mir nicht, daß ich hier arbeiten wollte. Die Leute sagten zu mir, ja gern, kommen Sie zu uns auf die Universität und bringen Sie den Leuten das Schreiben bei, insbesondere das schöpferische Schreiben. Da ich aber nun aus meiner Vergangenheit weiß, wie man das lernt, glaube ich nicht, daß man das irgend jemandem beibringen kann. Es wurden mir noch mehrere solcher Sachen angeboten; aber schließlich glaubte mir jemand und sagte, ich könne als Lektor in einem Schulbuchverlag arbeiten. Ich vergewisserte mich, daß das kein Geschenk war und keine eigens für mich geschaffene Stelle. Für den Anfang bekam ich ziemlich genau das, was ich wollte: ich mußte nämlich allein eine Wohnung suchen, ich mußte mich mit dem Gedanken vertraut machen, daß auch dort Steuerformulare auszufüllen sind und daß man da etwas über die Mentalität der Leute lernt, nicht die der Leute auf der Straße, aber die der Leute im Büro.

Ich erfuhr allmählich von einer Lebensweise, auf die ich nicht hatte zusteuern wollen. Auch mein neuer Tagesablauf war sehr lehrreich: Das hieß, daß ich um acht Uhr das Haus verlassen und dann mit der U-Bahn umsteigen mußte, um um zehn vor neun an meinem Schreibtisch zu sitzen und einen ungeheuer loyalen Eindruck zu machen, denn ich hatte dem Unternehmen zehn Minuten Zeit geschenkt.

Und nun war es ein Neubau, und diese Neubaubürogiganten in der Stadtmitte von Manhattan sind sehr viel besser organisiert, als man das in Deutschland vermuten würde. Es sind gar keine Großraumbüros – es sind Zellen. In diesem Neubau sind die Türen zu den einzelnen Zellen nur ein einziges Mal bewegt worden, nämlich als sie eingehängt wurden, und dann wurden sie an die Wand geschlagen. Der Abteilungsleiter brauchte also nur vorbeizugehen und sah dann sofort, ob man etwa ein gutes Buch oder die Zeitung las, oder ob man auf eifrigste Weise vorgebeugt an der Schreibmaschine saß und erfreuliche Titel schuf. Ich arbeitete also bei dieser offenen Tür – und kam abends zurück, um die Füße lang auszustrecken und meine Hände an irgend etwas Nassem zu kühlen. Auch sah ich sonst gar nicht mehr viel von der Stadt, und erst nach einem dreiviertel Jahr wachte ich auf; und das kam von der Erkenntnis, daß ich nun einiges wüßte, was ich gar nicht hatte wissen wollen: die Lage der Angestellten in einer Stadt wie New York. Das war an und für sich unverwertbares Spezialwissen. Aber das konnte ich dennoch nicht liegenlassen. Und nun fiel mir auf, daß jemand, den ich kannte, auch in der Stadt wohnte: das war eine Person namens Gesine Cresspahl. Ich hatte einmal in einem Buch *Mutmassungen über Jakob* drei Wochen in ihrem Leben beschrieben, aber das ist sehr wenig von ihrem Leben. Eigentlich war sie bloß da und hatte keine Vergangenheit. Und wie das so ist, wenn man sich eine Person erfindet – denn man erfindet sie ja nicht nur für den Augenblick, den man erzählen will, sondern möchte sie schon etwas vollständiger haben, also nicht nur den Gesichtsschnitt (in diesem Fall ein etwas slawischer, denn sie ist aus Mecklenburg) –, wußte ich auch sonst einiges von ihr. Ich wußte das Geburtsjahr, das war 1933, ich wußte die Vorgeschichte der Familie und kannte einige Eigenarten von ihr, sich z. B. nicht an gewisse Konventionen zu halten wie die der Ehe, oder daß sie immerhin die Zeitung las, was ich für mich damit erkläre, daß sie bis 1953 in Mecklenburg lebte und daß sie da nicht geblieben ist, bloß weil das die Heimat war, die Freunde oder die Liebschaften dort saßen. Sie ist auch da geblieben wegen der besonderen Art von Sozialismus, der dort an den Leuten ausprobiert wurde, als aus der sowjetischen Besatzungszone die DDR geworden war. Das wußte ich. Ich wußte aber auch, daß sie den Sozialismus auf der Schule gehabt hat, und zwar als Bestandteil des Antifaschismus und als Theorie, und daß die Oberschüler von damals mit dem Abiturjahrgang 1952 auch in der DDR sich für eine Elite hielten und es nicht für nötig ansahen, auch nach dem »Sozialismus auf der Straße« zu sehen, wie er denn nun wirklich in einer Fabrik oder in einer landwirtschaftlichen Produktionsgenossenschaft funktioniert und was den Leuten dort passiert.

Es war also kein sehr fundierter Marxismus, d. h., theoretisch war er ganz ausgezeichnet, so wie man ihn in früheren Zeiten nur für 30 000 Goldmark sich hätte leisten können. Aber praktisch taugte er nichts, und als in diesem Staat die Arbeiter und Bauern sich entschlossen, gegen ihre Regierung wegen grober Mißhandlung vorzugehen, da brach ihr Sozialismusverständnis auseinander und sie war sozusagen persönlich gekränkt, daß der Sozialismus so etwas macht und mit Panzern auf die eigenen Leute zurückschießt – sie war zwanzig. Sie machte das Dümmste, was sie tun konnte, sie beging eine Panikhandlung und ging an die Stelle der Welt, für die sie überhaupt nicht geeignet war – sie ging in den Westen, wo sie die zurückgebliebenen Fundamente des Faschismus nicht gerade angezogen haben können – in eine Gegend, von der sie gelernt hatte, daß es zyklische Krisen und Notwendigkeit dieser Krisen und Untergang dieser Gesellschaft gibt – und da blieb sie. Denn wer vom Sozialismus weggeht, der geht nicht zurück, jedenfalls nicht als der, der er ist.

Das alles wußte ich. Sie machte ein kleines Fremdsprachendiplom, denn in der DDR hätte sie studieren dürfen, im Westen hatte sie kein Geld. Dann hat sie ein wenig in einem Büro gearbeitet, dann bekam sie ein Kind. Da erschien ihr die Welt so unsicher, und sie ging in einer Bank arbeiten, schickte also fremdsprachige Briefe an andere Banken und lernte ein bißchen die Terminologie und wurde dann wirklich 1961 von ihrer »dankbaren« Bank in die USA geschickt. Da sollte sie die feineren Tricks bei der Vervielfachung und dem Erwerb und der Verschönerung des Geldes lernen, worin sie sich auch ein wenig Mühe gab, bis sie dann mit einem Male desertierte. Da wurde ihr gekündigt. Sie fand nach einer Pause wieder eine Bank, die keine deutsche Verwandtschaft hatte, lernte auch etwas Nationalökonomie, d.h., sie kaufte sich etwas Nationalökonomie auf der Columbia Universität und war schließlich wieder da, wo sie angefangen hatte: sie war wieder Fremdsprachensekretärin bei einer Bank. Dies alles fiel mir wieder ein. Sie ist zwar eine ziemlich erfundene Person, sie ist nicht polizeilich gemeldet, ich habe sie mir ausgedacht.

Wir hatten jetzt also 1966/67. Ich fragte mich, wo die Gesine wohl leben wird in New York. Denn ich wohnte in einer ganz merkwürdigen Gegend dieser Stadt, die es eigentlich nicht geben darf: In einer Wohnung am Riverside Drive, und die hatte fünf Fenster, die blickten alle hinaus auf den Riverside Park, und im Herbst blickte man auf den Hudson. Da es genau 100 Meter bis zum Ufer waren, war gar nicht so genau festzustellen, daß die blaue Farbe des Hudson in Wirklichkeit Gift bedeutete. Aber immerhin, woher kam Gesine Cresspahl? Von der Ostsee. Sie kam von einer Gegend mit wenigen Bäumen, denn der Adel hatte in diesem Teil Mecklenburgs seit 1500 den Wald abgeholzt.

Mir war ziemlich klar, sie wohnte auch irgendwo an der Riverside, auch in den neunziger Straßen, nicht genau da, wo ich wohnte, aber ungefähr da.

Jetzt hatte ich den Wohnsitz und mußte noch herausfinden, wohin sie ihr Kind brachte. In den Kindergarten? Was kostet das? Die Leute im Park wunderten sich sehr, wenn ich fragte: »Was zahlen Sie denn so für ein Kind?« Marie, das Kind, war ja nun inzwischen zehn Jahre alt und war nicht mehr im Kindergarten, sondern sie war in einer hochangesehenen Schule, und zwar in einer bekenntnisfreien. Die Zahlen waren »rund 900 $ im Jahr«, und jetzt mußte ich herausfinden: Kann eine Sekretärin von einer Bank sich denn das leisten? Das bekam ich auch noch heraus. Aber die Leute, die ich kannte, wunderten sich inzwischen sehr über mich. Sie hatten mich für einen ganz diskreten Menschen gehalten, und jetzt ging ich in der Stadt umher und fragte nach Preisen, z. B. in einer Bank, was kriegt man denn so.

Oder ich fragte, wenn jemand an der Park Avenue wohnt, was zahlt er dann so für vier Zimmer. Wenn Sie das jemandem in der Park Avenue sagen und sind noch dazu eingeladen . . . Ich schreckte also vor nichts zurück, ich brauchte das, aber ich konnte niemandem sagen, wozu ich das brauchte. Dann interessierte mich auch noch – wegen der Materialsammlung bezüglich Park Avenue – ein Mittagessen mit einem Millionär. Und ich habe dann mit einem Sproß aus aristokratischem finanziellen Adel gegessen und hatte eine Frage. »Sagen Sie einmal, halten Sie es für möglich, daß Ihr Bankinstitut – 2000 Angestellte – am Krieg in Vietnam verdient, und halten Sie es überhaupt für grundsätzlich möglich, daß Kapital jeweils an den Verbrauchsorgien des Krieges sich gesundstößt?« Und da er ein sehr würdiger Herr war, zuckte er nicht zusammen, sagte nur ganz verwundert, daran habe er nie gedacht. Nun wußte ich auch einiges über die Bank und das Verständnis der Bankiers und hatte den Mut, mit meinem Buch anzufangen.

Der Anfang war natürlich falsch. Im August 1967 war ich an der See, am Abend eines Tages sagte ich mir, warum denn nicht jetzt anfangen, und das war der 20. August 1967. Und ich hatte auch schon den Titel: *Jahrestage*. 365 Jahrestage. Ich fing damals mit der Beschreibung jener See an, die ich in New Jersey gesehen hatte, und bekam tatsächlich das erste Kapitel fertig, diesen Montag nach dem Sonntag. Ich dachte mir: am Dienstag schreibst du ein Kapitel über den Montag, am Mittwoch eines über den Dienstag . . . und dann ist ein Jahr vergangen und dann hast du deine 365 Kapitel und dann bist du fertig. Als das 365. Kapitel an der Reihe gewesen wäre, hatte ich bestenfalls 20 geschrieben. Außerdem hatte die Wirklichkeit in ihrer freundlichen Art mich mit einem Schluß versehen, den ich nicht wollte: mit den auffälligen Todesereignissen von J. F. Kennedy bis M. L. King – das hatte ich nicht geplant.

Sie hatte mich versehen mit einer fortlaufenden Demokratisierung des Sozialismus in der ČSSR und einem Interesse der Bank, in der Gesine Cresspahl arbeitete, an der ČSSR als einem Kreditempfänger. Gesine Cresspahl wird als Sachbearbeiterin eingesetzt zur Vorbereitung dieser Anleihe, bis dann für die Bank mit dem Einmarsch der sowjetischen Truppen nichts kaputt ging. Aber für die Tschechoslowaken ging einiges kaputt, denn sie hätten mit einer Milliardenanleihe aus dem kapitalistischen Ausland sehr viel in Ordnung bringen können in ihrer Leichtmetallindustrie, in ihrem Verkehrswesen – sie hatten also etwas verloren. Und diese Gesine Cresspahl, die nun noch einmal eine Arbeit gern getan hätte, weil sie zwar für die Bank war, aber auch für die Verbesserung ihres Sozialismus, an dem sie seit Kindeszeiten hing, sie hatte nun auch etwas verloren, in dem Moment, in dem die Sowjets einmarschierten, woran sie bis zuletzt nicht hatte glauben wollen.

Was ich da als erstes Kapitel schrieb, als erstes für notwendig hielt, das war, wie Mrs. Cresspahl heute in New York mit ihrer Vergangenheit, mit ihrer mecklenburgischen, ostdeutschen, sozialistischen, westdeutschen, kapitalistischen Vergangenheit, lebt.

Es kommt mir darauf an, daß solche Tagesabläufe absurd ausfallen, daß ein Mensch absurd leben muß, wenn er den Tag durchstehen will und dafür Schulgeld bezahlt. Ich bin nicht frei in meiner Entscheidung meiner erfundenen Person gegenüber, denn offenbar habe ich irgendwann den Fehler gemacht, dieser Person eine Bekanntschaft mit einem Herrn Karsch zuzuleiten – anzudichten möchte ich nicht sagen, denn auch dieser Herr Karsch, so gut er erfunden ist, ich kenne ihn. Das ist dieser Kerl, der 1960 aus Deutschland abhaute und jetzt eine Eigentumswohnung hat. Wir haben ihn generalüberholt, so daß er jetzt gleichfalls Professor ist. Außerdem hat er ein Buch über die Mafia geschrieben und ist mit Gesine Cresspahl seit ungefähr 1960 bekannt, und deswegen muß sein Geburtstag in diesem Buch vorkommen. Anders würde mir diese erfundene Gesine sagen, ja entweder kenn ich den, entweder bin ich die liebe Freundin, oder aber du hast da nur etwas beschrieben. Sie drängte mich in diese Geburtstagsfeier herein mitsamt dem Kind, und Sie sehen ja, das Kind wird auch vorkommen, das nimmt sich auch sein Recht. Jetzt könnten Sie sagen, aber das Kind ist doch gar keine Deutsche, hat die das nötig, die sogenannte Ausbeutung in so vollkommen verschönerter Form zu erdulden? Oder: Warum schicken Sie die zwei nicht zurück nach Hause? Ich kann Ihnen eines sagen, das haben mir schon andere wohlmeinend geraten, z. B. Martin Walser. Als er sah, wann das Buch aufhören mußte und womit, da hat er mir gesagt: »Uwe, hol die Gesine nach Hause. Steck sie irgendwo nach Schwäbisch Gmünd in eine Bausparkasse.« Da sagte ich: »Lieber Martin, daran habe ich auch schon gedacht. Aber den schwäbischen Dialekt versteht sie nicht. Sie mag vielleicht italienisch akzentfrei sprechen, englisch oder amerikanisch nur mit einem englischen Akzent, aber weißt du, mit mecklenburgisch dann schwäbisch? Ne!« »Ach«, sagte Walser, »das gibt es nicht. Es sind dort so viele Flüchtlinge.«

»Ja, Martin, das mit den Flüchtlingen wollen wir mal lassen, aber sie hat dort in der Columbia Universität so viel Volkswirtschaft und bei ihrer Bank in New York so viel Tricks gelernt und den Jargon, das wäre alles etwas vergeudet in Schwäbisch Gmünd. Und du hast doch selber die Sache mit der Akkumulation des

Wertes der Arbeitskraft gelernt, nicht wahr? Du willst doch nicht, daß sie das verschwenden soll.«

»Doch, mein lieber Johnson, es muß ja nicht Schwäbisch Gmünd sein, tue sie nach Lübeck.«

»Ja«, sag ich, »das stimmt. Mit dem Dialekt würde es gehen. Aber siehst du, diese Dame hat 1953 ihre Heimat verlassen, das ist noch gar nicht so lange her.

Sie wäre da zu dicht an der Grenze und sie wäre zu dicht in einer sehr, sehr verwandten Sprache. Es käme da eine Art Heimweh hoch. Sie wäre verrückt, wenn sie sich in diesen Taumel der gefährlichen Erinnerungen hineinbegäbe, zu dicht heran ginge an das, was sie da verloren hat, und das ist nicht wenig.«

Daraufhin wurde ich als ein hoffnungsloser Fall aufgegeben, nicht nur von Herrn Martin Walser.

Und ich ließ sie weiterhin in New York. Außerdem hätte sie mir gesagt, »sieh mal, du hast mich zwar erfunden, wie man als Schriftsteller eben eine erfindet, aber als du mir das Kind gabst, spätestens im August 1955, da mußte ich mich zu dem Kind verhalten, so erfunden ich war, das mußte ganz von mir kommen, denn ich bin eine weibliche Person. Da kannst du mich nicht auf männliche Weise herumstoßen. Und wenn du mich dann nach New York versetzt und dafür sorgst, daß dieses Kind Marie die Stadt New York und überhaupt Amerika als einzige und wohlerworbene Heimat betrachtet, dann kannst du von mir nicht verlangen, ich solle zurückgehen nach Düsseldorf und mich dort mit Bankgeschäften befassen, denn du würdest das Kind kaputtmachen. Also mach weiter in New York!«

Also müssen wir in New York bleiben. Ich bin nicht mehr frei.

Norbert Mecklenburg
Leseerfahrungen mit Johnsons »Jahrestagen«

Das Folgende ist ein erfundenes Gespräch. Zufällige Ähnlichkeiten von Meinungen der Gesprächspartner mit solchen aus der Johnson-Kritik sind gewollt.

A: Ein sehr dickes, ein klobiges Werk, diese *Jahrestage* (JT)! Jeder Band für sich ungleich gewichtiger als die schmalen Hefte Prosa, die sich heute schon als Roman vorzustellen lieben [...]. Zweitausend Seiten, eigentlich doch 'n bißchen doll! Wer soll das überhaupt lesen, soll sich durch diesen Wälzer, diesen Schinken durchfressen?

B: Ich hab es getan und habe, wie Sie sehen, überlebt. Im übrigen sind zweitausend Seiten gar nicht so wild. Nehmen wir doch nur ein paar Simmel, einen Stapel Ferienkrimis oder, wenn Ihnen das mehr zusagt, den *Joseph*-Roman von Thomas Mann oder einfach einen Monat lang die sorgfältige Lektüre Ihrer Tageszeitung – so genau, wie Gesine die *New York Times* gelesen hat: Das gäbe jedesmal etwa da JT-Gesamtmaß. Ist das unzumutbar? Wenn ich mich nicht irre, haben doch auch Sie sich an dem Buch versucht.

A: Versucht, gewiß, aber ein bisher unbefriedigender Versuch. Wenn ich dann noch an Johnsons Aufforderung denke, so langsam zu lesen, wie er geschrieben habe –

B: Nun, was die Autoren von ihren Lesern verlangen, wird man nicht immer ganz wörtlich nehmen können. Denken Sie an den Erzähler des *Zauberberg*, der sieben Monate Lektürezeit für zu kurz hält: »Es werden, in Gottes Namen, ja nicht geradezu sieben Jahre sein!« [...]

A: Aber ich frage mich doch, ob sich das Ganze wirklich lohnt.

B: Johnsons Verleger muß sich diese Frage stellen. Ich erinnere mich da, wie verdächtig schnell JT-Bände in den Ramschbuchhandlungen auftauchten ...

A: Sie mißverstehen mich. Ich meine den Gebrauchswert für mich als Leser. Danach darf ich das Buch und den Autor doch befragen, er verlangt ja, wie Johnson selbst nüchtern festgestellt hat, »Geld für was er anbietet«.

B: Einen literaturkritischen Warentest also wünschen Sie sich?

A: Die Literaturkritik lassen wir lieber aus dem Spiel, sie ist ja selbst eine Ware. Und zu JT gab es wieder mal so gegensätzliche Urteile, am Ende war man so klug wie zuvor. Ob wohl die Wissenschaft, die Germanistik –

B: Ach, wissen Sie –

A: Schon gut. Mir fällt noch rechtzeitig ein Satz aus Johnsons Büchner-Preisrede ein: »Vor der germanistischen Methode, die der Verfasser zwar gelernt hat, war ihm am meisten bange« ... Wie wär's, wir tauschten einfach unsere Leseerfahrungen mit JT ein wenig aus? Ich stelle immer wieder fest, daß bei solchen persönlichen Unterhaltungen über Literatur mehr herauskommt, als wenn ich die Feuilletons abgrase.

B: Einverstanden, aber womit fangen wir an?

A: Mein Vorschlag: wir unterhalten uns zunächst einmal über die Schreibweise. Ich muß gestehen, damit habe ich besondere Schwierigkeiten. Da wird so schön genau und sorgfältig erzählt, man möchte Zutrauen fassen und ›mitgehen‹, aber immer wieder kommen einem diese, wie soll ich sagen, Undeutlichkeiten, diese Vertracktheiten, Anspielungen, Unterbrechungen, Einschübe dazwischen, man verliert die Orientierung, verheddert sich, bleibt stecken und weiß noch nicht einmal recht, warum. Muß das sein? Schon der Satzbau –

B: Aha, die berüchtigte Johnsonsche Syntax. Einen Literaten unter den feinen Leuten hat sie vom »Einbruch des Proletentums in die Literatur« sprechen lassen und kommazählenden Literaturoberlehrern die Zensur ›schlechtes Deutsch‹ abgenötigt. Gewiß, auch in JT kommen Sätze vor wie dieser: »In Pommern waren die Zwangsarbeiter gehalten worden als Vieh, das kann sprechen.«

A: Hart und sicher sehr treffend gesagt, aber warum ein Hauptsatz, wo die Grammatik einen Nebensatz verlangt?

B: Ganz recht, Parataxe, Nebenordnung, anstelle von Hypotaxe, Unterordnung der Sätze. Aber hören Sie sich noch einen zweiten Satz an: »Sie war schon so schwach, sie konnte sich nicht mehr wehren« – wieder Parataxe!

A: Das klingt eigentlich ganz normal, ich hätte den Satz selber so aussprechen können.

B: Sie haben es getroffen. Diese Satzform ist typisch für mündliche Rede. In unserer Schriftsprache dagegen hat sich seit dem

Mittelalter, teilweise in Anlehnung ans Lateinische, immer mehr die Hypotaxe durchgesetzt.

A: Eine Art Durchrationalisierung der Sprache –

B: So könnte man sagen. Die Schriftsteller von Luther bis Brecht haben sich gegen dieses Korsett wiederholt zur Wehr gesetzt, und auch Johnson scheint, indem er sich an mündliche Ausdrucksweise anlehnt, eine größere Unmittelbarkeit anzustreben. Gleichzeitig überzieht er aber wie in dem ersten Beispiel, das ich nannte, das parataktische Prinzip, um zu zeigen, daß er nicht einfach die mündliche Umgangssprache kopiert –

A: Was einem literarischen Kunstwerk auch schlecht anstünde, dafür haben wir schließlich Tonbandgeräte.

B: – sondern eine literarische Kunstsprache schreibt, die bestimmte, genau kalkulierte Effekte hervorbringt. Man könnte sagen, die Kunstsprache ›verfremdet‹ die gesprochene Sprache. Hinzu kommt ein weiterer Punkt. Die Parataxe in JT ist oft asyndetisch, d.h., sie spart die Konjunktionen, die Bindewörter, aus, ohne die Nebensätze nicht auskommen.

A: Es wird also ein Service, der uns die normale Schreibsprache so bequem macht, eingestellt, aber wozu?

B: Um den Leser aufmerksamer zu machen. Er muß langsamer, weniger oberflächlich, genauer lesen, wenn er solchen ungewohnten logischen ›Leerstellen‹ im Text begegnet.

A: Das wäre eine Erklärung für mein häufiges Steckenbleiben bei der Lektüre, ein gewollter Pauseneffekt? Ob Sie ein Beispiel dafür bringen könnten?

B: Nehmen Sie einen Satz, der für den fast vertrackt konzentrierten Satzbau Johnsons typisch ist. Cresspahl hat Bedenken, den windigen Fritz Schenk dem russischen Kommandanten als Polizisten vorzuschlagen: »Er traute seiner Abneigung gegen den Kerl nicht, er sagte gut für ihn bei Pontij.« Hier wird ein komplizierter logischer und zugleich psychologisch-moralischer Zusammenhang in scheinbar simpler Reihung ausgedrückt. Man muß den Satz genau lesen, um ihn zu ›normalisieren‹: Er hatte *zwar* eine Abneigung gegen den Kerl. – er traute ihm nicht –, *aber* dieser Abneigung ›traute‹ er *gleichfalls* nicht – er stellte sie selbstkritisch in Frage –, und *darum* sagte er *dennoch* für ihn gut.

A: Ein einleuchtendes Beispiel. Man könnte, derart genau ›zwischen den Zeilen‹ lesend, das dicke Buch am Ende wortkarg nennen, lakonisch…

B: Hören Sie ein letztes, sehr lakonisches und bitteres Beispiel, das Ihnen zeigt, wie genau und ernst dieses Buch stilistisch gearbeitet ist und wie die bekrittelte Parataxe bei Johnson nicht weniger, sondern mehr Formung als die normale Schreib- oder Sprechweise bedeutet: »In der Eröffnungsrede sollte er die Rote Armee als Bringerin wahrer Menschheitskultur begrüßen, seiner Frau waren einundzwanzig Rotarmisten mit Waffengewalt über den Leib gegangen.«

A: Die Sache mit Johnsons Satzbau hat uns etwas abgebracht von meinen Leseschwierigkeiten, die eigentlich mehr die ganze Erzählweise betreffen, die Art, nicht wie einzelne Sätze, sondern ganze Abschnitte und Kapitel zusammengefügt sind. Aber merkwürdig, nach Ihren nützlichen Hinweisen zur Parataxe geht mir durch den Kopf, ob man nicht auch Johnsons Erzählweise ›parataktisch‹ nennen könnte.

B: Wie meinen Sie das?

A: Nun, das Erzählte ist doch normalerweise vom Erzählenden bestimmt, die Perspektive einer Figur ist sozusagen der Perspektive des Erzählers ›hypotaktisch‹ untergeordnet. Prüfen Sie einmal diese von mir erdachte Satzfolge: »Cresspahl kam nach Jerichow. Jerichow war sehr klein.«

B: Eine perspektivische ›Leerstelle‹ zwischen beiden Sätzen, würde ich meinen. Man weiß nicht, ob der Erzähler oder Cresspahl die Stadt für klein ansieht. Eindeutiger wäre: »Cresspahl kam nach Jerichow und sah, daß Jerichow sehr klein war.«

A: Bestens. Bei dieser Umformung verschwindet die Unbestimmtheit. Die grammatische Unterordnung spiegelt die Unterordnung der Perspektiven wider. So wird, denke ich, normalerweise erzählt. Ich behaupte nun, daß Johnson als Erzähler diese Normalform ›parataktisch‹ auflöst. Bei ihm hieße die Satzfolge: »Jerichow war sehr klein. Das sah Cresspahl, als er dorthin kam.«

B: Eine merkwürdige Form: die Figurenperspektive wird zunächst ›versteckt‹ und erst später nachgeliefert. Kommt denn so eine Satzfolge in JT vor?

A: Natürlich keine *Satz*folge – die Syntax haben wir ja hinter uns –, sondern eine Erzählfolge. Der Abschnitt über Cresspahls ersten Besuch in Jerichow – er füllt das Kapitel zum 28. August – ist genau nach diesem Muster gebaut. Es beginnt wie eine ›neutrale‹ Beschreibung: »Jerichow zu Anfang der dreißiger Jahre war eine der kleinsten Städte in Mecklenburg-Schwerin.«

B: Klingt ein bißchen biblisch übrigens : »Und du, Bethlehem, die kleinste unter den Städten in Juda...«

A: Ach, lassen wir das lieber! Johnson und die Bibel, Brecht und die Bibel, Goethe und die Bibel – da wittert eine gewisse fromme Firma zu schnell Morgenluft. Was ich zeigen möchte: die scheinbar neutrale Beschreibung aus der Sicht eines gut informierten Erzählers entpuppt sich mittendrin plötzlich als die Sicht Cresspahls. »Cresspahl kam von Süden, auf der Gneezer Chaussee, und fuhr über die Hauptstraße am Marktplatz vorbei heraus aus Jerichow, denn er fing nun an, die Stadt zu erwarten. Da war die Stadt zu Ende, bis zur See lagen Felder.«

B: Ein Irrtum, der die Kleinheit Jerichows witzig unterstreicht. Aber worauf Sie offenbar hinauswollen: Der ›neutrale‹ Einsatz gibt der Stadtbeschreibung erst mal ein Eigengewicht und läßt danach die Perspektive der Figur desto schärfer hervortreten, ihr folgend, müßte man eigentlich die Beschreibung gleich noch einmal lesen. Dieser Pausen- oder Unterbrechungseffekt ist es wohl, der Ihnen beim Lesen zu schaffen macht?

A: So ist es. Aber indem ich Ihnen hier über meine Leseerfahrung, Leseschwierigkeit Auskunft gebe, merke ich, daß wohl eine ganz respektable Absicht des Autors dahintersteckt: Dieses ›parataktische‹ Erzählen, die Auflockerung und Veränderung der gewohnten erzählerischen Ordnung, die erhöhte Selbständigkeit der Teile, bewirkt so etwas wie ›Trennschärfe‹ und damit genauere Wahrnehmung. Das kostet leider mehr Anstrengung, aber vielleicht muß man dem Buch JT diese Vorgabe machen, um etwas von ihm zu haben.

B: Ich sehe, Sie schicken sich an, Ihr mürrisches Urteil von vorhin zu revidieren. Ihre Formulierung ›parataktisches Erzählen‹ bezeichnet, glaube ich, eine Eigenart moderner Epik. Döblin hat mal gesagt: »Wenn ein Roman nicht wie ein Regenwurm in zehn Stücke geschnitten werden kann und jeder Teil bewegt sich selbst, dann taugt er nichts.« Das trifft ziemlich genau ins Zentrum von Johnsons Stil. Ich denke da nicht nur an sein Mißtrauen gegen Nebensatz wie Nebenfigur, sondern vor allem daran, wie in JT die beiden Ebenen ›New York‹ und ›Jerichow‹ miteinander verknüpft sind. Wir kämen damit von den erzählerischen Feinheiten, der Mikrostruktur, zur Makrostruktur, der Anlage des Ganzen.

A: Das ist noch so ein wunder Punkt meiner JT-Lektüre. Dieses ständige, ich möchte sagen: ruckartige Hin und Her zwischen

Gesines und Maries Alltag in der amerikanischen Weltmetropole und den Geschichten von Heinrich Cresspahl und seiner Verwandtschaft in jenem Winkel von Merry Old Mecklenburg –

B: ›Merry‹ paßt wohl nicht ganz, doch darüber könnten wir noch reden.

A: Das will ich hoffen. Ich muß Ihnen aber ein Geständnis machen: Dieses Zusammengeschnibbelte in jedem Kapitel hat mich beim Lesen derart irritiert und ungeduldig gemacht, daß ich mir nach den ersten hundert Seiten die Jerichow-Abschnitte durch den ganzen ersten Band hindurch mit einem roten Markierungsstrich am Rand herausgesucht und dann, ohne den New Yorker Tagebuchballast, in einem Zug durchgelesen habe. Sie werden mich jetzt für einen hoffnungslosen Fall als JT-Leser halten.

B: Durchaus nicht. Warum mit dem Text nicht nach Belieben hantieren und experimentieren? Auch das gehört zur »Unabhängigkeit« des Lesers, die Johnson selber wünscht. Aber Ihnen sind bei Ihrem Experiment einer sozusagen eingleisigen Lektüre natürlich nicht nur die New-York-Abschnitte entgangen, sondern auch die Effekte, die der Verzahnung beider Ebenen entspringen.

A: Was sollen das für Effekte sein, nach denen der Erzähler oder, besser: der Monteur von JT hier wohl hascht? Mir kommen diese ›Montagen‹ reichlich künstlich vor.

B: Das hieße, ein Kunstwerk soll ›natürlich‹, ›organisch‹ sein oder zumindest wirken, nicht wahr? Entwerfen, konstruieren und montieren muß man es wohl, es wächst ja nicht durch Begießen wie eine Pflanze, das werden auch Sie zugestehen, jede Satzfolge hat ihre Konstruktion, auch eine parataktische, und erst recht ›natürlich‹ ein großräumiger epischer Bau, auf dem sehr viel Erzählmaterie ruht. Aber – so verstehe ich Ihr Unbehagen – kann der Künstler die ›Montagestellen‹ nicht wenigstens zudecken?

A: Zudecken soll er gar nichts. Das klingt mir doch zu sehr nach Fassade, Illusion.

B: Mit andern Worten: nach dem altmodischen Realismus-Muff von Otto Ludwig bis Georg Lukács –

A: Das ist mir zu fachgesimpelt. Ich meine einfach: Das Umschalten zwischen New York und Jerichow erscheint mir zu gewollt, zu wenig notwendig.

B: Das Künstliche ist nicht kunstvoll genug? Aber denken Sie einmal an die vom Erzähler, filmisch ausgedrückt: ineinandergeschnittenen Landschaften, etwa wenn Gesine aus ihrer New Yor-

ker Wohnung auf den nebligen Hudson River sieht, der ihr plötzlich wie ein verhangener mecklenburgischer Binnensee erscheint,
oder wenn der großstädtische Schmutzdunst das Gedränge der
Häuser auf einmal verwandelt in »eine weiche schwingende Landschaft, Waldwiesen und Durchblicke auf einen Bischofsmützenturm«. Es ist der Jerichower Kirchturm, wie der aufmerksame
Leser seit jener ersten Beschreibung des Städtchens weiß, über die
wir uns vorhin unterhielten. Zum 28. September – lesen Sie das
einmal nach! – notiert Gesine eine Landschaftsvision, eine von
Glas und Marmor ihres Bankfoyers hervorgezauberte Gegenwelt,
weißliches Seelicht und Segelboote – wieder eine erschaute und
zugleich verstellte Gegend, diesmal versehen mit einem »scharfen
Rand von Gefahr und Unglück«. Dieses kurze Kapitel übt auf
mich eine große Anmutung aus, das darf ich wohl kunstvoll nennen. Künstlich ist es nicht, denn die Montage der beiden Welten
hat ja ihren Ursprung in der Figur, dem augenblickhaft halluzina-
torischen Blick Gesines. So ist es an vielen Stellen. Musikalisch
ausgedrückt: ›Engführungen‹, kontrapunktische Arrangements
des Erzählers, die als solche kenntlich bleiben, also nicht ›zuge-
deckt‹ werden, auch wenn sie aus der Perspektive der Figur motiviert sind.

A: Sie engagieren sich sehr für diesen Stilzug von Johnsons
Buch. Ich bleibe indessen dabei: die New Yorker South Ferry und
der Bäderdampfer nach Travemünde, die Morgensonne am Riverside Drive und am Ziegeleiweg – solche Anschlußstellen behalten
für mich, mit Verlaub, etwas von Eselsbrücken.

B: Wie es Ihnen beliebt. Sie bringen sich durch diese Abwehr
allerdings meiner Leseerfahrung nach um ein gut Teil der ästhetischen Unterhaltung, die von der ›parataktischen‹ Form der JT
ausgeht.

A: Aber diese Form kommt mir gar nicht so ästhetisch vor.
Überwiegt nicht das Chronikalische, das Enzyklopädische, Stati-
stische, Tabellarische oft das eigentlich Erzählerische? Ich denke
da an das unablässige Zitieren aus der *New York Times,* aber auch
an gewisse Kataloge von mecklenburgischen Gewässern oder Ei-
senbahnstationen. Wer in aller Welt will wissen, in welchen Seen
Gesine im Lauf ihres Lebens gebadet hat?

B: Sie spielen auf das Kapitel vom 20. April an, das den dritten
Band eröffnet. Sie finden es unpoetisch, ich besonders poetisch.
Wat den een' sin Uhl, is den annern sin Nachtigall, auf hoch-

deutsch: Ihr ›eigentlich Erzählerisches‹ gibt es nicht. Übrigens gehört, was Sie das ›Tabellarische‹ zu nennen belieben, zum ureigenen Bestand der Epik. Lesen Sie mal den langen Schiffskatalog im zweiten Gesang der *Ilias* nach oder auch den kurzen zu Beginn des fünften Buches von Döblins *Wallenstein*! Solche Aufreihungen haben ihre eigene Poesie, sie haben zugleich ihre genaue erzählerische Funktion.

A: Die wüßte ich für das Seenregister ganz gern. Es ist doch eigentlich nur ein Gag: Gesine und Marie schwimmen im Patton Lake, einem Kunstsee im Norden des Staates New York, und die amerikanisierte, rekordsüchtige Marie möchte wissen, wieviel Seen ihre Mutter schon »gemacht« hat. Soweit ganz nett. Aber warum muß die nun zwischen ihren Schwimmzügen die halbe mecklenburgische Seenplatte herbeten, vom Dassower, Cramoner, Schweriner, Goldberger, Plauer See bis zur Müritz?

B: Sie unterschätzen die Zahl der Seen in Gesines Heimat gewaltig. Die winzige Auswahl, die sie nennt, ruft bei mir zwar jene ganze Landschaft hervor – das macht schon die Poesie der Namen –, aber vor allem kontert Gesine doch die sportlich gemeinte Frage ihrer Tochter mit einem indirekten biographischen Bekenntnis, das außer Seennamen auch etliche Personennamen und Zeitangaben enthält: das Seenregister als konzentrierte Lebensgeschichte. Für uns Leser – das wäre eine dritte Funktion – springt dabei eine sachliche und zugleich atmosphärisch dichte Rekapitulation heraus. Ein gelungenes Präludium zum dritten Band von JT, möchte ich meinen.

A: Ich merke schon, ich muß, Ihren Winken folgend, einzelne Kapitel, vielleicht auch mehr, in Ruhe noch einmal lesen. Aber bei den langwierigen *New-York-Times*-Passagen, fürchte ich, wird das wenig fruchten. Das sind doch gezwungene Pflichtübungen, um Politik, Gegenwart, ›Welt‹ mit Gewalt in die Cresspahlsche Familiensaga hineinzubekommen und um der Forderung nach ›Modernität‹ zu genügen. Denn seit Dos Passos' *Manhattan Transfer* geht es ohne eine ›Zeitungs-Collage‹ ja wohl nicht mehr ab bei einem modernen ›Großstadtroman‹. Der etwas herbeigeholte Vergleich der *New York Times* mit einer alten Tante macht die Sache auch nicht schmackhafter.

B: Was die Tante betrifft, so hat sie eine ältere, 1934 verstorbene Verwandte in Berlin gehabt, die im Volksmund und also auch bei Fritz Reuter oder Fontane »Tante Voß« genannt wurde, die einst berühmte *Vossische Zeitung,* Berlins älteste, stolz auf Redakteurs-namen wie Lessing, seriös, liberal und ein wenig besserwisse-risch...

A: Interessant, den Hinweis hab ich in der Kritik nirgendwo gefunden.

B: Was aber die sogenannte ›Collage‹ betrifft, so läßt sich doch nicht übersehen, daß sie nicht einer abstrakten Formforderung entspricht, sondern – daran hat Johnson gegenüber hartnäckigen Interviewern ebenso hartnäckig festgehalten – aus der Situation Gesines motiviert wird. Ihr Angestelltenleben im nicht heimat-lichen New York, eine doppelte Fremdheit also, zwingt sie zum sorgfältigen Zeitunglesen, wenn sie dem Anspruch, den sie an sich selbst stellt, gerecht werden will: wenigstens »Bescheid zu ler-nen«, »mit Kenntnis zu leben«, wenn schon aktives Eingreifen verstellt ist.

A: Zeitungslektüre als Ersatz für politisches Handeln? Eine zweifelhafte Empfehlung.

B: Ich wäre froh, wenn mehr Leute ihre Zeitung so genau, so aufmerksam zu lesen verstünden wie Gesine.

A: Da wäre in JT also eine Art Lehrgang für kritischen Medien-konsum verpackt. Aber sind die Lehrgangsmaterialien heute, mehr als zehn Jahre später, nicht schon leicht angestaubt? Der Vietnamkrieg – der Hauptstoff – ist doch zum Glück beendet und somit als zeithistorisches Gleichnis veraltet.

B: Die napalmverbrannten Krüppel laufen, soweit ich weiß, nicht in Gestalt von Gleichnissen in unserer Welt herum...

A: Sie mögen recht haben, es gibt wohl zeithistorische Fakten, die nicht veralten, nicht veralten *dürfen,* ich denke sofort an das furchtbare deutsche Gegegenstück zu Vietnam: Auschwitz. Mein Respekt vor JT gilt vor allem der schwierigen Unternehmung, ei-nen Roman zu schreiben, also ›Geschichten‹ zu erzählen, ohne an Auschwitz, an der Geschichte, vorbeizuschreiben. Da ist die uner-hört präzise erzählerische Rekonstruktion deutscher Sozialge-schichte anhand der Papenbrock-Cresspahl-Sippe, da ist das Thema der Schuld, das Privates und Politisches unauflöslich ver-schränkt: Gesine ›erbt‹ ja in gewisser Weise den Schuldkomplex ihrer tragisch ums Leben gekommenen Mutter Lisbeth. Und da ist vor allem das Schicksal der Juden, exemplarisch dargestellt an den Semigs, den Tannebaums, auch den Ferwalters in New York.

B: »Es gilt für die Welt und wohl auch für etwas mehr als die

Hälfte der deutschen Bevölkerung als erwiesen, daß der Krieg von Deutschland verschuldet ist und daß seine Führer freiwillig gewählt wurden zu einem Zeitpunkt, als sie ihre sämtlichen Ziele bereits ausgesprochen hatten«, auch dasjenige des Völkermords an den Juden also. Johnson hält diese Einsicht für eine, die er »unter die Leute zu bringen« habe. Solches schriftstellerische Programm – darin stimmen wir beide offenbar einmal überein – kann man gar nicht hoch genug schätzen. Ich denke an meine eigene Lektüre der *Frankfurter Rundschau* – sie ist sicher, verglichen mit der stattlichen Dame *New York Times,* ein dürftiges Persönchen –, immer wieder bringt sie, fast widerwillig, Meldungen über nazistische und neonazistische Aktivitäten...

A: Hätte Johnson nicht auf 1967/68, sondern zehn Jahre später Gesines politisches Tagebuch datiert, er wäre wohl kaum an Herrn Filbinger und den öffentlichen Herren vorbeigekommen, die nicht seine Todesurteile im Dienst des Hitler-Staates störend fanden, nur: daß er sie so schlecht leugnen konnte.

B: Das wäre ein ebenso interessantes wie trauriges Spiel: auszudenken, was wohl an Politik in einem Buch JT 1979/80 vorkommen würde. Aber bleiben wir doch bei den alten, wie ich meine: *nicht* veralteten JTn: Da wird ja nicht nur deutsche Vergangenheit und Gegenwart – diese in zwei Staaten! – behandelt, sondern die ganze weltpolitische Grundkonstellation, hie Kapitalismus, dort Kommunismus. Und am Horizont der Romanhandlung der politische ›Prager Frühling‹.

A: Genau hier aber setzen bei mir auch wieder Bedenken ein. Wird nicht die ›deutsche Schuld‹ abgeschwächt, relativiert, indem ihr, mit Vietnam, die amerikanische an die Seite gestellt wird? Kommt nicht im Panorama der Meldungen zu beiden weltpolitischen ›Lagern‹ eine fatale Neutralität und Unparteilichkeit zum Ausdruck, die sich mit epischer Totalität, Objektivität und ›Gelassenheit‹ verwechselt? Die Kehrseite solcher ›Ausgewogenheit‹ zeigt sich dann dort, wo dem aufgebahrten toten »Agitator« Che Guevara die ebenfalls ausgestellte Leiche des Vietnamkriegs-Freundes Kardinal Spellman konfrontiert wird. Und suggeriert nicht der böse Terminplan des Romans – letzter ›Jahrestag‹: der Tag der Okkupation Prags durch Sowjetpanzer – dem Leser, daß die Sache mit dem Sozialismus, für die Gesine sich zuletzt doch noch handelnd, nicht nur beobachtend engagiert, schiefgehen muß angesichts der herrschenden weltpolitischen Verhältnisse?

Kurz: ist das ganze Buch nicht eine Anweisung zur Resignation?

B: Eine Anweisung zum seligen Leben werden Sie von einem Mann, der so nüchtern und wirklichkeitsnah denkt wie Johnson, schwerlich erwarten.

A: Vorsicht, aus *Mutmassungen über Jakob* habe ich ein paar Signale in dieser Richtung noch herausgehört.

B: Sie meinen die etwas zu heile Welt von Jakobs sozialistischem Arbeitsalltag? Fahren durch sie nicht am Ende die Militärzüge gegen den Ungarn-Aufstand, der auch im Zeichen eines ›menschlichen Sozialismus‹ stand, tödlich hindurch?

A: Zugegeben. Im Jakob-Roman steckt aber dennoch, ästhetisch-sinnlich gestaltet, etwas von ›konkreter Utopie‹, von Aufhebung der gesellschaftlichen Entfremdung und Verdinglichung. JT dagegen, angetrieben vom Prinzip durchgehender politisch-ideologischer Neutralisierung, frönt einem sentimental-nostalgischen Antikapitalismus, der jede Parteinahme verlernt zu haben scheint.

B: Ich staune über diese, pardon, salonmarxistischen Töne aus Ihrem Munde. Wo haben Sie denn das aufgeschnappt? Aber es ist was dran, ich müßte darüber mal nachdenken. Etwas unheimlich ist mir die ›Botschaft‹ des Buches ja selber. Ich fühle mich an die ›negative‹ Gesellschaftskritik Adornos, seinen traurig-bösen Blick auf das ›universale Unheil‹ erinnert, der immer nur zu sagen schien: »*So* geht's nicht – und *so* auch nicht – Scheiße!«

A: Das nenne ich wahrhaft nicht salonmäßig geredet! Adorno würde sich im Grabe umdrehen. Doch ich möchte Ihnen meinerseits einen Schritt entgegenkommen. Die Anordnung der Stoffe und Themen in JT, die Konfrontation, Parallelführung und Verflechtung von Individuum und Gesellschaft, Vergangenheit und Gegenwart, Kapitalismus und Kommunismus – das alles birgt eine erhebliche politisch-aufklärerische Brisanz und beläßt den Standort des Erzählers nicht ganz in bequemer Neutralität. Das Gedankenexperiment des Romans wird wie das Lebensexperiment der Gesine Cresspahl von der Frage nach einem richtigen – wenn schon nicht ›seligen‹ – Leben geleitet. Ihr Stichwort heißt Sozialismus, aber was für einer?

B: Sicher nicht der Hobby-Sozialismus eines D. E., der eine bloß theoretische Übung bleibt. Derjenige Gesines ist sozusagen ein existentieller: ernsthaft suchend, nicht unter Ausschluß des Gefühls, biographisch verankert.

A: Das hat sie mit ihrem Vater gemeinsam, dem der Sozialismus im Lauf seiner Verstrickung in die deutsche Geschichte als politische Praxis verlorenging und nur noch als ›innere‹ Haltung übrigbleibt. Sie ist eine »Linke ohne Heimat« und darin wohl auch mit ihrem Autor verwandt: bei aller Übereinstimmung in Grundpositionen mit Engagierten wie den Berliner Studenten von 1968 oder gewissen etwas zu vorlaut politisierenden Schriftstellerkollegen doch auf – gelegentlich recht bissige – Distanz gehend, am Ende gar ›freischwebend‹...

B: Ich möchte, angesichts der heutigen Situation – Linke wie Rudolf Bahro drüben hinausgeworfen, hüben wie Jochen Steffen oder Heinz Brandt im politischen Abseits –, von Überwintern sprechen, also Rückzug in zähen, alltäglichen Kampf um Erhaltung persönlicher Integrität als Bedingung für ein Weiterleben des unverkürzten gesellschaftskritischen Gedankens. Johnsons Engagement ist nicht als Plakat verwendbar und doch eindeutig.

A: Aber etwas sibyllinisch, finde ich. In seiner Büchner-Preisrede hat er seine Absage an politische Praxis damit begründet, daß er »im gegenwärtigen Zeitpunkt jede revolutionäre Bewegung als eine vergebliche Unternehmung betrachtet und nicht die Verblendung derer teilt, welche in den Deutschen ein zum Kampf für sein Recht bereites Volk sehen«.

B: Sie haben es leider ebensowenig erkannt wie die Leute, die in den Feuilletons darüber berichteten: Johnsons ›sibyllinischer‹ Spruch ist ein wörtliches Zitat aus einem Brief Georg Büchners. Lesen Sie einmal den ganzen Brief, er ist an die Eltern gerichtet und vom 5. April 1833 datiert! Sie werden sehen, daß Johnson sich mit dieser Anspielung in eine Tradition radikalen gesellschaftskritischen Denkens stellt, die er auch sonst nirgendwo verleugnet. Diesem Denken ist es, wie Gesine, selbstverständlich, Baran/Sweezy zu kennen oder »Hungersnot« durch »Ausbeutung« zu ersetzen. Woher, schätzen Sie, kommt Gesines Formel für ihr abhängig Beschäftigtsein: »Abwesenheit in Arbeit«?

A: »Der Arbeiter fühlt sich erst außer der Arbeit bei sich und in der Arbeit außer sich. Zu Hause ist er, wenn er nicht arbeitet, und wenn er arbeitet, ist er nicht zu Hause.« Marx, Pariser Manuskripte 1844. – Seinen Marx wird der in der DDR aufgewachsene Johnson wohl kennen.

B: *Seinen* Marx, ganz recht. Denken Sie daran, Johnson hat in Leipzig studiert, als dort Ernst Bloch und Hans Mayer lehrten!

A: Die antistalinistische Opposition in der jungen DDR, die emanzipatorische Anthropologie des frühen Marx und die ›konkrete Utopie‹ von Johnsons erstveröffentlichtem Roman – das paßt ganz gut zusammen.

B: Sie leiden wohl unter einer Fixierung ans Blütenfrühe. Es ist aber ungerecht und kurzschlüssig, den Jakob-Roman zur absoluten Norm über das reife Werk JT zu erheben. Sie kennen das Wort: »Ein Mann kann nicht wieder zum Kinde werden, oder er wird kindisch.«

A: Und doch kann zuweilen das Frühe – es muß ja nicht gerade kindlich sein, Johnson war 1960 immerhin schon älter, als Büchner je geworden ist – in gewisser Beziehung als Norm und unerreichtes Muster gelten.

B: Bleiben Sie meinetwegen dabei und verstellen sich damit weiterhin eine produktive Lektüre von JT! Ich für meinen Teil halte mich an den erfahrenen Sozialismus, wie ihn Maxim Gorki und Oskar Maria Graf »auf den Rücken geprügelt« bekamen. Der ist auch in JT überall zu spüren. »In Mecklenburg habe ich gelernt«, – sagte Johnson kürzlich – »daß man als Kind schlicht vermietet werden kann, und ich bin dankbar für diese Lehre.«

A: Mecklenburg – da ist das Stichwort für einen Komplex, an dem Sie sich in unserm Gespräch, scheint mir, bisher vorbeigedrückt haben. Man könnte statt dessen auch Provinz sagen.

B: Sie entlocken mir ein persönliches Bekenntnis. Einer der Gründe, warum ich dieses Buch so … goutiere, ist meine eigene Herkunft aus der Provinz. Ich bin zwar ein großes Stück weiter östlich als Johnson zur Welt gekommen und ein kleines Stück westlich von »Jerichow« aufgewachsen, aber sozusagen vom selben Breitengrad, mit einem Wort: ein Kind der norddeutschen Tiefebene.

A: Aha, die Freude des Wiedererkennens: die meist nur ›kabbelige‹ Ferien-Ostsee hinter Weizenfeldern, die Möwenversammlungen in Lee der Schornsteine, pelzige, im Wind geduckte Strohdächer, Backsteingotik, die breite niederdeutsche Sprache und ihre Sprüche …

B: Auch das, aber nicht nur. Ungezählte Male bin ich durch die Holsteinische Schweiz gefahren – ich bedaure, daß sie Gesine und Marie 1964 von einem Busfahrer so schlecht verkauft wurde –, oft mit dem Zug nach Lübeck. Da wohnte seit der Flucht mein Großvater, seine zweite Frau war aus Mecklenburg. Sie wohnten in der

Johannisstraße, die hieß dann plötzlich Dr.-Julius-Leber-Straße, ich konnte als Kind mit dem Namen nichts anfangen. Großeltern und Eltern gaben mir keine Auskunft. Eine Altstadtstraße mit Spitzweg-Idyllik, Cresspahl wurde März 1933 auf ihr in eine Schlägerei mit Nazis verwickelt.

A: Nachhilfe für versäumte Lektionen in regionaler Zeitgeschichte, Johnsons Roman leistet sie zuverlässig, das will ich Ihnen glauben.

B: In Niendorf an der Ostsee, nahe Travemünde, wo Cresspahl 1931 seine Frau zum ersten Mal sieht, war ich als Kind eine Zeitlang in einem Heim. Von der Steilküste aus konnte man rechts das Stück Mecklenburg sehen, auf dem »Jerichow« liegt, und links die Bucht von Neustadt.

A: Das Neustadt, das Kay Hoffs Roman *Bödelstedt oder Würstchen bürgerlich* als trauriges Vorbild gedient hat?

B: Ebendas. Dichtbei liegt Pelzerhaken. ich wußte nicht, daß dort ein Denkmal steht für die 7300 KZ-Häftlinge auf drei Gefangenenschiffen, die am 3. Mai 1945 von den Briten in den Tod gebombt wurden in der »sonnenklaren« Lübecker Buch, »bei vergleichbar angenehmem Wetter«.

A: Woran erinnert mich nur diese bitter ironische Wetterangabe? Ich hab's: »Das Leben im Stadion ist bei sonnigem Wetter recht angenehm« – der berüchtigte Ausspruch eines CDU-Generalsekretärs über politische Gefangene im Stadion von Santiago de Chile. Das wurde übrigens, wenn ich mich recht entsinne, nicht früher als der dritte Band von JT veröffentlicht.

B: Die Opfer stammten aus dem KZ Neuengamme bei Hamburg, ich kannte den Namen nur für das ›Internierungslager‹, in das mein Vater nach seiner Rückkehr aus dem Krieg kam. Da habe ihm einer mal Brot geklaut, der war dann im Gymnasium ein Lehrer von mir.

A: Man wird es dem Buch positiv anrechnen müssen, daß es, wie Sie eben demonstriert haben, offenbar ›Anschlußstellen‹ bietet, die einen Leser dazu einladen, seine eigene Erfahrung mit der im Roman aufgehobenen in Kontakt zu bringen. Aber fällt das einem Norddeutschen, einem Mecklenburger zumal, nicht leichter als anderen, weil der Roman so stark von dieser Landschaft geprägt ist?

B: Es gibt in JT ja wohl noch eine Reihe von weiteren Landschaften, das Buch ist kein Heimatroman. Als Ansichtskarte kommt

Landschaft nur in den Kommentaren jenes schon erwähnten Busfahrers vor, sonst wird sie immer gezeigt in ihrer geschichtlichsozialen Prägung. Und was die Mecklenburger betrifft, die beschweren sich bei Johnson eher, daß Jerichow nicht Klütz heißt.

A: Und Rande nicht Boltenhagen und Gneez nicht Grevesmühlen usw. Ich habe mir die Topographie mal auf einer Karte angesehen. Den Dassower See, in dem Gesine wegen der Zonengrenze nie hat baden können – sonst hätte sie noch einen mehr auf der Liste –, habe ich südlich von Travemünde gefunden, den Namen Pelzerhaken ganz oben, jenseits der Lübecker Bucht, nahe bei Klütz, einen Ort Bothmer. Auf den Namen fällt in JT einmal ein gutes Licht: 1945 öffnete sein Schloß für Typhuskranke und starb selbst dabei ein Hans Kaspar von Bothmer.

B: So hieß einer, mit dem saß ich zusammen im Konfirmandenunterricht. – Im übrigen aber bekommt doch die ganze stockreaktionäre Adelsbande der Bülows, Plessens, Maltzahns, Bobziens und Rammins, Lüsewitz und Lassewitz ihr Fett ab. Mit ihrem »Old Mecklenburg for ever«, ihrem festen Glauben daran, daß unser Herrgott bei der Erschaffung der Welt mit Mecklenburg angefangen, auch wohl das Paradies dort lokalisiert habe, sowie mit ihrem 1. Verfassungsgrundsatz: »Dat bliwt allns so as dat is«, war ja sie verantwortlich für die besondere »Verspätung der mecklenburgischen Seele« inmitten einer ohnehin ›verspäteten Nation‹.

A: Ich weiß, Bismarck wollte bei einem Weltuntergang nach Mecklenburg übersiedeln, dort treffe alles dreihundert Jahre später ein. Den Ausspruch wird sich auch Johnson nicht haben entgehen lassen.

B: Sie vermuten richtig. Doch schon Fontane nannte in seinen sonst wenig, wohl aber der fleißigen Studentin Gesine gut bekannten Aufzeichnungen zu Schopenhauer Mecklenburg die »komische Figur« in Europa.

A: Lohnt es sich eigentlich, solche Mecklenburgensia auszubreiten, anstatt sie, wie z. B. Wossidlos *Mecklenburgische Volksüberlieferung*, in Gesines und D. E.s Glasschrank verwahrt zu lassen?

B: Es lohnt sich schon. Denn Johnson selbst hat den Glasschrank aufgemacht und eine ganze Reihe von plattdeutschen Sprüchen aus dem ›Wossidlo‹ benutzt, und zwar erzählerisch sehr geschickt. Die Sprüche, wo es heißt »sä de Jung«, findet Gesine immer am schönsten, ein Beispiel, das Johnson nicht verwendet: »Wat is de Welt grot, sä de Jung, hinner Crivitz sünd ok noch Hüser!« So mochte es Louise Papenbrock während der Crivitzer Gutspächterzeit, mit einem Ohr von oben herab, gehört haben. Sobald der Schlußband vorliegt – ich habe eine Lesung Johnsons gehört –, nehmen Sie sich unbedingt einmal das Kapitel über Cresspahls Kindheit ganz am Ende vor! Es ist voll solcher Sprüche und eins der schönsten in JT.* Ich höre den niederdeutschen Grundbaß aus der sprachlichen Polyphonie des Werkes überall heraus. Und man sollte z. B. für die Formel »Cresspahls Tochter« nicht sofort einen Vater-Komplex bemühen. Das ist zunächst einmal Mecklenburger O-Ton. Meine Großmutter hatte Freundinnen, die hießen immer nur »Beckmanns Töchter« – gesprochen: Beekmanns Töchte –, Freud hat sie mit Sicherheit nicht gekannt.

A: Johnson ein literarischer Regionalist, ein Heimatkünstler also doch, wenn auch vermutlich eher in der würdigen Tradition von Fritz Reuter als in der zweifelhaften geistigen Nachbarschaft der Grise und Blunck, die in Gesines Kindheit ihre hohe Zeit hatten.

B: Ihren Reuter kennen Gesine und die Ihren selbstverständlich, sie unterhalten sich gelegentlich in den dummen Sprüchen von Jung-Jochen aus der *Stromtid*. Und Johnson selbst, ehemaliger Schüler einer John-Brinckman-Oberschule in Güstrow, muß auch das Werk ihres Namensgebers, des Rostocker Kollegen und Konkurrenten Fritz Reuters, genau angesehen haben. Brinckman war ein ›Amerikafahrer‹ wie Gesine und Johnson, doch weniger zufrieden mit der Neuen Welt als der bei uns im Norden einst beliebte *Jürnjakob Swehn* von Johannes Gillhoff. Er warnte 1855 in einer gereimten *Fastelabendspredigt för Johann, de nah Amerika fuhrt will* vor der Auswanderung aus dem junkerlichen Mecklenburg und predigte dagegen das Schriftwort Psalm 37, Vers 3.

A: Vermutlich: »Bleibe im Lande und nähre dich redlich!« – die alte Losung des Provinzialismus.

B: Getroffen. Johnson läßt Gesine einmal aus dem Gedicht zitieren –

A: Auch das noch! Mir fällt ein: Thomas Mann in Amerika: wo ich bin, ist die deutsche Kultur – Uwe Johnson in New York oder

* Das ursprünglich vorgesehene Schlußkapitel wurde von Johnson bei der Endredaktion ausgeschieden.

England: Wo ich bin, ist Mecklenburg. Sie legen es offenbar darauf an, daß ich meine Provokation wiederhole: JT ist ein Heimatroman. Ein bekannter Kritiker sprach sogar von ›Blut und Boden‹...

B: Der Autor hat diese Denunziation als einen dümmlich-boshaften Syllogismus entlarvt: »In diesem Buch wird ein Baum beschrieben. Bei den Nazis (Blut-und-Boden-Literatur) legte man großes Gewicht auf Baumbeschreibungen, folglich ist dieser Verfasser ein...«

A: Aber Heimat! Sie werden nicht leugnen, dies ist ein Schlüsselwort in dem ganzen Werk.

B: »Elend der Heimat« heißt es im Jakob-Roman einmal fast paradox, denn Elend bedeutet ja ursprünglich Fremde. Davon scheint mir wenig zurückgenommen in JT. Denken Sie an Cresspahls eher widerwillige Rückkehr in die Heimat, an Gesines kühle Absage an beide Teile Deutschlands!

A: Aber auch New York ist als Heimat nur eine »Täuschung«, wie Gesine selbst sagt. Sie ist, sich erinnernd und erzählend, ständig auf der Suche nach der verlorenen Heimat Jerichow: »Da steht, links hinter einem verunkrauteten Grasplatz, ein niedriges Bauernhaus unter angeschwärztem Walmdach. Jetzt bin ich zu Hause.« Dahin also sehnt sie sich heimlich zurück!

B: Wie könnte sie anders, es ist ihre Kindheitswelt, auch wenn sie dort »wie ein Hund« gelebt hat, die Welt ihrer Liebe zu Jakob und ihrer Freund-, Bekannt- und Verwandtschaft mit vielen andern. Ein Personennetz übrigens, mit dem JT Johnsons andere Prosa, sogar noch nicht erschienene wie die Geschichte von Peter Niebuhr und Martha Klünder vor fünfzig Jahren, umschließt. Ich habe mir mal die Hauptbeziehungen, z. T. mit Hilfe des Anhangs zum zweiten Band, in einer Tabelle herausnotiert, vielleicht ist sie Ihnen nützlich.

Aber um auf Gesines Heimweh zurückzukommen: zugespitzt gesagt, sie will nicht zurückwollen, ihre diversen Umzüge verstehe ich *auch* als Schritte einer mühsamen Emanzipation. Zuletzt, in Prag, hat sie keinen festen Wohnsitz mehr... Diese Linie bedeutet zugleich Emanzipation von einem metaphysischen Schema des abendländischen Romans, dessen Urbild der größte Heimatroman der Weltliteratur sein mag –

A: Meinen Sie etwa die *Odyssee*? Und das metaphysische Schema wäre der Dreischritt Heimat – Fremde – Heimat, dessen

Verwandtschafts- und Paarbeziehungen bei Uwe Johnson

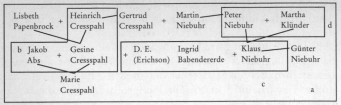

a = *Jahrestage*, b = *Mutmassungen über Jakob*, c = *Ingrid Babendererde*, d = nicht ausgeführtes episches Projekt.

Anfang und Ende von der Religion, dessen Mitte dagegen von der Literatur ausgemalt wurde? Aber steckt nicht etwas von dieser Metaphysik noch in JT? Sozialismus als Synonym für Heimat!

B: »Die Wurzel der Geschichte aber ist der arbeitende, schaffende, die Gegebenheiten umbildende und überholende Mensch. Hat er sich erfaßt und das Seine ohne Entäußerung und Entfremdung in realer Demokratie begründet, so entsteht in der Welt etwas, das allen in die Kindheit scheint und worin noch niemand war: Heimat.« Ernst Bloch, *Prinzip Hoffnung*.

A: Das mit der realen Demokratie ist ja nun in Prag mißlungen, die Utopie und Gesines riskantes Engagement sind durch unser, der Leser, Vorauswissen von vornherein umschattet. Aber der Autor hat ja vorgebeugt: Wenn er in JT Heimat als Sozialismus auch sterben läßt, so feiert sie allenthalben eine zwar nicht fröhliche, aber doch nostalgisch verklärte Auferstehung: als Provinz. Provinz wird in JT zum mythischen Gegenpol der Zerstörung von Natur und schlichter Menschlichkeit in der bösen Gegenwartsgesellschaft. Ein hilfloser Antikapitalismus flieht in kleinbürgerlicher Sentimentalität zum ›einfachen Leben‹. Mit einem Wort: Rückfall in deutsche Innerlichkeit! Was, meinen Sie, könnte Johnson auf solche Thesen entgegnen?

B: Dies vielleicht, hoffentlich: »Wat kümmert mi, wat achter mi passiert, sä de Jung, as he Släg' kreeg.«

Perspektiven des Gesamtwerks

Siegfried Unseld
»Für wenn ich tot bin«

Am 28. September 1970 widmete Uwe Johnson mir den ersten Band der *Jahrestage*. »Meinem Freund, Leser, Verleger«. Der zweite Band erschien im Oktober 1971, der dritte im Oktober 1973, der Klappentext dieses dritten Bandes vermerkt etwas keck: »Nächstes Jahr, wie üblich, mehr.« Aus einem nächsten Jahr wurden zehn Jahre. Erst am 5. Oktober 1983 konnte der vierte und abschließende Band erscheinen. Am 16. Oktober »feierten« wir in Frankfurt den Abschluß der Tetralogie. In mein Gästebuch trug Johnson ein: »Bestellung auf ›Jahrestage‹ erhalten und bewußt seit 1970/ ›Jahrestage 4‹ (Schluß, Ende) abgeliefert 1983. Mit Dank für Freundschaft und Geduld«. Er widmete mir die Buchausgabe mit dem Eintrag: »Hiervor war eine Pause. Ich bin froh, daß wir sie be(und über-)standen haben. Yours truly«. Nun wissen wir, daß er die »Pause« doch nicht gesund überstanden hatte. Wie erklärt sich diese Pause, »die Herzgeschichte«, diese »Beschädigung der Herzkranzgefäße«, dieser »writer's block«, diese Schreibhemmung?

Im Oktober 1974 waren die Johnsons in Sheerness-on-Sea, auf der Insel Sheppey an der Themse-Mündung, in das Haus 26 Marine Parade gezogen. Wie man dort hinkommt, das hat Johnson in einem Brief an einen Freund selbst am eigenwilligsten beschrieben: »Sie wollen zur Victoria Station. Sie können ein Taxi rufen lassen. Sie können aber auch die Dover Street nach Süden hinuntergehen auf den Piccadilly, dann sich rechts halten, bis vor Ihnen der Eingang zur Underground-Station Green Park sich anbietet. In diesem Bahnhof nehmen Sie einen nach Süden gehenden Zug der Victoria-Linie und sind auf der nächsten Station im Bahnhof Victoria. Wo da ›Tickets‹ angeschrieben steht, stellen Sie sich hübsch in die Reihe wie die anderen auch und verlangen am Ende ein ›day return to Sheerness-on-Sea‹. Kostet ne Stange Geld. Nun suchen Sie sich auf der großen Anzeigetafel die Züge nach Ramsgate oder Dover. Solche fahren zweimal in der Stunde ab, da können Sie sich dann einen aussuchen. Nach einer Stunde Fahrt, ungefähr, wollen Sie bitte in Sittingbourne umsteigen. Auf dem

Gleis gegenüber fährt die Stichbahn nach Sheerness, noch einmal siebzehn Minuten. Von Sheerness nach London fährt der letzte Zug kurz nach zweiundzwanzig Uhr.« Ich besuchte die Johnsons bald nach ihrem Einzug. Johnson holte mich am Bahnsteig ab. Wir gingen die zehn Minuten zu Fuß zum Haus. Es erinnerte mich sogleich an das Haus, in dem Jakob Abs wohnt in den *Mutmassungen über Jakob*: »Jakob hatte ein möbliertes Zimmer zur Miete in einem der schmalbrüstigen, überhohen Häuser am Hafen.« Ein solches schmalbrüstiges und überhöht wirkendes Haus war 26 Marine Parade. Damals, bei meinem ersten Besuch, gab es am Ufer noch nicht jene hohe Wallmauer, die zwar die Häuser der Marine Parade vor Sturmfluten schützt, ihren Bewohnern aber, vor allem aus den niedrig gelegenen Zimmern heraus, jegliche Sicht auf die Themse versperrt. Damals hatte man noch von zwei Stockwerken aus den vollen Blick auf den Fluß. Freilich konnte man von diesem Fenster aus im Blick auf die wie ein riesiger See sich darbietende Themse-Mündung die Bedrohung erahnen, die Uwe Johnson in seinem so überaus präzisen Bericht *Ein Schiff* wiedergegeben hatte: »Am Grunde der Themse lag ein Schiff voll mit Fässern und Granaten und im Laufe der Zeit werden Fässer und Granaten durch das Wasser angegriffen sein und eine große Explosion auslösen.«

Uwe Johnson antwortete mir auf eine nicht gestellte, aber vorherrschende Frage: Warum Sheerness, warum dieses Haus? Sheerness sei leicht zu erklären. Er wolle, daß seine Tochter Katharina nach dem gemeinsamen USA-Aufenthalt weiterhin in einer englischsprachigen Umgebung aufwachsen sollte. Ein College in London sei für ihn zu teuer, er habe eines südlich von London gefunden, und dazu fand er nun in Sheerness-on-Sea dieses Haus. Ich kann mir vorstellen, daß eine andere Erinnerung noch bestimmender war: die Erinnerung an Mecklenburg, an die Mecklenburgische Seenplatte, an den »Insel-See von Güstrow«. In die *Jahrestage* hat er später seine Erinnerung an den Kamm des Güstrower Heidberges eingetragen: »An die Insel im See und das hinter dem Wasser sanft ansteigende Land . . .: welch Anblick mir möge gegenwärtig sein in der Stunde meines Sterbens.« Für Uwe Johnson war solche Landschaft unentbehrlich, und so wollte und konnte ich seine Entscheidung, an einem so abgelegenen Ort zu wohnen, verstehen. Es gab nur zwei Zimmer mit einer Aussicht: das Wohnzimmer und dann ein kleines Zimmer, das über dem Wohnzimmer lag. Ich hätte mir dieses kleine ausgesucht, zum Leben und zum Arbeiten. Aber eben dieses Zimmer hatte er seiner Tochter Katharina vorbehalten. Er nahm für sein Arbeiten ausschließlich mit dem Kellerzimmer vorlieb. Unentbehrlich schien ihm dies Haus als sein Schreibtisch, Arbeitsquartier, Residuum. Nur hier glaubte er, die *Jahrestage* vollenden zu können. Er hatte seine Schreibstube in zwei großen Kellerräumen eingerichtet. Noch einmal mußte ich an Jakob Abs denken: Abs »saß hinter verschlossener Tür, ohne sich umzusehen, in seinem Turm und redete in die Welt, verzeichnete die entfernteren Geschehnisse, die unablässig dahingingen«.

In den ersten Monaten nach dem Einzug schienen ihn die Erinnerungen an die Heimat durchaus zu beflügeln. Noch hatte die Pause nicht begonnen. Noch galt, was Elisabeth und Uwe Johnson im Februar 1962 in mein Gästebuch eingetragen hatten: »... und bedanken uns für die Beihilfe zur Eheschließung.« Im Juni 1975 trat dann jener »befristete Zufall« ein, der alles wie ein Blitzschlag änderte. Uwe Johnson glaubte, die schon vor der Hochzeit vorhandene Beziehung seiner Frau zu einem angeblichen Angehörigen des tschechischen Staatssicherheitsdienstes zu entdecken. Damit war sein Lebensentwurf »von einer Liebe sonder Vorbehalt« zerstört, das »vorrätige Material ... Erfahrungen aus zwanzig Jahren« vernichtet, und in die »Vorräte der Erinnerung« war eine »Sperre eingestanzt«, die ihm von nun an meldete: »Unwahr. Falsch. Vergiftet. Entwertet. Ungültig.« Die Pause begann. Noch versuchten die Johnsons, ihr Geheimnis für sich zu behalten, ihre Not für sich aufzuarbeiten und »das Zusammenleben fortzuführen«. Es kam der Punkt, da er sich seinen Freunden erklären mußte, daß in jenem »Betriebsunfall« mehr verborgen war. Als das Private öffentlich wurde, schien für ihn die Trennung unvermeidlich, und er berief sich dabei auf den Baron Instetten in Fontanes *Effi Briest*. Seine Frau zog im April 1978 aus dem gemeinsamen Haus aus, später dann auch die Tochter; beide bezogen ein Haus ganz in der Nähe, nur ein paar Straßenzüge entfernt.

Als ich Uwe Johnson im Herbst 1978 besuchte, sagte er mir, er wünsche nicht mehr, daß irgendeine Frau, wer auch immer sie sei, die Schwelle seines Hauses überschreite.

Meine Aufgabe war ab diesem Zeitpunkt klar, ich hatte nur eine einzige. Ich mußte Vorbedingungen schaffen, die diesem Schriftsteller wieder das ermöglichten, was seine Sache war, das Schreiben. War nach diesem »Betriebsunfall« Sheerness noch der richtige Arbeitsplatz? Er bejahte es. Ich habe ihm in den folgenden Jahren immer wieder ein deutsches Domizil vorgeschlagen, Überlegungen, Angebote, Möglichkeiten für Deutschland in Beziehung zur Berliner Akademie, der Akademie für Sprache und Dichtung in Darmstadt erwogen und ihm die Möglichkeit, als Stadtschreiber von Bergen-Enkheim gewählt zu werden, vorgeschlagen. Dies alles sollte, wenn es einzurichten wäre, auf das Jahr 1985 verschoben werden, denn am 1. Juli 1984 wollte er für ein Jahr nach New York. Danach aber sollte ein deutscher Wohnort in Betracht kommen. In Köln, bei der Entgegennahme des Kölner Literaturpreises am 7. November 1983, erklärte er seine Präferenz für Berlin:

»Wer damals einen mit Scheuklappen bewehrten Alltag abgab gegen einen im westlichen Berlin, er glaubte da bei fast jedem Gang auf die Straße sich angereichert um Erlebnis, um Erfahrung. Aber die Zeitläufte waren ungünstig beschaffen für Seßhaftige; eine andere Stadt, Paris oder New York City wird dergleichen Überwältigung ersetzen, auch übertreffen. Ebenso die Ausstattung durch Nachbarschaft, die Geschenke aus der lokalen Folklore, sie können anderswo auch verdient werden. Nur, wer einmal in Berlin angefangen hat zu schreiben, er wird nach dem Umzug den Blick über den Arbeitstisch hinweg – oberhalb der Dächer zur Gedächtnis-Ruine, unter Kastanien in Friedenau – vermissen und danach suchen wie Unentbehrlichem. Auch hier übt Heimweh sich an der Einsicht, daß man zum Schreiben hätte sollen bleiben in Berlin.«

Das Problem des Wohnens war auch eines der Finanzen. Das Haus 26 Marine Parade war zwar Johnsons Eigentum, aber durch Hypotheken (vielfacher Art) belastet. Seine Honorareinnahmen waren in diesen Jahren gering, so wuchs sein Soll-Konto beim Verlag beträchtlich an, was ihn bedrückte und immer wieder zu Vorschlägen veranlaßte, wie dies geändert werden könnte. Von mir erfuhr er stets die Zuversicht, daß der Ausweis seines Kontos für mich keine Rolle spiele, ja, daß ich sicher sei, sein Konto würde ausgeglichen, wenn einmal der vierte Band endlich vorläge und wir dann auch Bestellungen auf das Gesamtwerk der Bände 1–4 der *Jahrestage* ausführen könnten.

Was aber konnte und sollte er schreiben, nachdem es ihm nun einfach nicht möglich war, die Arbeit an den *Jahrestagen* fortzusetzen? Im Sommer 1975 konnte ich ihn bewegen, für ein Verlagsjubiläum eine einbändige Auswahl aus dem Werk Max Frischs zu treffen. Die Auswahl der *Stichworte* war Ausdruck seiner Dankbarkeit gegenüber Max Frisch, dessen *Stiller* er 1957 gelesen hatte: »mit Neid ... daß ein Mann der westlichen deutschsprachigen Literatur sich beschäftigen darf mit den Schwierigkeiten subjektiver Identität«. Doch konnte ich ihn zu einer eigenen Arbeit bewegen?

Meine verlegerische Haltung gegenüber Autoren ist eindeutig durch eine Achtung gegenüber den Inhalten bestimmt. Wir diskutieren in der Regel keine Inhalte, sondern Elemente der Gestaltung, der Sprache, kurz, das Äußere einer Arbeit, die aber freilich ja auch eine Äußerung des Inneren ist. Wenn ich manchmal von dieser Haltung abwich, etwa inhaltliche Vorschläge machte, Anregungen zu Veränderungen gab, scheiterte ich gelegentlich auch bei den Autoren, mit denen ich mich in besonderer Weise freundschaftlich verbunden fühlte. In der Situation, in der sich Uwe Johnson befand, glaubte ich, von diesem Erfahrungsprinzip abweichen zu müssen. Ich bedrängte ihn ständig, über das zu schreiben, was ihm das Schreibern verwehrte. Wir hatten in diesem Punkt Auseinandersetzungen, die manchmal an die Grenze unserer Freundschaft rührten.

Nach langen Gesprächen konnte ich Uwe Johnson bewegen, die Gastdozentur für Poetik an der Johann Wolfgang Goethe-Universität in Frankfurt mit fünf Vorlesungen zu eröffnen. Diese sollten »Basisinformationen« aus der Werkstatt des Schriftstellers vermitteln. Uwe Johnson machte den Vorschlag, sich nicht mit den Fragen einer deskriptiven oder präskriptiven Ästhetik zu befassen, sondern Umstände zu beschreiben, die die Entstehung seiner Werke begleiteten, erschwerten oder förderten. Er wollte weit ausholen und auf die Jahre seiner Jugend in der DDR eingehen. Er hat diese Arbeit in etwa sechs Monaten geleistet, es entstand das Manuskript der Vorlesungen und ein Manuskript für die Buchausgabe der *Begleitumstände – Frankfurter Vorlesungen.* Am 8. Mai 1979, nach der ersten Vorlesung im Hörsaal VI der Universität, trug er in mein Gästebuch ein: »Eine Vorlesung bestellt, eine Vorlesung geliefert.« Das Buch *Begleitumstände,* also die erweiterte Fassung der Vorlesungen, erschien im Mai 1980. Die gedruckte Widmung des Buches lautet: »Geschrieben für Siegfried Unseld«. Ursprünglich hatte er einen anderen Widmungstext vorgesehen: »Für Siegfried Unseld geschrieben mit Verdruß und mit Vergnügen«. Der Text, so mit Verdruß und Vergnügen geschrieben, endet bekanntlich in der Erklärung jenes »tüchtigen Versuches, das Unternehmen ›Jahrestage‹ wegzuführen von einem Schluß am 20. August in Prag, ja, eine Beendigung der Arbeit überhaupt zu verhindern«. Und in dem Bekenntnis, diese Arbeit dennoch weiterzuführen: »Denn ihr habt etwas unterschätzt, Genossen, nämlich das Bedürfnis, die Verständigung mit Mrs. Cresspahl von neuem herzustellen, ohne Mithörer, Mitleser, Mitsprecher diesmal. Wenn einem daran liegt, wird er am Ende versuchen, sich im Alter von 44 Jahren das ›Schreiben‹ wieder beizubringen, mit zwei Zeilen am Tag, fünf Zeilen in der Woche, aber nach drei Monaten eben siebzehn Seiten. Und wenn er danach sich einlässt auf etwas so Verwegenes wie ›Frankfurter Vorlesungen‹ – Sie erinnern sich: kaum Poetik, aber Berufsberatung –, wird er auch zurückkehren zur Fertigstellung eines bloss unterbrochenen Auftrages.«

Im Mai 1980 bat ich Uwe Johnson um einen Beitrag für die Festschrift zu Max Frischs 70. Geburtstag, *Begegnungen*. Diesen Beitrag mit dem Titel *Skizze eines Verunglückten* hat Uwe Johnson im Sommer 1980 geschrieben. Die Festschrift wurde 1982 veröffentlicht. Johnson wollte Max Frisch, dem Verfasser der »Biographie« mit Variationen, ebenfalls die Variation einer Biographie anbieten, genauer gesagt, die Variation einer Biographie, so wie Max Frisch sie in seinem Stück vorgeführt hatte: die Darstellung der Unvereinbarkeit von Identität und offiziellem Bild, das Rollenspiel eines Menschen. Johnsons *Skizze eines Verunglückten* dokumentiert ebenfalls eine Unvereinbarkeit besonderer Art: was dieser Mann gutgläubig als Prämissen und Essenz seiner zivilen Existenz zusammensetzte und als Lebenslage schon gelungen glaubte, wird ihm unverhofft aufgedeckt als beständige Irreführung. Jede Einzelheit seiner Vergangenheit bedarf daraufhin einer Umdeutung und einer gnadenlosen Korrektur. Johnson setzte sich auseinander mit Max Frischs berühmter Einsicht, es sei nicht die Zeit für Ich-Geschichten, aber das menschliche Leben vollziehe oder verfehle sich am einzelnen Ich, nirgends sonst. Durch die Figur des Dr. Joe Hinterhand zeigte Johnson ein verfehltes Ich und schrieb in den Schluß dieser *Skizze eines Verunglückten* unübersehbar auch sein eigenes Lebensproblem ein. Dies zeigt sich am Namen Joe Hinterhand, der ein Pseudonym für Joachim de Catt ist. Als Uwe Johnson 1959 noch mit dem Gedanken spielte, in der DDR zu bleiben, überlegte er, seine *Mutmassungen über Jakob* unter dem Pseudonym Joachim Catt herauszugeben. In der

Skizze eines Verunglückten lesen wir: »1949, vor Gericht, habe er recht inständig gehofft, auf ein Urteil, nach dem man ihn ums Leben bringen werde durch Stromstöße oder durch den Strang, wobei es ihm nicht um die Strafe gegangen sei, sondern um einen Notausgang, einen Ausweg. In der Folge habe er seine eigene Todesstrafe gefunden, abzuleisten durch Ableben.«

1982 nahmen wir diesen Text in die Bibliothek Suhrkamp auf. Als ich ihm nach Erscheinen das Buch zuschickte, schrieb er mir am 8. Oktober 1982: »Die ›Skizze eines Verunglückten‹ als Band 785 der Bibliothek Suhrkamp ist in einem Stück angekommen und will mir im äußeren Auftreten gefallen. Keine Druckfehler und der Umschlag von einem so intriganten Grün, daß ich reinweg fragen möchte, was der Vor- und Nachname dieser Farbe sind. (Lieber Uwe: das ist ein ganz einfaches Moosgrün!) Das Buch gemahnt mich an mein abermals gescheitertes Verlangen, mit einer Arbeit sogleich, ohne Umweg, sozusagen von Rechts wegen in diese Reihe zu gelangen; eines meiner Lebensziele.«

In diesem Brief ging er wie schon so oft auf meine »Therapie«-Bemühungen, wie er es selbst nannte, ein. Ich hatte ihm wieder einmal von meiner Hoffnung geschrieben, die Zeit heile. Er antwortete darauf: »Deinem Ausspruch von der Zeit, die alles heile, kann ich eine wie immer eingeschränkte Bestätigung nachliefern für meinen Fall. Denn dies ist das erste Jahr nach der Herzgeschichte, daß das Schreiben auch ferner der Maschine, bei Spaziergängen oder beim Einkaufen, sich fortsetzt in Einfällen und Entwürfen, wie es früher war und sein soll. Manches heilt sie eben, die Zeit . . .«

Ich war froh, daß meine beiden Aufträge ihre Wirkung nicht verfehlt hatten. Und er konnte sein Schreiben in diesen Wochen und Monaten fortsetzen. Im Frühjahr 1983 erhielt ich den letzten Teil des Manuskripts der *Jahrestage 4*. Ich wußte, was der Abschluß dieser Arbeit für den Autor bedeuten mochte, Triumph, das fast schon Aufgegebene doch noch geleistet zu haben, aber auch Niedergeschlagenheit und Leere, nachdem der Kosmos dieser Welt für ihn ausgeschritten war. Wieder drang ich in ihn, möglichst sofort eine neue Arbeit zu beginnen. Er selbst schlug mir vor, eine Geschichte der Familie Cresspahl zu schreiben, das Material habe er parat. Die Geschichte würde beginnen im Oktober 1888 mit dem Geburtstag des Kunsttischlers Heinrich Cresspahl, der dann am 31. Oktober 1931 Lisbeth Papenbrock heiratete, die ihm am 3. März 1933 in Jerichow die Tochter Gesine zur Welt brachte. Gesine zeugte mit Jakob Abs die Tochter Marie, die am 21. Juli 1957 in Düsseldorf geboren wird und ihrem Vater nicht ähnlich sieht. Gesine zieht mit der vierjährigen Tochter Marie in die Vereinigten Staaten, und dort erzählt sie für die Tochter »auf Papier, mit Datum und Wetter« Erinnerungen an Mecklenburg »für wenn ich tot bin«. Wir wissen aus den *Jahrestagen,* wo Gesine und Marie, die Dame um 35 und das elfjährige Kind, sich am Dienstag, dem 20. August 1968, »Last and Final« befinden: in einem Badeort an der dänischen Küste, Schweden gegenüber. Das Geschick von Gesine und Marie über diesen 20. August 1968 hinaus bis ins Jahr 1978 sollte uns Uwe Johnsons neue Arbeit zeigen. Er hat sie selber mit dem Titel *Heute Neunzig Jahr. Die Geschichte der Familie Cresspahl* angekündigt:

»Eine Familiengeschichte vom Oktober 1888 bis zu jenem Winter 1978, in dem im Norden Deutschlands noch einmal Panzer, Hubschrauber und Düsenjäger benutzt wurden zum Wohlbefinden von Menschen; so viel Schnee war gefallen, erinnern Sie sich? Anfangs ist es eine Spurensuche, die eine Gesine Cresspahl betreibt nach der Kindheit ihres Vaters im vorigen Jahrhundert; unausweichlich wird sie Zeuge des nächsten, in dem ›Willy Zwo‹ wie diverse ›Führer‹ und ›Vorsitzende‹ es schwer machen für ihre Leute, als Nachbarn und Freunde zu leben, auch ruhigen Gewissens. Mit wem immer ein Junge aus dem Dreikaiserjahr zu tun bekommt in seinem Leben und über den Tod hinaus, sie alle sollen hier versammelt sein, in ländlicher Gegend an der Müritz, in einer südlichen Vorstadt von London wie dereinst in New York City, mit dem zuverlässigen Heimweh nach Mecklenburg. Hier sind ihre Umzüge (in zweifacher Bedeutung), ob nun Kriege gefällig waren oder im Anblick einer Baumblüte gelegentlich die Empfindung, ein Dasein auf der Erde verlohne sich. Ob es am Ende bleibt bei der Enkelin Marie, ›den letzten beiden Augen Cresspahls‹, hier wäre es zu erfahren.«

Ich benützte jede Gelegenheit, Uwe Johnson auf die Dringlichkeit dieser neuen Arbeit hinzuweisen. Er erfüllte danach meinen Wunsch, Lesungen in verschiedenen Buchhandlungen zu übernehmen, und bei der Buchmesse 1983 war unser ›Abend mit Buchhändlern‹ Uwe Johnson gewidmet. Schon während der Buchmesse kamen die ersten Anzeichen einer Grippe, doch er wollte die vereinbarten Lesetermine in Berlin, Kassel, Gießen und Darmstadt nicht absagen. Als er in Berlin war, verschlimmerte sich sein Gesundheitszustand, und mit Hilfe von Freunden gelang es, ihn zu einem Arzt und dann ins Krankenhaus zu bringen. Jetzt ließ er es zu, daß die Lesungen abgesagt wurden. Er kam aus Berlin am 4. November nach Frankfurt zurück und wohnte bei mir. Diesen Abend verbrachten wir in der Klettenbergstraße. Uwe Johnson schien heiter, ließ sich ausführen, genoß sein Steak im ›Alten Zollhaus‹ und aß, was er sonst nie tat, einen Fisch bei einem Italiener. Selbstverständlich kam in diesen Tagen auch das Gespräch auf das, was er »das Monetäre« nannte; ich konnte ihm sagen, daß sein Soll-Konto durch die Verkäufe des vierten Bandes der *Jahrestage* und der Kassette mit den Bänden 1–4 doch schon sehr geschrumpft sei. Als wir am Morgen des 5. November zum Bahnhof fuhren, trug er vorher noch einen Scherz in mein Gästebuch ein: »Lyndon B. Johnson/Uwe Johnson 4./5. November 1983«. Wir nahmen beide denselben Zug, Uwe Johnson fuhr nach Zürich, um mit Max Frisch über die Modalitäten der Übernahme von dessen Loft in New York für die Dauer eines Jahres zu sprechen; ich nahm denselben Zug, stieg in Offenburg aus, um von der Huchel- und Kästner-Stätte Staufen dann mit dem Auto nach Zürich zu kommen. Die zwei Stunden der gemeinsamen Zugfahrt benutzte Uwe Johnson, mir noch mal seine Verletzung und die sich daraus ergebende testamentarische Konsequenz zu erläutern. Geschrieben habe er das ja alles auf meinen Wunsch in der *Skizze eines Verunglückten;* eine, seine Verbindung mit seiner Frau wurde zerstört, nicht nur physisch und psychisch, sondern gewissermaßen sprachmetaphysisch. Er hatte alles, auch das mit seinem schriftstellerischen Werk Zusammenhängende, mit ihr besprochen: »Satz für Satz, Kapitel für Kapitel, Person für Person, geschrieben für sie, ohne Täuschung oder Irrtum im mindesten zu besorgen«. So war ihm seine Verletzung begründet durch eine Verletzung seines Lebens, seiner Existenz als Schriftsteller, aber auch eine Verletzung des für jeden Schriftsteller Zentralen: Worte und Sprache bezogen sich, im nachhinein betrachtet, nicht mehr auf Wahrheit und Wirklichkeit, sondern wurzelten im Irrtum. »The Will of Uwe Johnson« war datiert vom März 1983, von einem englischen Notar beglaubigt. Darin benannte er Martin Walser, ersatzweise Dr. Felix Landgraf, als »executor und trustee«, seiner Frau vermachte er die *Encyclopaedia Britannica,* alle seine Bücher, Manuskripte, Akten, Rechte und die Erlöse aus ihnen dem Suhrkamp Verlag bzw. der im Entstehen begriffenen Peter Suhrkamp Stiftung (deren erster Vorsitzender er sein sollte, mit der Bedingung, daß er dann eine blaue Schirmmütze erhalten müßte). Über den Rest seines Vermögens errichtet er einen Trust und benennt als »Begünstigte den Suhrkamp Verlag, ersatzweise Siegfried Unseld, ersatzweise dessen Abkömmlinge«. Für den Fall, daß sein Testament angefochten werden würde, hatte er für das Gericht in englischer Sprache nochmals jene Geschichte der ehelichen Ver- und Zerstörung beschrieben. Ich mußte diese Haltung akzeptieren, auch wenn ich für mich persönlich sie nicht nachvollziehen konnte. Ich war bereit, seinen Hauptwunsch zu erfüllen, d. h., dafür zu sorgen, daß, »für wenn ich tot bin«, niemand an die Papiere gelangen könne, daß ich den Nachlaß sammeln und ihn geschlossen nach Frankfurt überführen sollte und daß er unter meiner Verantwortung verwaltet würde; dies gestand ich ihm zu, aber ich erklärte ihm, von seinem Wunsch abweichend, daß ich mit Frau und Tochter getrennte eigene Regelungen treffen wollte. Noch einmal drang ich in ihn, die »Geschichte der Familie Cresspahl« fortzuführen; das Honorar für diese Geschichte, so versprach ich es ihm, sollte so hoch sein, daß in jedem Fall sein Konto ausgeglichen würde.

Ich weiß noch, wie erschüttert ich nach diesem Gespräch den Zug verließ. Uwe Johnson wollte immer das Absolute. So wie seine »Katze Erinnerung«, jener »wohltuende Geselle« mit den Eigenschaften: unabhängig, unbestechlich, ungehorsam. Man muß hinzufügen: unbeugsam, eigenwillig. Er hatte das Recht zu seiner Haltung. Aber was ist Recht bei nur menschlich zu lösenden Problemen? Und hilft es, Recht zu haben? Und kann das Recht nicht auch auf unrechte Weise geschehen? Und hat nicht der, der liebt, recht, hat er nicht sein Recht? Ich mußte unwillkürlich an die *Wahlverwandtschaften* denken. In dem berühmten Gespräch zwischen dem Major und Eduard im 12. Kapitel des 2. Teils stimmen sie überein, daß solche »Verhältnisse« sich nicht aufheben und sich nicht bilden, »ohne daß manches weiche«: »Durch Überlegung wird so etwas nicht geendet; vor dem Verstande sind alle Rechte gleich, und auf die steigende Waagschale läßt sich immer wieder ein Gegengewicht legen.« Das ist ohne Zweifel richtig, doch wohin führt die Eskalation solcher Rechte? Gilt dann nicht doch auch Ciceros »summum ius summa iniuria«? (Das höchste Recht, das größte Unrecht.) Sie sei ihm »verwandelt erschienen«, erklärt in der *Skizze eines Verunglückten* der Protagonist, »in ein Prinzip, eine Verkörperung aller Kräfte, die seinem Leben entgegen seien, als die Drohung, die Gültigkeit der Worte abzuschaffen«. Dies war zweifellos auch für Uwe Johnson der Hauptgrund seiner »Schreib-hemmung«, der »Beschädigung des Subjekts«.

Wir trafen uns an diesem Tag abends wieder in Zürich. Er war bei Max Frisch gewesen, ich hatte die Uraufführung von Thomas Braschs *Mercedes* besucht. Noch einmal, ein letztes Mal, erläu-terte er seine Sicht und die für ihn zwingenden Folgen. Lange nach Mitternacht gaben wir uns die Hand.

Am Tage darauf fuhren wir nach Köln, wo Johnson am 7. No-vember den Literaturpreis der Stadt Köln entgegennahm. Bei der Feier wurde der 2. Satz aus Franz Schuberts Streichquartett in d-Moll »Der Tod und das Mädchen« gespielt. Ich konnte nicht ahnen, daß dies unsere letzte persönliche Begegnung war.

Uwe Johnson hatte die feste Absicht, die »Geschichte der Fami-lie Cresspahl« in einem Jahr zu schreiben; sie sollte 250 Seiten umfassen, und das Manuskript wollte er Ende Mai 1984 abgeben. Bei Hans Werner Richters 75. Geburtstag, am 12. November 1983, hat Uwe Johnson in Saulgau aus dem Manuskript vorgele-sen. Wir wissen freilich bis heute nicht, wie weit die Arbeit gedie-hen war. Nach seinem Tod fand sich auf seinem Schreibtisch ein Manuskript ohne Titel, aus dem der Autor 1975 in einer Rund-funkanstalt gelesen hatte – etwas mehr als 70 Seiten Umfang hat dieses Manuskript. Zusätzlich fand sich ein mehr als 100 Seiten starker Text mit dem Titel *Versuch, einen Vater zu finden,* in dem Gesine Cresspahl das Leben ihres Vaters Heinrich von 1888, sei-nem Geburtsjahr, an rekapituliert – der erhaltene Text bricht mit dem Jahr 1946 ab. Ein stilkritischer Vergleich dieses Textes mit den *Jahrestagen* zeigt jedoch, daß Johnson schon vor 1975, eventuell sogar 1967/68, dieses Manuskript niedergeschrieben hat. Eines ist sicher: es war Uwe Johnsons fester Entschluß, dieses Manuskript zu vollenden. Noch im letzten Telefonat im Januar 1984 hat er mir das bestätigt. Ich habe ihm dabei noch einmal unsere Honorar-Vereinbarung in Erinnerung gerufen. Doch diesmal stellte sich die erhoffte Verwirklichung nicht ein. – Wir werden also das weitere Schicksal von Gesine und Marie wohl nicht mehr erfahren, nicht mehr ihre Umzüge in eine »südliche Vorstadt von London«, nicht mehr ihr »zuverlässiges Heimweh nach Mecklenburg«.

Am Montag, dem 12. März 1984, auf dem Wege zu meiner Mut-ter nach Ulm und zu Wolfgang Koeppen nach München, unter-brach ich in Stuttgart meine Zugfahrt. Friederike Roth holte mich ab. Auf dem langen Bahnsteig gehend, hörten wir eine Stimme aus dem Lautsprecher, die mich dringend zur Information bat. Zum ersten Mal widerfuhr mir solch öffentlicher Aufruf. Meine Mitarbeiterin Burgel Zeeh bat um sofortigen Rückruf. Von ihr erfuhr ich: Elisabeth Johnson hatte aus Sheerness um 19.00 Uhr angerufen – Uwe sei tot. Sie habe immer wiederholt: »Uwe ist tot« – sie habe es um 17.00 Uhr durch die Polizei erfahren – und: »mehr weiß ich auch nicht«. An alles hätte ich bei diesem Ausruf denken können, aber diese Nachricht war schwer zu fassen. Wenn sie wahr war, dann war einer der großen Autoren der deutschen Literatur dieses Jahrhunderts aus dem Leben in die Geschichte eingetreten; wenn sie wahr war, dann hatte ich den beharrlichsten, unbeugsamsten, unerschütterlichsten Freund und den unwiderruflichsten und loyalsten Autor meines Verlages verloren; den Autor, der mir bei unseren letzten Begegnungen immer wieder versicherte, ohne meinen »gläubigen Beistand« hätte er den vierten Band der *Jahrestage* nicht zu Ende schreiben können. Wie hatte die Widmung an mich im vierten Band gelautet: »Hiervor war eine Pause. Ich bin froh, daß *wir* sie be- (und über-)standen haben«? Nun hätte er sie doch nicht überstanden?

Es fuhr zu diesem Zeitpunkt kein Zug mehr zurück nach Frankfurt. Mit Friederike Roth wurde an diesem Abend nicht über ihre Arbeit gesprochen, sondern ausschließlich über Uwe Johnson, über die Eindrücke, die dieser Schriftsteller auf sie gemacht hat, über meine letzten Begegnungen mit ihm, über die Arbeitstage in der Klettenbergstraße, die dem *Kleinen Adreßbuch für Jerichow und New York* galten. Dieses als »Register« bezeichnete Buch ist weit mehr, als der Name sagt, es ist die Summe der Personen, der Gegenstände, der Orte der *Jahrestage;* im Februar 1983 bei der deutschen Buchwoche in New York hatte mich Rolf Michaelis gefragt, ob wir nach zehnjähriger Pause den vierten Band »einfach so« herausbringen würden. Ich sagte ihm, ich hätte Uwe Johnson schon gebeten, ein kommentiertes Personenverzeichnis zu schreiben, aber an die Niederschrift könne er wohl erst denken, wenn er die letzte Zeile des vierten Bandes geschrieben habe. Kurze Zeit später rief mich Rolf Michaelis an und berichtete mir, er habe ein solches Register für die Bände 1 bis 3 bereits erstellt und sei gerne bereit, es auch rasch für den vierten Band zu machen. Uwe Johnson war damit einverstanden. Die beiden trafen sich mehrfach, es lag in der Natur dieser Sache, daß sie nicht immer übereinstimmen konnten.

In entscheidenden Fragen setzte sich Johnson durch, er korrigierte und ergänzte. Gemeinsam brachten sie diese äußerst komplizierte und unter Druck des Publikationstermins stehende Arbeit zu einem Ende; über einige Fehler, Mißdeutungen, Unvollständigkeiten, die stehen blieben, war Uwe Johnson betrübt. Aber dieses Handbuch vollständig zu machen, hieße auch einfach, die *Jahrestage* noch einmal erzählen. Und so befand Uwe Johnson: »Diese Arbeit möchte einen Vorschlag zum Lesen machen; sie hofft auf eine Vollständigkeit, die jeder Benutzer nur für sich selbst herstellen kann.«

Auf der Rückfahrt nach Frankfurt hatte ich immer nur einen Gedanken: Uwe ist tot. Immer wieder standen die letzten Begegnungen vor mir, sein so glänzendes, nachwirkendes Auftreten bei unserem Buchhändler-Abend während der Buchmesse 1983, wo er souverän und sicher lange Passagen aus den *Jahrestagen 4* las und gelegentlich seine Vorlesung zu einem vertraulich-intimen, leicht ironischen Singen steigerte; ich dachte an die Zugfahrt Frankfurt-Offenburg, an das Gespräch in Zürich und das bei mir im Tresor liegende Papier »Statement to my executors«: »I write this letter solely for the reason that it has been explained to me as a legal necessity to explain and substantiate why I want to change my will of October 1975.«

In Frankfurt angekommen telefonierte ich sogleich mit dem Anwalt in Sheerness; bei ihm war das Testament aufbewahrt. Der Anwalt hatte die Todesnachricht noch nicht gehört; er bat mich um mein sofortiges Kommen.

Katze Erinnerung

Am Mittwoch, dem 14. März 1984, flogen Burgel Zeeh und ich nach London-Heathrow, fuhren von dort zur Victoria Station, dann mit dem Zug nach Sittingbourne und stiegen nach Sheerness um. Wir waren beklommen durch Schreck, durch Schock, durch Gewissensnöte. Welches waren die Umstände dieses Todes? Hätten wir sie verhindern können? Warum war ich nicht im Januar oder Februar nach Sheerness gefahren? Hätten wir durch mehr Briefe, mehr Telefonate die Umstände beeinflussen können? Burgel Zeeh, die mit Uwe Johnson in engem Briefwechsel stand, wobei er in seinen Briefen an sie immer auch auf ihrem Mädchennamen bestand und sie an die Damen Geisler-Zeeh adressierte, hatte in der abgelaufenen Woche mehrmals täglich in Sheerness angerufen. Da Uwe Johnson sich nicht meldete, war sie beunruhigt, und sie trug mir diese Beunruhigung immer wieder vor. Ich hatte anstrengende Tage, zwei unaufschiebbare Veranstaltungen am 6. und 8. März, wichtige Besuche. Ich wollte noch das Wochenende vom 10./11. März abwarten. Am Montag, dem 12., telegraphierten wir, und wenn darauf keine Antwort käme, wollten wir die Polizei verständigen. Doch nun war alles zu spät. In der *Skizze eines Verunglückten* war es eingeschrieben, jener Satz, in dem er bekannte, »auf der Strecke geblieben (zu sein) mit seinem Entwurf von einer Liebe sonder Vorbehalt«. Ich las den bereits erwähnten Brief vom 8. Oktober 1982 immer wieder. Burgel Zeeh hatte ihn mir fotokopiert und im Flugzeug zugesteckt. Wie souverän Uwe Johnson doch war. Noch einmal beschrieb er sein ursprüngliches Bedenken gegen eine Veröffentlichung, erwähnte als einen möglichen Einwand »der Besprechungsgilde«, »die Menge des Textes rechtfertige kaum seine Unterbringung zwischen zwei Deckeln«. Ich hatte ihm geschrieben, daß wir uns danach nicht richten sollten und daß ich die Publikation in der Bibliothek Suhrkamp für gut und richtig hielte. Und seine Antwort: »Aber hier hast Du entschieden, und auch wenn meine Zustimmung vor einem bekannt schmerzlichen Hintergrund sich abhob, ich will nun darauf vertrauen: Es war richtig, daß wir das gemacht haben.«

Meine Lektüre während der Fahrt nach Sheerness und in den Tagen, Wochen, ja Monaten danach waren die Texte seiner »Frankfurter Vorlesungen«. Lasen sie sich anders oder las ich sie anders? Hatte ich vielleicht eine neue Sensibilität bekommen für das, was er »parteiische Aufmerksamkeit« nannte:

»Zum anderen ist für mich bei einem Studium der Germanistik (mit Abschluss) eine Vorliebe für das Konkrete herausgekommen, eine geradezu parteiische Aufmerksamkeit für das, was man vorzeigen, nachweisen, erzählen kann.«

Als ich diese Stelle Peter Härtling gegenüber erwähnte, erzählte er mir, wie Uwe Johnson einmal bei einer Sitzung der Akademie in Berlin gefragt wurde, warum er dauernd mitschreibe, er bekäme doch die Protokolle der Sitzung, und Uwe Johnson habe darauf erwidert: »Ich kontrolliere die Abweichung.« Man wird natürlich auch seine »Abweichung« einmal kontrollieren, das, was er in diesen fünf Vorlesungen gesagt, und das, was er in den *Begleitumständen* veröffentlicht hat. Als ich mit ihm über die Frankfurter Poetik-Gastvorlesung gesprochen hatte, ahnte ich nicht, was er im Buch ausbreiten würde, am wenigsten den Satz: »Eine Beschädigung der Herzkranzgefässe war begleitet von einer Beschädigung des Subjekts, das ich in der I. Vorlesung eingeführt habe als das Medium der schriftstellerischen Arbeit, als das Mittel einer Produktion.« Aber dieser seiner Zustimmung waren mehrere Gespräche vorausgegangen, in denen ich mit ihm über das sprach, wovon er einen Notausgang, einen »Ausweg«, suchte. Er hatte seine eigene Art, einem persönliche Erfahrungen und Erlebnisse als Geheimnis anzuvertrauen. Als er mir sein Hauptgeheimnis anvertraute, verband er das mit der Versicherung, daß er sich umbringen würde, wenn ich zu irgend jemandem davon spräche, doch kurz danach meldeten sich bei mir zwei Freunde, die sich von der Mitwisserschaft und Mitverantwortung vor diesem Geheimnis, vor diesem Leiden, vor dieser Beschädigung überfordert fühlten. Mein größter Fehler war es vielleicht auch, daß ich ihm gegenüber bis zu seinen Vorlesungen im Mai 1979 immer an dem Grundmotiv seiner »Beschädigung« zweifelte, daß ich sein Leiden nicht in der von ihm erfahrenen Tiefe verstand, daß ich mehr auf äußere Änderung drängte, auf Auswege aus seinem Lebensstil, auf Veränderung seines Arbeitsdomizils und eben immer auf die Möglichkeit, wie dieser Schriftsteller seine »Schreibhemmung« überwinden könnte.

Unsere Gespräche, mein Drängen, gerieten manchmal an die Grenze einer Autor-Verleger-Beziehung, an die Grenze einer Freundschaft auch. Ich erinnere mich an ein Nachtgespräch. Wir beide in einer Art Rausch, er hatte mehrere Liter Weißwein getrunken und ich, wie immer bei dem Zusammensein mit ihm in den letzten Jahren, mehrere Flaschen Mineralwasser. Ich wollte seine »Beschädigung« nicht so ernst nehmen, wie er sie in der Vorlesung geschildert hatte. »Soll ich mich umbringen?« fragte er. »Nein, du sollst schreiben, warum du dich umbringen willst.« »Dies kann man nicht schreiben.« »Doch«, meinte ich, »als Schriftsteller bist du privilegiert gegenüber all den Leuten, die leiden. Du mußt es schreiben, heißt es nicht bei unserem Nachbarn: gab mir ein Gott zu sagen, was ich leide?« »Siegfried, es heißt bei Werther ›verstrickt in solche Qualen, halb verschuldet.

Ich dulde nicht, ich leide. Geb ihm ein Gott zu sagen, was er duldet‹.« Mir war der Unterschied an diesem Morgen gleichgültig. Ich rief nur alle möglichen Zeugen unserer Arbeit, Goethe, Kafka, Joyce, Hesse, Frisch dafür an, daß ein Schriftsteller eine Person sei, die ihr Leben nicht anders als schreibend zu bestehen vermöge. »So, du meinst, ich bin kein Schriftsteller«, sagte er, schwer nach oben in seinen Schlafraum die Stufen nehmend.

In einem war ich sicher, Selbstmord war es nicht. In den letzten drei Jahren, im Grunde nach der Poetik-Vorlesung, wußte Uwe Johnson, daß er die Fertigstellung der *Jahrestage* schaffen konnte und würde. Jedenfalls gab er mir immer wieder Zeichen dieser Zuversicht. Aus guten Gründen schied ein Freitod aus: Er wollte die Geschichte der Familie Cresspahl bis in die Gegenwart weiterführen, es war ihm wichtig, daß mit der Ablieferung dieses Manuskriptes Ende Mai 1984 sein Konto ausgeglichen sein sollte; im Juni 1984 wollte er, wie er selbst an die Veranstalter schrieb, jene Lesungen durchführen, die er im Herbst durch seine Krankheit absagen mußte, ab 1. Juli 1984 wollte er für ein Jahr nach New York; die Übernahme von Max Frischs Loft war perfekt; bei Helen Wolff (»da hat einer Glück mit Verlegern«) hatte er sich angekündigt; an die deutsche Schule London, die einen Übersetzerwettbewerb mit einem Text von ihm, *Ach! Sie sind ein Deutscher,* veranstaltete, hatte er im Februar eine Vita geschickt, die er selbst für 1984 wie folgt ergänzt hatte: »Pläne für 1984: Abschluß eines Lebenslaufes für die Familie Cresspahl (1888 bis 1978) und Rückkehr zu den Flüssen East, Harlem, Hudson, Hackensack und Connecticut.« Es gab auch für ihn immer wieder »gelegentlich die Empfindung, ein Dasein auf der Erde verlohne sich«.

He was a private man

Gegen Mittag kamen wir in Sheerness an und gingen sofort zu Rechtsanwalt Clough von der Anwaltskanzlei Sevier and Partners. Anwalt Clough war freundlich, sprach fließend deutsch und übergab uns eine Notiz aus dem *Daily Telegraph* vom Tage mit einem kleinen Artikel: »Uwe Johnson – the East German Novelist Who fled to the West, has died at his home in Sheerness, Kent at the age of 49.« Mr. Clough war von dieser Notiz überrascht. Nicht er, sondern sein Vorgänger hatte das Testament aufgesetzt. Noch mehr verwunderte ihn der größere Nachruf in der *Times* vom nächsten Tage. Unsere erste Überraschung: er wußte nicht, wer Uwe Johnson war.

Mr. Clough erzählte uns dann diese Begleitumstände: Uwe Johnson war zum letzten Mal am Mittwoch, dem 22. Februar, gesehen worden. An diesem Tage hatte er seiner Putzfrau Nora Harris, die seit Jahren dreimal in der Woche bei ihm saubermachte, gesagt, sie brauche erst wieder am 8. März zu kommen. Es gab für die Putzfrau keine Veranlassung, ihn zu fragen, was er vorhabe. Als sie dann zum ersten Mal am 8. März zu seinem Haus gegangen war, fand sie die Tür von innen mit einer Kette verschlossen, doch sie argwöhnte nichts. Sicherlich wollte Johnson nicht gestört sein. Sie wiederholte den Versuch am Freitag, dem 9. März, und fand die Tür immer noch verschlossen. Durch den Briefkastenschlitz konnte sie all die Post und Zeitungen sehen, die im Flur lagen, und sie bemerkte auch, daß das Licht brannte. Doch auch das war nicht ungewöhnlich, denn Uwe Johnson hatte für die Zeit seiner Abwesenheit eine automatische Lichtanlage einbauen lassen. Jetzt jedoch teilte sie ihre Besorgnis den Wirten des Pubs mit, den Uwe Johnson häufig aufsuchte, die aber beschlossen, das Wochenende noch abzuwarten, vielleicht käme Charles, wie sie ihn nannten, ja zurück und man könnte doch nicht gegen seinen Willen in dessen Haus eindringen. Am Montag, dem 12. März, wurde der Beschluß gefaßt: Sie schlugen an der Rückseite des Hauses ein Kellerfenster ein, betraten das Haus und fanden Uwe Johnson im obersten Stock, in seinem Wohnzimmer, zusammengebrochen im Pyjama auf dem Boden in einer Blutlache liegend. Auf dem Tisch zwei leere Rotweinflaschen, die dritte zeigte Spuren, daß eine Entkorkung versucht, aber nicht gelungen war. Sie riefen die Polizei, diese ordnete eine Obduktion an und versiegelte das Haus.

Mr. Clough informierte auch Elisabeth Johnson von dem Letzten Willen: »I desire that I shall be cremated and that the cremation shall be carried out at the place or location that I shall die and I request that there shall be no music, speeches, flowers or any religious or other services whatsoever.«

Mr. Clough gab auch mir die Kopie eines Briefes von Uwe Johnson vom 21. Februar 1983, also genau ein Jahr zuvor geschrieben. Es war ein »Statement to my executors«, in dem folgender Passus enthalten war: »It ist my wish that my wife should not be allowed to enter 26 Marine Parade at the date of my death although I realize she ist part owner and I instruct my Executors to take all possible steps to prevent her from laying hands on anything in the house including any of the contents and I wish everything to be sold except those specific items mentioned in my will and for my Executors only to have control over my property and if necessary for them to appoint any required agents in England to make sure that my wishes are carried out.« Ich kannte ja das Testament seit jenem 5. November. Die Polizei, bei der das Obduktionsergebnis und also die Ursache des Todes noch nicht bekannt war, hatte Interesse an Angaben zur Person, zum Haus, zu den Lebensumständen. Der Rechtsanwalt benötigte Unterlagen für die Testamentsvollstreckung.

Danach betraten wir – Burgel Zeeh, der Anwalt, der Polizist des Ortes und ich – das Haus 26 Marine Parade – beklommen, bedrückt, nicht ohne innere Not.

Wieder eine Überraschung: Wenn man Unordnung erwartet hätte, genau das Gegenteil war der Fall. Die Gruppe der Freunde hatte noch einmal außerhalb der Legalität gehandelt! Noch einmal war die Putzfrau da, hatte aufgeräumt, gereinigt, man wollte denen, die da später kommen würden, den Anblick des Blutes ersparen. Als erstes betraten wir den Raum, in dem Uwe Johnson gestorben war und auf dem Boden liegend gefunden wurde. Alles schien noch so, wie es zur Stunde des Todes gewesen war. Zwei leere Rotweinflaschen waren weggeräumt, die beiden Korken lagen noch da. Die letzte volle Flasche mit dem Korken, die Uwe Johnson wohl nicht mehr öffnen konnte, stand auf dem Boden, der Korkenzieher daneben, offensichtlich hatte Uwe Johnson noch versucht, die Flasche zu öffnen, und hatte beim Hinabbükken und der Anstrengung des Öffnens einen Herzschlag erlitten. Neben dem Fernseher lagen das Fernsehprogramm vom 22. Februar und eine handschriftliche Notiz über Katherine Hepburn und Humphrey Bogart mit dem Stichwort »deutschfeindlich«. Hatte er vielleicht an diesem Abend noch einen Film gesehen? Am anderen Ende des Tisches lag aufgeschlagen ein gebundener Jahrgang des *Spiegel*. Uwe Johnsons Brille lag darauf, als schaute er noch einmal in einen Tag der *Jahrestage* hinein. Auf dem Boden zeichnete sich die dunkle Spur des Blutes ab. Hier also hatte Uwe Johnson 19 Tage und Nächte gelegen. Hatte er sich noch einmal erinnern können an den Kamm des Güstrower Heidberges, an die Insel im See, an das hinter dem Wasser sanft aufsteigende Land

»... welch Anblick mir möge gegenwärtig sein in der Stunde meines Sterbens«?

Ich kannte diesen Raum, den großzügigsten des Hauses. Von ihm aus konnte man die Themse-Mündung als weiten See sehen. Ich sah an der Wand die große Karte »Mecklenburg«. Sonst befanden sich in diesem Zimmer Stiche, Schallplatten, der Fernseher, zwei schwarze Charles-Eames-Stühle, ein karges Zimmer zum Wohnen und Leben. Aber Kargheit herrschte überall. In seinem Schlafzimmer war das Bett noch ungedeckt, Ordnung in den Kleiderschränken, vorwiegend schwarze Ledersachen, daneben die Kaschmirjacke im Fischgrätmuster, die ich ihm einmal geschenkt hatte. Nebenan im Verschlag ein riesiger Vorrat an Rotwein, was mich überraschte, denn bei uns trank er nur Weißwein, und eine kleine Mauer Gauloises-Zigaretten. – Im Bibliotheksraum das gewohnte Bild. Viele Suhrkamp- und Insel-Bücher, die er über die Jahre hinweg von uns erhalten hatte. Auffallend ein Plakat von Max Frisch, ein Photo, das Martin Walser und seine Familie festhielt, ein Photo von William Faulkner und ein Photo von mir. Die Küche war aufgeräumt, am Küchenschrank ein geöffneter Brief des Suhrkamp Verlages mit der letzten Honorarabrechnung; Kontoblätter lagen in der Ordnung der Buchhaltung, so daß ich annehme, er hat sie nicht mehr gelesen, er kannte ja das Ergebnis unserer Besprechungen. In den Räumen in diesem Geschoß nichts Handschriftliches, keine Notizen.

Ganz anders nun das Arbeitszimmer im Souterrain. Ein riesiger Tisch, Bücherregale, eine große Bahnhofsuhr an der Wand, am Nebentisch seine elektrische Schreibmaschine, daneben aufgeschlagen sein Terminkalender 21./22. Februar 1984.

Auf dem Tisch Briefumschläge, adressiert an Max Frisch, Rolf Michaelis und Joachim Unseld. In seinem Papierkorb Schnitzel handschriftlicher Notizen, dann ein zerrissenes Büttenpapier mit der Niederschrift eines Textes, den wir kannten. Er war Helene Ritzerfeld zum 70. Geburtstag am 6. März gewidmet: »Heute wie seit 25 Jahren danke ich Ihnen für das beständige Andenken Peter Suhrkamps, das in all unseren Gesprächen anwesend war als Erinnerung an eine Verpflichtung.« Das sah Uwe Johnson so. Mutmaßlich ist dies die letzte zusammenhängende Arbeit, die er geschrieben hat.

Dominierend neben dem Tisch die drei Regalreihen mit Büchern und die beiden Aktenschränke. Die Regale enthielten vor allem Nachschlagewerke, den *Brockhaus*, die *Encyclopaedia Britannica,* die Jahrgänge des *Spiegel* und, soweit man feststellen konnte, wohl sämtliche auf die *Jahrestage* bezogenen Ausschnitte der *New York Times*. Herausragend war eine Spezialbibliothek mit Büchern über Mecklenburg.

Rechts von der Tür zwei offene Rollschränke, die Belege seiner »Begleitumstände«, alles in Leitz-Ordnern penibel geordnet, Korrespondenz, Kontoauszüge, Steuerabrechnungen, die Post war bis Februar eingeordnet, einige Briefe lagen zum Einordnen bereit, die Kontoauszüge waren bis zum 16. Februar 1984 abgelegt. Die Korrespondenz mit den Autoren, Freunden, also mit Martin Walser, Max Frisch, Hans Magnus Enzensberger, Ingeborg Bachmann, Margret Boveri jeweils in einem gesonderten Ordner. Es gab dann weitere gesonderte Ordner. Ein anderer Schrank bewahrte Manuskripte, die Titel: »Ein unnützer Mensch« und »Marthas Ferien«.

Wir suchten nach einem möglichen Manuskript für die »Geschichte der Familie Cresspahl«. Uwe Johnson wollte dieses Manuskript ja Ende Mai fertighaben, und er hatte mir beim letzten Telefonat erklärt, gut voranzukommen. Er hatte in dieser Geschichte auch recherchiert; am 22. Februar 1984 beantwortete Joachim C. Fest eine Anfrage Uwe Johnsons über Flugzeuge. Doch sonst nur einige Zettel, kein fixiertes Manuskript. Im nächsten Raum, in einer erweiterten Bibliothek, die vorwiegend aus Belegexemplaren der eigenen Bücher bestand, entdeckten wir grüne Mappen. Die erste Mappe, die ich aufschlug, enthielt das Originalmanuskript der *Mutmassungen über Jakob* mit handschriftlichen Korrekturen. War es dieses Manuskript, das ich 1959 gelesen und zur Publikation bestimmt hatte? Die nächste Mappe, die ich öffnete, enthielt ein Manuskript mit dem Titel »Ingrid«; ein Leitz-Ordner enthielt ein Manuskript und war beschrieben mit »Ingrid Babendererde. Reifeprüfung 1953«. Dies war also das Manuskript, dessen letzte Fassung Uwe Johnson 1956 geschrieben, am 22. Februar 1957 auf Veranlassung von Hans Mayer an den »Sehr geehrten Herrn Suhrkamp« geschickt hatte, es wurde im Verlag heftig diskutiert. Ich kritisierte es sehr. Suhrkamp hatte es erst angenommen, hatte aber dann doch nach einem Gespräch mit Uwe Johnson die Veröffentlichung abgelehnt. (Ich habe die Geschichte der Ablehnung und der Neuausgabe von *Ingrid Babendererde* beschrieben im Nachwort *Die Prüfung der Reife im Jahre*

1953 in: Uwe Johnson, *Ingrid Babenderede, Reifeprüfung 1953*. Frankfurt a. M. 1985, S. 251–264 [auch erschienen als Edition Suhrkamp Leipzig 1992, Band 1817].)

Wieder im Arbeitszimmer große Ordner mit Photos, die Uwe Johnson in verschiedenen Zeiten an verschiedenen Orten zeigen, merkwürdig genau registriert. Die Korrespondenz mit dem Verlag umfaßte mehrere Leitz-Ordner, und dann stießen wir auf einen hellbraunen Blindband mit Eintragungen von Elisabeth Johnson. Ich wußte, was das war. Ich legte das Buch sofort zurück.

Immer wieder die Photos. Wie photogen Uwe Johnson war. Sie zeigten ihn im Kreise seiner Schriftstellerkollegen; eine Unmenge von Negativen.

Anwalt Clough öffnete ein schwarzes Köfferchen. Hier waren fein säuberlich aufgehoben der gültige Paß und abgelaufene Pässe, Brieftaschen, Portemonnaies mit verschiedenen Währungen, englische Pfund, US-Dollar, D-Mark, in drei Portemonnaies befand sich ein Zettel »in case of accident inform Dr. Siegfried Unseld ...«. Im Koffer auch Urkunden seines Lebens: Geburtsurkunde, Schulzeugnisse, Schwimmausweis, ein gewonnener Wettbewerb bei der FDJ, die Heiratsurkunde, eine ärztliche Bescheinigung, die Aufenthalts- und Arbeitsgenehmigung für Great Britain, die jetzt zeitlich unbegrenzt war, und schließlich zwei Policen der Lebensversicherung Allianz, zunächst ausgestellt auf Elisabeth Johnson als Begünstigten, später geändert in Katharina Johnson, im April 1982 in Suhrkamp Verlag KG.

An der Regalwand hing ein Brief, in dem Uwe Johnson von meinen Mitarbeitern gebeten wurde, aus Anlaß meines 60. Geburtstags eine Erinnerung zu schreiben. Neben diesem angepinnten Brief wieder ein Photo von mir, das ich längst vergessen hatte, bei der Entgegennahme der Ehrendoktorwürde an der Washington University in St. Louis. Wie hatte er in seinem Brief geschrieben: »For the past four years I would not have been able to survive without their generosity, and I wish to repay the kindness and the steadfastness of my publishers by bequeathing any money and property I have to them, as I may owe them a great debt at the date of my death.«

Eine Ewigkeit und doch nur einen kurzen Augenblick waren wir in Uwe Johnsons Haus. Beklommen, nicht ohne Vorwürfe, mit innerer Not. Aber wir bewunderten auch die innere und äußere Leistung dieses Menschen, seine Gipfel, seine Abgründe.

Am späten Nachmittag waren wir mit Elisabeth Johnson verab-redet. Sie glaubte die Situation zu kennen. Jedenfalls sagte sie mir, sie wolle Witwe von Uwe Johnson nur in Sheerness sein. Sonst wisse sie, wie Uwe alles geregelt haben wollte, und sie stimme dem zu. Sie wolle den Willen von Uwe Johnson erfüllen. Dann aber die Frage der Beerdigung, die Form hatte Uwe Johnson bestimmt. Aber wie soll die Kremation vor sich gehen? Nach englischem Recht heißt es, »there ist no property in a dead body ... The Exe-cutors have the right to possession of the body and the duty to bury it.«

Nach unserem Gespräch brachte uns Elisabeth Johnson in den Pub, in dem Uwe Johnson Stammgast war: The Napier, 1 Alma Road, Sheerness-on-Sea. Wir treffen dort die beiden Wirte: Mr. Colin E. Mason und Ronald Peel. Colin E. Mason war der Mann, der Uwe Johnson am 12. März zusammen mit der Putzfrau Nora gefunden hatte. Später findet sich auch Louis Miller, ein ehemali-ger Feuerwehrmann, ein. Er ist der älteste und bekannteste Pub-kunde. Elisabeth Johnson verabschiedete sich nach einem Drink; sie hatte diesen Pub seit 1978 nicht mehr betreten.

Was wir hier erlebten, war mehr als eine Überraschung. Als ich die Kneipe verließ, wußte ich, warum Uwe Johnson diese fast zehn Jahre in Sheerness verbracht hatte. Dreimal habe ich ihn dort be-sucht. Jedesmal war mein Gefühl beim An- wie beim Abreisen dasselbe: wie kann man hier wohnen, wie kann man hier schreiben wollen, in dieser heruntergekommenen Stadt, mit geringsten oder eigentlich keinen Möglichkeiten, das zu erhalten, was das äußere Leben lebenswert macht. Und wie ungünstig lag dieser Ort für Kommunikation mit Freunden. Gewiß, so oft ich ihn bewogen habe, Sheerness aufzugeben, leuchtete mir sein Gesichtspunkt ein, daß nur das sein Arbeitsort sei, daß er nur hier die *Jahrestage* vollenden könnte. Aber nun wurden mir die Augen geöffnet. Ich konnte mir vieles im Leben von Uwe Johnson nicht vorstellen, das aber, was ich dort hörte, erst recht nicht. Doch es muß so gewesen sein: Neun Jahre lang kam Uwe Johnson, wenn er sich in Sheer-ness aufhielt – und das war doch die meiste Zeit dieser neun Jahre –, jeweils einmal am Tage, mittags oder abends, in den Pub. Ge-wöhnlich kam er abends, er trank immer dasselbe: mehrere Gläser Hürlimann-Bier (er hatte mit der Brauerei in der Schweiz von Sheerness aus korrespondiert, um sich der natürlichen Essenzen dieses Bieres zu versichern) und zum Abschluß Bloody Mary,

Tomatensaft mit Wodka. Er saß immer am selben Platz, von dem aus er die beiden, von der Theke geteilten Räume der Kneipe übersehen konnte. Er sah die Leute kommen und gehen. War sein Platz einmal besetzt, so setzte er sich so auffällig daneben, bis er ihm geräumt wurde. Später war es dann so, daß der Platz ihm automatisch freigemacht wurde, sobald er den Pub betrat. Und nun das Aufregende: neun Jahre lang hat Uwe Johnson kein Wort vernehmen lassen, daß er Schriftsteller ist, niemand hat ihn gefragt, was er arbeite.

Keiner wußte es, keiner kannte seine Bedeutung. »He was a private man, he was a private man« – das war der Satz, der immer in die Unterhaltung mit Mr. Miller und Mr. Peel einfloß. Und Uwe Johnson hieß auch nicht Mr. Johnson, sondern Charlie, Charles oder Charles Henry. Mit Charles wurde er angeredet und Charles war er. He was a private man. Als ich fragte, was man sich gedacht hätte, was er tun würde, was er sei, war die Antwort, er habe ein gewisses professorales Gebaren gehabt, weil er immer etwas gelesen oder notiert habe, gelesen habe er die Zeitung, auch schon einmal ein Buch, geschrieben habe er in ein kleines Notizbüchlein oder in irgendeinen Kalender, manchmal habe er auch auf Zigarettenschachteln etwas notiert.

Dann konnte ich meinen Augen nicht mehr trauen: An den Wänden der Theke hingen Kartons, größer als DIN A4, mit Peanut-Säckchen. Jetzt fiel es mir ein: Uwe Johnson hatte jedesmal, wenn er uns besuchte, solche Kartons mit Erdnüssen mitgebracht, ich hatte ihm mehrfach gesagt, daß ich das wegen des hohen Kaloriengehalts nicht essen würde, er ließ sich nicht davon abbringen.

Der Wirt erzählte lächelnd, vor jeder Reise nach Deutschland habe er ein solches Päckchen bei ihm gekauft, und dann: »Charlie war ein sehr freundlicher Mensch, auch mir hat er immer etwas mitgebracht von einer Reise. Sehen Sie, da !« Die oberste Reihe des Gläserregals der Bar war voll mit kleinen, mir sehr bekannten Fläschchen mit Whisky und Cognac, mit Zuger Kirsch, Elsässer Mirabelle de Lorraine, mit Schwarzwälder Himbeergeist. Ich habe diese Fläschchen, die Fluggesellschaften an Passagiere verschenken, immer angenommen, sie bei mir zu Hause gesammelt, weil ich wußte, daß Uwe Johnson immer, wenn er hier war, sie gerne mitnahm. Daß sie in einem Pub in unwirtlicher englischer Gegend landen würden, das habe ich mir nicht träumen lassen. Charles war allseits beliebt. Er ließ sich von den Leuten zu einem Drink einladen oder er lud sie seinerseits dazu ein. Einem älteren Mann, gehbehindert, erfüllte er einen Lebenswunsch: mit ihm besuchte Uwe Johnson die Isle of Man. Einen anderen nahm er mit nach New York. Als die Angehörigen einer älteren Dame, die Uwe im Pub kennengelernt hatte, die Beerdigung nicht bezahlen konnten, half er mit Geld, damit sie würdig gestaltet werden konnte, und für den Trauergottesdienst ist er dann auch ein einziges Mal in die Kirche gegangen. Jetzt begann ich zu verstehen, warum Uwe Johnson in Sheerness war und dort bleiben wollte. Dort, und wirklich nur dort, war er dieser »private man«, niemand verlangte etwas von ihm, keine Stellungnahme zu irgendeinem Ereignis, keinen Kommentar, keine Meinungsäußerung. Er mußte nichts öffentlich sagen. Er war keine Autorität, nur ein Mensch und zudem beliebt. He was a private man – man muß bedenken, daß ›private‹ in England anderes und mehr bedeutet als bei uns. Hier ist jemand fast verdächtig, wenn er ›privat‹ ist und sich nicht von sich aus äußert. ›Privat‹, so belehrt uns die Etymologie, heißt bei uns in erster Linie ›amtslos‹, es bedeutet häuslich, allem öffentlichen und Gemeinsamen entgegengesetzt. Im 16. Jahrhundert hieß ›privat‹, aus dem lateinischen ›privatus‹ (vom Staat abgesondert), ›für sich stehend‹, im Sinne von ›nicht der Öffentlichkeit angeschlossen‹. Das Partizipialobjekt stammt vom lateinischen ›privare‹, berauben, befreien, sondern. Die hohen Herren hatten ein Privatleben. Der Privatnutzen war oft dem der Öffentlichkeit entgegengestellt.

Privatisieren heißt ja jenseits der Öffentlichkeit als Privatmann, als Rentner leben. Im Englischen ist diese Bedeutung der Zurückgezogenheit viel positiver. Ein ›private gentleman‹ ist ein Privatmann von Ansehen, eine ›private road‹ ist eine nichtöffentliche Straße, aber dadurch etwas Besseres. Es gibt ›private door‹ die Geheimtür, ›private hand‹ die Privathand, ›private theatre‹ das Liebhabertheater, ›private bill‹ im Parlament ein besonderer Antrag eines Abgeordneten, ›private‹ heißt eigen sein, fürsichsein, vertraulich, zurückgezogen. Für die edlen Teile des Menschen wird das Wort ›private parts‹ herangezogen. Der ›private man‹ ist also nicht der der Öffentlichkeit Entgegenstehende, sondern der Mann, der für sich aus eigenem Gewissen, aus Eigen-Sinn handelt und der hochgeachtet ist. Als Brecht, Elisabeth Hauptmann und Bentley *Furcht und Elend des Dritten Reiches* ins Englische übersetzten, gaben sie siebzehn Szenen den Obertitel »The private life of the Master Race«. Im Deutschen wäre das Brecht nicht eingefallen.

Sheerness war also nicht nur, wie Uwe Johnson erklärte, Arbeitsort, es war für ihn ein Ort seines Lebens. Ich habe das zu wenig gesehen.

Natürlich fragten wir die Leute im Pub immer wieder, wie konnte der Tod so lange unentdeckt bleiben? Uwe Johnson war zuletzt am Mittwoch, dem 22. Februar, mittags in den Pub gekommen. Wieder hatte er zum Abschluß Bloody Mary getrunken. Neun Jahre lang war er nur einmal am Tage gekommen, an diesem Tag kam er noch ein zweites Mal, darum konnten die Wirte sich so genau daran erinnern: Er hatte noch einmal eine Bloody Mary getrunken, dann hätten sie ihn nicht mehr wiedergesehen. Charles hätte in diesen Tagen nicht gut ausgesehen, das Gesicht sei rot gewesen, er habe unaufhörlich geschwitzt, er sei zu korpulent gewesen. Einer der Wirte habe ihn darauf angesprochen, aber er habe nur gelächelt und gesagt, das sei nun eben so; an diesem letzten Tag hatte er gewünscht, die Putzfrau möge die folgende Woche nicht kommen, er erwarte sie wieder am Donnerstag, dem 8. März. Daran hat sich Nora Harris strikt gehalten. Es gab auch keine Veranlassung, ihn zu fragen, was er vorhabe. He was a private man.

Ich besuchte am nächsten Morgen noch einmal Elisabeth Johnson, bei der auch Frau Landgraf zu Gast war. Wir sprachen über das Testament. Inzwischen stand das Ergebnis der Obduktion fest: Herzversagen. Die Leiche wurde zur Beerdigung freigegeben. Die Einäscherung fand am Freitag, dem 23. März 1984, statt. Für mich war es selbstverständlich, anwesend zu sein. Ich hatte Uwe Johnson versprochen, seine Wünsche zu erfüllen, also auch seine Anordnung: ›No music, speeches, flowers or any religious or other services whatsoever.‹ Ich ging wieder zum Anwalt. In seinem Büro sah ich einen mir jetzt beziehungsreichen Werbeprospekt »Making a will won't kill you«. Das kommt doch sehr darauf an.

Elisabeth Johnson hatte gewünscht, daß der Sarg noch einmal vor das Haus 26 Marine Parade gebracht werde. Sie wollte sogar, daß der Sarg ins Haus hineingetragen würde. Wir trafen uns, von zwei Seiten kommend, vor dem Haus. Elisabeth mit Katharina, Frau Landgraf und Frau AnHuef, der Schwester von Uwe Johnson. Ich kam mit dem Anwalt Clough hinzu. Als der Leichenwagen vorfuhr, kam hinter der Mauer plötzlich ein Photograph heraus. Katharina Johnson wurde ärgerlich und rannte weg. Elisabeth Johnson wünschte, daß ich den Photographen vertreiben sollte, aber dazu hatte ich keine Befugnis. Sie stiegen in den Wagen des Leichenbestatters, ich fuhr im Auto des Anwalts nach Maidstone. Wir fuhren an dem Friedhof vorbei, der zu Sheerness gehört und im Ortsteil Halfway liegt. In Maidstone-Vinters Park betraten wir die Halle. Der Sarg war aufgebahrt, rechts und links hatte das Beerdigungsinstitut zwei winzige Blumensträuße arrangiert, das war von niemandem vorauszusehen oder zu verhindern gewesen. Nach langen Minuten schloß sich der große, himmelblaue Vorhang und nahm uns die Sicht auf den Sarg. »Für wenn ich tot bin«.

Die Tür der Leichenhalle wurde wieder geöffnet, wir traten ins Freie, dort lag ein Blumen- und Kränzemeer für andere Bestattungen.

Elisabeth Johnson drängte als nunmehrige Alleinbesitzerin auf schnelle Räumung des Hauses 26 Marine Parade, die freilich erst nach der Testamentseröffnung möglich war. Vom 30. Mai bis 1. Juni waren Joachim Unseld, Raimund Fellinger und Dr. Felix Landgraf, der Testamentsvollstrecker, im Hause, um zu sichten und die Räumung vorzubereiten. Das Haus wurde photographiert, die Innenräume, die Bibliothek und das offen liegende Arbeitsmaterial. Die wichtigsten Materialien, Manuskripte und die Korrespondenzen wurden in Koffer gepackt, dem Anwalt übergeben, der sie bei der Bank bis zur Testamentseröffnung verwahrte. Die Bibliothek im ersten Stock, die etwa zehntausend Bände umfaßte, wurde photographisch registriert, die große Mecklenburg-Sammlung, die Ausschnittsammlung der *New York Times* und des *Spiegel*. Das Merkwürdige: es fand sich im ganzen Haus kein Material, das als Vorfassung zu den *Jahrestagen* gedient haben könnte.

Die Testamentseröffnung im High Court of Justice, District Probate Registry at Brighton, für »Uwe Klaus Dietrich Johnson« fand am 12. Juni 1984 statt. Nach Ablauf der Einspruchsfrist konnten Ende September die noch im Haus verbliebenen Gegenstände und die bei der Bank verwahrten Koffer nach Frankfurt gebracht werden. Ich hatte inzwischen mit der Johann Wolfgang Goethe-Universität eine Vereinbarung treffen können, wonach in den

Räumen der Universität ein Uwe Johnson-Archiv eingerichtet werden sollte. Die Universität schaffte die räumlichen und personellen Voraussetzungen. Der Leiter des Uwe Johnson-Archivs, Dr. Eberhard Fahlke, widmet sich dieser Aufgabe mit großer Kompetenz und Hingabe. Direktor des Archivs ist Professor Dr. Volker Bohn. Die Peter Suhrkamp Stiftung, auf die nach ihrer Gründung der Johnson-Nachlaß übertragen wurde, übergab diesen Nachlaß als Dauerleihgabe an die Universität; Stiftung und Verlag kommen für die Kosten des Archivs auf. Im Februar 1985 war das Archiv so weit eingerichtet, daß die eigentliche Archivierung beginnen konnte. Heute sind aus rechtlichen Gründen einige private Dokumente unter Verschluß, das Archiv selbst steht jedoch der Forschung zur Verfügung. Wie kaum ein anderes Archiv gibt es Einblick in die Werkstatt eines Schriftstellers, ja, es läßt den Forschenden förmlich über die Schulter des Schreibenden schauen.

Es wird im Laufe der Jahre auch Aufschluß über den Menschen Uwe Johnson geben, über seine schreckliche Einsamkeit, und über seine »gelegentliche Empfindung... ein Dasein auf der Erde verlohne sich«. – Bisher sind nur Mutmaßungen möglich.

Peter von Matt untersuchte in seinem brillanten literaturästhetischen Werk *Liebesverrat* die »Treulosen in der Literatur«; er wollte herausfinden, warum alles Erzählen und Dichten und Theaterspielen »immer wieder zurückkommt auf Liebesverrat«. Seine Spurensuche beginnt mit der antiken Erotik, führt über das Beispiel Boccaccio zur bürgerlichen Literatur, zu Goethe – dann zu den klassischen Zeitgenossen Horváth und Brecht und schließlich zur Gegenwart, zu den Werken von Ingeborg Bachmann, Max Frisch und Heinrich Böll. Der Schluß des Buches gilt jedoch Uwe Johnson. Von Matt analysiert Johnsons *Skizze eines Verunglückten,* eine Erzählung »voll gewaltiger Wichtigkeiten«, »wie sie denn überhaupt ein ausgesprochenes Werk ist auf ihren so schmalen 75 Seiten«. Peter von Matt [vgl. in diesem Band S. 161 ff.] gibt eine Schilderung des autobiographischen Hintergrunds der Geschichte von Joachim de Catt, der in den USA seinen Namen in Joe Hinterhand änderte. »Mir hätte der Name«, meint der Erzähler, »weiterhin eingeleuchtet, weil er einem niederdeutsch gebildeten Leser das Betragen einer Katze ankündigte«. Hinterhand hatte seine Frau nicht nur wegen Untreue mit einem Agenten eines befeindeten Staates ermordet, er litt auch an einer tödlichen Verletzung, weil er die Treulosigkeit auf die Sprache bezog, auf sein Leben mit Sprache. »Die Besiegelung durch Poesie«, schreibt von Matt, »ist keine Zutat. Das Geheimnis der hier entworfenen Ehe ist nämlich von Anfang an verknüpft mit dem Geheimnis der Sprache, des Ineinanderwachsens durch die Rede.«

Peter von Matt hat nachgewiesen, daß Johnson in dieser Erzählung ein Hauptmotiv aus den *Wahlverwandtschaften* aufgegriffen hat. Mir war bekannt, daß Uwe Johnson in Leipzig durch seinen Lehrer Hans Mayer zu den *Wahlverwandtschaften* geführt worden ist – in einem Oberseminar bei diesem hat er, nach dem Beginn des Romans befragt, die erste Hälfte der ersten Seite aus dem Gedächtnis zitiert; am Anfang der *Begleitumstände* hat er als »Paten« der Poetik Goethe und insbesondere diesen Roman erwähnt. Ich verdanke aber Peter von Matt den so wesentlichen Hinweis, daß Johnson für die Erzählung des J. Hinterhand ein Hauptmotiv aus den *Wahlverwandtschaften,* Ottiliens stumme Geste, aufgenommen hat. Als sich J. de Catt von seiner Freundin verabschiedete, macht diese eine Geste »des stillschweigenden Versprechens« auf Treue, »wobei sie die Hände flach vor der Brust gegeneinander verschoben habe«. Diese Gebärde nahm Hinterhand als Ritual des Liebesvertrags, er sei ihr »eingedenk gewesen von Boston bis New Orleans«.

Zweimal wird bei Goethe Ottiliens Geste erwähnt, am auffälligsten am Schluß des Romans, dann »drückte sie die flachen, in die Höhe gehobenen Hände zusammen, führte sie gegen die Brust...« Für von Matt wirken diese Gesten wie ein Ja bei Goethe und wie ein Nein bei Johnson, bei Goethe »ruhen die Liebenden«, bei Johnson ist Verzweiflung angekündigt. Bei Goethe ändern sich die Menschen, wenn sie lieben, bei Johnson ist Verrat vorgegeben. Von Matt schließt zu Recht seine Analyse mit der Einsicht: »Über ihn (den Roman *Wahlverwandtschaften*) führt der Weg zum Verständnis aller Treulosen und Verräter in Goethes Werk, und die Treulosen und Verräter in aller Literatur gewinnen vor dem Hintergrund dieses Romans einen Umriß, der es möglich macht, sie gegeneinander aufzuheben, sie ebensosehr in der Besonderheit ihres historischen Orts zu erkennen wie im Ungestüm ihrer Gegenwärtigkeit über Jahrhunderte hinweg.«

Bei Uwe Johnson tritt zur »Besonderheit« des »historischen Orts« und zum »Ungestüm« einer Gegenwärtigkeit noch ein drittes Element. Dies ist der Umgang mit seinen Figuren. Ich meine, dies macht die Einzigartigkeit dieses Schriftstellers aus. In den *Begleitumständen* belegt er dies indirekt. Er, der Schriftsteller, warnte im Mai 1979 die, die ihr Leben »auf das sogenannte Schreiben« einrichten wollten: »Hätte es damals eine Wahl gegeben, ich riete mir von heute her zur Schmiedelehre.« Wie er dann doch Schriftsteller geworden ist, das weisen die *Begleitumstände* in eindrucksvoller Weise nach. Ein erster Anstoß war der Trotz des jungen Mannes gegen die Behörden der DDR, gegen die »werten Genossen vom Ministerium für Kultur, Kommission für Absolventenlenkung«, die ihn von seinem Arbeitsplatz der DDR »entwöhnten«, die ihn »unten halten«, die ihn »kaltstellen wollen«, aber so einer »steht auch beiseite, und hat Zeit«. Aus diesem Beiseitestehen und Zeithaben resultiert eine für den jungen Uwe Johnson charakteristische Haltung, die von da an sein Leben prägt und ihn zum Schriftsteller werden läßt: »Das ist die Position des Beobachters. Er sieht sich an, was da ist, er zählt es. Und da ihr ihn habt unterrichten lassen über die Funktion der Vorsilbe ›er-‹ im Deutschen, wird er am Ende geraten ins Erzählen. Denn ihr umgebt ihn mit Vorfällen, die er beim besten Willen wahrnehmen muss.« Aus der Haltung des Beobachters, des Zählers von Vorgängen, des Erzählers entwickelte sich die für diesen Schriftsteller kennzeichnende epische Position, die des »Aufschreibers«.

Am 11. Juli 1957 besuchte Uwe Johnson, der Ende Februar 1957 dem Suhrkamp Verlag das Manuskript *Ingrid Babendererde. Reifeprüfung 1953* eingereicht hatte, Peter Suhrkamp in West-Berlin. »Es juckt mich, ein Buch daraus zu machen«, hatte Suhrkamp geschrieben. Aber es kam anders. »Der alte Herr«, so die *Begleitumstände,* »der den Besuch begrüsste mit ausgesuchten, verschollenen Manieren, hielt ihn sogleich an, mitzuarbeiten an der Ablehnung seiner eigenen Arbeit.« Nach vierwöchigem Nachdenken war für Johnson ein Brief an Suhrkamp möglich: »Wenn Sie aus dem Manuskript kein Buch machen möchten, bin ich also einverstanden.« (Für die Geschichte hielt er dabei fest, daß Suhrkamps Mitarbeiter Siegfried Unseld diesem von der Annahme abgeraten hat.) Dann zog Uwe Johnson »Bilanz«: Negativ sah er das Scheitern der Veröffentlichung seiner ersten Arbeit im Osten wie im Westen. Positiv: die Chance, eine neue Arbeit zu beginnen. Und wichtig waren ihm »vier Jahre Lehrzeit«. Gewonnen hatte er, so auch die Bilanz, »den Auftrag, nach der Familie Niebuhr zu suchen, insbesondere Martin Niebuhr, den alten Niebuhr«. Er hat ihn gefunden; in *Ingrid Babendererde*, in *Karsch* und in den *Jahrestagen* ist der alte Niebuhr festgehalten, der Vorarbeiter beim Wasserstraßenamt Mecklenburg, der Retter der Schleuse Wendisch Burg, als die Sprengmeister der SS sie vor der anrückenden Roten Armee zerstören wollten; er war verheiratet mit Gerda Cresspahl, der Schwester Heinrich Cresspahls, des Kunsttischlers aus Jerichow. Eine andere »Bilanzforderung« heißt: »Erichson ist aufzuspüren«, und er spürte ihn auf, diesen Wissenschaftler Dietrich Erichson, der nach dem 17. Juni 1953 die DDR verläßt, in die USA emigriert, dort »Professor of Physics« wird und im Dienste der US-Luftwaffe Frühwarnsysteme betreut; er wollte im Herbst 1968 Gesine Cresspahl heiraten, aber am 4. August desselben Jahres »gegen 8 Uhr morgens« stürzt er mit dem Flugzeug ab.

Erworben hat sich Uwe Johnson den »dauerhaften Umgang« mit »diesen Leuten«, dem Reichsbahnstreckendispatcher Jakob Abs, dem Journalisten Karsch, mit den Niebuhrs, den Cresspahls, de Rosny, Joe Hinterhand, Anita Gantlik und den anderen dieses großen Kosmos, hauptsächlich aber immer wieder »den fortdauernden Umgang« mit Gesine Cresspahl.

Gesine Cresspahl ist heute eine Figur der zeitgenössischen Weltliteratur wie der Blechtrommler Matzerath von Grass, Stiller von Frisch, Anselm Kristlein von Walser. Gefragt, wie er auf diesen Namen gekommen sei, erzählte er mir, daß er einmal in seiner Jugend gehört habe, wie der Name Gesine zu einem vierjährigen Kind gerufen wurde, daß ihn damals die Vokale »e« und »i« so bezaubert hätten wie später bei Fontane der Name Effi; und Cresspahl klinge zwar ordentlich mecklenburgisch, aber es gebe dort keinen Cresspahl und ihm sei der Name auch nie vorgekommen. In dieser Weise wurden die Personen der Romane von ihm selbst »erfunden«, bis sie dann ein Stück von ihm geworden sind. In Gesine Cresspahl verliebte sich Jakob Abs so heftig, daß er sich kahlscheren ließ, als Gesine durch Typhus im Jahr nach dem Krieg ihr Haar verlor. (Auch Uwe Johnson trug sein Haupt fast kahlgeschoren.) Kind dieser Liebe war Marie Cresspahl, geboren am 21.

Juli 1957 in Düsseldorf. Mit ihr geht Gesine 1961 nach New York, mit ihr führt sie Gespräche, die der »Genosse Schriftsteller« aufzeichnet, und Gesine hält ebenfalls auf Bitten Maries Erinnerungen fest, »für wenn ich tot bin«.

Zu Gesine und Marie tritt freilich noch eine weitere ältere Dame als Figur hinzu, die *New York Times;* es ist vielleicht der raffinierteste Kunstgriff Johnsons, New York durch die naiv-altkluge Denk- und Frageweise des Kindes Marie einerseits und andererseits durch die allwissende Nomenklatur der »alten Dame« vom Times Square lebendig werden zu lassen; ich kenne kein Buch eines Nicht-Amerikaners, in dem New York ebenso real und konkret wie poetisch dargestellt ist.

Doch wie stark solche Lebensläufe auch die erzählerische Struktur bestimmen, der Erzähler weiß mehr, denn für den Lebenslauf von Gesine Cresspahl sucht der Autor »nach den Einwirkungen von vier gesellschaftlichen Systemen auf ihr Leben«, und so leuchten denn als Basis dieses Lebenslaufes deutsche Geschichte dieses Jahrhunderts und die Gesellschaft in »vier Systemen« auf. Am 3. März 1933 wurde Gesine in das faschistische Deutschland hineingeboren, ihre Jugend erlebt sie in der DDR, nach dem 17. Juni 1953 bleibt sie in West-Berlin, läßt sich in Frankfurt zur Diplom-Dolmetscherin ausbilden, arbeitet als Übersetzerin (beim Amt für Manöverschäden der NATO in Mönchen-Gladbach) und später dann in Düsseldorf im Bankwesen. 1961 siedelt sie mit ihrer vierjährigen Tochter nach New York über, wo sie in einer amerikanischen Bank arbeitet, um gewissermaßen die Inkarnation westlichen Kapitalismus zu studieren. Es zählt zu den großen epischen Leistungen Johnsons, daß er diese historischen Umrisse nie als vordergründigen Bericht oder als historische Schilderung gibt. Seine »Katze Erinnerung« hält sich ausschließlich an »Verhältnisse«, die ganz persönlich zu Gesine gehören, und dies schafft seinem poetischen Verfahren einen weiten Raum, die verschiedensten Formen des Erzählens, Dialog, Monolog, Zeitungsmeldung, Tagebucheinträge, Wetterbericht, Anekdoten, Scherze unterzubringen. Der Erzähler spielt mit der Form der Erzählung – »hier wird nicht gedichtet. Ich versuche, dir etwas zu erzählen«, sagt Gesine zu Marie. Und an anderer Stelle fragt Gesine ihre Tochter: »Wollen wir springen in der Erzählung?«

Wer erzählt? Die Frage wird immer wieder spielerisch, ja heiter gestellt. Es sei die Anmerkung erlaubt, daß die *Jahrestage,* die oft die grausamsten Seiten der Weltgeschichte rekapitulieren, die das Konzentrationslager und die Massengräber von Fünfeichen vorzeitig, also bevor die Umwelt nach dem 9. November 1989 sie entdeckt hat, beschrieben haben, durchaus auch einen heiteren Charakter haben. Am 3. November 1967 besucht Gesine Cresspahl in New York den Vortrag des Schriftstellers Uwe Johnson. Der Vortrag vor einem jüdischen Publikum wird zum Fiasko für den deutschen Schriftsteller, Gesine Cresspahl aber lernt »ihren« Autor kennen, der ihre eigene Geschichte auch als die seine erfahren hat: »Wer erzählt hier eigentlich, Gesine. / Wir beide. Das hörst du doch, Johnson.« Immer wieder beantwortet der Autor die Frage »Wer erzählt?« mit der Antwort: »Wir beide, Gesine«. Der Autor Johnson vermag mit seiner »Katze Erinnerung« freilich gut umzugehen; er reflektiert oft die Beziehungen zwischen Erinnerung, Gedächtnis und die Vergegenwärtigung durch Geschriebenes. Er weiß, der Versuch, Vergangenes nur durch das Gedächtnis zu fassen, ist vergebens, der »vielbödige Raster aus Chronologie und Logik« wird nicht vom Hirn bedient. Für sein poetisches Denken bedeutet dies: »Das Stück Vergangenheit, Eigentum durch Anwesenheit, bleibt versteckt in einem Geheimnis, verschlossen gegen Ali Babas Parole, abweisend, unnahbar, stumm und verlockend wie eine mächtige graue Katze hinter Fensterscheiben, sehr tief von unten gesehen wie mit Kinderaugen.«

Wie mit Kinderaugen. Vielleicht gehen deshalb Geschichten, Vorgänge, persönliche Verhältnisse so nahtlos ineinander über. Der Vizepräsident der Bank wünscht sich eine Ausdehnung des »Kreditgeschäftes«, und er denkt hierbei an die ČSSR als neue geschäftliche Möglichkeit. Gesine ergreift diesen Auftrag, weil sie, bewußt oder unbewußt, nach einem dritten Weg sucht, weil sie den »durch den ›Prager Frühling‹ an die Macht gekommenen neuen Führern der ČSSR« helfen will, den Frühling zu fördern; für sie ist es gleichzeitig ihr »letzter Versuch, sich einzulassen mit der Alternative Sozialismus«. Gesine kann dieses Ziel nicht erreichen. Die in Prag einrollenden sowjetischen Panzer zerstören das Geschäft wie die Zuversicht. Doch wie auch immer: die *Jahrestage* haben Gesine Cresspahl ein Denkmal gesetzt, dauernder als Erz. So die »Bilanz« von 1957 und so das Resultat von 1983.

War Uwe Johnsons »Einverständnis«, kein Buch aus dem Manuskript *Ingrid Babendererde. Reifeprüfung 1953* zu machen, auch darin begründet, daß dieser Text zu sehr eine »Probe auf die

Erfindung« war, während er jetzt beobachten, erzählen, aufschreiben wollte? Er notierte in den *Begleitumständen* unmittelbar nach der »Bilanz«:

»Erfahrung im Prozess des Erfindens: er ist vergleichbar dem Vorgang der Erinnerung, die eine längst vergessene, in diesem Fall noch unbekannte, Geschichte wieder zusammensetzt, bis alle die Leute, ihre Handlungen, ihre Lebensorte, ihre Geschwindigkeiten, ihre Wetterlagen unauflöslich mit einander zu tun bekommen. Dabei ist das Suchen nach der Technik eines Arbeitsvorgangs oder nach einer Landschaft als Ort der Handlung als Ermittlung geboten; die bewusste Suche nach den Personen ist grundsätzlich von Schaden. Hier muss jede Absicht fehlen. Sie müssen freiwillig auftreten, in sich stimmig aus eigenem, in ihrem eigenen Recht, dem Urheber ebenbürtig. Dann werden sie ihm helfen und ihn gelten lassen als einen Partner, wenn er umgeht mit ihnen in seinem Bewusstsein und nun zu Papier.«

Selbstverständlich ist es der erfahrene Schriftsteller von 1979, der eine solche Summe seines schriftstellerischen Bewußtseins, seiner poetischen Absicht so souverän zu formulieren vermag. Aber schon der Schriftsteller des Jahres 1958 hatte die Vorstellung vom freiwilligen Auftreten der Personen, die in sich stimmig und mit ihrem Urheber und Erfinder ebenbürtig sein sollen. Damals, 1958, ging Uwe Johnson gelegentlich in West-Berlin zu »Herrn Suhrkamp«, er hatte das Gefühl, ihm irgendwie zur Rechenschaft verpflichtet zu sein, und erzählte ihm, er sei nunmehr »leidlich firm« im Eisenbahnwesen, eine Figur, die alles tragen könnte, sei vorhanden. Wenn Suhrkamp wolle, könnte ein Buch daraus entstehen. Suhrkamp reagierte zögernd, für ihn charakteristisch. Er erbat von Uwe Johnson ein Exposé für das ganze Buch! Für Johnson war das ein »zuwiderer Auftrag«, der dann auch scheiterte, weil Suhrkamp aus dem Exposé nichts ersehen konnte. Uwe Johnson verstand das wiederum. Auch er war unzufrieden mit der Arbeit, der Auftrag »störte den Verfasser, sobald er auf Papier mit seinen Leuten zu verhandeln begann«. In einem solchen Exposé, in einem Bericht über eine mögliche Erzählung war die von ihm gewünschte Verhandlung »mit seinen Leuten« einfach nicht möglich. Diese ließen sich nicht kommandieren für ein Exposé, über das ein Dritter entscheiden sollte, was daraus werden würde. Seine Personen »waren lebendig für ihn, er arbeitete Hand in Hand mit ihnen an einem Plan und seiner Ausführung«. – Dieses Exposé ist für lange Zeit ein Stein des Anstoßes für Uwe Johnson gewesen, »immer war der Würgegriff zu finden in den Armknochen jenes

Skeletts, das in Frankfurt am Main in einem Aktenschrank einge-sperrt war«. Dringlich bat Uwe Johnson immer wieder Suhr-kamp, das Exposé zu vernichten, und als Suhrkamp bestätigte, »es sei wunschgemäß weg von dieser Erde, ging der Geschichte das Atmen leichter«.

Die Figuren, die Personen seiner Arbeiten – »seine Leute« -, sie waren in einer Weise lebendig für ihn, wie ich das bei keinem anderen Schriftsteller erfahren habe. Ein Schlüsselerlebnis in die-ser Hinsicht war Johnsons in englischer Sprache in Austin/Texas gehaltener Vortrag über die Begegnung des Erzählers mit Gesine Cresspahl in New York. Man muß gehört haben, wie Uwe John-son mit höchstem artistischem Genuß den Namen Gesine als »Dschisaihn« aussprach, Dschisaihn, die Sprachenkundige, hatte ja auch die Formulierung »Anniversarii« gefunden, aus denen sich die »Anniversaries« und dann die »Jahrestage« entwickelten. Der Erzähler traf seine Hauptperson zum ersten Mal in einem 5th-Avenue-Bus; sie fuhr dort morgens zu ihrer Bank und abends zu ihrer Wohnung, Apartment 204, 243 Riverside Drive, zwischen der 96. und 97. Straße gelegen. Dieses Apartment war bewußt gewählt, denn »ein Mecklenburger Kind, aufgewachsen eine Stunde Fusswegs von der Ostsee entfernt, was würde die für eine Wohnung brauchen für den Abend nach zehn Stunden zwischen den Schluchten aus Stein und Glas von Manhattan? da kam in Frage allein der Riverside Drive, eine in der Architektur fast euro-päische Strasse an der Westküste von Manhattan, mit Blick auf Parkbäume, Wiesen, Bodenschwünge und dahinter den Fluss Hudson so breit wie ein Binnensee in Mecklenburg (...) hundert-acht Dollar [Miete] pro Monat.« Gesine Cresspahl erzählt Tag für Tag, Anniversarii, nicht nur für den Tag gedacht, sondern darüber hinaus weisend und zur Erinnerung für Marie. Gesine war also keine Figur, sie war für ihren Erzähler ein lebender Mensch.

In den *Begleitumständen* wehrt Uwe Johnson sich gegen den Vorwurf des »Autobiographischen«, der entschlossen vorbeiginge an »der Wirklichkeit«, »die das Buch einer 34jährigen Frau, ledig, mit zehnjähriger Tochter, einräumt«:

»Darüber hinaus setzt der Vorwurf des Autobiographischen die Person Gesine Cresspahl herab und will sie erscheinen lassen als bloss ein Instru-ment und Vehikel, Erfahrungen und Zustände des Verfassers zu übermit-teln, mit welchem Zweifel an ihrer souveränen Partnerschaft ihr sogleich die Fähigkeit dazu verloren gehen muss.«

Der »Genosse Schriftsteller« hatte ja einen »Vertrag« mit Gesine Cresspahl abgeschlossen, und an diesen Vertrag hielt er sich exakt: »Ich will dir mal was sagen, du Schriftsteller... Ein Jahr habe ich Dir gegeben. So unser Vertrag. Nun beschreibe das Jahr. Und was vor dem Jahr war. Keine Ausflüchte! Wie es kam zu dem Jahr. In diesem verabredeten Jahr, seit dem 20. August 1967, ... Soll es denn doch ein Tagebuch werden? Nein. Nie. Ich halt mich an den Vertrag.«

Er hielt sich an den Vertrag, aber auch Gesine Cresspahl hielt sich daran. Um ihre Bankaufgabe in Prag richtig erfüllen zu können, lernte sie auch noch die tschechische Sprache, das überraschte den Erzähler, und angesichts dieser Bereitschaft wird der »Erzähler ihres Lebenslaufs« »sich bis hin zur Ehelichkeit« mit ihr verbündet wissen.

Bis hin zur Ehelichkeit. Dies also ist der Umgang Uwe Johnsons mit seinen Personen. »Seine Leute«, so die *Begleitumstände,* »waren keine Tante Emma für ihn«, sie waren ihm wesentlich, mit ihnen versuchte er höchste Kommunikation, eine Dialektik des Schweigens und Redens, des Fragens und Antwortens; oft ließen die Antworten seiner Personen auf sich warten; oft entglitten sie ihm überhaupt, wandten sich von ihm ab, er konnte sie nicht mehr rufen. In solcher Verfassung erinnert er sich an eine Gesprächsäußerung von Ernst Barlach im April 1918: Barlach hatte hier seine Erfahrung festgehalten, daß er sich im Grunde immer mehr und mehr als »ein bloßes Mittel« betrachtete. Irgendwann, bei den dümmsten Verrichtungen, beim Händewaschen oder beim Zähneputzen, »ist es plötzlich da«. Barlach machte die Erfahrung: »Es ist, als wäre die Arbeit in ein Schubfach gelegt und dort fertig geworden von vielen Händen, die sie uns höflich präsentieren.« Und so widerfuhr es auch Uwe Johnson. Bei einer solchen »nichtigsten Verrichtung« hatte er das Bewußtsein, er sei plötzlich fertig mit der gestellten Aufgabe, er habe »ohne seine Aufsicht« die Lösung gefunden. In diesem Zusammenhang formulierte der Gastdozent 1979 seine Poetologie, sein poetisches Credo und auch das Geheimnis seiner Arbeit:

»Er hörte seine Leute reden. Es war ein Ton, der aufbegehrte gegen eine Gewissheit, die war so unwiderruflich, die war in ein Grab getan; ihm wurde deutlich vorgesprochen, und gehorsam schrieb er nach:

Aber Jakob ist immer quer über die Gleise gegangen.

Er hörte sie reden ...«

»Gehorsam schrieb er nach.« Dieser Beobachter, Zähler von Vorfällen, Erzähler war ein gehorsamer Nachschreiber, so verband er präzise das Wirkliche mit dem inneren Leben, so schaffte er jene Verwandlung seiner Vorgänge in eine »zweite Welt«, in der hiesigen, wie es Jean Paul vom Dichter forderte.

Ich kann im Zusammenhang von Uwe Johnsons »und gehorsam schrieb er nach« nur an Hölderlin denken, an seine Hymne *Patmos,* jenes Gedicht, dessen Grund die Konflikthaftigkeit des dichterischen Selbstverständnisses bildet. Auch hier hört der Dichter die »Stimmen des heißen Hains« und er weiß: »denn fast die Finger müssen sie (die Himmlischen) uns führen«, wenn »deutscher Gesang« noch möglich sein soll. Es sei auch erinnert, daß Walter Benjamin in seiner Jugendarbeit über zwei Gedichte Hölderlins die »Intensität der Verbundenheit der anschaulichen und geistigen Elemente« von Hölderlins Dichtung aufzuweisen versucht hat. Eine solche Verbundenheit sehe ich auch bei Uwe Johnson. Die in divinatorischer Intuition erschaute und erlebte Beziehung zu den Personen seines erzählerischen Kosmos ist Quellpunkt, ist Triebkraft, ist Methode seines Arbeitsvorgangs. Gewiß, dieser Schriftsteller hat nicht nur mit Material seiner geistigen Intuition gearbeitet und ist nicht nur dem Diktat seiner Inspiration gefolgt. Er hat sie ergänzt durch sorgfältige und bewußte Arbeit: bei der Beobachtung, der Lektüre, der Dokumentierung, der Recherche in Korrespondenz mit Zeitgenossen und Fachexperten, und in seiner peinlichen Gewissenhaftigkeit beim Studium von Belegen, Statistiken und Berichten war er unermüdlich – das Uwe Johnson-Archiv kann dies heute eindrucksvoll belegen. Doch alle Fakten führte sein Beobachtungsgeist immer wieder in poetischer Intuition seinen Personen zu, die autonom sind und doch stets ein Stück ihres Verfassers. »Beim Gehen an der See gerieten wir ins Wasser...«, heißen die letzten Sätze der *Jahrestage,* »... wir hielten einander an den Händen: ein Kind; ein Mann unterwegs an den Ort wo die Toten sind; und sie, das Kind das ich war.« Hier erscheinen auch die Komponenten der *Jahrestage:* Vorgang und Rückgang, Metamorphosen, Verwandlungen, Beschwörung der Vergangenheit und der Gegenwart, aber auch die Andeutung eines, wie es auf den letzten Seiten der *Begleitumstände* heißt, »Mangels an Vorfreude auf die Zukunft«.

Wer so mit seinen Figuren als lebendigen Personen verbunden ist, wer mit ihnen in nahtloser Übereinstimmung lebt, wer neben

der westlichen und östlichen, der kapitalistischen und der sozialistischen Perspektive einen dritten ideologiefreien Weg sucht, wer
so in souveräner Partnerschaft identisch ist mit seinen Personen
und ihrem politischen Wollen, muß der nicht eine tödliche Gefahr,
eine »Beschädigung der Herzkranzgefässe« erleiden, wenn sich
für ihn herausstellt, daß eine Person seiner privaten Welt Beziehungen zu den realen Feinden seiner Person hat? Ich kann Uwe
Johnsons Leiden verstehen. Ich verstehe auch, warum dieses zehn
Jahre währende und von mir tief miterlebte Ringen um die Vollendung des vierten Bandes der *Jahrestage* ihn mit einer Krankheit
schlug, die weder durch Analysen noch durch Medikamente zu
heilen war und zum Tode führen mußte.

Manfred Bierwisch
Erinnerungen Uwe Johnson betreffend

Einigermaßen unsicher und mit großem Zögern habe ich die Teilnahme an dieser Veranstaltung zugesagt.[1] Das hat wenigstens drei übereinandergelagerte Gründe, die zu erläutern ich Ihnen, mir und dem Anlaß schuldig bin.

Der erste Grund ist die Raison wissenschaftlicher Veranstaltungen und meine Legitimation, in einer Arbeitstagung über Uwe Johnson mitzuwirken. Zwar könnte ich Sie und mich mit dem Hinweis beruhigen, daß ich ein Studium in Germanistik abgeschlossen, die erforderlichen Prüfungen bei Hans Mayer zur Zufriedenheit abgelegt und sogar ein weniges, das dem Fach zugerechnet werden könnte, geschrieben habe. Das alles aber liegt weit ab vom professionellen Rahmen dieser Tagung. Zu Uwe Johnson habe ich kein wissenschaftliches Verhältnis. Gerade weil und sofern ich einen Begriff vom Studium deutscher Literatur habe, kann und will ich mich in die wissenschaftliche Beschäftigung mit Person und Werk Uwe Johnsons nicht einmischen. Das hat nicht nur damit zu tun, daß ich in der einschlägigen Forschung nicht zu Hause bin und also zunächst meine Hausaufgaben zu machen hätte, sondern weit eher mit der Tatsache, daß ich mir die erforderliche Perspektive nicht zu eigen machen kann und will. Auch wenn ich es wollte, mein Verhältnis ist vorab und noch immer eins zu Ossian, das ich nur mit den Abstrichen, die jede Übersetzung bedeutet, in das zu Uwe Johnson übertragen kann.

Vielleicht könnte man einwenden, daß ich den Kanon der Professionalität hypokritisch übertreibe, daß eine Veranstaltung wie diese sich nicht an der Grenze zwischen Experten und Laien orientiert. Aber selbst wenn ich meine Skepsis in dieser Hinsicht unterdrücke, bleibt doch der Umstand, daß ich hier nicht als Johnsonforscher teilnehme, sondern wegen der ganz persönlichen Bewandtnisse. Dies bringt mich zum zweiten Grund meines Zögerns. Das durch die Zeitläufe getragene besondere Interesse an Person und Werk Uwe Johnsons bringt die unbehagliche Befürchtung mit sich, daß die Thematisierung dieser persönlichen Belange in einen verständlichen, sogar berechtigten, und dennoch unangemessenen Trend, einen Wirbel sehr vermischter Motivationen hineingerät. Diese Befürchtung bezieht sich natürlicherweise nicht auf den einzelnen Anlaß, der wohl bedacht sein mag, sondern auf ein unbestimmtes, aber kaum bestreitbares Syndrom. Der Dichter der deutschen Teilung, als der Johnson nicht klassifiziert werden wollte und der er doch in ganz besonderer Weise war, steht durch das Ende der Teilung inmitten eines neuen, lange gestauten Interesses, an dem durchaus unterschiedliche Momente beteiligt sind. Das bezieht begreiflicherweise auch und gerade die »Begleitumstände« ein, mit denen das Werk so intrikat verwoben ist. Mitschüler, Lehrer, Kommilitonen, Freunde, auch Straßen, Häuser, Landschaften erlangen öffentliche Aufmerksamkeit, auf die sie womöglich nicht gefaßt sind, die ihnen vielleicht auch nicht zukommt. Für mich jedenfalls steht die Zustimmung zum literaturwissenschaftlichen Interesse am Autor Uwe Johnson in spürbarem Konflikt mit dem persönlichen, schönen und schwierigen Erfahrungskomplex, der mich mit dem Freund Ossian verbindet und von ihm trennt.

Und das ist zugleich der dritte und schwerwiegendste Grund meines Zögerns: Der Charakter des Persönlichen, notwendigerweise auch Subjektiven der Anlässe und Bewandtnisse, über die ich zu sprechen hätte, derentwegen ich demnach eigentlich hier bin. Was mich zögern läßt, ist dabei nicht so sehr die Tatsache, daß all die Einzelheiten, von den Spaziergängen in der Umgebung Leipzigs oder den Diskussionen über die Erklärbarkeit der Welt bis zur Einführung in den Pub in Sheerness, in dem er als Charles verkehrte, daß alles, was in ein Geflecht von verschiedenartigen Erinnerungen und Biographien (nicht nur seine und meine) eingewachsen ist, sich kaum in fixierbare Daten und transportable Mitteilungen verwandeln läßt. Denn obwohl der Versuch zu solcher Objektivierung das meiste und vielleicht wichtigste in der Erstarrung der »facts« verschwinden läßt, ist die Memoirenliteratur voll von authentischen Beispielen und Techniken, die zeigen, wie diese Aporie zu überlisten wäre.

Schwerer wiegt deshalb die Erfahrung, daß es wunderbar und voller Überraschungen, aber immer auch schwierig war, mit Uwe Johnson befreundet zu sein, eine Erfahrung, die ich auf meine Weise gemacht habe, so wie andere auf die ihre. Die unbedingte Zuverlässigkeit des Freundes hatte auch Momente der Unerbittlichkeit, und sie ging zusammen mit einer scheinbar mutwilligen

Unberechenbarkeit. Triviales und Vertracktes lagen da nahe beiein-
ander. Aber obwohl dies alles sich zur öffentlichen Mitteilung so
wenig eignet, wie es sich von ihr trennen läßt, wenn man sich auf
diese überhaupt einläßt, ist mein wirkliches Problem am Ende ein
anderes. Um es ganz einfach zu sagen, geht es darum, daß ich zu
sprechen habe und er nicht erwidern kann. Denn so, wie ich unsere
gemeinsamen Bewandtnisse erlebt habe, wäre über sie nur im Dialog, in der Bestätigung, der Korrektur oder auch im Streit Verläßliches auszumachen. In diesem Dialog hätte ich das Recht, überhaupt Mitteilungen über Ossian oder Uwe Johnson zu machen,
allererst zu erwirken. Und dies würde womöglich nicht gelingen.
Sein Tod hat auch diese Möglichkeit uneinholbar zerstört.

Ich habe Ihnen die Gründe erläutert, derentwegen ich eigentlich
nicht über Uwe Johnson und über gemeinsam Erlebtes sprechen
sollte. Das Wort »eigentlich« wird immer dann verwendet, wenn
der ihm untergeordnete Satz eigentlich nicht gelten soll. Ich will
immerhin versuchen, die angeführten Gründe nicht einfach in den
Wind zu schlagen, sondern in einem Balanceakt sie zugleich zu
respektieren und mit diesem Respekt nun doch zur gemeinsamen
Sache zu sprechen. Was ich sagen möchte, soll durch literaturwis-
senschaftliches Interesse begründet sein, auch wenn ich mich nicht
in die Johnson-Forschung einmische. Es soll, soweit das möglich
ist, keinem momentanen Trend folgen, obgleich die Zeitum-
stände, auch die jüngsten, nicht ausgespart werden können. Und
es soll vor allem dem Umstand gerecht zu werden versuchen, daß
der Einspruch des verlorenen Freundes offen bleiben muß. In diesem Sinn will ich über zwei Dinge sprechen, die unmittelbar mit
Texten Johnsons zu tun haben.

Mein erstes Thema sieht aus wie eine Episode, oder eine Folge
von Episoden aus dem Leipziger Freundeskreis. Im Sommer 1957,
also bereits nach dem Abschluß des Studiums, war ich nach fast
einjährigem Aufenthalt im Lungensanatorium in Sommerfeld für
eine längere Rekonvaleszenzperiode in Leipzig. Johnson hatte
während meines Sanatoriumsaufenthaltes in meinem leerstehen-
den Zimmer im Haus meiner Eltern gewohnt und war nun in ein
anderes Zimmer im gleichen Haus gezogen. Zu den gemeinsamen
Unternehmungen dieser Zeit gehörte eine bemerkenswerte Veranstaltung, die Ossian für die am Ort verbliebenen Freunde ausrich-
tete, die er uns gewissermaßen verordnete. Wir waren gehalten –
und folgten dem mit Faszination –, uns eine lückenlose Lesung

von Faulkners *The Sound and the Fury* anzuhören. Ossian las an je einem Nachmittag – es war, wenn ich nicht irre, immer Sonnabends – eins der vier Kapitel dieses auch im Werk Faulkners besonders exemplarischen Romans. Dies war ein Exerzitium für alle, denn wie dringlich auch immer unser Interesse an der modernen Literatur war, ganze Romane gemeinsam zu lesen, gehörte zu unserer Übung nicht. Der Grund dieser Lesung war auch nicht vorab die Diskussion über den Text, die sich natürlich anschloß, und die rigorose Architektur, die Konsequenz der auf die Kapitel und die Personen verteilten Technik des inneren Monologs und die Details ihrer Umsetzung betraf. Der Grund der Veranstaltung, die in dem schönen und geräumigen Zimmer, das Elisabeth Schmidt bewohnte, stattfand, war die Lesung selbst. Denn von diesem Roman hatte Johnson ein Exemplar des amerikanischen Originaltextes erhalten. Gewiß war die Vermutung berechtigt, daß wir uns kaum einzeln und jeder für sich ähnlich vehement mit dem Buch zu befassen vermocht hätten. Aber das war allenfalls ein Nebenmotiv der Übung. Das Exemplarische und Frappierende war, daß Ossian diesen komplizierten Text aus dem Original auf deutsch las. Diese stupende Lesung, die zugleich das Tempo, wenn nötig die Atemlosigkeit des Textes und den Rang einer literarischen Übersetzung hatte, war seine eigenste Sache. Es war nicht die Vermittlung eines fremden Autors – Johnson hat auch das gern und souverän gemacht, ich habe ihn auf diese Weise einem Westberliner Publikum Strittmatter vortragen hören –, *The Sound and the Fury* war seine ganz eigene Angelegenheit. Und er hatte sich diesen Text zu eigen gemacht. Im Garten am Haus meiner Eltern sitzend, hatte ich ihn die Lesungen vorbereiten sehen – ein Übersetzer, der der schriftlichen Fixierung nicht bedarf. Er hatte, muß man wohl sagen, beide Texte im Kopf, die Lesung war nur der Anlaß, sie zu vergegenwärtigen.

Die Begegnung mit diesem Buch ist ein Schlüsselerlebnis gewesen. Denn unabhängig davon, welche Bezüge zu Faulkner die Johnson-Forschung dingfest machen und relativieren kann, ist diese persönliche Begegnung entscheidend. Der Sommer, von dem hier die Rede ist, fiel in die Zeit der Arbeit an den *Mutmassungen*. In der Zeit, in der ich im Sanatorium war, hat Ossian mich auf seinen Reisen zwischen Leipzig, Güstrow und Rostock mehrfach besucht und Einzelnes aus der gedanklichen Arbeit in der für solche Mitteilungen charakteristischen sparsamen und eher verbergenden Weise erkennen lassen. So etwa, daß er den Intarsien- tischler kennengelernt hat, der dann als Heinrich Cresspahl in seinen literarischen Kosmos eingegangen ist. Geschriebenes frei- lich war nicht einsehbar, wurde nur ausnahmsweise und zu be- stimmtem Zweck zugänglich gemacht. So etwa, wenn die Be- schreibung einer Seminarstunde des Anglisten Jonas Blach auf ihre akademische Stichhaltigkeit zu prüfen war. So war es ein unge- wollter Zufall, daß ich bei einem Urlaub vom Sanatorium auf meinem Leipziger Schreibtisch einen Abschnitt des Romans vor- fand, der damals und noch lange Zeit den Titel *Guten Tag, Jakob* hatte. Dies war ein ungebrochenes Stück Prosa in der geraden Erzählweise, die ich aus *Ingrid Babendererde* kannte. Mag sein, daß dieses Manuskript, in der charakteristischen, nur die halbe Seite nutzenden Form aller Johnson-Arbeiten, nicht erhalten ist. Zwischen dieser Fassung und dem gebrochenen, polyphonen Text der *Mutmassungen,* die die Vorgänge auf die Perspektiven der Per- sonen verteilt und diesen auch die Architektur des Zeitablaufs abgewinnt, liegt jenes exorbitante Zusammentreffen mit Faulkner, das ich beschreiben wollte. Erst aus dem Ergebnis dieser Begeg- nung konnte auch der Titel hervorgehen, der wie ein Programm das Buch kennzeichnet, mit dem Johnsons literarische Wirkung begann. Alles weitere, das zu diesem Zusammenhang zu sagen ist, ist Aufgabe der literarischen Analyse.

Ich müßte nun zu jenen zwei Texten kommen, die beinahe 25 Jahre später entstanden sind und in ganz anderer Weise den Leip- ziger Freundeskreis, vor allem aber mich selbst betreffen: jenes biographische Portrait *Twenty-five years with Jake* und die Eintra- gung vom 26. Juli im vierten Band der *Jahrestage* und den apokry- phen Zusammenhang zwischen ihnen. Dies ist eine Geschichte, über die kaum zu sprechen wäre, ohne daß ich die eingangs verab- redeten Grundsätze verletze, denn unsere Erfahrungen und Mei- nungen sind unversöhnt geblieben, und ich kann die meinen nicht beschreiben, ohne damit das letzte Wort zu haben. Die Zeitum- stände und der Tod haben den Vorgang, den ich mit Betroffenheit und dann mit Trauer erfahren habe, irreparabel gemacht, und ich möchte über die Begleitumstände der beiden Texte nicht die An- sicht beschreiben, die ich der seinen gegenüberzustellen hätte. Wenn ich dennoch etwas in dieser Sache sage, dann um einige Anmerkungen zum Text zu machen, und um etwas von dem zu leisten, was unter das Stichwort Trauerarbeit fällt.

Die Realität hat dazu geführt, daß die beiden Texte in einer Abfolge erschienen sind, die ihrem Zusammenhang in einer Weise zuwiderläuft, die jeder Dramaturgie widerspricht: der früher erschienene setzt den späteren voraus und beruht doch darauf, daß er nicht gedruckt wurde. Daß er dennoch erschienen ist, hat bestenfalls die Ambivalenz der Umstände, unter denen Kafkas Romane veröffentlicht worden sind. Tatsächlich ist die Kausalkette, in der persönliche Beziehungen auch an politischen Umständen zerbrochen sind, noch weit unlogischer. Hier sind zunächst die Sachbezüge, die zu dem Portrait gehören. Sie haben zwei Teile und einen Epilog.

Der erste Teil beginnt mit der Feststellung, daß Festschriften, die in der wissenschaftlichen Literatur zu einer sich selbst lähmenden Unsitte geworden sind, dennoch allerlei Ärger auslösen können. So ging es einigen meiner Kollegen, die mit einer Broschüre zu meinem 50. Geburtstag belegen wollten, daß ich in der Wissenschaft meines Landes nach einer Menge politischen Ärgers wieder vorzeigbar bin.[2] Daß dies ein Irrtum war und die Broschüre im Samisdat verbleiben mußte, hat Kollegen außerhalb des Landes veranlaßt, den Beweis nun ohne Billigung der Behörden – aber mit meinem Wissen – zu führen unter dem Titel *Crossing the Boundaries in Linguistics*. Der Titel war korrekt auch im reisetechnischen Sinn: Nachdem ich mehrere Jahre das Land in keiner Richtung verlassen durfte, war ich inzwischen zur Reisemündigkeit avanciert. Die biographische Einleitung, die Publikationen dieser Art zumeist haben, hatten die Herausgeber meinem Freund, dem Genossen Schriftsteller, übertragen. Daß sich unsere Telephonate eine Weile lang ausnehmend ausführlich mit Fragen des Schriftstellers zu weit zurückliegenden Briefen befaßten, war enigmatisch genug, um Zusammenhänge zu verkennen oder zu verdrängen.

Der zweite Teil begann mit der Sorge der Herausgeber des Bandes, daß Einiges in dem Beitrag zur Person den politischen Ärger erneuern könnte. So ließen sie mich den Beitrag allen Gepflogenheiten zum Trotz vorab lesen und um womöglich notwendige Striche nachfragen. Die nun, das war angesichts dessen, was das Portrait enthielt, ganz klar, hatte der Autor sich bereits bis an die Grenze der Redlichkeit selbst abverlangt. Als Uwe Johnson nach Leipzig kam, war ich gerade wenige Monate aus der Strafhaft entlassen, in die ich wegen sogenannter Boykotthetze geraten war.

Daß Johnson diesen biographischen Umstand mit keinem Wort erwähnt hatte, war für einen Autor, der die DDR immer mit ihrem schwarzen Untergrund gezeichnet hat, ein Grad freundschaftlicher Rücksicht, der ihm nicht leichtgefallen sein kann. Ich habe die Herausgeber dennoch gebeten, sich nicht um weitere Striche zu bemühen, sondern den Band auf die wissenschaftlichen Beiträge zu beschränken. So ist es geschehen. Das Ausmaß der Kränkung, das dieser Entschluß für Johnson bedeutete, hätte ich vorhersehen müssen, es hat mich dennoch bestürzt. Ich habe ihn zuletzt bei der Beerdigung meiner Mutter im Mai 1982 gesehen, unversöhnlich.

Der Epilog hat einen allmählichen Beginn, die Sklerose und Erosion des realsozialistischen Herrschaftssystems. Mit dem Verfall der Machtausübung war es leicht, zu der Auffassung zu kommen, daß der Entschluß, mit dem ich Johnsons Freundschaft zerstört habe, ein Mangel an Zivilcourage war, der obendrein vermutlich ganz überflüssig war. Die Verbitterung darüber, dem Machtapparat Zugriff auf persönliche Beziehungen eingeräumt zu haben, wird dadurch nicht geringer. Als der Band *Porträts und Erinnerungen* zusammengestellt wurde und ich noch einmal über die Veröffentlichung des gleichen Textes befragt wurde, habe ich mich deshalb anders entschieden, zu spät und ohne die nicht mehr zu erlangende Billigung des Autors. Die Unlogik liegt darin, daß die Veröffentlichung unter den gleichen Herrschaftsbedingungen geschah, derentwegen sie zuvor unterblieben war.

Ich habe die Sachbezüge von Wertungen freizuhalten versucht – den Epilog ausgenommen –, der Einspruch Johnsons steht in den *Jahrestagen* unter dem 26. Juli. Was zu dessen Verständnis notwendig ist, von Details, die bis zu Kleinlichkeiten gehen, abgesehen, habe ich gesagt. Die persönliche Ansicht zum Inhalt dieses Textes kann hier keinen Platz haben. Nicht als Freund, sondern als Leser möchte ich aber eine Beobachtung anfügen und begründen.

Die eigentümliche Verwobenheit von Biographie und Werk, von Realität und Fiktion gehört zu den begründeten Topoi der Johnson-Exegese. Er hat seine Personen nicht nur aus Realitäten und Erfahrungen erfindend zusammengefügt, er hat sie auch am Leben erhalten, für sie eine Art Realität prätendiert. Die Vexierspiele, die dabei entstehen, muß ich nicht erläutern. Sie weisen Sprünge auf, stören den literarischen Kosmos, wenn sie aus Vexierspielen unversehens zur Stellvertretung der Realität werden. Gesines nicht – oder doch? – geschriebener Abschiedsbrief ist ein solcher Fall. Die hohe, verletzende und verletzte Emotionalität, die einen Freund in die Unperson beliebiger Versatzstücke auflöst, ist nur verständlich, wenn Gesines Anteilnahme dafür einsteht. Marie hält es fest: »Reißt die Mutter sich etwas aus, das sie ärgert, und am Ende ist es ein Stück vom Auge?« Das Befremdliche ist, daß hier eine Person ohne alle Bezüge eingeführt wird, nur um sie hinauszuweisen, ihr selbst den Abschied zu versagen. Es scheint, daß der Eintrag unter dem 26. Juli nur da ist, um Gesine stellvertretend, in der Fiktion und in noch einmal fiktiv zurückgenommener Öffentlichkeit stellvertretend für den Autor handeln zu lassen. Die Details machen das deutlich. Der Vorgang, der Gesines verachtende Abwendung auslöst, fällt in das Jahr 1981. Seine Bestandteile lassen sich aber in das Jahr 1968 nicht zurückverlegen, ohne unstimmig zu werden. Ich will das nicht durch Realia belegen, es ist klar, daß Johnson derlei Ungenauigkeiten als Kunstfehler verachtet hat. Die Frage, wann und wieso die Angestellte Cresspahl den verworfenen Beitrag geschrieben haben könnte, muß da nicht ernstlich gestellt werden.[3]

Dergleichen Anmerkungen sind Textanalyse. Was sie besagen, bringt mich zwangsweise zurück zur persönlichen Trauer. Nicht daß hinter der Mühe der Verachtung – »Zwar sitzt sie da und macht den mecklenburgischen Ossenkopp, beide Hände gegen die Schläfen« – doch noch die verlorene Freundschaft verborgen ist. Johnson war, wie gesagt, unerbittlich. Gerade weil dies nur scheinbar ein Jahrestag aus dem Leben der Gesine Cresspahl ist, bleibt es ein schwieriges Stück Biographie.

Es ist unziemlich, mit diesem Trauersatz zu enden. Es ist nichts zu beschönigen, aber ich füge den beiden Mitteilungen noch eine dritte an, und ich denke, mit Ossians Billigung. Wir kehren noch einmal zurück nach Leipzig, ins Frühjahr 1954. Vier Studenten und eine Studentin blödeln in der Mensa Naumannbräu. Von den Freunden fehlt nur Bela, und der ist im Geiste allemal dabei. Es sind auch nicht alle vier die ganze Zeit beisammen, der eine oder der andere hat eine Vorlesung zu besuchen, denn die Geschichte zieht sich hin, das Gedicht, was da gebastelt wird, ist lang und rondoförmig, es wird erst fertig, als die drei oder vier oder fünf schon eine ganze Weile auf dem Marktplatz herumlungern.

Apropos Gedichte: Auf dem zugefrorenen See in Sommerfeld

habe ich nach einem sehr besonderen Ritual mit Ossian das raum-
greifendste Gedicht unseres Lebens geschrieben. Die Übung bestand darin, daß jeder ein Wort an den Text, der auf das Eis
gescharrt wurde, anzufügen und dann in einem großen Kreis um
den anderen und das Kunstwerk herumzulaufen hatte. Es war ein
streng dadaistischer Text, er ist mit dem Eis geschmolzen.

Nicht so das Frühjahrsgedicht zwei Jahre zuvor. Der Text ist
verbindlich überliefert, er wurde von allen, Ossian eingeschlossen, gebilligt. Seine Teilnahme ist verbürgt, sein Anteil nicht
identifizierbar, denn es handelt sich um ein authentisches Exempel
sozialistischer Kollektivarbeit.[4] Das Werk heißt *Frühlung* und
trägt den Untertitel »An einer Pumpe zu singen«. Der Text lautet
so:

Frühlung, Frühlung, Frühlung
Es schwindet alle Kühlung
Alle Kühlung schwindet
Der Frost sein Ende findet
Sein Ende find't der Frost
Es wächst des Rindes Kost
Es wächst die Kost des Rindes
Das Bächlein, hurtig rinnt es
Ja hurtig rinnt's, das Bächlein
Es grünet jedes Flächlein
Jedes Flächlein grünet
Der Winter ist gesühnet
Gesühnet ist der Winter
Es rollschufahrn die Kinder
Die Kinder Rollschuh fahrn
Des mög sich Gott erbarmn
Ja des erbarm sich Gott
Sogar der Margot Spott
Der Margot Spott sogar
Und dies Gedicht ist wahr
Ja wahr ist dies Gedicht
So wie das Sonnenlicht
Das Sonnenlicht – wieso?
Es wärmet Hund und Floh
Ja Hund und Floh erwärmt es
Den Weihnachtsmann verhärmt es

Verhärmt den Weihnachtsmann
Nimmt keine Fühlung an
An nimmt es keine Fühlung
Frühlung, Frühlung, Frühlung
Es schwindet...

Und so weiter, so lange Ihre Geduld reicht.

Anmerkungen

1 Die Veranstaltung, auf der der Text vorgetragen wurde, fand vom 29. 11. bis 1. 12. 1991 in Bad Godesberg statt.
2 Ich habe einiges von diesem Ärger beschrieben in *Grammatikforschung in der DDR – Auch ein Rückblick*, in: *Merkur* 519, Juni 1992, 497-505.
3 Norbert Mecklenburg hat nach dem Vortrag darauf hingewiesen, daß J. B., die Initialen des Adressaten von Gesines Brief, als Jonas Blach gedeutet werden können. Die gleiche Zuordnung hat Rolf Michaelis in *Kleines Adreßbuch für Jerichow und New York*, Frankfurt am Main 1983, auf S. 32 vorgenommen. Damit wären Gesines Beziehungen zu dem ausdrücklich nicht Angeredeten samt den erkennbaren Details, auf die der Brief Bezug nimmt, eingefangen, der Adressat hätte eine verbürgte Identität, er wäre keine bloß dem Anlaß geschuldete Person ohne alle Bezüge. Die Unstimmigkeiten freilich bleiben, werden eher noch größer. Jonas war 1968 etwa Ende Dreißig, der Anlaß ist nun auch biographisch unplausibel, nicht nur der äußeren Bedingungen wegen.
4 Außer Uwe Johnson und mir sind Klaus Baumgärtner und Joachim Menzhausen am Dichterkollektiv beteiligt gewesen.

Jürgen Grambow
Uwe Johnsons Rezeption in der DDR

Was über Uwe Johnson sollte ich Ihnen sagen können, das Sie noch nicht wüßten?

Es ist eine merkwürdige Situation: Unter bestallten Literaturwissenschaftlern, denen ich mich seit kurzem zurechnen muß, bilde ich, ungraduiert, ein ehemaliger Verlagsmann, die Ausnahme. Soweit Sie von südlich der Mainlinie, einer Grenzscheide in mancher Hinsicht, stammen, mögen Sie bei Jakob Abs, bei Cresspahl, bei den Niebuhrs und in der Papenbrock-Sippe Fremdes und vor allem Befremdliches wahrgenommen haben, das diesen aber, bei allen Unterschieden sonst, gemeinsam ist. Da können wir uns rasch hypothetisch einigen, das sei das Mecklenburgische. Das Mecklenburgische, das Luise Rinser auf ihre Weise auf den Punkt gebracht hat: »Eine mir fremde, mir unheimliche Welt. Die schwarze Lederjacke. Das rote Gesicht. Der blanke Schädel. Die Anwesenheit von etwas starr Finsterem, das mir eine Art Furcht einflößte.«[1] Sie umreißt eine schweigsame, dumpf brütende Gestalt, bedrohlich in ihrem Anderssein. Was möglicherweise auch Ihnen das befremdlich Andere, ist mir das Natürlichste; als gebürtiger Rostocker, als Mecklenburger, seßhaft aus Veranlagung und durch die Umstände, werde ich das mir bis zur Selbstverständlichkeit Geläufige kaum erklären können. Auch war ich – im Verlag – nicht für das Ressort Regionales, sondern für das zuständig, was man bei uns ›sozialistische Gegenwartsliteratur‹ nennt. Johnson hat sein erstes Manuskript, die Geschichte dieser Ingrid Babendererde, die im Jahre 53 die Reifeprüfung ablegen will, neben anderen auch dem Hinstorff Verlag des privaten Unternehmers Peter Erichson vorgelegt. Erichson beschäftigte keine Lektoren, als Lektor hatte ich mit Johnson nichts zu schaffen.

Die Situation ist schon merkwürdig. Es empfähle sich, jetzt, hier, wenn schon nicht als, dann doch wie ein Politiker zu agieren, irgendwie diplomatisch jedenfalls, aber es steht mir nicht zu, Sätze für uns zu reklamieren, Sätze, in denen Johnsons Grundüberzeugungen zum Ausdruck kommen, die ihrerseits ihren Ursprung haben in sozialistischem Gedankengut, frühen Utopien, fernen

Zielvorstellungen. Ein solches Vorgehen würde vielleicht nur die Aussprüche deutsch-deutscher Gehässigkeiten um ein paar weitere vermehren, und das wäre schon alles. Obwohl: es gibt diese schneidenden, völlig eindeutigen Sätze bei Johnson, die für die Tiefebene östlich der Elbe verwendbar wären.

Ich führe, statt des herberen Ausspruchs von den Brüdern und Schwestern, die den Damen und Herren ungelegen kommen konnten, damals schon, in den fünfziger, den sechziger, in den frühen siebziger Jahren, einen unverfänglicheren an: »Ob denn ihr Stolz nicht erinnerlich sei«, fragte Grete Selenbinder brieflich und in Jerichow auf der Straße, beim Einkauf; in der Nachbarschaft fragte sie so herum, als ihr Sohn sie nicht haben wollte. Gesine Cresspahls Nenntante freilich hat »auf ihr Alter ein paar schwierige ostdeutsche Ansichten angenommen hinsichtlich des westdeutschen Staates« und konnte, wie Johnson fortfährt, »den Mund nicht einmal in der Kirche halten«. Diese Grete Selenbinder mag nicht abschwören, nicht weggucken, sie will nicht auf den eigenen Kopf verzichten, und ich frage Sie: Läßt jemand denn auch alles hinter sich und bricht auf in die sich (selbst) anpreisende und gepriesene Freiheit, um fernerhin das Nutzbringende einer jeden Äußerung abzuwägen?

Über Johnsons Verhältnis zum Land seiner Herkunft bleibt nichts zu sagen, das ist eindeutig: Er kehrte dem Staat DDR den Rücken, behielt die Sache Sozialismus aber im Blick, wie erinnerlich. Und ich, ich mag die Stunde nicht nutzen, mit Verhältnissen, unter denen ich lebe, von hier aus zu rechten; und mit diesem Balanceakt von aufrechnendem Einerseits und Andererseits, das manche für Dialektik halten, mag ich mich nicht aufhalten.

Was das Thema und der Ort mir aufgeben und was Sie möglicherweise erwarten (und auch erwarten können), wäre – andersherum –, das Verhältnis dieses Staates DDR zu dem Schriftsteller Uwe Johnson zu umreißen. Aber auch da kann ich nicht eindeutig Auskunft geben, selbst wenn ich mir einen Satz aus der Erzählung *Eine Reise wegwohin* zum Grundsatz machen wollte. Der Satz lautet: »In der Fremde muß man genau, einfach und ohne Hoffnung reden. Vielleicht versteht es doch einer.«

Einfach also, und genau: Als ich es, und mit mir die Redakteure der Akademie-Zeitschrift *Sinn und Form*[2], vor vier Jahren für an der Zeit hielt, die Aufmerksamkeit, die dem Autor eines Werkes von Weltgeltung gebührt, die dem Lebenden im Land seiner prägenden frühen Erfahrungen aber vorenthalten wurde, in einem kritischen Versuch an den gerade Gestorbenen zu wenden, lag, versteckt in einem Lesebuch des Verlages (für internationale Literatur) Volk und Welt[3], erstmals ein Text Uwe Johnsons gedruckt bei uns vor, schon seit zwei Jahren. Es handelt sich um die zwei Seiten Prosa *Ach, Sie sind ein Deutscher?* (Nebenbei gesagt, Arno Schmidt nimmt das Lesebuch noch nicht zur Kenntnis. Und nicht Höllerer. Manches Verschweigen erweist sich eben schlicht auch als nichts weiter denn als Ignoranz.) Aber weiter, *genau* und eindeutig: Der Stand der Dinge, soweit es Primärtexte betrifft, ist, bis auf Veröffentlichung der Nacherzählung eines Runge-Märchens, zur Stunde unverändert. Und um noch *genauer* zu werden: Bis Jahresende wird sich das geändert haben. Im Aufbau-Verlag Berlin werden dann 517 Seiten verstreut erschienener Prosa gesammelt vorliegen zu allgemeiner Verwendung – das kann ich mit Bestimmtheit sagen, ich hatte im März die Korrekturfahnen zu lesen.

Anders als mit Johnsons Arbeiten verhält es sich mit Verlautbarungen über ihn. Sie sind zahlreicher. Ich kann Auskunft geben über die Etappe, in denen sein Werk öffentlich zur Kenntnis genommen wurde, und über Extrempositionen.

Auf die Stimme, die noch im Jahr seiner ersten Buchveröffentlichung seinen Namen nannte, höhnend nannte, die von Peter Hacks[4], machte Johnson selbst aufmerksam auf Seite 155 seiner »Frankfurter Vorlesungen«: *Begleitumstände*. 15 Monate später, als Johnson seinen strammen Ärger hatte mit einem ehemaligen Lektor namens Kesten, griff ein schon damals wichtiger Schriftsteller der DDR in die Kontroverse über die in Italien gefallenen Äußerungen zum Mauerbau ein. Läßt man die Sprachkapriolen und Wortspiele und alle Polemik des Artikels aus dem *Neuen Deutschland* beiseite, dann bleibt ein Nachhall der Betroffenheit über Johnsons Weggang als sachlicher Kern: Jener habe, schrieb Kant, das Land »auf schmähliche Weise verlassen«; seine Bücher – zwei bis dahin – seien »Produkte aus Unverstand und schlechtem Gewissen«, »gegen die DDR gerichtet«.[5]

Schriftsteller nahmen auch späterhin wiederholt das Wort in Sachen Johnson. Fritz Rudolf Fries bezeichnete seinen Roman *Der Weg nach Oobliadooh*[6], der Lesern in der DDR im selben Jahr wie die Zusammenstellung *Eine Reise wegwohin* zugänglich gemacht wird, als »eine Entgegnung auf Johnsons *Mutmassungen über Jakob«.* Günter Kunert berichtete in seinem *Englischen Ta-gebuch*[7] über einen Besuch in Sheerness auf der Isle of Sheppey. Johnson wollte Stephan Hermlin ausdrücklich ausgenommen wissen, als er sich auf einem Schriftstellerkongreß abfällig über Autoren äußerte, die der DDR den Rücken gekehrt hatten.[8] Und natürlich läßt er den Namen Johnson in einem Band ausgewählter Briefe ebenso wenig fort wie den Blochs, Hans Mayers, Kunerts.[9]

Was zu den immer wieder aufflackernden Untugenden unserer Gepflogenheiten gehört: Leute wie nicht existent zu übergehen.

Johnson selbst weist nur noch auf eine dritte Stimme aus diesen frühen Jahren hin, auf zwei Herren, die in einer kulturpolitischen Wochenschrift Anmerkungen zu den *Mutmassungen* machten. Bei Horst Kessler und Arno Hochmuth[10] – so heißen die beiden – mischen sich schon streitbare Publizistik und Literaturwissenschaft. Damit bin ich beim Thema. So wie Johnson, vielleicht unzulässig personifizierend, vom (west)deutschen Feuilleton als von einer kollektiven Stimme sprach, so dürfen auch wir den Verlautbarungen der Literaturwissenschaft mehr Gewicht beimessen als Äußerungen einzelner, soweit es uns um Offiziöses, Offizielles geht. Zweckmäßigerweise greift man also nach Schriftstellerlexikon und Literaturgeschichte. Nachschlagewerke kommen in der DDR nicht in miteinander konkurrierenden Verlagshäusern heraus, sondern in darauf spezialisierten Unternehmen; kollektive Abstimmung, langfristige Vorbereitung und hinreichende Kontrollmechanismen garantieren in hohem Maße Objektiviertes. Das *Deutsche Schriftstellerlexikon* (von den Anfängen bis zur Gegenwart) ist 1960 noch im Volksverlag Weimar herausgekommen, es gab Nachfolgeausgaben in einem anderen Verlag, in die Uwe Johnson irgendwann dann auch aufgenommen wurde, das *Lexikon Deutschsprachiger Schriftsteller*[11] (von den Anfängen bis zur Gegenwart) in zwei Bänden und in größerem Format (das »Schwarze«) erschien 1974 im Verlag Enzyklopädie Leipzig. Aber beide, wie auch alle Zwischenstufen, sind im Grunde von der Handschrift ein und derselben Mannschaft geprägt. Worte, die wertend herausfallen aus dem unerläßlichen Faktenbrei, enthalten eine soziale Bestimmung: Johnson gestalte Menschen oft klein- oder durchschnittsbürgerlichen Zuschnitts. Diese Umständlichkeit – »durchschnittsbürgerlich« – mußte schon sein, wollte man nicht die alltäglichen Helden, die kleinen Leute, die der Doktrin nach bevorzugt gestaltungswürdig waren, denunzieren. Johnson könnte keine Lösung anbieten und sich für eine Parteinahme nicht entschließen. Und was sich heute bei uns als aktivierende Leserstrategie, im Schaffen der Christa Wolf beispielsweise, empfiehlt, war damals Makel: »Die Sinndeutung ist weitgehend dem Leser überlassen.« Gerechterweise darf ich aber nicht wegfallen lassen, das Nachschlagewerk bescheinigt dem Schriftsteller »humanitäre Wegsuche«.

Auch eine einbändige Literaturgeschichte aus dem Hause Reclam Leipzig tut Walser, Grass und Johnson aus nämlichem Grunde in einen Topf, »nach Stoff und Tendenz« kämen sie »kaum vom deutschen Kleinbürgertum« los. In Zeiten der Polarisierung kann selbst diese scheinbar wertneutrale Einschätzung einem Verdikt gleichkommen. Das Wort fällt in den sich Johnson zuwendenden Passagen dann gleich noch mehrmals: Entfremdung, heißt es, werde als typisch für den Staat dargestellt, in dem sie in Wahrheit aufgehoben werde. »Eine kleinbürgerliche Enttäuschung an der DDR wurde hier den Feinden ausgeliefert.« Und als schlösse das eine das andere aus, schreiben die Verfasser weiter, kritischer sähe Johnson die Bundesrepublik – die Bundesrepublik! – in dem Erzählband, seinem dritten Buch, indem er »einige Illusionen aufgab und dafür Mittel gewann, das Kleinbürgertum in seiner wirklichen, nichtigen Substanz darzustellen«.[12]

Wissenschaft, politische Rhetorik und Alltagsbewußtsein wußten also immer noch nicht zu unterscheiden zwischen mittelständischer Beschränktheit und der positiven Ausprägung von gesellschaftlichen Zwischenschichten im Typ des Citoyen oder Vierten Standes, obwohl die Sache im Grundsätzlichen eigentlich längst geklärt war. In seinem Roman *Die Aula* ironisiert Kant in einer Episode die Debatten aus den fünfziger Jahren. Eine seiner Figuren fragt im Tone eines Prüfers, was das Kleinbürgertum ausmache, und der andere – beide sind Studenten – antwortet prompt mit einem Zitat: Es schwankt. Es schwankt, das bedeutete, es sei ein unzuverlässiger Bundesgenosse in ungesicherten Verhältnissen.

Die Geschichte der Bundesrepublik Deutschland aus dem Verlag Volk und Wissen Berlin, der lang erwartete Band 12 eines Standardwerkes, lag endlich 1983 vor. Der Sachartikel kreidete dem Autor zwar noch an, seine Perspektive drücke ein »distanziert-beobachtendes und verständnisloses Verhalten dem Prozeß der sozialistischen Revolution gegenüber« aus, und Johnson negiere, anders als Walser oder Enzensberger in den Endsechzigern und

frühen Siebzigern, »alle Formen eines konkreten politischen Engagements, er bleibt Nonkonformist, wenngleich er den Nonkon-
formismus ironisiert«. Operative Konzepte lehne Johnson ab.
Aber schon sein erster Roman sei »wesentlich differenzierter in
Urteil und Gestaltung« als alles Vergleichbare.

Natürlich fallen immer wieder die Stichworte »Manieriertheit,
Manierismus«, die schwere Verständlichkeit wird bemängelt; die
Formalismusdebatte aus den dreißiger griff auf die in den fünfziger
Jahren über und flackerte am Ende der sechziger Jahre erneut
auf.[13] Johnson selbst attackierte in seinem Abituraufsatz neben
amerikanischem Schund und Schmutz, das war eine gängige Formel, »Unkultur« nannte man das damals, »Formalismus« genauso
wie die »Fehler des Naturalismus«. Wenn der Achtzehnjährige
schreibt, der »dauernde Gebrauch eines Wortes in Rundfunk,
Presse, Plakat« könne es »seiner ursprünglichen Bedeutung vollkommen entfremden und es – zur Phrase machen«, so entledigt er
sich wohl kaum einer Pflichtaufgabe. Da ist die eigene Poetik
keimhaft vorformuliert.

Die Vorbehalte gegen dieses Werk speisten sich also aus sehr verschiedenen Quellen, literarischen, außerliterarischen, aus ästhe-
tisch-programmatischen ebenso wie aus pragmatisch-politischen:
der Republikflucht des unangreifbar Integren, der Rekrutierung
seiner Figuren unter kleinen Leuten mit nicht weit genug gehenden, oder auch: zu weit gehenden Grundsätzen, dem Verwoben-
sein ihrer Schicksale in historisch bedeutsame – für manchen war
das gleichbedeutend mit: geschichtlich prekären – Daten, also:
1953, 1956, 1961, 1968, der komplizierten Machart.

Wäre der wünschenswerte Dialog über diese Bücher als schwierige und sehr komplexe Phänomene zustande gekommen, so hätte
sich herausstellen müssen, daß jede Stimme einer anderen Bezugs-
ebene das Wort redet: Soll Kunst, soll Literatur Vorbilder schaffen
oder Menschen aus dem wirklichen Leben vorstellen, soll sie
Realität erkunden oder Utopien entwerfen, soll sie Bescheid wissen oder Fragen stellen?

Aus der Rückschau ist es erstaunlich, wie früh schon das ganze
Spektrum möglicher Meinungen zu diesem Werk besetzt war. Drei
Namen sollen das deutlich machen, drei Arbeiten aus den sech-
ziger Jahren.

Anneliese Große, lange Jahre Chefredakteurin der sich vorwie-

gend an Germanisten wendenden Zeitschrift *Weimarer Beiträge,*
geht in ihrer Habilitationsschrift von theoretischen Positionen
aus.[14] Zuerst einmal wehrt sie Thesen von Wilhelm Emmrich und
Walter Jens ab. Ihr wirklicher Antipode heißt allerdings Kurt Batt,
der »mit der Technik« begann und »bei der Technik« des Erzählens endete »und gerade dadurch an den Werken vorbei« ging.
Nossack, von Cramer und Johnson müssen ihr lediglich als Be-
weismaterial dienen. Die übergreifende Formel heißt bei ihr
Mensch und Macht; Johnson, konstatiert sie, mißbrauche »wertvolle ethische Normen«, indem er versuche, an ewigen Werten
ahistorisch festzuhalten. Weil er aus allen Opfer mache, könne
Johnson »keine seiner Figuren in einer ästhetisch produktiven
Weise ausbauen«. Der Vorwurf also, die Leser nicht anzuspornen,
zu stimulieren durch Figuren, die beispielgebend handeln.

Übrigens wohnt dieser Sichtweise ein Quentchen Realismus
inne: Wenn ich jemandem vorwerfe, er wende ewige ethische
Werte unzulässig auf aktuelle Erscheinungen an, so leugne ich
diese Erscheinungen jedenfalls nicht.

Gerhard Dahne bemerkt, was später »eingreifende Schreibweise« genannt werden sollte, schon bei Johnson[15]: »Indem Johnson Menschen im Zwiespalt der Entscheidung darstellt, ohne aber
selbst über den Weg zu entscheiden, sondern nur die Eventualitä-
ten abtastet, zwingt er den Leser immer wieder zum Überprüfen
der Fakten, zum Abwägen der Alternativen und zum Überdenken
der eigenen Position«; und natürlich bekommen von Dahne auch
die »kleinbürgerlichen Schichten« ihre Abfuhr: »Johnson erweckt
den Anschein, auf jede Parteinahme zu verzichten; er ›mutmaßt‹
über Dinge, die für ihn unerklärbar sind. Dazu gehören die Aus-
wirkungen der Existenz zweier deutscher Staaten ganz besonders
auf jene Deutschen, die sich aufgrund ihres kleinbürgerlichen Bewußtseins und der daraus resultierenden Weltanschauung nicht
zurechtfinden. Indem sich der Autor ihren subjektivistischen Re-
flexen ausliefert und darauf verzichtet, den Kern der gesellschaftlichen Prozesse zu erkennen, vermag er die historischen Gesetz-
mäßigkeiten nicht zu erfassen, und seine zuweilen klischeehaften
Mutmaßungen erhalten – auf der Basis seiner agnostizistischen
Geschichtsauffassung – objektiv eine antikommunistische Funktion.« (Ein langes Zitat, so kenntnisreich wie zwiespältig.)

Aber Dahne gibt auch zu verstehen, daß diesen Schichten in
ihren besten Kräften nur mit Verlusten zu entraten sei: »Obwohl

Gesines Vater, der alte Cresspahl, sich nicht mit jenem bewußten und progressiven Teil der Werktätigen verbunden fühlt, der führend am Aufbau des Sozialismus in der DDR beteiligt ist, vermeint man es seiner Sprache entnehmen zu können, daß er nach Jerichow gehört, das für ihn trotz der von ihm gemißbilligten Umstände Heimat und Geborgenheit bedeutet.«

Wie Dahne warnt auch Kurt Batt, bis zu seinem Tode Cheflektor im Hinstorff Verlag Rostock und den Lesern in der BRD bekannt durch seinen Essayband *Revolte Intern*[16], vor kurzschlüssigen Erwartungen: Johnson führe das »jeweils verschiedene im Gleichartigen« vor. Und nun wörtlich: »Deshalb bietet die Jerichow-Erzählung nicht schlicht eine Antwort auf Fragen an, die Gesine bei der täglichen Zeitungslektüre beschleichen, wohl aber schärft jener Binnenteil des Romans ihr Bewußtsein für Schuld und politische Verantwortung.«

Bis jetzt habe ich Stufen beschrieben, aber noch nicht einmal Stufen der Annäherung, sondern lediglich den allmählichen Abbau von Vorurteilen; einen allerersten Schritt also nur, wo man in Wirklichkeit über die vordergründige Abstempelung Johnsons als Kenner beider Deutschland, als desjenigen Erzählers, der die Provinz Mecklenburg literaturfähig gemacht habe, und über die ungewöhnliche Form zu erzählen hinausgelangen müßte, um in einen Disput mit dem Autor eintreten zu können. Ist man sich darüber einig geworden, daß sich Johnsons Werk nicht darin erschöpft, das Bewußtsein für den Preis, den die kleinen Leute für die große Politik zahlen, geschärft zu haben, und nicht darin, einem glaubhaften Erzählen mühsam Autorität verschafft zu haben, dann – erst dann wäre man beim Thema. Johnson bietet keine einfachen Wahrheiten, wo es um Lebensfragen im 20. Jahrhundert, um Jahrhundertfragen geht. Dieses Werk war erst einmal stofflich-thematisch wahrzunehmen, war zu überschauen und zu referieren, was zuerst ja eine Aufgabe ist, der sich zu stellen man bereit sein muß. Erst danach kann man sich auf seine Fragen einlassen und prüfen, ob sie sich mit den eigenen Zweifeln, Ängsten, Besorgnissen berühren; ob das Werk mehr ist als nur von aktueller Bedeutung.

Ich möchte noch einmal auf Kurt Batt zu sprechen kommen, den ich als meinen wichtigsten Lehrer bezeichnen darf. »Wenn es in dieser enzyklopädischen Bestandsaufnahme so etwas wie ein übergeordnetes Thema gibt«, schrieb er in seinem Essay *Zwischen*

Idylle und Metropole[17], »so ist es die Frage, ›Wohin soll ich denn gehen?‹, die zwischen Jerichow und New York hin und her gewendet wird und die Gesine so ergebnislos an sich selbst richtet wie an ihre Umwelt.« Das sollte als ein Generalthema dieses Erzählers gelten, die Frage nach einer »moralischen Schweiz«, wie er das selbst genannt hat. Da das Thema, in allen seinen Weiterungen, nach wie vor oder immer einmal wieder aktuell zu sein scheint; den Titel des von mir herausgegebenen Buches müßte ich von drei auf vier Worte verlängern, durch simple Trennung verlängern, und zwei Interpunktionszeichen müßten eingeführt werden: Eine Reise weg, Gedankenstrich, wohin, Fragezeichen. Eine Reise weg – wohin? Anders gesagt, direkter: Wenn überhaupt, vermag ich am ehesten die Auffassung jener Minderheit zu teilen, die Meinungsverschiedenheiten mit diesem ungreifbaren und unangreifbaren Wesen Staat, dem Staat, aus dem ich komme, zwar entscheidet, indem sie Trennung als den letzten ihr möglichen Ausweg wählt; deren Abkehr vom bisherigen Land aber keineswegs die uneingeschränkte Zustimmung zum aufnehmenden Staatsgebilde einschließt. Anders, noch wieder anders: Irgendeine Art von Landschaft findet sich überall, und sympathische Leute desgleichen. Wir sind auch geprägt, und tiefer als man vermeint, durch die Formen des Zusammenlebens, also Soziales, Überzeugungen, Forderungen an die Moral, ethische Normen, Sachzwänge, Verstrickungen. Im übrigen bemerkte Johnson schon in den *Begleitumständen*, mit »Mailand, Milano, Via Brera« sei das »eine andere Sache. Da wohnt Karsch schon lange.«

Andere Motive im Werk Uwe Johnsons, die möglicherweise daran Anteil haben, daß es nicht unaktuell geworden ist, weder unaktuell, als er zehn Jahre zwischen dem Erscheinen des dritten und vierten Bandes der *Jahrestage* verstreichen ließ, noch, seit es auf so schlimme Weise im Sinne von »endgültig« abgeschlossen war.

Der Tod, der sonst gemeinhin allerwege und mit allen Mitteln verdrängt wird, ist unausgesprochen, aber in all den Abschieden und Umbrüchen, in allen Erinnerungsstücken und Porträts permanent anwesende Mahnung. Mahnung auch, niemanden zu vergessen. Eng verbunden damit ist die Identitätsproblematik, das Festhalten an der Einmaligkeit und Unersetzbarkeit eines jeden Lebens. Über Namenmagie, da beginnt ja die persönliche Prägung, wäre einiges zu sagen, wenn es um Identität literarischer

Personen wie lebender Menschen allgemein geht. In seinem Platt, das immer ein wenig wie englisch eingefärbt klang, hat er uns ja einmal exemplarisch vorgeführt, was ein Schriftsteller sich bei der Namenssuche für eine Person denkt, denken müßte, könnte, sollte: ›kross‹ heißt im Niederdeutschen, neben anderen Wortbedeutungen, ›scharf gebacken‹[18], und Phal, das ist also ein piel, Verzeihung: ein aufrecht stehender, knorriger, ein nicht zu knikkender Pfahl. (Es gibt weitere Deutungsmöglichkeiten, ich weiß.) Oder: Babendererde. Auf, über der Erde. Oder in den Initialen nachgereichten Namen, wechselseitig über Kreuz D und B und B und D: Dietbert Ballhusen und Beate Dusenschön *(Zwei Ansichten)*. Den Namen, über den ein Peter Suhrkamp, als ein Niederdeutscher aus Oldenburg, stolperte, weil sein Lektor in dem frühen Buch zuviel Blut und Boden sah und zuviel FDJ, Babendererde, den gab es wirklich in mecklenburgischen Telefonbüchern und auf Grabsteinen, und eine Schülerin dieses Nachnamens besuchte zwei Klassen unter Uwe Johnson die Brinckman-Schule in Güstrow.

Aber weiter – Johnson spricht nicht von Motiven, er sagt: Zentrum: Zentrum der Arbeit. Ist eines dieser Zentren, die Einsamkeit, die Zweisamkeit, die Eifersucht, nun mecklenburgisch – spezifisch sozialistisch ist das bei all unserem Puritanismus ja nun nicht –, oder spricht da das Individuum Uwe Johnson? »Der Anlaß ist alt, und kehrt wieder, die gekränkte, die getäuschte, die verhinderte, die nicht gelebte Liebschaft« (wie es in den *Vorschlägen zur Prüfung eines Romans* heißt). Die Hoffnung auf gelebte Zweisamkeit durchzieht das Werk in allen seinen Teilen, noch wo Johnson auf Märchen zu sprechen kommt, führt eine habgierige Ilsebill ihren Fischer und Ehemann ins Elend, und wo die Liebe aufgeht in einer Lebensgemeinschaft, den Hinweis hat Johnson sich von Fontane geborgt, da schummeln die beiden, das Igelpaar, das den Hasen sich zu Tode laufen läßt, ein bißchen.

Schlimm wird es erst, wenn diese geringfügigen oder fundamentalen Unaufrichtigkeiten sich gegen den Nächsten richten: Was da mit den Niebuhrs gewesen sein könnte, überliest man möglicherweise in ein, zwei andeutenden Sätzen in dem nachgelassenen Erzählstück *Marthas Ferien,* fänden sie nicht ihre erhellende Entsprechung in der *Skizze eines Verunglückten*. Da will einer Martha Klünder ohne ihren Peter gesehen haben in einem Hotel.

Und nun müssen eine kleine Weile zwei Dinge, die parallel zu denken sind, zwangsläufig nacheinander genannt werden. Sie gehören aber zusammen.

Sehr früh schon, in einem Interview mit der Zeitschrift *konkret,* hat Uwe Johnson zu bedenken gegeben, »eine direkte Ableitung meiner«, seiner, »persönlichen Verhältnisse zu machen, das empfinde ich als Herabwürdigung der Mühen, die ich mir gegeben habe«. Damit sind wir bei all den Anleihen des Autors, dem Zu-Gast-Gehen bei anderen Schriftstellern (wie er, als Lübeck ihn mit dem Thomas-Mann-Preis ehrte, sagte), den Einzelheiten, von denen er wissen ließ, er habe sie sich schenken lassen oder kostspieligst eruiert. Diese Frage ist nicht bedeutungslos; daß Johnson Autobiographisches nicht schlicht verfremdete, mögen zwei Beispiele belegen. Den alten Mann in New York, der, gebrochen, nach wie vor seinen Gewohnheiten nachgeht, dieser Joe Hinterhand alias Joachim de Catt, hat er nicht erst erfunden, als er sich über seine persönliche Situation nach überstandener Krise bewußt werden oder als er seinem Freund und Schriftstellerkollegen Max Frisch Reverenz erweisen wollte, 1982; die erste Seite der *Skizze eines Verunglückten* steht Wort für Wort schon so in seiner Dankesrede nach Verleihung des Büchner-Preises. 1972, da war Johnsons private Welt noch in Ordnung. Ein Brief hier in den Vitrinen des Hauses belehrte mich heute, daß es den Namen Joachim Catt, noch ohne das ›de‹, bereits gab, als noch kein Schriftsteller Uwe Johnson an die Öffentlichkeit getreten war.

Und ich lese Ihnen einen Satz aus Uwe Johnsons letzter zu Lebzeiten veröffentlichten Arbeit vor, aus der *Erinnerung an Werner Düttmann*: Düttmanns Vater zieht »für ein Jahr nach Brasilien, dort ein Glück zu versuchen; kam nach Berlin zurück, um die Familie abzuholen nach Rio. Dem widersetzte sich die Mutter, die Düttmannschen Kinder durften ihr Berlin behalten.« Wäre es denkbar, statt Berlin Mecklenburg zu setzen, Jerichow und Gneez und Rande, und änderte sich nicht Cresspahls Biographie gleichfalls durch die Weigerung einer Frau, Kinder in der Fremde aufzuziehen, das da noch nicht geborene Mädchen Gesine? (Andererseits, das brasilianische Jahr überließ Johnson dem Vater Jakob Abs'.)

Neuerdings sucht man, das ist verständlich – und im Verständnis Arno Schmidts wäre es auch erste Biographenpflicht, solange Weggefährten noch leben –, nach Lebensspuren und Schauplätzen, nach Vorbildern für seine Personen, nach Johnsons tatsächlichen

Verhältnissen. Das belebt das Bild von Güstrow, belebt Rostocks oder Fürstenbergs Straßenbild um gutgefederte breite Automobile. Aber in dieser Spurensuche steckt ein fundamentales Mißverständnis: Die Landschaft eines Romans, einer Erzählung findet sich ganz allein im Text. Was den Dichter angeregt und geprägt haben mag, kann der Vorstellung des Lesers bestenfalls aufhelfen. Aber die zusammengesetzte Landschaft der Buchwelt wird immer intensiver und beständiger dasein als die wirkliche, so leicht veränderliche, weiträumige. Johnson soll auch in seinen letzten Lebensjahren noch die DDR (richtiger wohl: Freunde, Bekannte in der DDR) besucht haben. Nichts deutet jedoch darauf hin, daß er den Klützer Winkel aufgesucht hätte, wie ja auch niemand überzeugend erklären kann, wieso ein Dauerkunde der Reichsbahn auf der Strecke Güstrow–Leipzig diese entlegene Ecke als Schauplatz für seine Geschichten auswählte, als er noch die Wahl hatte. Hingegen findet sich in den *Jahrestagen* eine Passage, wo Gesine und, ich glaube, auch Marie sich im Touristenbus dem Winkel entlang auf westlicher Seite bewegt haben, und sie sinnieren darüber, was aus den Ackerbürgerstädten und Marktflecken geworden wäre in einem wieder zusammengefügten einheitlichen Land. Gesine hängt der Vorstellung ohne Freude nach, wie sie andererseits auch eine museale, eine wie angehaltene Sozietät nicht freut.

Über sprichwörtliche Redensarten, den Einsatz von Platt (der Mundart), die Spielarten der von Uwe Johnson gepflegten Ironie und ihre möglichen Gründe und Hintergründe wäre zu sprechen.

Ich will dem aktuellen Aspekt meines Themas nicht ausweichen, bleibe also noch ein wenig bei dem, was ich schon andeutete.

Nicht *der* Leute wegen, aus deren Mitte er sich entfernt hatte, läßt Johnson es Karsch leidtun »um die Menge Wirklichkeit und Nachbarschaft, die« zurückgelassen werden müßte, zwangsläufig zurückbliebe, »im Vergessen, in der westdeutschen Entfernung«. Karsch darf das denken, setzt Johnson doch, statt auf Erinnerung, auf Erfahrungen, die einer macht.

Dem unerschöpflichen deutsch-deutschen Thema will ich zwei eigene Erfahrungen beisteuern. Über das Echo auf meine Veröffentlichung in der Akademiezeitschrift der DDR vor drei Jahren brauchte ich mich nicht zu beklagen: Es war nachhaltig. Dort wie hier, hier wie da. Allerdings wußte ich nicht, ob ich mich manchmal über Ton und Unterstellungen der Damen und Herren Rezensenten amüsieren oder ärgern sollte. Ein Zeitungsmann sah einen Filmregisseur, einen Rezensenten, den man zu einem Theaterfestival nach West-Berlin reisen lassen hatte, und mich an irgendeiner imaginären langen Leine der Scheinliberalität.[19] Nun glaube ich nicht, daß sich der Mann bei uns an der Spitze Gedanken macht über die Rehabilitierung eines Schriftstellers namens Johnson, noch, daß er meiner bedürfte, um die Wirkung seiner Überlegungen zu testen oder eine bevorstehende Veröffentlichung anzukündigen. Die dann drei Jahre auf sich warten läßt. Das Bild von der Longe, will man es nicht auf den so vergeblichen Gang eines Pferdes im Kreise und den Reitschüler auf seinem Rücken beschränken, was ja eine niederschmetternde Vorstellung ist, sondern vielmehr auf die Arbeit von Artisten übertragen, bringt fatalerweise ja auch noch den Beigeschmack von risikoloser Turnerei mit sich.

Beispiel zwei. »Da war die ostdeutsche Sprache ins Elend gekommen«, heißt es an einer Stelle der Karsch-Geschichte, »ihre Zeichen vermochten das Bezeichnete nicht zu überführen.« Ein Schlaglicht auf das allgemein verbreitete und verständliche Vokabular einer, wie es immer heißt, gemeinsamen Sprache bei divergierenden Erfahrungen warf der Besuch eines Germanisten aus Norwegen, eines emsigen Mannes, der Einblick erhielt in Studienunterlagen eines Leipziger Semesters der Jahre 1955/56. Ich konnte es mir ausmalen, weshalb Johnsons Mutter von der, vergleichsweise abwechslungsreicheren, Tätigkeit einer Schaffnerin überwechselte zur eintönigeren einer Zugbegleiterin von Gütertransporten. Fahrkarten kontrollieren und entwerten, das Signal zur Abfahrt geben an den kleineren Haltepunkten, das bedeutete in der Sprache soziologischer Kategorien, obwohl es den Status des Beamten schon nicht mehr gab, Angestellter zu sein. Der Sohn einer Angestellten aber erhielt hinter seinem Namen im Klassenbuch ein »S«, er war nicht so förderungswürdig wie ein Arbeiterkind oder eines aus der Klasse der verbündeten Neubauern, seine Eltern waren auch nicht, wie die alte Intelligenz, begünstigt durch einen weitreichenden Einzelvertrag; nicht »A«, nicht »B«, nicht »I«. Eine Sonstige, ein Sonstiger, das traf den Sohn einer Krankenschwester genauso wie den einer Bibliothekarin, einer Zugschaffnerin, oder aber den eines mittelgroßen Unternehmers von vielleicht vierzig Angestellten; die gab es ja auch noch: »S« bedeutete schlicht schlechtere Chancen im Fortkommen; man lese die *Be-gleitumstände*. Dem Spurensucher aus Trondheim hingegen war klar: der Schaffnerin ging es um die paar Mark Stipendium mehr für ihren Sohn, die Arbeiterkindern zugestanden wurden.

Da soll Sprache nicht »ins Elend« kommen.

Schon in Johnsons Besprechungen des Adlerhofer Fernsehens 1964 können Sie lesen[20]: »Verbreitet ist die einfache Meinung, das ostdeutsche Fernsehen sei schlicht eine Vertretung des Staates und also eine homogene, kompakte Erscheinung. Aber schon Unterschiede der Begabung lassen sich in diesem Medium nicht verbergen, entsprechend weniger die verschiedene Richtung der Absichten.« Da bin ich wieder bei der langen Leine angelangt, beim Offiziösen und Halboffiziellen, bei der DDR als Realität und einer ungewissen, so simpel nicht greifbaren Größe. Und bei meinem Ausgangspunkt bin ich angelangt. Die einzige offizielle Stellungnahme der DDR zu Johnson, will man die Hakelei vor den XX. Olympischen Spielen 1972 nicht auf eine Beurteilung der Arbeiten Uwe Johnsons einschränken, ist erst einmal der Stempel auf einer Druckgenehmigung, sind laufende Setzmaschinen, Buchbindekapazitäten, die gebunden wurden durch Verträge; sind Vorbestellungen in den Buchhandlungen.

Wenn das Buch vorliegt, 517 Seiten, *Eine Reise wegwohin*, wenn weitere Titel in Aussicht stehen, wird sich die Zahl der Einzelstimmen, von denen ich einige nannte, gewiß erhöhen. Zustimmung wird sich artikulieren, Ablehnung, Unverständnis. Und man wird die *Reise wegwohin*, wie damals Kafkas gesammelte Erzählungen und Romane in einem Band, ratlos ins Antiquariat tragen. Das wäre dann Normalisierung – eine Ihnen gewiß erfreuliche Erscheinung –, wie Sie meine Ratlosigkeit, was dieses Land DDR von dem Schriftsteller Uwe Johnson halte, mit einem Ihnen geläufigen Begriff auch ins Positive kehren könnten: Sind divergierende Meinungen einzelner und kleiner Spezialistenkollektive nicht Zeichen von Meinungsvielfalt, Pluralismus?

Anmerkungen

1 Luise Rinser, *Im Dunkeln singen*, Frankfurt am Main, 1985, S. 152 f.
2 *Sinn und Form*, 1/1986.
3 *BRD heute. West-Berlin heute*, 1982.
4 P. Hacks, in: *Literatur im Zeitalter der Wissenschaft*, Deutsches PEN-Zentrum Ost und West, Off. Diskuss. am 28. Nov. 1959 (S. 71).
5 *Neues Deutschland*, 18. Febr. 1962, »Der Jüngling im Eiskasten«.
6 »Oobliadooh« 1966, Gespräch mit Fr. Albrecht in: *Weimarer Beiträge* 3/1979.
7 *Ein Englisches Tagebuch*, München 1978.
8 Vgl. F. J. Raddatz, *Die Zeit* v. 10. Okt. 1980.
9 *Briefe an Hermlin*, Aufbau, Berlin 1985.
10 *Sonntag* v. 13. Mai 1962, auch: Arno Hochmuth in: *Literatur im Blickpunkt*, Dietz, 1967, S. 212 ff.
11 Günter Albrecht, Kurt Böttcher, Herbert Greiner-Mai, Paul Günter Krohn.
12 *Deutschsprachige Literatur im Überblick*, Leipzig 1971, Hans-Georg Werner, Werner Feudel, Wolfgang Friedrich, Günter Hartung, Dietrich Sommer, Willi Steinberg.
13 Die Kunst gehört dem Volke.
14 *Zur Struktur des Menschenbildes in der westdeutschen epischen Literatur der Gegenwart* (1963-1965) Berlin 1967.
15 *Westdeutsche Prosa. Ein Überblick*, Volk und Wissen, Berlin 1967 (Redaktionsschluß 1965).
16 Reclam Leipzig 1974.
17 *Zwischen Idylle und Metropole*, in: *Sinn und Form* 3/1966.
18 Renate Herrmann-Winter, *Kleines Plattdeutsches Wörterbuch*, Rostock 1985.
19 Vgl. Andreas Wild, *Gnade für Maetzig und Uwe Johnson*, in: *Die Welt* vom 9. 2. 1986.
20 *Der 5. Kanal*, Frankfurt am Main 1987.

Eberhard Fahlke
Heimat als geistige Landschaft:
Uwe Johnson und Mecklenburg

> *»Ein gesellschaftliches System kann ohnehin keine Heimat bieten. Heimat ist schließlich ein privater Bereich, das sind Personen, das ist eine Landschaft, dazu kann man sich bekennen.«*
>
> Uwe Johnson 1967

In Bremen erging es einem passionierten Landlehrer zu Beginn der siebziger Jahre mit Uwe Johnson ganz ähnlich wie dem Hasen in der Geschichte mit dem Swinegel. Welches Antiquariat er auf der Suche nach mecklenburgischen Büchern in der Hansestadt auch betrat, überall schlug ihm die gleiche Antwort entgegen: »Mecklenburg. Das hat Uwe Johnson gerade alles weggekauft.« So mußte sich jener Schulmann, Sproß einer einstens renommierten Rostocker Reederfamilie, andernorts seine auch ganz ansehnliche Mecklenburger Bibliothek zusammenkaufen. Jener Pädagoge arbeitet längst, vom Schuldienst beurlaubt, als »freier« Schriftsteller in einem niedersächsischen Dorf und hat sich bereits zu Lebzeiten ein eigenes Archiv eingerichtet. Der Sammler, Walter Kempowski also, hatte Uwe Johnson im Frühjahr 1971 angeboten, ihm seine »kleine« mecklenburgische Bibliothek leihweise zur Verfügung zu stellen. Dabei hatte er sich den Hinweis nicht verkneifen können, daß die *Beiträge zur Geschichte der Stadt Rostock* vom Verein der Altertümer unter diesen Büchern wohl am gehaltvollsten seien.[1] So freundlich wie entschieden wies Uwe Johnson dieses Anerbieten des Kollegen zurück. Zum einen komme er zur Zeit kaum zum Lesen (er schrieb gerade am zweiten Band der *Jahrestage*), zum anderen »weil Bücherverleihen so gut ist wie burrjacken. Das möchte ich mit Ihnen nicht.«[2] »Von Ticktacken kümmt Burrjakken«, so lautet eine etwas vertrackte Erklärung, die das Mecklenburgische Wörterbuch anzubieten hat. Zur Erklärung für Leser, die im Niederdeutschen nicht ganz so zu Hause sind, sei angefügt, daß damit das Zerren an den Kleidern als Vorgeplänkel zu einer handfesteren Auseinandersetzung gemeint ist. Die Jacke ausfegen, ausklopfen, prügeln, das ist das Bedeutungsumfeld von »burrjakken«.[3] Bei aller Streitlust, die Uwe Johnson auch auszeichnete, dazu ist es zwischen diesen beiden Schriftstellern nicht gekommen. Im Gegenteil: Den besonderen Kenntnissen Uwe Johnsons über Land und Leute Mecklenburgs vertrauend, überließ Walter Kempowski dem Kollegen sein Typoskript zu *Uns geht's ja noch gold*.[4] Uwe Johnson lektorierte ihm jenen Roman gründlich.

Fast zehn Jahre später, im Herbst 1980, schickte Walter Kempowski ein Paket mit Doubletten seiner Bibliothek aus Nartum nach Sheerness-on-Sea auf der Insel Sheppey in Großbritannien. Dort wohnte die Familie Johnson seit Oktober 1974 in einem Haus an der Mündung der Themse mit Blick auf die offene See. Der Büchersendung aus der niedersächsischen Provinz in die Abgeschiedenheit der britischen Grafschaft Kent lagen einige Exemplare des *Voß- und Haas-Kalenders* aus der Hinstorffschen Hofbuchhandlung zu Rostock bei.[5] Dieser Kalender erfreute sich beim kleinbürgerlichen und bäuerlichen Lesepublikum in Mecklenburg-Schwerin großer Beliebtheit, weil die beiden Fabeltiere, der Fuchs und der Hase, als Akteure in den gereimten Kalendergeschichten jedes Jahrgangs immer wiederzufinden waren.[6] Uwe Johnson sammelte – wie so vieles andere – auch diese Mecklenburgiensa systematisch als Material für die *Jahrestage. Aus dem Leben von Gesine Cresspahl*[7] und das Fragment gebliebene Werk *Heute neunzig Jahr*, das einmal als eine Art Nachwort zu den vier »Lieferungen« des großen Erzählwerks geplant war. Von diesem Fragment wurde ein Stück, das Uwe Johnson selbst schon 1975 bei einer Lesung vorgetragen hatte, unter dem Titel *Versuch, einen Vater zu finden* aus dem Nachlaß veröffentlicht.[8] Der Stammvater der Familie, Heinrich Cresspahl, war 1888 als Sohn einer nicht gerade begüterten Landarbeiterfamilie auf einem Rittergut zwischen Malchow und Röbel an der Mecklenburgischen Seenplatte geboren worden. In jenen Kalenderheften der Hinstorffschen Hofbuchhandlung waren atmosphärische Partikel, Hinweise auf Markt- und Jahrestage, sprachliche Sedimente, mecklenburgische Redensarten und Geschichten aufzuspüren, die Uwe Johnson gekonnt in sein Erzählen einzuspinnen verstand. Überdies war an der Geschichte dieses Kalenders aus Rostock zu studieren, wie ein zaghafter Liberalismus zunehmend einem konservativen Lokalpatriotismus Platz machte und wie sich die Nationalsozialisten später seiner bedienten. Den Empfang der Kempowskischen Büchersendung bestätigend, dankte Uwe Johnson

»(...) insbesondere für die drei Doubletten zur Stadtgeschichte von Rostock, über die ich mich gefreut habe ganz wie von Ihnen so zielsicher vorausgesehen. In der Tat ist mir an Rostock gelegen, Literatur zu dieser Stadt füllt auf meinen Borden mehr Platz als die zu einer anderen in Mecklenburg, wenn auch leider nur knapp fünfzig Zentimeter. Da habe ich einmal angefangen mit einer ersten Unterkunft in einer Versammlung von Doppelstockbetten im ausgeräumten Tanzsaal des Fährhauses Gehlsdorf, so arm an Mitteln, daß ich mir nur drei Zigaretten am Tag erlaubte, die erste morgens in der Straßenbahn 4 zur Innenstadt, eine mittags in der Mensa, die letzte wiederum in der 4 bei der Abfahrt gegenüber dem Gebäude, in dem die Fakultät für Arbeiter und Bauern untergebracht war; dennoch hätte ich da gerne das, was man einen zweiten Wohnsitz nennt und keineswegs erwarten darf als ein Menschenrecht.«[9]

Auch Walter Kempowski hatte sich ein »Rostock-Bord« eingerichtet, das war allerdings, wie er nicht ohne Stolz mitteilte, breiter als 50 Zentimeter. Die Sammlung zu Mecklenburg aus der Arbeitsbibliothek Uwe Johnsons umfaßt im Archiv an der Frankfurter Johann Wolfgang Goethe-Universität 15 laufende Regalmeter mit etwa 650 Titeln. »Sammeln ist eine besonders vertrackte Art abzureisen, seit je«, heißt es bei Ernst Bloch, dessen *Das Prinzip Hoffnung* zusammen mit Uwe Johnsons *Mutmassungen über Jakob* 1959 im Blickpunkt des Suhrkamp-Standes auf der Frankfurter Buchmesse präsentiert worden war. Hört man bei diesem Zitat von Ernst Bloch genauer hin, schreibt Judith Macheiner mit sichtlichem »Vergnügen« an der »Kunst, deutsche Sätze zu bilden«, dann wächst durch die Endstellung der Zeitadverbiale »seit je« – die unscheinbar in der Mitte des Satzes hätte versteckt werden können – das Fernweh und die Sehnsucht nach Vergangenem.[10] In dem berühmt gewordenen Schlußsatz des dritten Bandes von *Das Prinzip Hoffnung* heißt es über den arbeitenden, die Gegebenheiten umbildenden und überholenden Menschen: »Hat er sich erfaßt und das Seine ohne Entäußerung und Entfremdung in realer Demokratie begründet, so entsteht in der Welt etwas, das allen in die Kindheit scheint und worin noch niemand war: Heimat.«[11] Wo Hoffnung die Sehnsucht im Irdischen festhält, wäre Heimat in zweierlei Maß zu besitzen als Herkunft und als Aufgabe.

Die beiden Sammler, Uwe Johnson und Walter Kempowski, hatten, wenn auch aus unterschiedlichen Gründen, die ihnen vertraute Region verlassen müssen, ohne sie jemals in der Fremde wirklich vergessen zu können. Dennoch klagt Uwe Johnson in dem hier erstmals veröffentlichten Brief nicht ein allgemeines

Natur- und Menschenrecht auf Heimat ein (er wünscht sich nur einen zweiten Wohnsitz), denn fragwürdig bleibt, ob man das eigene Recht auf Heimat mit Ansprüchen gegen andere befrachten darf. Für Uwe Johnson jedenfalls keimte schon in der Artikulation solcher Ansprüche neues Unrecht auf. Die Namen der ehemals deutschen Orte, in denen er geboren (1934) oder zur Schule (1944/45) gegangen war, gab er in der polnischen Fassung als Kamien Pomorski oder Koscian an. Ihre Namen hatten diese Ortschaften als Folge des Ersten und Zweiten Weltkriegs erhalten. Uwe Johnson wollte nicht in die Nachbarschaft jener geraten, die eine Revision dieser Kriegsergebnisse verlangten. Da eine solche Revision nur mit neuem Krieg bewerkstelligt werden könne, lag ihm daran, schon den verbalen Anspruch auf das Verlorene zu vermeiden.[12]

Der von Groß-Britannien aus ersehnte zweite Wohnsitz in Rostock hatte längst schon eine erste Adresse: das Haus der Familie Hensan in der Sankt-Georg-Straße (ehemals Friedrich-Engels-Straße) 71 mit der Jahreszahl 1888 unter dem First. Dort hatte Uwe Johnson nach seiner vorübergehenden Unterkunft »im Tanzsaal des Fährhauses Gehlsdorf« ein Zimmer im Kellergeschoß eines Bürgerhauses der Familie Hensan gefunden, deren Bibliothek er mitbenutzen durfte. Besonders mit der älteren Frau Hensan verband ihn bis zuletzt eine innige Freundschaft, die sich auch in einem umfänglichen Briefwechsel ausdrückte. Last not least sprach sie ein vorzügliches Englisch, verbreitete Uwe Johnsons Englischkenntnisse und bestärkte ihn in seiner Anglophilie. Hier in Rostock entstand 1953 die erste Fassung des *Ingrid*-Romans, aus dem er – selbst seinen Freunden später in Leipzig gegenüber – ein großes Geheimnis machte. Das ist noch der Darstellung anzumerken, die er diesem, im Nachlaß leider nicht erhaltenen Manuskript 1979 in den Frankfurter Vorlesungen gewidmet hatte:

»In der Tat gab es jetzt einen Text von 90 Seiten zu je zweitausend Anschlägen, und offenbar hatte er die bittere Prüfung bestanden, dass er einer alten Frau mit sehr erhobener Stimme in die Maschine diktiert werden musste, denn sie war recht harthörig, und es waren Dinge, die sagt man im Winter 1953 auf 1954 besser leise und nur zu Leuten, die Verlass bewiesen haben. Es gab den Text in drei Exemplaren, gebunden nach der Art der Dissertation, für den ersten Blick einer polizeilichen Durchsuchung wenig auffällig. Das zweite und dritte Exemplar waren beide zuviel, sie bewiesen die Absicht zum Weitergeben, zur Verbreitung von dem Staat abträglichen

Erzählungen, die planmässige Boykotthetze. Mildernde Umstände angenommen, sechs Jahre Zuchthaus.«[13]

Die Anfänge in Rostock, an die sich Uwe Johnson hier und in dem zitierten Brief an Walter Kempowski erinnert, das sind die Jahre zwischen 1952 und 1954, in denen er das Studium der Germanistik an der späteren Wilhelm-Pieck-Universität aufgenommen hatte; zugleich sind es jene Jahre, die ihn – eher gegen seinen eigenen Willen – zum »Lehrling« im Beruf des Schriftstellers gemacht haben. Seit seiner Übersiedlung nach West-Berlin (Sommer 1959) war Uwe Johnson eine unerwünschte Person in der einstigen DDR. Gleichwohl gelang es ihm wiederholt, sich bis nach Rostock »durchzumogeln«. So beispielsweise noch im Sommer 1982 als Mitglied einer britischen Touristengruppe: einen Mr. Johnson darstellend, der ein erlesenes Englisch sprach, das Deutsche aber tunlichst vermied. Auf Deutsch schrieb er aus Rostock nur eine Ansichtskarte an Walter Kempowski. Mit Vorliebe schickte Uwe Johnson solche Karten nicht nur an Freunde und Bekannte, er sammelte sie auch selbst. Möglicherweise teilte er, der selbst viel fotografierte, um nach eigener Aussage dem Vergessen vorzubeugen, die Auffassung Walter Benjamins, daß in einer Ansichtskartensammlung manche Aufklärung über das eigene Leben zu finden sei.[14]

Für den einen ist Heimat so ein Wort, bei dem er zuerst einmal in die Knie geht, ein »Würgewort«, das Ergebnis von »Tümelei« und ein Vorwand für »Krachledernes«. Für den anderen ist Heimat ein »Haupt-Wort«; Martin Walser hingegen sieht in Heimat ein »Zeitwort«, einen »Prozeßbegriff«, denkbar nur als vergangene oder zukünftige«.[15] Das Wort »Heimat«, so belehrt ein Blick in den jetzt allen Deutschen gemeinsamen *Duden*, ist im Plural ungebräuchlich. Heimat ist jenes Land oder auch nur jener Landstrich, jener Ort, in dem man geboren wurde, bleibenden Aufenthalt hatte und sich geborgen fühlt oder fühlte. Angewandt wird das Wort oft, »um eine besonders gefühlsbetonte Stimmung auszudrücken oder zu erwecken«. Was der *Duden* unter Heimat versteht, so der Befund von Max Frisch aus dem Jahre 1974, ist nicht ohne weiteres zu übersetzen. *My country* erweitere und limitiere Heimat von vornherein auf ein Staatsgebiet; *homeland* setze Kolonien voraus, *motherland* töne zärtlicher als Vaterland, *la patrie*, das hisse sofort eine Flagge. In immer neuen Ansätzen versucht Max Frisch in der Rede *Die Schweiz als Heimat?*[16], einzelne Elemente zur genaueren Bestimmung des Wortes zusammenzutragen. Obwohl für ihn das Bedürfnis nach Heimat außer Zweifel steht, vermag er doch nicht ohne weiteres zu definieren, was Heimat für ihn bedeutet. Heimat entsteht aus einer Fülle von Erinnerungen, die kaum noch datierbar sind; aus einem Gefühl von Zugehörigkeit zu einem Quartier, zu einer Landschaft, zu einer Mundart, zu Freunden, zu einer besonderen Sorte von Literatur, die unauflösbar miteinander verbunden sind. Heimat ist vor allem jener Bezirk, in dem wir als Kinder oder als Schüler die ersten Erfahrungen mit der Umwelt, der natürlichen wie der gesellschaftlichen, gemacht haben. Es ist der Bezirk, in dem wir durch unbewußte Anpassung – oft bis zum Selbstverlust in frühen Jahren – zu der Illusion gelangten, hier sei die Welt nicht fremd. So gesehen, ist für Max Frisch Heimat ein Problem der Identität; es reißt ein Dilemma auf zwischen Fremdheit in dem Bezirk, dem wir zugeboren sind, oder Selbstentfremdung durch Anpassung. Die Identifikation mit einer Mehrheit, die aus Angepaßten besteht als Kompensation für die versäumte oder durch gesellschaftlichen Zwang verhinderte Identifikation der Person mit sich selbst, das liegt, so die Analyse von Max Frisch, jedem Chauvinismus zugrunde.

In dieser Rede von 1974 erinnert Max Frisch auch an Freunde, keine Landsleute, die ihm viel bedeuten. Namen nennt er nicht. Doch mit jenem ungenannten Freund, der »in Mecklenburg erzogen worden war und es zeitlebens nicht vergaß«[17], ist ohne jeden Zweifel Uwe Johnson gemeint. Schon in einer Tagebuchnotiz von 1966 hatte Max Frisch das »homerische Gedächtnis« des Freunds bewundert und konstatiert, Mecklenburg werde sich darauf verlassen dürfen. Mit dem bewundernswerten Gedächtnis Uwe Johnsons war immer auch die Erinnerung an ein Land verbunden, das 1952 durch Beschluß der Volkskammer der DDR aufgelöst und in die drei Bezirke Rostock, Schwerin und Neubrandenburg aufgeteilt worden war. Gleichwohl hat Max Frisch recht: Der Freund war in Mecklenburg erzogen worden und vergaß diese Erziehung im Positiven wie im Negativen nie. Zu einigen seiner Lehrer unterhielt er noch Jahre später vertrauten brieflichen Kontakt. Sie lieferten ihm Materialien, Berichte, Anekdoten und Neuigkeiten aus der Geschichte und dem Alltag Mecklenburgs, die er nach und nach seinem Erzählwerk »anverwandelte«.

Gleichwohl muß der Anpassungsdruck, als rechter »Vorkämpfer für die Sache des Sozialismus« im heimatlichen Bezirk zu gelten, für Uwe Johnson enorm gewesen sein. »Die Proklamation der sozialen Neuordnung war attraktiv für jugendliche Gemüter. Denn auch hier wurde Tatsächlichkeit durchgesetzt gegen die bloß verbalen Maß-Stäbe der Eltern. Die personellen Kontakte des Großgrundbesitzes zu den Faschisten reichten schon als Argument für die Aufteilung des Bodens unter kleinen Bauern; die schulische Version des Marxismus lieferte noch historische und ökonomische Gründe nach. Die industrielle und finanzielle Konzentration war ebenso komprommitiert, ebenso lernte man sie mit theoretischen Schlägen eindecken«[18], schrieb er 1970 in seinem Versuch, eine Mentalität zu erklären.

Seit 1949 war Uwe Johnson Mitglied der Freien Deutschen Jugend, galt dort aber – nicht auf die Herkunft bezogen, sondern auf die Haltung – als bürgerlich. Mit der Empfehlung in der Kaderakte, als Organisationsleiter der FDJ in der zentralen Schulgruppenleitung an der John-Brinckman-Schule in Güstrow (Abitur 1952) aktiv am kulturellen Aufbau und an der sozialistischen Umgestaltung der Gesellschaft mitgearbeitet zu haben, begann er 1952 sein Studium an der Universität Rostock. Im Frühjahr 1953 – Stalin war am 5. März gestorben – sollte sich der »Jugendfreund«[19] aus Güstrow an der staatlichen Hetze gegen die Junge Gemeinde beteiligen. Statt wie instruiert vor der »Großversammlung der F.D.J.-Gruppe Philosophische Fakultät« allgemein über den Kampf der Jungen Gemeinde gegen den Frieden zu reden und öffentlich falsches Zeugnis gegen Mitglieder der kirchlichen Jugendorganisation aus Güstrow abzulegen, sprach Uwe Johnson – eigenwillig wie so oft – davon, daß die Hetze gegen die Religionsgemeinschaft einen mehrfachen Bruch der Verfassung der DDR konstituiere. Die Folge: Der Student der Germanistik wurde einstweilen exmatrikuliert. Wenige Tage vor dem 17. Juni 1953 beendete die Regierung nach Verhandlungen mit Vertretern der Amtskirche ihre Kampagne gegen die Junge Gemeinde und versprach, begangenes Unrecht wiedergutzumachen. »Nach dem Aufstand der Arbeiter und Bauern gegen die Regierung der Arbeiter und Bauern« erkundigte sich Uwe Johnson im Rektorat der Universität nach seinen Lebensaussichten und erhielt die lakonische Auskunft, die Streichung in der Matrikel sei gestrichen.

Hier, in diesem Streit mit den Organen und Vertretern der

Staatsmacht darüber, wann etwas eine Wahrheit sei und bis wann eine Wahrheit eine Bestrafung verdiene[20], lag der erste, vielleicht auch der wichtigste Impuls für Uwe Johnsons Hinwendung zur Schriftstellerei. Da ihm verwehrt wurde, seinen Disput öffentlich auszutragen, begann er zu schreiben. Mit dem *Ingrid*-Manuskript im Gepäck und beladen mit einem Thema, das ihn sein Leben lang begleiten wird – dem Verrat im Politischen wie im Privaten –, verließ er die mecklenburgische Universität und ging nach Leipzig.

So reizvoll es wäre, hier ist nicht der Ort, die Irrungen und Wirrungen nachzuzeichnen, die Uwe Johnsons vergebliche Versuche von 1956/57 begleiteten, sein mehrfach überarbeitetes Manuskript *Ingrid Babendererde/Reifeprüfung 1953* in einem der Verlage der DDR und später im Verlag von Peter Suhrkamp zu veröffentlichen.[21] Er sei das literarische Engagement leid, für die »Republik« reiche es erwiesenermaßen nicht aus, und in die »freie Marktwirtschaft« wolle er sich nicht begeben. Anders als mit diesem »vorläufig grundsätzlichen« Verzicht könne er sich nicht einrichten, teilte er am 11. Januar 1958 dem Mitteldeutschen Verlag in Halle mit. Ein Lektor hatte nach weiteren »literarischen Plänen« gefragt.[22] Sein Verzicht auf das literarische Engagement dauerte indes keine vier Wochen. Am 6. Februar 1958 schrieb er die erste Seite der *Mutmassungen über Jakob* in Leipzig. Als das Manuskript kaum ein Jahr später im Westen zum Druck angenommen worden war, wollte er es zunächst unter dem Pseudonym Joachim Catt bei Suhrkamp veröffentlichen lassen. Wäre es allein nach ihm gegangen, er hätte die DDR 1959 noch nicht verlassen; war sie ihm damals doch als ein Land erschienen, in dem sich etwas veränderte. Seine Leipziger Freunde aber warnten: Wäre der Geheimdienst nur annähernd so tüchtig, wie Uwe Johnson ihn in seinem Roman dargestellt habe, dann halte das Pseudonym keine sechs Monate stand. An jenem Tag, an dem sein Name anstelle von Joachim Catt auf das Titelblatt von *Mutmassungen über Jakob* gedruckt wurde, verließ Uwe Johnson die DDR. »Was da an Biographie gestiftet wurde, war immerhin nicht alles notwendig zum Leben«, schrieb er elf Jahre danach. Und wenig später heißt es dann abschließend: »In der DDR sind noch einige persönliche Orte, die Orte der Kindheit, der Jugend. Dort sind Freundschaften, Landschaften, Teile der Person. Es ist Vergangenheit. Es hat neun oder zehn oder zwölf Jahre gedauert. Nun ist es vorbei.«[23]

Stiller war das erste Buch von Max Frisch, das Uwe Johnson 1957 in die Hände bekam. Mit Neid stellte er fest, daß ein Mann der westlichen deutschsprachigen Literatur sich beschäftigen dürfe mit den Schwierigkeiten subjektiver Identität. Aus dem eigenen Leben mit Mitteln der Literatur ein Kunstwerk herzustellen, ohne weder der Form noch dem Inhalt Gewalt anzutun, diese Leistung von Max Frisch bewunderte Uwe Johnson noch an *Montauk* (1975) ungemein. Er hingegen wäre als Privatperson am liebsten unsichtbar hinter seinen Werken verschwunden. In öffentlicher Rede über sich selbst zu sprechen fiel ihm sichtlich schwer. Öffentlichkeit als Partner wie für Max Frisch, das war für Uwe Johnson kaum denkbar. Von der Härte, ja Grausamkeit der Pflicht, sich selbst vorstellen zu müssen, sprach er 1977 bei der Aufnahme in die Deutsche Akademie für Sprache und Dichtung in Darmstadt. Statt der jedem neugewählten Mitglied auferlegten Selbstvorstellung, trug er den Mitgliedern der Akademie Ansichten anderer vor, die über ihn verbreitet wurden. Den von Fritz J. Raddatz beim Abdruck der Rede in der *Zeit* gesetzten Titel »Ich über mich« korrigierte er deshalb auch konsequenterweise in »Andere über mich«; allerdings nur in seinem im Nachlaß aufbewahrten Belegexemplar.

Vieles spreche dafür, so beginnt er die Auflistung der Fremdvorstellungen, daß er ein Mecklenburger sei. Doch im Mecklenburg der Nachkriegszeit habe er als einer von den Flüchtlingen aus Vorpommern gegolten. In Mecklenburg sei er zur Schule gegangen, mecklenburgisch sei die erste Universität gewesen. Nach seiner Übersiedlung nach Berlin sei er wieder als Flüchtling angesehen und dann als Westberliner behandelt worden. Ein Umzug nach Groß-Britannien und eine anstehende Paßerneuerung hätten genügt, ihn zu einem »Bürger der Bundesrepublik Deutschland« abzustempeln. Überraschenderweise endet der Text nach der Litanei all dieser Fremdbestimmungen ohne jedes Zeichen der Ironie mit einem persönlichen Bekenntnis: »Aber wohin ich in Wahrheit gehöre, das ist die dicht umwaldete Seenplatte Mecklenburgs von Plau bis Templin, entlang der Elde und der Havel, und dort hoffe ich mich in meiner nächsten Arbeit aufzuhalten, ich weiß schon in welcher Eigenschaft, aber ich verrate sie nicht.«[24]

Bis dahin hatte sich Uwe Johnson in öffentlicher Rede erst ein einziges Mal als Mecklenburger bekannt. Durch eine »Fußnote« fühlte er sich herausgefordert, in ihr sah er, freilich mit dem nötigen Maß an Ironie, »sein Vaterland« bedroht, ein Wort, das er sonst nie verwendete. Deshalb brach er 1975 in Braunschweig einen Streit mit der dortigen Wissenschaftlichen Gesellschaft vom Zaun. In deren Auftrag waren die Werke von Wilhelm Raabe erschienen. Im 14. Band dieser Ausgabe hatte Uwe Johnson, der Raabe-Preisträger des Jahres 1975, *Alte Nester. Zwei Bücher Lebensgeschichten* gefunden. Dort ist zu lesen, wie der junge Vetter Just Ewerstein, vierschrötig vor dem Erzähler sitzend, mit beiden Ellbogen auf dem Tisch das mecklenburgische Wappen zur Darstellung bringt. Die in der Fußnote gegebene Erläuterung, so Uwe Johnson, eines der Felder im mecklenburgischen Wappen zeige einen gewinkelten Arm, lenkt die Aufmerksamkeit auf ein falsches Feld; denn Just Ewerstein hat nicht nur *einen*, sondern *beide* Arme auf den Tisch gestützt, und bringt so – beide Fäuste an der Stirn – das mecklenburgische Wappen zur Darstellung, das in einfacher Gestalt einen Büffelkopf zeigt, »weswegen bei uns Leute einen Namen tragen und heißen Ossenkopp«.[25] Und er vergißt nicht, seinen Einspruch gegen die wissenschaftliche Gesellschaft zu belegen mit einem Verweis auf das Standardwerk über das mecklenburgische Wappen, das 1893 in Güstrow von den Buchhändlern Opitz und Co. veröffentlicht wurde. Hier liegt der wahre Grund, warum einer wie Uwe Johnson sich so herausgefordert fühlt: In Güstrow sei er zur Schule gegangen, und oft genug habe er vor dem Ladentisch des Herrn Opitz gestanden. In »seinem« Mecklenburg, da weiß Uwe Johnson Bescheid.

Beide öffentlichen Bekenntnisse sind für Uwe Johnson gleichermaßen ungewöhnlich. Wenn er es nur irgendwie einrichten konnte, dann hat er es in der Öffentlichkeit vermieden, über sich selbst zu reden. Ähnlich wie in seinen Büchern, bevorzugte er die indirekte Rede, die Anspielung, das versteckte Zitat, die Andeutung – der Leser soll nachdenken, nachschlagen, mitarbeiten. Als das Institut für Niederdeutsche Sprache ihn 1976 um eine persönlich gehaltene Antwort auf die Frage bat, welche Erfahrungen er denn im Umgang mit dem Niederdeutschen gemacht habe, versteckte er sich in charakteristischer Weise hinter seiner eigenen Antwort. Um den artifiziellen Charakter seiner »persönlichen« Äußerung zu kennzeichnen, bat er um die Lizenz, seine Erfahrungen und die anderer in einer »erfundenen« Person zusammenfassen zu dürfen: »Gesine Cresspahl zum Beispiel«. Großgeworden sei sie in einer ländlichen Kleinstadt Mecklenburgs bei Großeltern und einem Vater, der manche Erlebnisse nur in niederdeutschen Worten überlegen und aufbewahren konnte. Ihr fehlten jedoch bereits viele mecklenburgische Worte für die Kenntnisse, die sie aus der Oberschule nach Hause mitbrachte. Auch die Stadt und die Universität boten ihr keine »gesellschaftliche Praxis« im Niederdeutschen. »Sie beneidet jeden, der in dieser Sprache lieben, träumen, denken kann; es ist die verlorene Heimat.«[26]

Danach zitiert er ausführlich Friedrich Schult aus Güstrow, den ersten Nachlaßverwalter und Vertrauten Ernst Barlachs, wie er den Zerfall der hanseatischen Weltsprache von ehemals beschreibt. Das endet mit dem Befund, daß die Archivierung des Niederdeutschen seinen Gebrauch abgelöst habe. Friedrich Schult war es auch, der den leichtstilisierten Büffelkopf als Signet für das Titelblatt der *Mecklenburgischen Monatshefte* entworfen hatte.

Das Wort »Ich« hat Uwe Johnson in aller Regel tunlichst vermieden, wenn er es, wie in den Frankfurter Vorlesungen, einführen mußte, dann tat er das mit allen Anzeichen von Peinlichkeit. Nicht über sich als Person wollte er reden, sondern nur über ein »Ich« als »Medium der Arbeit, das Mittel einer Produktion«.

Das Mecklenburg Uwe Johnsons gehört wie Yoknapatawpha, Kuhschnappel, Seldwyla, Molchgüllen, Schilten, Andorra oder Thulsern zu jenen literarischen Landschaften, die für sich keine Postleitzahlen beanspruchen und so auch nicht im Schulatlas zu finden sind. Für dieses Mecklenburg gilt wie für das Thulsern von Gerhard Köpf: Ex existiert nicht vorab, sondern entsteht erst, wenn einer sich erzählend erinnert oder erinnernd davon erzählt; geschaffen wird es erst durch das Nacherzählen dessen, was vorher nicht da war. Ein solches scheinbar paradoxes Erzählprogramm, so Köpf, erscheint nur dem rätselhaft, der sich nicht auf den Konjunktiv der »Vergegenkunft«[27] einlassen will. Erfinder dieses Kunstwortes, das weiß der Döblin-Preisträger Köpf natürlich, war Günter Grass. Damit wollte der einstige Friedenauer Nachbar Uwe Johnsons jene Zeit des Erzählers benennen, die Vergangenheit, Gegenwart und Zukunft zu einer vierten Erzählzeit verschmilzt. »Vergegenkunft« hieße dann vorauszusehen, wie es gewesen sein könnte, wenn es einst geschähe. Ein besonders illustratives Beispiel hierfür lieferte Uwe Johnson 1973 im dritten Band der *Jahrestage* mit jenem »Kapitel im Irrealis«. Hier malt die vertraglich mit der Aufzeichnung eines Jahres aus dem Leben von

Gesine Cresspahl beauftragte erzählerische Instanz, der »Genosse Schriftsteller«, mit satirischen Zwischentönen aus, wie es hätte gewesen sein können, wenn Jerichow zum Westen gekommen wäre.

»Auch in den ärmsten Häusern wären die Kreuzstöcke ausgebrochen, ersetzt durch Schaufenster oder durch doppelglasig versiegelte Apparate, zweiseitig schwenkbar. Zwei Fahrschulen, ein Reisebüro, eine Filiale der Dresdener Bank. Elektrische Rasenmäher. Haushaltsgeräte aus Plastik, Taschenradios, Fernseher. Methfessel jun. hätte den Verkaufsraum der Fleischerei voll verkachelt. In der Einfahrt der Sportwagen des Gesellen, mit Überrollbügel.

Zwar, bei Wollenberg könnte man immer noch Dochte und Zylinder für Petroleumlampen kaufen, Zentrifugenfilter, Kutschpeitschen, Achsenfett und jene Kette, auf die die Kuh tritt, so daß sie nicht davon laufen kann, wenn die Bauern im Gran Turismo-Wagen zum Melken angefahren kommen. Und beim Kauf würde gehandelt, das wäre geblieben.

Jerichow würde zum Zonengrenzbezirk Lübeck gehören. Abgeordnete im Kieler Landtag. Schimpfen auf Kiel. Der überlebende Adel kandidiert für die C.D.U. Zu den »guten Familien« neu gerechnet: Garagenbesitzer, Getränkelieferanten, Bundeswehroffiziere, Kreisbauräte, (...) Jerichow hätte fünf Ansichtskarten anzubieten statt früher zwei. Zusätzlich: den rotziegeligen Anbau des Rathauses (hamburger Stil). Den Neubau des »Schwanennestes« (ehemals Försterkrug). Das Mahnmal der »deutschen Teilung« (oder für die Kriegsgefangenen) auf dem Bahnhofsvorplatz. Eine kleine Stadt in Schleswig-Holstein. Vielleicht würden die Höfe inzwischen nach Tonnen gerechnet, nach halben Hektar. Von Jerichow über Rade nach Travemünde ginge eine Küstenstraße mit Platz für drei Autos. (...)

Freunde in Wismar müßten über 65 sein, um Leute in Jerichow zu besuchen. In Bad Kleinen umsteigen in den Interzonenzug nach Hamburg über Schönberg nach Lübeck. Wären einander recht fremd geworden.

Wenn Jerichow zum Westen gekommen wäre.«[28]

Jerichow, im Nordwesten Mecklenburgs im »Klützer Winkel« in unmittelbarer Nähe zur Ostsee vorzustellen, und Wendisch Burg im Südwesten am Rande der Havellandschaft gelegen, das sind die beiden kleinstädtischen Eckpfeiler mecklenburgischer Provinz, die Uwe Johnsons literarischen Mikrokosmos prägen. Beide Ortschaften jener imaginierten Landschaft sind Schöpfungen seiner präzisen Einbildungskraft, bis hinein in die wendisch gefärbte Namensgebung pure Fiktion – in ganz Mecklenburg nicht wiederzufinden und doch überall;[29] der Erinnerung an ein Land abgerungen, durch dessen verwaltungstechnische Auflösung im Jahre 1952 »ein Stück Herkunft unkenntlich gemacht« worden war.[30]

Die heute ganz anders zu lesende, weil in der Wirklichkeit aufgehobene Vorstellung, daß Jerichow zum Westen gekommen wäre, ruht, wie so vieles in den von Uwe Johnson erzählten Geschichten, auf einem historisch verbürgten Fundament. Nach dem Ende des Zweiten Weltkriegs war der Westen Mecklenburgs (bis zur Höhe von Wismar) von den Engländern besetzt worden, so wie Thüringen, Anhalt und Teile von Sachsen und Brandenburg von den Amerikanern. Erst am 1. Juli 1945 wurden diese Gebiete der sowjetischen Armeeführung von den westlichen Alliierten überlassen, die dafür jeweils einen Sektor der Vier-Sektoren-Stadt Berlin erhielten. Jerichow hätte also tatsächlich zum Zonengrenzbezirk Lübeck gehören können.

Das »Kapitel im Irrealis«, bei dem die »Zonengrenze« weiter östlich verläuft (»Freunde in Wismar müßten über 65 sein, um Leute in Jerichow zu besuchen«), findet sich im Tageseintrag zum 29. Mai 1968. Jahrestage, das sind in der einen Bedeutung die Tage eines Jahres zwischen dem 20. August 1967 und dem 20. August 1968, die die Bankangestellte und Fremdsprachenkorrespondentin Gesine Cresspahl mit ihrer elfjährigen Tochter Marie in New York erlebt. In der anderen Sinngebung sind es Tage der Erinnerung, des Eingedenkens; nicht immer Jubiläen in der deutschen Geschichte, hier durch die Anspielung auf ein Datum zu erschließen. Am 29./30. Mai 1949 wählte der III. Deutsche Volkskongreß in Ostberlin 330 Abgeordnete in den »Deutschen Volksrat« und nahm die »Verfassung für eine Deutsche Demokratische Republik« an.

Zwar wurden in einem Manifest auch noch die Einheit Deutschlands, der Abschluß eines Friedensvertrages und der Abzug der Besatzungstruppen gefordert, aber die Weichen für die Gründung der DDR waren an diesem Tag gestellt worden. Am 7. Oktober 1949 – dem offiziellen Gründungstag – mußte der Volksrat dann nur noch beschließen, wie es damals in der DDR hieß, »sich entsprechend dem Willen des deutschen Volkes« zur Provisorischen Volkskammer umzubilden.[31] Der »Klützer Winkel« blieb 40 Jahre lang auf der anderen Seite der Grenze. Uwe Johnson konnte von »seiner« Landschaft aus Lübeck – die Stadt Thomas Manns – immer nur beobachten. Das aber habe er ständig getan. Dieses Eingeständnis aus der Rede zur Verleihung des Thomas-Mann-Preises (1979) und die zahlreichen Anspielungen auf Zitate und Episoden aus den Werken von Thomas Mann in den Büchern Uwe

Johnsons sind immer auch zu lesen als Reverenz an seinen einstigen Lehrer an der Karl-Marx-Universität Leipzig, den Literaturwissenschaftler Hans Mayer, der ihn wie kein anderer an die Arbeiten Thomas Manns heranführen konnte.

Als Uwe Johnsons erster Lektor, der kundige und hilfreich genau lesende Walter Boehlich, ihn während der Arbeit an den Druckfahnen von *Mutmassungen über Jakob* einmal fragte, ob es ein Motiv dafür gebe, daß er Jerichow an die Ostsee verlegt habe, schrieb ihm Uwe Johnson: »Jerichow habe ich mir aus der Bibel genommen, wenn ich nicht irre. Ich weiss nicht, was die Gründer der sächsischen Orte dieses Namens oder des märkischen sich gedacht haben mögen; es ist ja aber kaum zu übersehen dass eine Stadt, die lange Zeit mächtig ist, eines Tages einer bloss symbolischen Kraftanstrengung nicht standhält: Und die Mauern werden fallen hin. Statt der Trompeten könnte man auch Lautsprecherwagen nehmen. Oder gesticktes Tuch an einer Stange. (Als Trompeten maskierte Ultra-Schall-Erreger.) Und da ich fand dass der Laut dieses Namens an der Ostsee angenehm blaugrau (etwa als Luft und Fischgeruch) auf der Zunge liegt, habe ich mir ein Jerichow aufgebaut an der Ostsee; es ist besser, da gibt es auch eins. Ich sehe, ich kann es nicht erklären; es ist aber wohl eine Antwort.«[32]

Jerichow, das ist jene mecklenburgische Kleinstadt Uwe Johnsons, deren Entwicklung er in der Zeit vor und während des Nationalsozialismus, dann unter britischer und sowjetischer Besatzung und schließlich in der Zeit der DDR bis 1953 so einprägsam in *Jahrestage. Aus dem Leben von Gesine Cresspahl* erzählend begleitet. Getragen von der Überzeugung, daß eine kleine Stadt, selbst wenn sie erfunden ist, für viele kleine Städte stehen kann, ist es – bezogen auf das eigene Erzählen – für Uwe Johnson das gleiche wie mit einer großen Stadt, die es, wie New York etwa, wirklich gibt. In beiden Fällen handelt es sich um den Versuch, eine Wirklichkeit, die vergangen ist, wiederherzustellen; das heißt aber nicht, sie in verkleinerter Form nachzubauen, sondern »eine Wirklichkeit in allen ihren Beziehungen zusammengefaßt noch einmal möglich zu machen«.[33] In einer für seine Arbeitsweise charakteristischen Symbiose von Fiktivem und Faktischem, von »Erzählerischem« und »Tabellarischem«, modelliert Uwe Johnson ein episches Soziogramm der mecklenburgischen Provinz, in dem die Angaben noch im kleinsten Detail so arrangiert sind, daß die Fiktivität gewahrt bleibt.

Uwe Johnsons mecklenburgische Ortschaften sind rekonstruiert und erfunden, aus verschiedenen Stätten topografisch zusammengesetzt und in ein sozial- wie zeitgeschichtlich stimmiges Beziehungsgeflecht von Personen verwoben. Obgleich Güstrow, Wismar und andere Orte auch unter ihrem eigenen Namen in *Jahrestage* erscheinen, ist das kein Hinderungsgrund, typische Elemente, Ansichten oder Besonderheiten jener Ortschaften nicht auch umstandslos in die engere Heimat von Gesine Cresspahl zu verlegen. So hält sich ihr Vater im August 1931, um Papenbrocks Tochter Lisbeth werbend, in Mecklenburg auf. Er wollte wissen, was seine spätere Frau aufzugeben hätte, wenn sie zu ihm nach Richmond, Greater London, zöge. An der Themse hatte der Kunsttischler auf der Suche nach Arbeit seit 1929 Unterkunft und Auskommen gefunden. »Setzte sich, ein Forschungsreisender, in die Bahnhofswirtschaft, das Lokal der Nazis, und trank das saure Bier und wartete auf Horst Papenbrock bis zum dritten Abend und ließ ihn lärmen über den Dawes-Plan und die Reichstagswahl vom vorigen September und trank ihm vor, halbe Liter Kniesenack und großen Weizenkorn, und trug den taumelnden, fröhlichen, weinerlichen Erben Papenbrock über den Marktplatz um Mitternacht und lehnte ihn gegen das Tor seines Vaters und ging in Peter Wulfs Hinterzimmer zum Erzählen, wenig betrunken, sehr vergnügt, ganz zufrieden.«[34]

Kniesenack, dieses obergärige Starkbier, gehört etwa so zu Güstrow wie der Rattenfänger zu Hameln oder die Stadtmusikanten zu Bremen. Der Überlieferung nach wurde dieses Bier schon zu wendischen Zeiten in Güstrow gebraut. Anfang des 17. Jahrhunderts muß der Absatz des Bieres stark nachgelassen haben, der für die Stadt eine wichtige Einnahmequelle bildete. Anders wäre es kaum zu erklären, daß »ein einigermaßen verkommener Magister« im Jahre 1624 dem Rat der Stadt Güstrow den Plan vorlegte, eine von ihm verfaßte Lobschrift auf das Kniesenack zur Verherrlichung und weiteren Verbreitung dieses Bieres drucken zu lassen. Kniesen oder knesen, war dort zu lesen, bedeutete im Niedersächsischen so viel wie schlagen. Werde das Bier im Übermaß genossen, so schlage es einem gleichsam in den Nacken. So sinnfällig diese volksetymologische Namensdeutung auch scheinen mag, sie ist falsch. Der Name ist wendischen Ursprungs und als »Fürstenbier« zu deuten, hergeleitet von wendisch »Knaes« (der Fürst) und »nack« (das Bier).[35]

Gleichwohl ist der Leser in der zitierten Wirtshausszene nicht nach Güstrow geführt worden; denn die Familie Papenbrock residiert in Jerichow. Der Großvater, ein Großagrarier, kann sich noch als »König von Jerichow« feiern lassen; während sein dekadenter Enkel sich frühzeitig schon den Nationalsozialisten zugesellt. Die Bahnhofswirtschaft, der Marktplatz und das Hinterzimmer im »Krug« von Peter Wulf, alle diese Örtlichkeiten liegen mitten in Jerichow, wo Gesine Cresspahl am 3. März 1933 geboren wird. Die Differenz zwischen »ihrem« und »seinem« Mecklenburg hatte Uwe Johnson schon 1973 herausgestellt. Er habe die Zeit nach dem Krieg im Umkreis von Güstrow, in dem Gebiet, wo die Mecklenburgische Schweiz anfängt, verbracht, ein stark bewaldetes, mit vielen Seen durchsetztes Gelände. »Sie hingegen hat links oben gewohnt und ist dort aufgewachsen. Sehr wichtig: Sie ist dort aufgewachsen in einer ganz kleinen Stadt – meine hatte immerhin 30 000 Einwohner, ihre 2 781 –, und dort ist es kahl, da ist der Wind weggefressen vom Boden, und da ist nur dieses kühle Land, und da ist die Ostsee, und darüber ist manchmal die Sonne, aber sehr viel öfter der Regen. Das ist gar nicht meine Gegend. Dieses Mecklenburg, das ist nicht unser gemeinsames Mecklenburg, die würde mich schön angucken, wenn ich behaupten würde, wir hätten Mecklenburg gemeinsam.«[36] Trotz aller förmlich-ironischen Distanzierung, die nur allzu berechtigt ist, wenn es darum geht, die Differenz zwischen erlebter und »geistiger« Landschaft zu markieren, hat Uwe Johnson eine Reihe von Erfahrungen aus »seinem« Mecklenburg in »ihr« Mecklenburg transportiert; vielleicht ein Versuch, »ihrem« Mecklenburg doch eine Postleitzahl zuzuordnen, wenn auch nur eine fiktive.

Jerichow, das ist aber auch die Stadt Heinrich Cresspahls, der dort im Herbst 1956 lebt, »allein in dem Wind, der grau und rauh vom Meer ins Land einfiel hinweg über ihn und sein Haus«.[37] Die Geschichte dieses Mannes setzt apokryph mit den *Mutmassungen über Jakob* ein. Um diese Geschichte weiterspinnen zu können, hatte sich Uwe Johnson an dessen Lebensfährte geheftet. Unentwegt auf der Suche nach Mecklenburgiensa schickte er bis in die siebziger Jahre hinein eine Reihe von Briefen nach Güstrow, vor allem an die Plauer Straße 51, an die Adresse von Wilhelm Müller, dem pensionierten Lehrer für Latein und Englisch an der John-Brinckman-Schule. Geduldig steht ihm der Lehrer Rede und Antwort. In einem Brief von New York – 243 Riverside Drive, apt.

204, New York, N. Y. 10025, das wird später auch die Adresse von Gesine Cresspahl und ihrer Tochter Marie sein – nach Güstrow schreibt Uwe Johnson 1967 auf einer Schreibmaschine mit amerikanischer Tastatur: »Bis zum naechsten Sommer aber werde ich an Werktagen die Zeit unter merkwuerdigen Umstaenden verbringen. Ich sitze da in einer von vielen Zellen in einem Buerohaus, umgeben von den praktischen und ergiebigen Geraeuschen von Schreibmaschinen und Telefonen, und beschaeftige mich mit nichts als erfundenen Sachen. Noch laengst habe ich nicht genug beisammen, und ich haette es vorgezogen, mir die dreissiger Jahre in einer mecklenburgischen Kleinstadt selbst suchen zu duerfen im Mecklenburg von heute. Der Beweis, dass es auch anders geht, wird wohl ziemlich lange ausstehen.«[38] (An dieser Stelle und aus heutiger Sicht ist man geneigt zu sagen, Uwe Johnson ist 1984 im Alter von 49 Jahren wahrlich zur Unzeit gestorben.)

Vor allem Friedrich Schult, der Zeichenlehrer an der John-Brinckman-Schule und Nachlaßverwalter Ernst Barlachs, und Wilhelm Müller versorgten Uwe Johnson mit Mecklenburgiensa und neuesten Nachrichten aus dem Alltag des Landes, in dem er unerwünscht war. Nur einzelne *Mecklenburgische Monatshefte* fand Wilhelm Müller noch im Norddeutschen Antiquariat in Rostock. Er selbst hatte seine zehn gebundenen Jahrgangsbände dieser Zeitschrift bei den Plünderungen der Sowjetarmee in Güstrow verloren. Aber für Uwe Johnson im Antiquariat aufstöbern konnte er noch jenes Sonderheft zum 700jährigen Bestehen der Stadt Rostock, das heute im Uwe Johnson-Archiv aufbewahrt wird.

Der Hansestadt kommt in *Jahrestage. Aus dem Leben von Gesine Cresspahl* eher die Rolle eines »Nebenkriegsschauplatzes« zu, damit wird sie im erzählerischen Universum Uwe Johnson aber keineswegs bedeutungs- oder gar funktionslos. Das ist an vier Ausschnitten zu zeigen.

Der jüdische Rechtsanwalt Dr. Avenarius Kollmorgen – »Er hatte nicht viel zu reden, weil er so viele Geheimnisse wußte, daß ihm die Grenze zur offenen Tatsache gelegentlich verschwamm.«[39] – muß im Jahre 1935 seine Praxis in Jerichow auflösen und zieht aus der Provinz nach Rostock. Dort begeht er im Juni 1942 Selbstmord. Am Ende war es ihm doch nicht recht gewesen, daß ihm die Stadt das Bedürfnis nach Alleinsein erfüllt hatte. Mit Kollmorgen ist, wie es im Gespräch zwischen Marie und Gesine in der letzten Lieferung der *Jahrestage* heißt, »eine Art zu sprechen ausgestorben«.[40]

Noch von einem anderen, allerdings namenlosen Anwalt aus Rostock ist in den für das Erzählen aus dem Leben von Gesine Cresspahl so bedeutsamen Dialogen zwischen ihr und ihrer Tochter die Rede. Dieser Anwalt hatte ein Konkursverfahren gegen das Land beantragt, weil die Regierung in Schwerin ihren Zahlungsverpflichtungen – zugunsten der eigenen Terminzahlungen von Gehältern und Zinsen – nicht mehr nachkam. Das war im Januar 1933.[41]

Die beiden anderen Szenen bewahren die Erinnerung an jene Schreckensnächte in Rostock auf, die jedes Vorstellungsvermögen für existentielle Angst übersteigen. Ob deshalb in ganz eigenwilliger Weise die traditionelle Konkurrenz der Hansestädte untereinander vom erzählenden Subjekt der *Jahrestage* beschworen wird? Angesichts der schweren Angriffe von britischen und amerikanischen Bombenflugzeugen auf deutsche Städte im Jahre 1942 drängt sich Gesine Cresspahl absurderweise ein Reim auf; durch Kursivdruck als »Stimme« der Erinnerung markiert:
Hamburg, Lübeck, Bremen,
die brauchen sich nicht zu schämen...

Das Unbegreifliche eines Weiterlebens im Alltag nach diesen Flächen-Bombardements wird auf derselben Seite im Roman in der Reaktion von Schuljungen eingefangen:

»Wie es in Rostock Schuljungen gab, die Lübeck den ersten Platz in der Bombardierung nicht gönnten, so ärgerten sich Jungen in Jerichow, daß die Briten und Amerikaner ihren Platz nicht einmal eines leichten Angriffes für wert hielten.«[42]

Und schließlich – in der vierten Szene – kommt der protestantische Pastor Wilhelm Brüshaver aus Jerichow im Juli 1945 nach Rostock. Er hatte es sich 1938 sowohl mit der weltlichen Obrigkeit als auch mit der Amtskirche verdorben. Nicht nur die kirchlichen Vorschriften für die Beerdigung von Selbstmördern hatte er verletzt, sondern er hatte bei der Beerdigungspredigt für Lisbeth Papenbrock, Gesines Mutter, auch davon gesprochen, daß sie mit dem Selbstmord in der Nacht der Judenverfolgung (9./10. November 1938) sich selbst als »Opfer« angeboten, »den Mord an sich selbst für den Mord an einem Kinde gegeben habe«.[43] Das Kind, das war die von den Nazis in Jerichow erschossene Sara Tannebaum.

Von der Amtskirche fallengelassen, wird Wilhelm Brüshaver von den Nationalsozialisten ins Konzentrationslager verbracht. Seine Frau verläßt mit ihren drei Kindern Jerichow und zieht nach Rostock; alle drei kommen bei einem Luftangriff auf die Stadt ums Leben. Aus dem Konzentrationslager entlassen, sucht der Pastor seine Familie im Juli 1945:

»Brüshaver hatte seine Frau nicht in Rostock gefunden, er hatte sie schon einmal tot geglaubt, als die Royal Air Force zum ersten Mal Rostock coventrierte, denn in die Konzentrationslager kamen nicht die roten Vordruckkarten, auf denen die Überlebenden von Angriffen ankreuzen konnten, ob sie überlebt hatten.«[44]

Rostock als »pars pro toto«, als Teil, der für das Ganze genommen werden kann: Das ist die Anonymität der Stadt als scheinbarer Zufluchtsort vor dem brutalen Anpassungsdruck der Nationalsozialisten in der Provinz. Was mag in jenen von den Nazis verfolgten Menschen vorgegangen sein, die verzweifelt auf die Befreiung durch die Alliierten warteten, als deren Bomber-Verbände die Städte so erbarmungslos heimsuchten? »Rostock coventrieren«, das ist der karge sprachliche Ausdruck, damit wird an die Gnadenlosigkeit völlig sinnloser Flächenbombardierungen während des Zweiten Weltkriegs erinnert. Die deutsche Luftwaffe hatte in der Nacht vom 14. zum 15. November 1940 die altehrwürdige Stadt Coventry in der mittelenglischen Grafschaft Warwick und eine Reihe anderer Kulturdenkmäler in einer selbst nach den Regeln militärischer Logik sinnlosen Bombardierung in Schutt und Asche gelegt. Zwar bleibt Rostock ein »Nebenkriegsschauplatz« in den *Jahrestagen* und scheint nur als »Fluchtpunkt« für Leute aus der Provinz auf, doch selbst in diesen zufälligen Ausschnitten sind schon zentrale Themen des Johnsonschen Erzählens zu finden, der sich mit seinen Geschichten der deutschen Geschichte stellt. Für Lokalpatriotisches ist das nicht der Ort.

Uwe Johnsons Prosa weist – in ihren besten Sätzen – jene Elemente auf, die traditionellerweise der Lyrik zugesprochen werden: Verdichtung, Kargheit, Klang. Sie ist häufig sprachlich so sorgfältig geformt, daß man bei ihrer Beschreibung bis ins Detail auf Wort, Laut und Silbe zu achten hat. Solche Stücke sind dann auch drucktechnisch mühelos in ein Prosagedicht zu verwandeln. Das ist an einem weitgehend unbekannt gebliebenen Text zu demonstrieren, der 1979 für die Anthologie *Jenseits der deutsch-deutschen Grenze* des in Leipzig geborenen Niederländers Rolf Italiaander geschrieben wurde. Gerade die Kargheit dieser Skizze verrät die intensive Gefühlsbindung, an ein Land, das »in der Ferne leuchtet«:

»Die Orte des Aufwachsens aus dem Gedächtnis
verlieren, das hieße ja die Dievenow vergessen,
die für ein Kind zu breite Schlange
Wassers mit ihren niedrigen schwarzen Booten,
den glucksenden Fischkästen,
dem wildwüchsigen Bruch
und den federnden Wiesen an ihren Ufern.
Sie bleibt, wie die Peene,
die bei Karnin weissen Sand auswäscht,
fein wie für Sanduhren,
wie die Nebel, die an der güstrower Bahnhofsbrücke
den Blättersträhnen der Trauerweiden zu trinken gibt.
Unverzichtbar und jeweils aufs Neue zu leben ist der Tag,
der aufwachte an der bützower Schleuse,
seinen Mittag hielt inmitten der Ebenen vor Schwaan
und den Abend beging auf den wiegenden Querwellen
des alten Hafens von Rostock.
Alle Flüsse sind aufgehoben in ihrer Zeit,
und alle nach ihnen,
vom badischen Rhein bis zum Hudson der Walfänger,
wozu sind sie denn da?
zu erinnern an die Flüsse von ehemals.«[45]

Diese Welt hier hat nichts Fremdes, die Ortschaften sind vertraut; wenn auch vielleicht nur verklärt in der Erinnerung; wer weiß das schon? Heimat heißt es in *Jahrestage. Aus dem Leben von Gesine Cresspahl* einmal, ist dort ankommen, wo die Erinnerung Bescheid weiß. Nein, genauer: Fast am Schluß der vierten Lieferung des großartigen Erzählwerks sagt nicht Gesine, sondern ihre Tochter Marie H. Cresspahl: »– In New York wurde ich vier. Endlich sind wir angekommen, wo meine Erinnerung Bescheid weiß. Welcome home.«[46] Das ist mit der Lebensfreude und bereitwilligen Neugier eines Kindes ausgedrückt: Heimat als Herkunft und Heimat als Aufgabe, das Seine ohne Entäußerung und Entfremdung in realer Demokratie zu begründen.

Anmerkungen

1 Der Leser erinnert sich: Gleich auf den ersten Seiten von *Tadellöser & Wolf* (1971), jener liebevollen Inventarisierung von Erinnerungsfragmenten einer Familiengeschichte aus den Jahren von 1939 bis 1945, ist zu erfahren, daß Vater Kempowski, der, »wie immer gesagt wurde«, seine Heimatstadt liebte, Mitglied dieses Vereins war und regelmäßig dessen Vorträge unter Titeln wie *Die Exzerzitien der Bürgergarde* oder *Rostocks Soldaten im 30jährigen Kriege* besucht hat.

2 Brief an Walter Kempowski vom 17. April 1971.

3 Vgl. Wossidlo-Teuchert, *Mecklenburgisches Wörterbuch*. Elfte Lieferung (II,2) Bullsäl bis Darm, Neumünster 1955, S. 150.

4 Walter Kempowski, *Uns geht's ja noch gold. Roman einer Familie*. München 1972.

5 Bis 1918 behielt der *Großherzoglich-Mecklenburg-Schwerinsche und Mecklenburg-Strelitzsche Kalender* sein »Adelsprädikat«; später wurde der in Mecklenburg beliebte Volkskalender nach dem Fabeltier Fuchs und Hase auf dem Titelbild in *Mecklenburgischer Voß und Haas-Kalender* umgetauft.

6 Vgl. Kurt Batt (Hg.), *Mecklenburgisches Lesebuch*. München/Zürich 1979, S. 292. Verfasser der an Fritz Reuters *Reis' na Bellingen* angelehnten humorvollen Reimereien waren lange Jahre hindurch C. Steinmetz und Dr. B. Ritzerow.

7 Uwe Johnson, *Jahrestage. Aus dem Leben von Gesine Cresspahl*. 4 Bände, 1970–1983, Frankfurt am Main.

8 Norbert Mecklenburg (Hg.), *Uwe Johnson: Versuch einen Vater zu finden. Marthas Ferien. Text und Tonkassette*, Frankfurt am Main 1988.

9 Aus einem Brief an Walter Kempowski vom 27. Oktober 1980.

10 Vgl. Judith Macheiner, *Das grammatische Varieté oder Die Kunst und das Vergnügen, deutsche Sätze zu bilden*, Frankfurt am Main 1991, S. 120.

11 Ernst Bloch, *Das Prinzip Hoffnung*, Frankfurt am Main 1959, S. 1628.

12 Uwe Johnson: »… *ich möchte nicht in die Nachbarschaft jener geraten, die eine Revision dieser Kriegsergebnisse verlangen*«, in: Eberhard Fahlke (Hg.), *»Ich überlege mir die Geschichte…« Uwe Johnson im Gespräch*, Frankfurt am Main 1988, S. 133.

13 Uwe Johnson, *Begleitumstände. Frankfurter Vorlesungen*, Frankfurt am Main 1980, S. 74.

14 Vgl. Walter Benjamin, *Berliner Chronik*, mit einem Nachwort hg. von Gershom Scholem, Frankfurt am Main 1971, S. 88.

15 Vgl. Gerhard Köpf, *Heimat*, in: Gerhard Köpf, *Vom Schmutz und vom Nest. Aufsätze aus zehn Jahren*, Frankfurt am Main 1991, S. 120.

16 Max Frisch, *Die Schweiz als Heimat? Rede zur Verleihung des Großen Schillerpreises 1974*, in: Walter Obschlager (Hg.), *Max Frisch. Schweiz als Heimat? Versuche über 50 Jahre*, Frankfurt am Main 1990, S. 366 ff.

17 A. a. O. S. 369.

18 Uwe Johnson, *Versuch, eine Mentalität zu erklären*, Nachwort zu Barbara Grunert-Bronnen (Hg.), *Ich bin Bürger der DDR und lebe in der Bundesrepublik*, München 1970, S. 120.

19 So lautete in der DDR die Anrede für eine Angehörige der Freien Deutschen Jugend. Sie war aus den durch Erlaß der Sowjetischen Militäradministration am 20. Juni 1945 genehmigten Jugendausschüssen hervorgegangen; anfangs überparteilich, waren die Schlüsselstellungen schon bald von KPD/SED-Mitgliedern besetzt. In der Bundesrepublik war die FDJ seit dem 26. Juni 1951 als verfassungsfeindlich verboten.

20 Uwe Johnson, *Begleitumstände*, a. a. O., S. 69.

21 Das Buch konnte erst posthum, 1985, aus dem Nachlaß veröffentlicht werden. Einer Veröffentlichung zu Lebzeiten hatte Uwe Johnson nicht zugestimmt.

22 Vgl. Uwe Johnsons Brief an den Mitteldeutschen Verlag vom 11. Januar 1958; vgl. auch Uwe Johnsons eigene Darstellung in *Begleitumstände*, a. a. O., S. 130.

23 Uwe Johnson, *Versuch, eine Mentalität zu erklären*, a. a. O., S. 129.

24 Uwe Johnson, *Ich über mich*, in: *Die Zeit*, Nr. 46 vom 4. November 1977, S. 46 (in diesem Band S. 372 ff.).

25 Vgl. Uwe Johnson: »*... habe aber nie die Absicht gehabt, durch Parteischriften den Tageslärm zu vermehren.*« Rede zur Verleihung des Wilhelm-Raabe-Preises 1975, hier zitiert nach: Eberhard Fahlke (Hg.), »*Ich überlege mir die Geschichte...*« *Uwe Johnson im Gespräch*, Frankfurt am Main 1988, S. 74.

26 Vgl. *Johnson im Gespräch*, a. a. O., S. 160.

27 Vgl. Gerhard Köpf: *Lob der Nacherzählung. Rede anläßlich der Verleihung des Wilhelm-Raabe-Preises 1990*, in: Gerhard Köpf, *Vom Schmutz und vom Nest. Aufsätze aus zehn Jahren*, a. a. O., S. 182. Weiter heißt es dort: »Thulsern kehrt die Verhältnisse um: die Peripherie erscheint als Zentrum und wird von Roman zu Roman mehr zu dem Ort, an dem ich meine eigene Geschichte ablesen kann.«

28 Uwe Johnson, *Jahrestage. Aus dem Leben von Gesine Cresspahl*, Frankfurt am Main 1970–1983; 3. Band 1973, S. 1240–1243.

29 So meinte Walter Kempowski einmal, in Jerichow Teile des Provinzstädtchens Kröpelin in der Nähe von Rostock wiederentdeckt zu haben. Nur dann, wenn Jerichow wirklich zum Westen gekommen wäre, benähmen sich die »Jerichower« manchmal, und öfter, als wären sie »Klützer« (JT, S. 1243). Das sei jenen (wissenschaftlichen) Lesern ins Stammbuch geschrieben, die die »Haltbarkeit« des Johnsonschen er-

zählerischen Regionalismus an stimmige geografische Analogien meinen binden zu müssen.

30 Uwe Johnson, *Jahrestage. Aus dem Leben von Gesine Cresspahl,* a. a. O., S. 1837.

31 Vgl. Deutsches Institut für Zeitgeschichte (Hg.), *Geschichtliche Zeittafeln. Deutsche Demokratische Republik,* Ost-Berlin 1954, S. 33 und 34.

32 Aus einem Brief an Walter Boehlich vom 28. August 1959.

33 Vgl. *Uwe Johnson im Gespräch,* a. a. O., S. 236.

34 Uwe Johnson, *Jahrestage,* a. a. O., S. 87.

35 Vgl. Rudolf Pechel, »*Kniesenack*«, in: *Mecklenburgische Monatshefte,* 4. Jg. 1928, H. 10, S. 598–602.

36 Vgl. das Interview mit Horst Lehner und Helmut Heissenbüttel, in: Michael Bengel (Hg.), *Jahrestage,* Frankfurt am Main 1985, S. 114.

37 Uwe Johnson, *Mutmassungen über Jakob,* Frankfurt am Main 1959, S. 9.

38 Aus einem Brief an Wilhelm Müller vom 31. Oktober 1967.

39 Uwe Johnson, *Jahrestage,* a. a. O., S. 305.

40 Uwe Johnson, *Jahrestage,* a. a. O., S. 1863.

41 Einen Hinweis auf diesen Rechtsanwalt hatte Uwe Johnson bei eigenen Nachforschungen in Archiven im *Lübecker Generalanzeiger* vom 7. Januar 1933 gefunden.

42 Uwe Johnson, *Jahrestage,* a. a. O., S. 967.

43 Uwe Johnson, *Jahrestage,* a. a. O., S. 761.

44 Uwe Johnson, *Jahrestage,* a. a. O., S. 998.

45 Rolf Italiaander (Hg.), *Jenseits der deutsch-deutschen Grenze.* Stokkach/Bodensee o.J., S. 19. Der Brief an Rolf Italiaander, mit dem Uwe Johnson den Text an den Herausgeber schickt, ist datiert vom 29. November 1979.

46 Uwe Johnson, *Jahrestage,* a. a. O., S. 1875.

Norbert Mecklenburg
Ein Land, das ferne leuchtet

Uwe Johnsons Heimatkonzept im Früh- und Spätwerk

Eine Überschau über Uwe Johnsons Gesamtwerk unter Einschluß der Nachlaßfragmente zeigt, welche zentrale Rolle darin Regionalismus und das Thema der Heimat spielen. So einig sich die Kritiker jedoch in der Feststellung dieses Tatbestands sind, so sehr divergieren sie in dessen Beurteilung, seitdem das Klischee vom ›Dichter der deutschen Teilung‹ durch das vom norddeutschen Regionalisten abgelöst wurde. Die einen verweisen auf die unbestreitbare Tatsache, daß Regionalismus und weltliterarischer Rang sich keineswegs ausschließen müssen, die andern auf ein ebenso unbestreitbares deutsches Syndrom aus Provinzialismus und Innerlichkeit in der Literatur. Ich glaube, die erste Gruppe der Kritiker wird Johnsons Werk mehr gerecht als die zweite, auch wenn diese keineswegs ganz Unrecht hat. Meine These ist, daß es Johnson in seinen Arbeiten von Anfang an, auf jeweils verschiedene Weise, aber zum Spätwerk hin mit zunehmender Souveränität gelungen ist, seinen persönlichen Regionalismus und Heimatbezug in eine poetische Produktivkraft zu verwandeln. Wieweit er als Mensch nostalgischen oder regressiven Gefühlen unterworfen war, bleibt, wenn meine These stimmt, belanglos. Von einer ›unheilbaren Liebe zur Heimat‹ zu reden, die den Autor in einen allzu frühen Tod getrieben habe, ist Kritikerkitsch. Die groben Mißgriffe derer jedoch, die Johnsons Regionalismus mit demjenigen faschistischer ›Blut-und-Boden‹-Literatur in einen Topf geworfen haben, bedürfen zwar keiner Auseinandersetzung, wohl aber kann man fragen, wie sie zu erklären sind.

Im folgenden möchte ich versuchen, das Spektrum von Johnsons erzählerischem Regionalismus und die Komplexität seines Heimatbegriffs an seinem ersten und an seinem letzten vollendeten Werk vorzuführen. Vorausgehen sollen einige Bemerkungen zu den Aspekten von Regionalismus in Johnsons Gesamtwerk und zu seinem autobiographischen Verständnis von Heimat.

Heimat-Variationen

Uwe Johnson, aus einer Bauernfamilie stammend, ist in Pommern und Mecklenburg aufgewachsen. Während sein Vater noch, ein kleiner Angestellter, dem ländlichen Milieu nie ganz entronnen sei[1], bekundete er selbst kein Heimweh nach der Provinz, obwohl er seit seinem Erstlingsroman *Ingrid Babendererde* einen großen Teil seines literarischen Stoffes der Erinnerung an sie verdankte. Das charakteristisch gebrochene Verhältnis des aus dem Kleinbürgertum der Provinz kommenden Intellektuellen zu seiner Herkunftswelt versuchte Johnson literarisch zu verarbeiten und rational zu bewältigen. Wie Gesine bejahte er die Großstadt als Lebensform, auf die er als Schriftsteller angewiesen sei, um von Menschen etwas zu erfahren, und schärfer als sie schätzte er für sich das ›Landleben‹ als eine im Prinzip der Vergangenheit angehörende Möglichkeit ein[2]: Doch während er 1969 noch hoffte, die Großstadt Berlin könne seine »Heimat werden«, lebte er sein letztes Lebensjahrzehnt in einer Kleinstadt an der Themsemündung ab, benötigte die vielen Menschen offenbar nicht mehr, nur noch wenige, die ihn als einen »Nachbarn« nehmen sollten, vor denen er sich indessen zugleich extrem abschirmte, um mit sich und seiner schriftstellerischen Arbeit und seinen imaginären Personen und seinen Heimaterinnerungen allein zu sein. Johnson hat damit nacheinander Positionen bezogen, welche bei seiner Figur Gesine gleichzeitig vorkommen und dadurch ihrer Ortsbezogenheit eine Ambivalenz von Weltbürgerlichkeit und Provinzialismus, von Utopie und Nostalgie verleihen.

Für sich selbst erklärte er, nicht ein »gesellschaftliches System«, nur ein »privater Bereich« könne Heimat heißen: »das sind Personen, das ist eine Landschaft, dazu kann man sich bekennen«.[3] Er gab zeitweilig der Hoffnung Ausdruck, auch bei einer Distanzierung von Geburts- und Herkunftsregion und bei fortbestehender politischer Heimatlosigkeit eine »persönliche Heimat« zu finden. Von den in seinen Romanen auftretenden Figuren hat man dagegen sagen können, sie sehnten sich als Gebrochene und Heimatlose geradezu nach paradiesischer Unschuld. Das ist nicht nur allzu überspitzt gesagt, sondern müßte auch für die einzelnen Texte differenziert werden. So gestaltet der Jakob-Roman »Elend der Heimat« und sozialistische Heimat-Utopie in einem, *Jahrestage* dagegen ist geprägt von der Aufspaltung in zwei antagonistische Räume mit gleichermaßen mangelhaften Heimat-qualitäten. Entsprechend unterscheidet sich die Anlage der Figuren. Im späten scheint der nostalgische Zug über den utopischen des frühen Romans das Übergewicht bekommen zu haben. Zu fragen ist, wieweit dabei die Botschaft des Werkes mit der Figurenperspektive identifiziert werden darf. Gesine ist offenbar so angelegt, daß sie die Nüchternheit von Johnsons Heimatauffassung, sosehr sie sich bemüht, nicht erlangen kann, andererseits läßt sie von der Frage, die dieser vermeidet, nach einer möglichen Vereinigung von persönlicher und politischer Heimat nicht ab. Hier liegt eine für Struktur und Gehalt des Romans zentrale Ambivalenz.

Regionalität, die Funktion des erzählten Raumes als eines Struktur und Konzeption maßgeblich mitprägenden, landschaftlich-geographisch konkretisierten Weltausschnitts, gehört zu den Konstanten in Johnsons literarischer Produktion. Sein erster Roman *Ingrid Babendererde,* der Johnsons epischen Mikrokosmos entwirft, ist von einem starken regionalistischen Zug bestimmt. Er ist mehr Heimatroman als Zeitroman, und während er in der DDR unveröffentlicht blieb, weil die kritischen Zeitbezüge an ihm störten, nahm sein späterer westdeutscher Verleger ihn nicht an, weil ihn wiederum, unter anderem, die regionalistischen Heimatbezüge störten. Den Roman *Mutmassungen über Jakob,* in welchem sich die Jerichow-Gegend, ein anderer Bereich aus Johnsons literarischer ›Urlandschaft‹, erstmals öffentlich darbietet, leitet ein komplexes, Regionalität verfremdendes Konzept von Heimat, das dann in *Jahrestage,* wo diese Welt eine breite epische Entfaltung erfährt, eigentümlich umgeformt wird. Die Romane *Das dritte Buch über Achim* und *Zwei Ansichten* entfernen sich von Provinz-Sujet und Heimat-Konzept, auch wenn diese latent gegenwärtig bleiben: im Achim-Roman als Naturbeschreibungen und als Konfrontation von Provinz und Hauptstadt, in *Zwei Ansichten* als kritische Stilisierung des Auto-Kults zu einem perversen Heimat-Ersatz in einer immer weniger heimatlichen Gesellschaft.[4] An dem umfangreichen essayistischen Gedenktext für Ingeborg Bachmann *Eine Reise nach Klagenfurt* tritt Regionalität im topographischen Darstellungsprinzip zutage. Person und Werk der Autorin konsequent aussparend, rekonstruiert das Buch die beiden Orte Klagenfurt und Rom – auch hier eine Zweipoligkeit von Provinz und Weltstadt – als ihren Herkunfts- und ihren Lebensraum, wobei jener in Hinblick auf den ›Anschluß‹ Österreichs 1938 in ein scharfes kritisches Licht gerückt wird.

Am auffälligsten breitet sich Regionalität in der epischen Text-gruppe *Karsch, und andere Prosa* aus, vor allem in denjenigen Stücken der Sammlung, die zur Jerichow-Welt zurückkehren. Man darf hier vorbehaltlos von Regionalismus sprechen, und die Kritik hat es getan: »Das läuft langsam, behäbig und knorrig da-hin, mit so viel Seitenblick auf die Natur, Sinn für ihre und der Menschen Reinheit, (...) unberührte, unberührbare Natur und ein wortkarger, keuscher Menschenschlag, der lieber und besser in ihrer Nähe haust als in gesellschaftlicher Enge, in Großstädten, die gehören seitdem in Johnsons Repertoire.«[5] Was in diesen Texten leicht dem Mißverständnis als ›Heimatkunst‹ ausgesetzt ist, wird dann in *Jahrestage* einer umfassenden epischen Konzeption einge-fügt und, vor allem durch den Gegenpol New York, relativiert.

Zu vermuten ist, daß solch eine die Provinz relativierende Zwei-poligkeit, ein Erzählmuster in guter Fontane-Tradition, auch das Romanprojekt kennzeichnen sollte, von dem nur die kleine Epi-sode *Marthas Ferien* als Text fertig geworden ist, eine humoristisch erzählte frühsommerliche Provinz-Idylle, deren Milieu von fern an die jugendlichen Freizeit- und Wasserfreuden von *Ingrid Ba-bendererde* erinnert. Die Geschichte von dem Gesine-Onkel Peter Niebuhr und ›seiner‹ Martha Klünder sollte als ganze jedoch ent-idylisiert und entprovinzialisiert werden, nicht nur durch ein trau-riges Ehebruch-Motiv, das durch Johnsons spätes Werk und Leben geistert, sondern auch durch den großstädtischen Gegenpol, das Berlin der dreißiger Jahre mit all seinen zeitgeschichtlichen und politischen Dimensionen. Wie sehr sich dennoch der Mecklen-burg-Komplex als Zentrum von Johnsons literarischem Schaffen verfestigt hat, zeigt nicht nur sein persönliches Bekenntnis von 1977 zu Mecklenburg als der Region, wohin er »in Wahrheit ge-höre«[6], sondern auch die keineswegs zwingende Entscheidung, eine Figur wie den Schriftsteller Joe Hinterhand der *Skizze eines Verunglückten* aus dieser Sphäre herkommen zu lassen, sowie die Technik gezielter Querverbindungen zwischen den verschiedenen Werken: Es gibt Hinweise auf Joe Hinterhand wie auf Peter und Martha Niebuhr in *Jahrestage* und in *Heute Neunzig Jahr*, dem Erzählprojekt, an dem Johnson vor seinem Tod gearbeitet hat und dessen fertiggestellter Teil die Lebensgeschichte Heinrich Cress-pahls mit der allgemeinen politischen Geschichte erzählerisch synchronisiert. Überwiegend ist darum hier, zudem weitgehend mit der gleichen Erzählmaterie wie in *Jahrestage*, der Geschehensraum wieder Mecklenburg. Johnson hat nicht nur am regionalistischen Erzählkonzept, sondern auch an seinem primären Erinnerungs- und Imaginationsraum bis zuletzt festgehalten.

Der erste Romanversuch

Als Johnson sich 1977 in seiner Darmstädter Akademierede, nach einer ironischen Relativierung aller möglichen Festschreibungen seiner territorialen Zugehörigkeit, überraschend unironisch zu Mecklenburg bekannte, tat er das bezeichnenderweise mit einer weiteren regionalen Differenzierung: »Aber wohin ich in Wahrheit gehöre, das ist die dicht umwaldete Seenplatte Mecklenburgs von Plau bis Templin, entlang der Elde und der Havel.«[7] Johnson hat somit nicht einfach, in einer Figur des *pars pro toto*, ein allgemeines Bekenntnis zu dem Land Mecklenburg abgelegt, er hat aber auch nicht die Gegend um das *nordwest*mecklenburgische Landstädtchen »Jerichow«, Jakobs und Gesines Landstrich also, herausgehoben. Gesines Mecklenburg sei keineswegs das seine, hatte er schon 1973 in einem Interview erklärt:

»Ich bin in Mecklenburg gewesen nur nach dem Krieg, ich bin da nicht geboren. Die ersten zehn Jahre habe ich in einer angrenzenden Gegend verbracht, obwohl ich Mecklenburger bin vom Vater her; das ist wahr. Die Zeit nach dem Krieg habe ich verbracht in dem Gebiet, wo die Mecklenburgische Schweiz anfängt, wissen Sie, so ein stark bewaldetes, mit vielen Seen versehenes Gelände. Sie hingegen hat links oben gewohnt und ist dort aufgewachsen. Sehr wichtig: Sie ist dort aufgewachsen in einer ganz kleinen Stadt – meine hatte immerhin 30 000 Einwohner, ihre 2781 –, und dort ist es kahl, da ist der Wald weggefressen vom Boden, und da ist nur dieses kahle Land, und da ist die Ostsee, und darüber ist manchmal die Sonne, aber sehr viel öfter der Regen. Das ist gar nicht meine Gegend. Dieses Mecklenburg, das ist nicht unser gemeinsames Mecklenburg, die würde mich schön angucken, wenn ich behaupten würde, wir hätten Mecklenburg gemeinsam! Keineswegs. Nein, sie hat durchaus ihr eigenes Land, ihr eigenes Leben, ihre eigenen Leute und natürlich auch ihre eigenen Worte. Was man in meiner Gegend sagte, das wird man bei ihr nicht gesagt haben.«[8]

Nimmt man es noch genauer, so ist die in Johnsons regionalistischem Bekenntnis angegebene Landschaft auch mit der Gegend um Güstrow, wo er die meisten seiner Schuljahre verbracht hat, nicht ganz identisch: Die Seenplatte zwischen Plau und Templin, Elde und Havel, also die im *Südosten* Mecklenburgs liegende Landschaft um Neustrelitz, die der späte Johnson als diejenige angegeben hat, wohin er eigentlich gehöre, wo er sich auch in dem geplanten Peter-Martha-Roman aufzuhalten gedachte, stellt genau die Region dar, in welcher bereits ein Vierteljahrhundert zuvor der sehr junge Autor Johnson seinen ersten Roman *Ingrid Babendererde* [9] angesiedelt hatte.

Johnson hat in seiner ersten Prosaarbeit und in seinem späten Selbstzeugnis einen Landstrich herausgestellt, der in seinem Leben wie in seinen zu Lebzeiten veröffentlichten Werken nur am Rande vorkommt. Daß er gerade dieser Region gegenüber, mit der sich für ihn persönlich vor allem Erinnerungen an Ferienfahrten während seiner Studienjahre verbanden, ein besonderes erzählerisches Interesse und persönliches Zugehörigkeitsgefühl bekundet hat, sollte als Indiz genommen werden für die Eigenart von Johnsons Regionalismus: Er enthält die Spannungen von Herkunftsregion und Wahlheimat, Alltagswelt und Imaginationsraum, Erinnerungs- und Wunschlandschaft. In *Jahrestage* finden wir diese Spannungen auf sehr komplexe Weise entfaltet, deutlich angelegt bereits in *Ingrid Babendererde*.

Es ist eine heitere und bittere Geschichte: Vier Tage Sonne im Mai 1953, norddeutsche Kleinstadtidyllik, Schülerliebe und Segellust – doch alles im Schatten des Stalinismus der frühen DDR, Muff von oben verordneter Ideologie, Lüge, Feigheit und Pressionen gegen Andersdenkende, am Ende Trennung von Freunden und Flucht in einen ungeliebten Westen. Das wäre, aufs kürzeste zusammengefaßt, wovon der Roman *Ingrid Babendererde* handelt. Er stellt als Arbeit eines Zwanzigjährigen eine erstaunliche künstlerische Leistung dar. Auch wenn unüberhörbar ist, daß da noch ein Schüler spricht: ebenso unüberhörbar meldet sich bereits ein großer Erzähler zu Wort.

Ein Schreibmotiv des jungen Autors, über das er selbst später genaue Auskunft gegeben hat, war politisch. 1953, das Jahr von Stalins Tod am 5. März und des Arbeiteraufstandes vom 17. Juni, wurde für die DDR zu einem Höhepunkt, zugleich einer Krisenphase des stalinistischen Herrschaftssystems. Die Etablierung einer sozialen und politischen Ordnung nach sowjetischem Vorbild unter den schwierigen Bedingungen der Nachkriegszeit und des Kalten Krieges 1949-1953 war begleitet von exzessiver Propaganda und Repression, die bis ins Alltagsleben hineingriffen. Der Marxismus-Leninismus wurde zur Staatsideologie, emanzipatorische Gehalte des Sozialismus wurden stalinistisch pervertiert. Um die SED entwickelte sich ein penetranter Partei- und Personenkult, Karrierismus und Duckmäusertum blühten. Die Jugend versuchte man in der FDJ zu ›erfassen‹. Systemkritiker verfielen einem Justizterror, der sich auf den berüchtigten Artikel 6 der DDR-Verfassung zur »Boykotthetze« berief und sich des gefürchteten SSD bediente. Diese Verhältnisse trieben jährlich Hunderttausende von Flüchtlingen in den Westen.

Besonders in der Schul- und Kirchenpolitik der ersten DDR-Jahre wirkte sich der stalinistische Kontrollanspruch aus. Die Schule wurde als ideologischer Apparat des Staates formiert, die Kirche als staatsfeindlicher bekämpft. Kirchenkampf, ›Republikflucht‹, die 1953 ihren Höhepunkt erreichte, und – mehr am Rande – Kollektivierung der Landwirtschaft werden im Ingrid-Roman als zeitgeschichtlicher Hintergrund mitentworfen. Einen Höhepunkt und zugleich Endpunkt des stalinistischen Kirchenkampfes stellt die Kampagne gegen die evangelische Junge Gemeinde dar. Groteske Anschuldigungen, die auf Terror, Verrat, Sabotage lauteten, wurden offiziell gegen sie erhoben, Hunderte von Oberschülern wegen ihrer Mitgliedschaft von der Schule relegiert. Erst als, nach Stalins Tod, ein ›Neuer Kurs‹ eingeleitet wurde, der einer wachsenden Spannung zwischen Staatsapparat und Bevölkerung steuern sollte, hatten die energischen Proteste der evangelischen Bischöfe Erfolg. Man blies die Kampagne ab und nahm Zwangsmaßnahmen weitgehend zurück.[10]

Johnson erlebte diese Phase als Oberschüler in Güstrow (Abitur 1952) und Student in Rostock hautnah mit. Als Mitglied der FDJ (Austritt 1954) wurde er aufgefordert, sich an der staatlichen Hetze gegen die Junge Gemeinde zu beteiligen. Statt dessen warf er in einem Akt bewundernswerter Zivilcourage seiner Regierung öffentlich Verfassungsbruch vor und wurde daraufhin einstweilen exmatrikuliert.[11] Indem er nun viel Zeit hatte sowie durch »unberatenes Festhalten an stillem Widerspruch« (B 57) wurde er zum Schriftsteller:

»So bekam jemand seine ureigene Sache, seinen persönlichen Handel mit der Republik, seinen Streit mit der Welt darüber, wann etwas eine Wahrheit ist und bis wann eine Wahrheit eine Bestrafung verdient. Da ihm verwehrt ist, dies öffentlich auszutragen, wird er es schriftlich tun.« (B 69)

Bereits im Winter 1953/54 entstand die erste Fassung als Erzählung von 90 Seiten. Drei weitere folgten in den nächsten zwei Jahren. Die Distanz des Leipziger Literaturstudenten zu seinem allzu-mecklenburgischen Debuttext führte zu einer Aus- und Umarbeitung, bei der diese Distanz zunächst in einem »Zeugen« verkörpert wurde: dem Studenten Dietrich Erichson, der, ähnlich seinem Erfinder, vom Studium ausgeschlossen werden soll, »nachdem er in einer Fakultätsversammlung den Fall Babendererde als ein Beispiel für Verfassungsbruch in der Deutschen Demokratischen Republik (durch die Regierung der Deutschen Demokratischen Republik) dargestellt hatte«.[12] So wird es in *Jahrestage* mitgeteilt, wo derselbe D. E. als Lebenspartner Gesines im New York von 1967/68 begegnet.

Weitere Umarbeitungen, bei denen Johnson die Figur Erichson als entbehrlich wieder »verabschiedete« (B 87), folgten. Denn einerseits ergaben längere Reisen der Manuskripte durch Lektorate der DDR Anerkennung und Lob, bis hin zu dem, der junge Autor habe ein Buch geschrieben, das »die Atmosphäre in der Republik so dicht wiedergibt, wie kein anderes sonst« (B 92). Andererseits forderte man »Vertiefung des gesellschaftlichen Hintergrundes« (B 89) und mehr Wahrheit über den »großen Zusammenhang« (B 95) im Sinne der herrschenden Lehre. Solche Forderungen, so bereitwillig Johnson ihnen zu entsprechen suchte, schienen ihm jedoch am Ende an die Substanz dessen zu gehen, »was er als Wahrheit für vertretbar, für belegbar hielt« (B 89). So blieb der Roman ungedruckt, auch in der BRD. Denn im Verlag Peter Suhrkamps, dem Johnson das Manuskript durch Vermittlung seines Lehrers Hans Mayer vorgelegt hatte, sperrte sich Siegfried Unseld, u.a. aus Idiosynkrasie gegen die vermeintlich »parteiliche Atmosphäre« (259), aber auch gegen den regionalistischen Einschlag des Textes: »Er selbst war ein Opfer der Ideologie von Blut und Boden gewesen; ihn störte an der Erzählung, daß die Leute darin so gern, so oft, so ausdauernd segelten« und in einer »ungemein norddeutschen Art« redeten. »Bäume standen da so reichlich – Siegfried Unseld wünschte, das würde kein Buch in Peter Suhrkamps Verlag.« (B 97) 1985, ein Jahr nach Johnsons Tod, hat Unseld *Ingrid Babendererde* herausgegeben, in der vom Autor vormals für den Druck gedachten letzten Fassung und mit einem Nachwort, das die Manuskriptverhältnisse in vorläufiger Weise erläutert.

Johnson selbst hat eine Veröffentlichung der Ingrid-Geschichte zeitweilig[13], zuletzt aber wohl nicht mehr im Auge gehabt. Denn auch wenn deren Figuren und ihre Umgebung durch vielerlei Beziehungen einen festen Ort in der erzählerischen Topographie von Johnsons Gesamtwerk erhalten haben und Anschlußstellen für weitere Geschichten boten, die der Autor projektierte wie den Peter-Martha-Roman – der vierte Band seines Hauptwerks bietet eine späte Variation der frühen Arbeit. Das konfliktgeladene politische Milieu, die gleiche provinzsozialistische Schul- und Kleinstadtatmosphäre, zum Verwechseln ähnliche Figuren und Konstellationen. Die Lehrer Sedenbohm (»Sir Ernest«) und Kliefoth – mit einer »weißen Haarbürste« (177, JT 1172) –, Siebmann (»Pius«) und Kramritz, Frau Behrens und »Bettina« – beide »Das Blonde Gift« genannt – sind jeweils epische Zwillinge. Und dem zentralen Freundeskleeblatt aus dem »Paar« Ingrid/Klaus sowie Jürgen ähnelt dasjenige aus Gesine/Pius und Dieter sehr. Diese und weitere Indizien sprechen dafür, daß Johnson das erzählerische Material des Ingrid-Romans im Schlußband der *Jahrestage* hat ›aufheben‹ wollen, was ihm auch in bewundernswerter Weise gelungen ist, und einer Veröffentlichung des Frühwerks nurmehr dokumentarischen Wert beimaß. Daß wir dennoch keinen Grund haben, die literarische Qualität von *Ingrid Babendererde* zu unterschätzen, auch wenn manche Anfängerschwächen nicht zu leugnen sind, möchte ich im folgenden zu zeigen versuchen.

Schülerstolz vor Lehrerthronen

Der Roman erzählt von Ingrid Babendererde, Klaus Niebuhr und Jürgen Petersen, drei Schülern der Klasse 12 A der Gustav-Adolf-Oberschule in einer mecklenburgischen Kleinstadt, und von ihrer Verstrickung unmittelbar vor dem Abitur in die Auseinandersetzung um Mitschüler, die der Jungen Gemeinde angehören. Es kommt zu Schulausschlüssen, Ingrid und Klaus, ihrer Liebe bewußt geworden, wagen, mit Jürgens selbstloser Hilfe, am Ende die Flucht in den Westen. Dieser Schlußteil der Geschichte ist, zu kleinen Abschnitten geformt und kursiv gedruckt, jeweils den vier großen Teilen des Buches vorangestellt. Hier mag der Literaturstudent Johnson eine erste Anregung durch Faulkner ausprobiert haben, und zugleich eine Brechtsche, ›anti-aristotelische‹ Verfremdungstechnik, die durch Vorauswissen des Ausgangs die Aufmerksamkeit vom Was auf das Wie des Erzählten richtet.

Die übergreifende Thematik des Romans hat Johnson selbst angegeben: in ihm werde vorgeführt, wie innerhalb »einer bestimmten und bestimmbaren Etappe: des Stalinismus«, allerlei »Knoten und Knicke und Brüche in Lebensläufen« als dessen »Merkzeichen« entstehen (B 95). Unauflösliche Verflechtung der individuellen mit der allgemeinen Geschichte, wechselseitige Spiegelung des Privaten und des Politischen – bereits Johnsons erste Arbeit wird von dem Konzept geleitet, das für sein gesamtes spätes Erzählwerk maßgebend bleibt. Wie im Jakob-, im Achim-Roman und in *Zwei Ansichten* lagern sich um einen markanten und symptomatischen politischen Krisenpunkt der jüngsten Geschichte Geschichten einzelner Personen. In ihnen wird erzählend ein Spektrum unterschiedlicher Einstellungen und Verhaltensweisen, die durch die Krise in scharfes Licht rücken, entfaltet und wird ein komplexes Spannungsfeld von individuellen Wünschen und Bedürfnissen, geistigen und ethischen Ansprüchen, politischen Zwängen und sozialen Bedingungen abgetastet. Schon in seinem ersten Roman nimmt Johnsons Erzählen eine demonstrierende Haltung ein, ordnet sich einem politisch-ethischen Diskurs zu, trägt den paradoxen Charakter eines ›aporetischen Lehrstücks‹, der auch die späteren Romane kennzeichnet.

Die Schulgeschichte dankt ihren epischen Reiz dem mimetischen Vermögen eines Autors, den gerade erst ein paar Jahre vom Schülerdasein trennten. Ein bei solchem Sujet sich leicht einstellender anekdotischer Humor lockert und ironisiert das verhaltene Pathos dieser Erzählung von Schülerstolz vor Lehrerthronen. Parteilich und solidarisch stellt sie sich auf die Seite derer, die erwachsen genug sind, das üble Spiel um die Junge Gemeinde und die beschämende Rolle der Lehrer darin zu durchschauen, und jugendlich genug, darin mit genregemäßen Eulenspiegeleien und Schweykiaden mitzuspielen. Da tröstet eine Tafelaufschrift »Nächste Stunde frei« über die dogmatische Öde einer Deutschstunde hinweg (95), da wird ein »Lehrerstuhl« dem verachteten Direktor ominös vor die Tür des Klassenzimmers gestellt (139), da rasselt ein wohlplacierter Wecker in die zu Agitationszwecken befohlene Schülerversammlung erfreulich laut hinein (172 ff.).

Mut, Übermut, Überlebensmut richtet sich gegen einen Schulalltag, der als Nicht-Leben wahrgenommen wird und vor dem man in einem Gegen-Leben Zuflucht sucht. Zu der altbekannten Langeweile, die »irgendwie zur Schule gehören« muß, auch in einem Staat, der von Grund auf neu anzufangen vorgibt (19), gesellt sich ein spezifisches, neues »Schulegefühl«, das sich aus »Mißtrauen gegen die belehrenden Mitteilungen dieser Anstalt«, ihren doktrinären Charakter, speist (88).

Das muffige Pathos der Spruchbänder und Wandzeitungen (23 f.) wird vom Erzähler ebenso sarkastisch aufgespießt wie die rhetorischen »Triumph-Bögen« des Anstaltsleiters:

»unterdessen begann er zu reden von neuem: beiläufig zunächst, immer bedeutsamer dann, erregend in wachsendem Maße, bis er angelangt war bei heftigem Abhacken der Satzteile, die nahezu singend hintereinanderklappten: Das heißt. Das heißt die religiös-ideologischen. Interessen des Bürgertums –. Waren immer! Be – män – te – lungen. Der Profitgier!« (87)

Voraussehbar kommen die linientreuen Pädagogen in abenteuerlichen Exkursen vom programmäßigen Lehrstoff auf die Verwerflichkeit der Jungen Gemeinde:

»Die Romantik. Die Blaue Blume als Symbol des Schönen/Hohen/ Reinen/Guten. Die Wendung gegen die Klassik. Die Romantik als bewußtes Werkzeug der herrschenden Klasse. Die Junge Gemeinde als amerikanisch geförderte Spionage-Organisation: ein Eiterherd im Schoße der Republik. Die Hochromantik.« (102)

In der zentralen Schulthematik des Buches wird Gesellschaftsthematik in verkleinertem Maßstab behandelt. Im Motiv der Reifeprüfung wird implizit nach der Reife des Staates gefragt, der mit derart fragwürdigen Methoden seine Kinder zu erziehen versucht. Im Rahmen der vom Erzähler eingenommenen Schülerperspektive werden die Oppositionen jugendlich/erwachsen, reif/unreif ironisch eingesetzt, um die Welt der Erwachsenen einer ebenso unbestechlichen wie riskanten Kritik von seiten der Schüler zu unterziehen. Zugleich wird die Energiequelle gezeigt, die für solche Kritik den Mut gibt: Glücksmomente richtigen Lebens inmitten eines falschen.

Liebe, Freundschaft und Herzeleid

Aus der zentralen Figurenkonstellation Ingrid, Klaus, Jürgen, in der sich die erzählte Schulgeschichte konzentriert, erwächst zugleich eine Gegengeschichte, die Geschichte einer Liebe und einer Freundschaft. Alle drei stehen der Jungen Gemeinde, deren Mitglieder Peter Beetz und Elisabeth Rehfelde sie wohl persönlich achten, durchaus distanziert gegenüber, doch empört sie die Art der staatlich-schulischen Kampagne gegen jene. Dabei wird jeder von den dreien anders in die Sache verstrickt und verhält sich darin auf seine Weise.

Klaus Niebuhr, ebenso begabt wie eigenwillig, wortkarg geworden aus Empfindlichkeit gegen ideologischen Sprachmißbrauch (156), schon seit langem skeptisch gegenüber der »Vernunft der Zeitläufte« (60), flüchtet sich in Freizeit, Segeln und die genau ein Jahr alte, jetzt sehr groß gewordene Liebe zu Ingrid. Der Tag beginnt für ihn erst nach der Schule (19), wenn er die Enge des Klassenzimmers mit der Weite des Sees vertauschen kann (39). Dabei verhehlt er in der Schule keineswegs seine kritische Meinung, versteckt sie allerdings gern ein wenig in literarischer Form. Einer Konfrontation mit dem übermächtigen Schul- und Staatsapparat weicht er jedoch aus. Erst als Ingrid von der Schule verwiesen ist, kündigt auch er – ein bißchen großspurig – seine Schülerschaft (225) und bereitet im stillen die gemeinsame Flucht vor.

Jürgen Petersen ist mit Klaus seit der Grundschule im NS-Staat befreundet. Während Klaus als Erbschaft seiner Eltern, die als Widerstandskämpfer ermordet wurden, nur ein Segelboot mit dem unschönen Namen »Squit« zu verwalten scheint, hat sich Jürgen im Gegenzug zu seinem Nazi-Vater dem Sozialismus politisch aktiv zugewandt. Das führt zu einer spannungsvoll-anspruchsvollen, »eigentümlich verschränkten Freundschaft« (60), die sich bis in die Trennung hinein bewährt.

Ingrid, die Titelfigur, als wahre Lichtgestalt zu preisen, kann der hinter ihren Verehrern versteckte Erzähler sich nicht genugtun. In ihr verbindet sich jugendliche Schönheit und Lebensfreude mit der Fähigkeit, freundlich, anteilnehmend, unbefangen, vertrauensvoll auf andere Menschen zuzugehen. Jürgen erblickt darin die »Verbindung zu den Massen«, die ihm selbst leider fehle (110). Und im Unterschied zu Klaus mag Ingrid, deren politische Meinungen im übrigen merkwürdig vage notiert sind, das Beschämende der Aktion gegen die Junge Gemeinde nicht hinnehmen und hält – das ist ein Höhepunkt des Romans – eine mutige, graziös-freche Rede im lässigen Ingrid-Ton über »Eva Maus Hosen«, d.h. für einen Anspruch auf individuellen Freiheitsspielraum ebenso wie gegenüber den Kleidervorschriften des Herrn Direktors auch gegenüber den Weltanschauungsvorschriften der Partei (173 ff.).

Die junge, sehr altmodisch langsam und behutsam sich entfaltende Liebe zwischen Ingrid und Klaus, die dieser mit einem Armreif aus einem geklauten Silberlöffel bekräftigt und die der Erzähler nicht ohne leicht ironischen Blick auf Schülerpärchen und doch mit sympathetischer Intensität darstellt und schon mit der charakteristischen Johnsonschen Zurückhaltung nur mittelbar: an der Art ihres Beisammenseins und Miteinanderredens in der Schule, beim Segeln, unter Freunden und Verwandten – diese Liebe bietet einen Gegenhalt gegen die Widrigkeiten der staatssozialistisch verwalteten Welt und kann in ihr doch selbst nicht ohne Belastung bleiben. Was sie außer der Politik überschattet, ist nichts zwischen ihnen selbst, es kommt vielmehr durch den Dritten im Freundesbunde. Denn Jürgen, der die beiden »übermäßig gern« hat (26), verzehrt sich in doppelt unerwiderter Liebe: zum sozialistischen Staat und zur blonden Freundin des blonden Freundes. Das ist eine in Johnsons Gesamtwerk sich wiederholende archetypische Konstellation: eine Frau zwischen zwei ungleichen Männern: Gesine zwischen Jakob und Jonas in den *Mutmassungen*, Karin zwischen Achim und Karsch im *Dritten Buch*. Der literarische Archetypus für die Ingrid/Klaus/Jürgen-Konstellation findet sich zweifellos in derjenigen von Inge/Hans (beide blond)/Tonio in Thomas Manns *Tonio Kröger*, den der siebzehnjährige Johnson kennenlernte, als er gerade selber im Begriff war, sich an einer Novelle zu versuchen über Gefühlsverstrickungen, »Erkenntnisekel« und die »Sehnsucht nach den Wonnen der Gewöhnlichkeit« (B 58 f.), von denen sich dann auch der schwierige Intellektuelle Jonas Blach im Jakob-Roman schmerzlich getrennt sieht.

Man wird indessen das *Tonio-Kröger*-Motiv des ausgeschlossenen Dritten nicht überbewerten. Johnson dürfte sich in *beiden* Jungen gespiegelt haben. Im Ingrid-Roman klingt ein Ton *erfüllter* Jugendliebe mit, der bei Thomas Mann gerade fehlt.[14] Dennoch liegt vielleicht in der Figurenkonstellation ein, neben dem politischen, zweites Motiv des jungen Johnson verborgen, nicht nur für die Entstehung des Romans um die blonde Ingrid, sondern überhaupt dafür, daß er »ins Schreiben« geraten ist (B 57). Der erzählend derart viel Licht auf seine Titelfigur lenkte, mag damit auch erste Erfahrung am eigenen Leib und Herzen sublimierend auf erfundene Personen umgelenkt haben.

Feierlichkeit und spöttischer Durchzug

Wie im Thematischen findet man auch in Sprache, Stil und Erzählweise des Ingrid-Buches bereits viele Eigentümlichkeiten von Johnsons späterer Prosa: die eigenwillige Syntax, die lakonisch harten Fügungen, den parodistischen Bibelton, die satirische Verfremdung der Propagandasprache, die Einsprengsel aus dem Niederdeutschen. Gewiß haben die Lektoren einst und jüngst die Kritiker nicht zu Unrecht Manierismen moniert, das Tüftelnde, angestrengt Bemühte, Feierlich-Steife mancher Passagen. Da gibt es eine Beiwortseligkeit, die Adjektive wie »ebenmäßig« und »gelassen« nicht oft genug verwenden kann, auch »lustig«, und da wird überhaupt ganz unebenmäßig häufig gelacht, besonders mit den Augen. *Ein* solches Lachen versteigt sich gar auf eine Wolke, um sich daselbst zu erfreuen (41 f.). Umständliches Bemühen um Präzision schlägt in unfreiwillige Komik um: »So hineingehalten in ihr Daliegen und Warten lag sie da, wartend daß sie dies verstehe.« (228) Verstehe diesen Satz, wer will! Da greift gelegentlich ein schülerhafter Expressionismus ins Volle: »Vor den Fenstern schrie die Hitze durch die Straße« (48). Da wird jugendbewegt von einer »hohen hellen Nacht« (248) geraunt, im Ton ungewollt nah bei völkischen Ersatz-Weihnachtsliedern.

Doch insgesamt kann man an dieser Jugendarbeit eine beachtlich weite Skala und einen gekonnten Einsatz von sprachlichen Tönen feststellen sowie eine Treffsicherheit und poetische Intensität des Ausdrucks, vital-ungebrochen, wie es beim späteren Johnson kaum mehr zu finden ist. Die intensive Durchstilisierung des Textes bedient sich vielfältiger Mittel und hat verschiedene Funktionen. Das Allzunahe wird in Distanz gerückt, das allzu Emotionshaltige ernüchtert, das Allzubekannte verfremdet. Eine um Authentizität bemühte, bewußt poetische Kunstsprache ist gegen die ebenso künstliche wie verkommen-lügenhafte der politischen Propaganda gesetzt. Die sprachliche Poetisierung, die keine Scheu hat, von »dunkelheiterem Baumgrün« und von Wasser als »vielgefälteltem Silber« (50 f.) zu schreiben, entspricht einem Erzählkonzept, das den Alltag gegenüber der Politik von oben, die Individuen gegenüber dem System, die sinnliche Wahrnehmung gegenüber abstraktem Denken, die Jugendlichen gegenüber den Erwachsenen mit mehr Gewicht, mehr »Würde« versehen möchte.

Es ist eine Stileigentümlichkeit Johnsons schon in diesem ersten Roman, der viel von einem bei aufgeweckten Schülern begegnenden clownesk-persiflierenden Humor und Witz an sich hat, daß sich hinter gravitätisch Hochgeschraubtem und Archaisierendem ironische und satirische Intentionen verstecken. Wo sich stilistisch dicke Luft anzusammeln droht, kippt das Erhabene ins Komische, und es herrscht wieder »spöttischer Durchzug« (105) wie in den Gesprächen der Freunde. Die Stilisierung folgt mimetisch der ironischen Selbststilisierung von Jugendlichen beim erwünschten und gefürchteten Übergang ins Erwachsenendasein. In der Erzählweise deutet manches epische Versteckspiel auf den späteren Johnson voraus. Da gibt es schon Elemente eines ›analytischen‹ Erzählens, da gibt es genau kalkulierte und komponierte Parallel- und Kontrastbildungen.

Freundliche weitgeschwungene Landschaft

Inwiefern kann man nun, vor dem Hintergrund seiner dargelegten Grundzüge, den Roman *Ingrid Babendererde* unter dem Gesichtspunkt des Regionalismus betrachten? Welche Materialien verarbeitet er und unter welchen Konzepten, die sich einem übergreifenden Konzept ›Heimat‹ zuordnen ließen? Der regionale Bezug des Textes läßt sich greifen in topographischen Angaben, in der Beschwörung einer bestimmten Landschaft, in der epischen Modellierung von Provinz und Kleinstadt, vor allem aber in seinem auffälligsten und sperrigsten Stilzug: der Durchsetztheit des Textes, besonders der Figurenreden, mit norddeutschem Tonfall und niederdeutscher Sprache. Und das so intensiv, daß der mit der Region unvertraute Leser seine Probleme hat mit einem »Schügn« (48) für »Jürgen« und Ähnlichem.

Man könnte die sprachliche Form des ganzen Buches als Transposition von Mundart in stilisiertes Hochdeutsch bestimmen. Und je mehr sich der jugendliche Epiker seiner regionalen Umgangssprache verhaftet sah, aber auch ihre epischen Reize entdeckte, desto mehr mochte er sich in der Erzählerrede um das

Gegengewicht einer artifiziellen, ›elaborierten‹ Sprache bemühen, so daß sich allerlei Interferenz- und Kontrasteffekte erzielen ließen. Das Einblenden von Regionalsprache hat verschiedene Funktionen: eine *komische*, wenn z. B. Lehrer Ernst Kollmorgen, nach seiner sehr mecklenburgischen Aussprache »Ähnst« genannt, der die Kunde von der Erde (»Ähde«) zu vermitteln hat, mit solcher Aussprache berichtet: »über die großartige Umgestaltung; die die Natur erfahren hatte in der Sowjetunion« (16); eine *humoristische* Funktion, wenn der fatalistische Humor mecklenburgischer Volkssprüche zitiert wird, um mit dem ungleichen Kräfteverhältnis zwischen Schülern und Schulleitung bzw. Staat fertig zu werden: »Ein'n Trost möt'n hebben: sä de Mus. Dor hett de Katt sik ierst eins wat spelt mit ehr.« (139); eine *distinktive* Funktion liegt vor, wenn das Liebespaar sich mit plattdeutschen Schnacks und Döntjes selig vor der Welt verschließt, auch vorm SSD, und wenn es überhaupt zu zeigen gilt, wer zur regionalen Gemeinschaft gehört und wer zur Gesellschaft draußen. Die Vertrautheit der Hauptfiguren mit dem Niederdeutschen – Klaus hat sogar Kleists *Zerbrochenen Krug* ins Niederdeutsche übersetzt und als Schüleraufführung inszeniert (166) – symbolisiert ihr ungebrochenes Verhältnis zur Region, während das zum Staat in die Krise gerät.

Topographisch hat Johnson die Kleinstadt, die den erzählten Raum des Romans beherrscht (abgesehen von den ganz kurzen Fluchtszenen in Berlin), anonym gelassen, während ihre nähere Umgebung mit ein paar Namen wie »Weitendorf«, »Großes Eichholz« usw. gekennzeichnet ist. Allein daß sie an der Havel liegt, erlaubt es, sie im »südöstlichen Mecklenburg« (B 99) zu lokalisieren. Später in *Jahrestage* hat Johnson ihr den Namen »Wendisch Burg« gegeben und sie, deutlicher, südwestlich von Neustrelitz lokalisiert (JT 728). Nach diesen Angaben muß sie etwa da liegen, wo man auf der Karte die Kleinstadt Wesenberg am Woblitzsee findet, nicht weit vom Stechlinsee Theodor Fontanes jenseits der Grenze zum Brandenburgischen. Auch wenn es ganz richtig ist, daß Johnson, vom Dom angefangen, eine Reihe von Merkmalen Güstrows, der Stadt seiner Jugendjahre, wo er selber das Abitur abgelegt hatte, auf »Wendisch Burg« übertragen hat, ist es doch so wenig zulässig, diese Stadt einfach als Güstrow zu identifizieren wie das »Kaisersaschern« von Thomas Manns *Doktor Faustus* mit Lübeck.

Die Stadt und mehr noch ihre Umgebung werden in *Ingrid*

Babendererde mit einer poetischen Intensität beschworen, die ebenso von liebevoller Nähe zur Landschaft zeugt, wie sie auf ein leitendes Konzept des ganzen Romans deutet. Dessen Raum wird bei aller topographischen Bestimmtheit in diesem Frühwerk Johnsons, anders als später in *Jahrestage,* nicht objektiv dargestellt als Region, d. h. als Kultur-, Geschichts- und Sozialraum, sondern subjektiv als persönliche Umgebung der Figuren und als sinnlich wahrgenommene Landschaft. Diese »freundliche weitgeschwungene Landschaft« wird zwar in ihrer regionalen Besonderheit zuverlässig wiedergegeben und nötigenfalls sogar kommentiert: »Knicks sind Buschhecken, die eigentlich den Zaun ersetzen sollen« (11). Aber die Hauptfunktion ihrer immer neuen Evokation ist es, einen Gegen-Raum zu entwerfen, in dem Klaus, Ingrid und Jürgen das suchen und finden, was ihnen Schule und Gesellschaft vorenthalten: Freiheit und Lebensfreude.

Zwar dient Landschaft hier nicht, gemäß ihrer klassisch bürgerlichen Idee, einer entgrenzenden Kontemplation von ›Weltganzheit‹, doch sie bildet immerhin den Rahmen für die thematische Verbindung von Natur, Sport, Liebe, die ihrerseits eine gelungene Lebenspraxis symbolisiert. Das gemeinsame Segeln auf dem Oberen und Unteren See, zu zweit unter kleinen, lustigen, sehr weißen Wolken oder auch zu dritt unter dunklen, dräuenden, stellt eine komplexe Lebens-, Liebes- und Freundschaftsmetapher dar. Die landschaftliche Natur aus den Elementen Wasser, Land, Sonne und Wind, denen sich hingebend man der eigenen elementaren Lebensbedingungen innewerden kann: daß das ›baben der Erde‹-Sein zur menschlichen »Verfassung und Befindlichkeit« gehört (B 98) – diese Natur wird zum Träger einer sensualistisch-hedonistisch gefärbten Utopie, wie sie in solch jugendlicher Ungebrochenheit schon beim Johnson der *Mutmassungen* nicht mehr möglich sein wird, wo sie in materialistisch auf- und abgeklärter Form erscheint, ehe sie aus seinem Werk fast ganz verschwindet.

Über dem poetischen Naturenthusiasmus des Ingrid-Romans ist indessen nicht zu übersehen, daß in ihm die Kleinstadt, ihre landschaftliche Umgebung und die in ihnen sich bewegenden Menschen realistischerweise auch als das gezeigt werden, was sie sind: Provinz, d. h. ein marginaler, ›ungleichzeitiger‹ Teil des gesellschaftlichen Ganzen. Klein und eng stehende Häuser an Straßen mit »Katzenkopfpflaster«, über das außer Autos auch Pferdefuhrwerke rumpeln (36 f.) – so sieht das äußere Erscheinungsbild einer typisch provinziellen Lebensform aus. Zu deren inneren Merkmalen gehört die Serie von Kleinstadtfiguren wie Goldschmied Wollenberg, Milchmann Dümpelfeld, Fleischer Mehrens, Drogistin Kassbohm; die allseitige persönliche Bekanntschaft untereinander; ein entsprechend gut funktionierendes Netz mündlicher Kommunikation, dergestalt daß Chauffeure und Marktleute den Müttern umgehend berichten, was ihre Töchter und Söhne in der Schule treiben (58, 188); Kleinstadtrituale wie das jugendliche Kontakt-Flanieren auf dem ›Corso‹ (195); eine Gemeinschaftsmentalität schließlich, mit der sich die Einheimischen gegen Leute von draußen und von oben mißtrauisch abgrenzen. Da verstummt man denn und sieht sich nach ihm um, wenn jemand, wie Ingrid einmal, aus der Einheimischenrolle fällt und Propagandaanschläge liest (36). Da stellt sich ein Polizist Heini Holtz ritterlich vor die Schülerin Babendererde und gegen seinen Kollegen vom SSD (210ff.).

Zu fragen bleibt, ob solche Darstellung einer mecklenburgischen Provinzstadt von 1953 realistisch genannt werden kann und in welchem Sinne. Im Ingrid-Roman zeichnet sich eine Tendenz ab, die Kleinstadt als kleine, geschlossene Welt darzustellen, unter Abschneidung aller Wege nach draußen, so daß es fast wunder nimmt, daß es in der Nähe auch einen Bahnhof gibt, von dem man nach Berlin fahren kann. Die Illusion einer mikrokosmischen Selbstgenügsamkeit der Provinz aber gehört zu den Effekten einer konventionellen Erzählprosa auf der Linie vom ›poetischen‹ Realismus zur ›Heimatliteratur‹. Johnson selbst hat zwar darauf hingewiesen, er habe, in Hinblick auf die Handlung um die Junge Gemeinde, seine Erzählkonzeption in Leipzig auf ihren realistischen Modellwert hin testen können: »Gerade, wer in diesem Lande einen Zustand an einem Ort beschreiben will, muß herausfinden durch Vergleich, ob er ein vereinzelter ist oder auch zur Lebensweise gehört an einem anderen.« (B 71) Aber mit der erzählerischen Isolierung der Provinz von der übrigen DDR unterm Stalinismus ist in Johnsons Erstlingsarbeit die offenbar intendierte Verschmelzung der Konzepte von ›Zeitroman‹ und ›Heimatroman‹, Gesellschaftskritik und Regionalismus noch nicht vollkommen gelungen. Ein Vergleich mit der Parallel-Erzählung zum Ingrid-Roman im vierten Band von *Jahrestage,* wo eine ganz ähnliche Schul- und Liebesgeschichte, nun jedoch aus historischer Distanz, sehr viel pointierter, komplexer, unerbittlicher erzählt wird, könnte exemplarisch zeigen, welches Niveau Johnson am Ende seiner schriftstellerischen Lebensarbeit, die beachtlich genug eingesetzt hatte, erreicht hat.

Ist es aber überhaupt berechtigt, den Ingrid-Roman, der in der DDR wegen seiner politischen Brisanz kein Buch werden konnte, als Idylle mit zeitgeschichtlicher Einlage, »Heimatliteratur mit politischem Hintergrund«[15], zu bezeichnen? Zunächst: idyllische Elemente treten eher gebrochen und von gegenläufigen relativiert auf: Klaus verbringt einen harmonischen Abend bei Ingrids Mutter, mit Kirschblüte und Grillenzirpen. Und doch »war plötzlich Unbehagen in ihm vor diesem beruhigten Abend, er glaubte ihm nicht« (59). – Oder Jürgen geht, endlich einmal ohne Streit, mit seiner Mutter durch die abendlichen Straßen, auf denen Kinder ihre Spiele treiben. Er sieht »das warme späte Licht auf den Häusern, deren zuverlässige Nachbarschaft gegenseitigen Abstützens (...)«. Doch: »Seine Finger waren unbehaglich verkrustet.« (189) Von der Gartenarbeit, versteht sich, aber Jürgens Unbehagen im Abendfrieden rührt daher, daß er ahnt, Ingrids Schulausschluß werde bedrückende Folgen haben. Vor allem zeigen die sehr intensiven Schlußabschnitte, daß sich Idyllisches – das Schleusenhaus mit Klausens langebewohnter Dachkammer, mit dem »Flirren der Fliederbüsche« im Garten, mit der umliegenden Flußlandschaft – nicht als sicherer Besitz festhalten läßt, vielleicht nicht einmal in der Erinnerung. Zum wiederholten Mal fragt Klaus: »Ob sie es vergessen hatten über ein Jahr, und ob es schlimm sein würde.« (247, vgl. 59) Hier meldet sich so etwas wie »vorweggenommene Erinnerungs-Trauer« zu Wort.[16] Wie sich durch den ganzen Roman, indem man ihn ja von Anfang an auf den Schluß hin liest, also die Flucht von Ingrid und Klaus, über die Szenen der erfüllten Augenblicke ein Pathos des Jetzt-und-nie-Wieder legt und das affirmative Moment am Idyllischen durch das Bewußtsein seiner Hinfälligkeit gebrochen wird, so scheint am Ende des Buches, im Augenblick des Verlustes, auf, was Heimat heißen könnte.

Mimesis und Wunschproduktion

Ingrid Babendererde ist also ein Heimatroman, und das wäre keineswegs abwertend zu verstehen. Gewiß, abgesehen von den Schwächen einer Anfängerarbeit, die fast »totgeschrieben« (B 88) wurde – Johnsons epischer Regionalismus, vom ersten bis zum letzten Roman, hat seine problematischen Seiten. Literaturkritik hat sie wiederholt auf scharfe, manchmal überscharfe Begriffe gebracht: Da ist die Rede von kleinbürgerlichen Mentalitätsmustern, von Ansätzen zu kulturnostalgischem Antimodernismus, zur Verklärung der intimen, überschaubaren ›Gemeinschaft‹ gegenüber der abstrakten, kalten Gesellschaft, von Spuren norddeutsch-protestantischer ›Innerlichkeit‹ und Gewissensrigorosität, von altväterlicher Betulichkeit und Umstandskrämerei. Sibylle Cramer hat in einer ebenso scharfsinnigen wie lieblosen Rezension den Ingrid-Roman in eine »alte biedermeierliche Tradition der deutschen Literatur« gestellt und daraufhin von einer »verspäteten Erzählkunst« gesprochen: »Das unsichtbare Reich der Herzen gegen die Machtmetropolen der Welt draußen.«[17] Die Wertung in dieser These sei in ihrer Geltung dahingestellt; die literaturgeschichtliche Zuordnung nähert sich einer frühen Diagnose des Johnson-Kenners Reinhard Baumgart, der Johnsons Werk einer übergreifenden Tendenz der deutschen Nachkriegsliteratur zugeordnet hat, die sich mit den Stichwörtern Provinz, Kleinbürgertum, Realismus kennzeichnen läßt.

Diese Diagnose, die einer Differenzierung nach den einzelnen Werken bedürfte, trifft, wenn überhaupt, nur eine Seite des Johnsonschen Regionalismus, der komplexer und in sich dialektischer ist. Meiner Überzeugung nach haben in ihm die kritischen über die ideologischen, die realistischen über die idyllischen, die politisch-gesellschaftlichen über die psychologisch-privaten Momente ein eindeutiges Übergewicht.

Ehm Welk, ein in der DDR vielgelesener regionalistischer Erzähler aus Johnsons Herkunftsregion, hatte 1952 ein Buch mit Lebenserinnerungen unter dem Titel veröffentlicht: *Mein Land, das ferne leuchtet.*[18] Darin setzte er die Erinnerung an die Kinderheimat zur utopischen Idee eines Reiches der Harmonie und der Freiheit in Beziehung und sah beide in der Realität des neuen Staates einander näherkommen. Der Titel zitiert wörtlich die Anrufung des Wunschlandes »Orplid« in Mörikes *Gesang Weylas.*[19] In *Mutmassungen* wie in *Jahrestage* verfremdet dieses Zitat die heimatliche mecklenburgische Landschaft ins Utopische. Heimat: was »allen in die Kindheit scheint und worin noch niemand war« – diese berühmte dialektische Formel Blochs trifft jedoch in einem beachtenswerten Punkt nicht auf Johnsons Werk zu, auch nicht auf den Ingrid-Roman. Heimat ist, wie gezeigt, für Johnson nicht primär Raum der Kindheit, vielmehr da, wo man seinen Bedürfnissen gemäß und in guten Beziehungen zu anderen leben kann. Wie er selber gegenüber Orten, Verhältnissen und Personen seiner Geburt und seiner ersten – immerhin – elf Kinderjahre im vorderen Pommern, in Cammin und in Anklam, kein »tieferes Gefühl«[20] bekundet hat, so spart er auch bei seinen Figuren die Kindheitswelt weitgehend aus oder läßt sie, wie bei Gesine, in sehr unheimatlicher Beleuchtung erscheinen. Der Grund dafür liegt nahe: Diese Kindheiten fallen in die Zeit des Nationalsozialismus und sind damit für sentimentale, nostalgische, idyllisierende Annäherungen sozusagen gesperrt. Eine solche Sperre, die sich bei einem derart erinnerungsfähigen und -süchtigen Autor wie Johnson kaum ohne Gewalt und Verdrängung vorstellen läßt, könnte eine eigentümliche, produktionsästhetisch aufschlußreiche Verschiebung bewirkt haben: Die Art und Energie der – gesperrten – Zuwendung zum Raum des Kindseins, die von Harmonie-, Glücks- und Geborgenheitsphantasien begleitet wird, wurde übertragen auf einen erst in späteren Jugendjahren und also bewußt erfahrenen Raum.

Das war Mecklenburg, aber nicht als Region, sondern als das Land, in dem die Flucht 1945 endete und in dem man zunächst ›Flüchtling‹, ›Umsiedler‹, also Fremder war: Heimat somit nicht als Raum des Herkommens, sondern des Ankommens, des »Entronnenseins« (Adorno). Und: Heimat als allererst anzueignende und herzustellende, als Raum persönlicher und gesellschaftlicher Lebenspraxis im Zeichen der Hoffnung. Hier bildete der junge, überzeugte Sozialist Johnson seine Identität aus in Schule, Universität, politischer Arbeit, Freundschaften und lernte ein schwieriges Land lieben: die junge DDR.[21] Die wachsenden Schwierigkeiten, die allerdings schon bald die Hoffnungen dämpfen mußten, ließen sich kompensieren in Liebe, Literatur und regelmäßigen, ausgiebigen Bootsferien »die Havel herauf, die Havel herunter«.[22] Das aber ist genau die Landschaft, über die Johnson noch nach fast zwanzig Jahren der Trennung sagen konnte, daß er dorthin »in Wahrheit gehöre«. ›Heimatroman‹ ist aber schon sein Frühwerk *Ingrid Babendererde*, das ebenjene Landschaft jugendlich ungebrochen zu preisen scheint, in einem komplexen Sinn: als Ineinander von Mimesis und Wunschproduktion. Die Aura, in der sie leuchtet, ist keine objektiv-reale Eigenschaft jener Gegend, sondern hervorgebracht von ästhetischer ›Fern-Sicht‹, Verfremdung und von metaphorischer Spiegelung eines *auch* gesellschaftlichen Glücksanspruchs im Umgang mit vertrauter Landschaft. Als Heimat zeigt sich, was aus einer Region wird, wenn sie auf besondere Weise gesehen wird: auf poetische Weise.

Sozialgeschichte einer Region in epischer Form

Wenn sich bereits an dem Erstlingswerk *Ingrid Babendererde* eine beachtliche erzählerische Transformation regionaler Erfahrung nachweisen läßt, wie ist es dann zu erklären, daß einige Kritiker das überragende Haupt- und Spätwerk *Jahrestage* mit seinem ungleich komplexeren epischen Regionalismus der Rückständigkeit und Rückschrittlichkeit, ja sogar einer Nachbarschaft zu Heimatliteratur und ›Blut-und-Boden‹-Dichtung zeihen konnten? Was an dem Werk ist es, das solche Fehlurteile und Denunziationen herausfordert? Eine Antwort auf diese Frage fällt leichter, wenn man dem Verhältnis von Realismus und Regionalismus in *Jahrestage* nachgeht, einem Zusammenhang, der zentrale Aspekte von Johnsons literarischer Leistung umgreift. Unter Realismus soll hier, diesseits aller ›Realismusdebatten‹, eine Haltung verstanden werden, die, schlicht gesagt, die Wirklichkeit ernst nimmt und ihrer gewissenhaften Erkenntnis die künstlerischen Mittel unterordnet; unter Regionalismus eine Haltung, die das Schreiben, sei es stofflich, sei es sprachlich, eng auf eine bestimmte geographische Region bezieht. Es ist Johnsons Realismus, der einige Kritiker, die sich dabei für modern hielten, das Urteil hat fällen lassen, die *Jahrestage* seien ihrer Schreibweise nach altmodisch, überholt; und es ist sein Regionalismus, den sie mit demjenigen von ›Blut-und-Boden‹-Literatur in einen Topf geworfen haben.

Johnsons Region ist die norddeutsche Provinz Mecklenburg. Die nähere und weitere Umgebung der Kleinstadt »Jerichow« stellt einen Kernbereich seines epischen Universums dar. In *Jahrestage* bildet sie im Rahmen einer strukturellen Zweipoligkeit den einen Pol neben dem Gegenpol New York. Diese Spannung von Jerichow und New York, Provinz und Weltmetropole bestimmt das Erzählen in vielfältiger Weise. Vom Gegenpol, dem New York der Erzählgegenwart von 1967/68, ausgehend, umfaßt es die mecklenburgische Vergangenheit von rund zwei Jahrzehnten. Ein Provinzroman, hineingeschnitten in einen Großstadtroman. Der Erinnerungsraum Jerichow öffnet sich kontrastiv aus New Yorker Perspektive und bleibt dieser, Kapitel für Kapitel, tagtäglich, zugeordnet.

Die Jerichow-Welt besteht gleichsam aus drei konzentrischen Kreisen: Der äußere umfaßt das Land Mecklenburg, der mittlere Gesines Heimatstadt, der innere das Bauernhaus am »Ziegelei-weg«, in dem sie ihre Kindheit und Jugend verbracht hat. Diese Welt gewinnt als mikrokosmisches Abbild deutscher Gesellschaft durch drei politische Systeme ein episches Eigengewicht, auch wenn sie immer nur als Lebenssphäre Heinrich Cresspahls, seiner Familie und Freunde in Erscheinung tritt. Genaue Darstellung von »Lebensgebieten«[23] gehört für Johnsons Realismus zu den Geboten einer schriftstellerischen Annäherung an eine sei es fik-tive, sei es geschichtliche Person. So wie er selbst in seinem Buch über Ingeborg Bachmann mit dokumentarischer Akribie deren Heimatstadt erkundet, ebenso läßt er den Bräutigam Cresspahl den Ort seiner Braut erkunden: »auf den Wegen um Jerichow, von Schloß zu Schloß, von der Steilküste bis zum Gräfinnenwald, rund um das Bruch, in allen Straßen der Stadt, nur weil Papenbrocks Tochter hier aufgewachsen war: hier wollte er kennen, was sie aufgeben mußte« (86 f.)[24] – weil er vorhat, mit ihr nach England zu ziehen. Cresspahl und Johnson räumen Orten und Landschaften gerade darum ein sachliches Eigengewicht ein, weil sie deren Be-deutung für die Menschen ernst nehmen. Beispielhaft dafür ist die erzählerische Vorstellung Jerichows im Rahmen von Cresspahls erstem Besuch (30 ff.). Zunächst erhält die Beschreibung des Städtchens einen scheinbar vom Kontext abgelösten Entfaltungs-spielraum, erst nachträglich wird sie gezeigt als funktional bezo-gen auf die Perspektive des Besuchers. Ähnlich das ausführliche, minutiöse Stadtporträt von »Gneez«, das durchsetzt ist mit mehr-fachen Hinweisen auf die neue Benutzerin dieser Stadt, die Ober-schülerin Gesine (1428-1437). Region als Umgebung, Lebensge-biet der handelnden Figuren ist bei Johnson niemals nur poetische Atmosphäre, sondern immer zugleich genau dokumentierte geo-graphische und geschichtlich-gesellschaftliche Wirklichkeit.

Was Jerichow als Ort betrifft, so handelt es sich um eine ›Mon-tage‹ aus Geographie und Fiktion. Die topographischen Angaben, Größe, Lage »einwärts der Ostsee zwischen Lübeck und Wis-mar«-, die Stichbahn zur Hauptstrecke Hamburg-Stettin, Namen wie Travemünde, Dassower See, Schloß Bothmer verweisen auf die kleine Stadt Klütz auf der westlichen Halbinsel Mecklenburgs, die nach ihr ›Klützer Ort‹ genannt wird. Entsprechend ließen sich Gneez als Grevesmühlen, Rande als das Seebad Boltenhagen usw. entschlüsseln. Doch sind die Angaben so arrangiert, daß die Fiktivität von Jerichow gewahrt bleibt.

Das Fiktive und das Dokumentarische gehen in Johnsons Realismus eine charakteristische Symbiose ein. ›Erzählerisches‹ und ›Tabellarisches‹ bilden darin keinen Gegensatz, topographische Genauigkeit und epische Funktionalität schließen sich nicht aus. Das ließe sich an den vielen Ortsnamenkatalogen des Romans zeigen. Da werden einmal scheinbar trocken die Namen Rabensteinfeld, Crivitz, Mestlin, Karow, Alt Schwerin, Malchow aufgereiht, sie bezeichnen aber Stücke gewesenen Lebens, die Cresspahl 1947 auf seinem qualvollen Marsch ins Gefangenenlager halluziniert. Oder eine Bahnfahrt Gesines mit ihrem Vater wird als ausführliches Stationenverzeichnis erzählt (632 f.) und damit eine Fülle topographischer Details, die Ästhetik einer ganzen Landschaft, eine Ambivalenz von Heimat und Fremde evoziert. Oder Gesine zählt, als episches Präludium zum dritten Band, die Seen auf, in denen sie geschwommen ist (1017-1020): sportliches Gespräch mit der Tochter, nostalgische Poesie der Namen, Konzentrat von Lebensgeschichte.

Auf der Basis topographischer Konkretisation wird am Beispiel Jerichows und Mecklenburgs die Provinz als Geschichts- und Sozialraum gezeigt. Hauptfaktor für die Provinzialität, die Zurückgebliebenheit des Winkels: »Jerichow gehörte der Ritterschaft, deren Güter es umgaben« (31). Regionaler Adel, die Bülows, Plessens, Maltzahns, Bobziens und Rammins, Lüsewitz und Lassewitz, wird in bezeichnenden Situationen genannt und vorgeführt mit meist scharf sozialkritischem Hauptakzent, aber nicht ohne an Fontane erinnernde Sympathien für ungleichzeitig-adlige ›Charakterköpfe‹. Exemplarisch hierfür die Episode um Baron von Rammin (356-362). Die entgegengesetzte Seite des Sozialgefüges der Provinz, von den kleineren Bauern bis zu Tagelöhnern und Arbeitern, bleibt unterbelichtet. Im Zentrum stehen, breit gefächert, alle bürgerlichen Schichten vom Kleinbürgertum der Handwerker-, Kaufmanns- und Angestelltensphäre bis zum provinziellen Besitz- und Bildungspatriziat. Der Kunsttischler Cresspahl und der »Agrarkapitalist« Papenbrock bilden ein antagonistisches Paar innerhalb dieser mittleren Schichten.

Die zahlreichen Figuren um sie herum sind vielfach mit eigenen Lebensgeschichten ausgestattet und immer mit klaren sozialen Konturen gezeichnet. Individuen mit ihrer Einbettung in Familie, Alltag, Beruf, Kirche, persönliche Beziehungen, lokale und regionale Gruppen, Organisationen und Institutionen, Rituale, Lebens-, Verhaltens-, Denk- und Redeformen, soziale Schichten und Klassen – all das wird so präzis vorgeführt, daß der ganze Jerichow-Teil des Romans eine moderne Sozialgeschichte deutscher Provinz in epischer Form ergibt. Besonderes Gewicht hat dabei die Darstellung der Provinz unter dem Nationalsozialismus und im ersten Jahrzehnt nach der Befreiung von ihm. Die Politik wird am Alltag, die allgemeine an individueller Geschichte dargestellt. So werden etwa Positionen der evangelischen Kirche im ›Dritten Reich‹ in der Kontrastierung der drei Jerichower Pastoren Methling, Brüshaver und Wallschläger sorgfältig differenzierend wiedergegeben.

Johnson modelliert sein episches Soziogramm der norddeutschen Provinz Mecklenburg in einer Weise, daß dabei deutlich das Phänomen der ›Ungleichzeitigkeit‹ von Provinz sichtbar wird. Das Land Mecklenburg, bis ins 20. Jahrhundert großagrarisch dominierter Ständestaat und noch in der Republikzeit überwiegend von Junkerregierungen verwaltet, galt schon im 19. Jahrhundert aufgrund der extremen ›Verspätung‹ und Rückständigkeit seiner politischen und sozialen Entwicklung als Inbegriff von Provinzialität. Wilhelm Raabe spricht einmal von einem »vertrockneten Graben, wo die Vernunft aufhörte und das Land Mecklenburg anfing«. Fontane nennt Mecklenburg einmal – Gesine bekommt das von ihrem Onkel vorgelesen (839) – die »komische Figur« in Europa. Und auch daß Bismarck der Ausspruch zugeschrieben wird, er wolle im Falle eines Weltuntergangs nach Mecklenburg übersiedeln, dort treffe alles dreihundert Jahre später ein, ist Gesine bekannt. Johnson macht erzählend Bedingungen und Folgen der »Verspätung der mecklenburgischen Seele« (142) inmitten einer ohnehin verspäteten Nation erkennbar. Provinzielle Ungleichzeitigkeit wird nicht nur in den Episoden über Krähwinkelei und Lokalpatriotismus oder in einer Reihe Porträts von Sonderlingen und Originalen sichtbar, sondern auch daran, wie man in Mecklenburg auf den Nationalsozialismus reagiert: Adlige, die proletarischen SA-Leuten ihre Verachtung zeigen; Bürger, die sich gegen faschistische Gleichschaltung regionaler Kulturpflege sperren.

Doch der entscheidende Prüfstein für den hohen ästhetischen Rang von Johnsons Provinzdarstellung ist nicht in dem reichhaltig, dokumentarisch genau und mit epischer Kunst dargebotenen regionalen Material zu suchen, sondern in der Sprache. Zu Johnsons Stil gehört die poetische Verfremdung gesprochener Sprache, eine Rückbindung an Mündlichkeit, an die Epik des Alltagslebens. Mündliches Erzählen, etwa aus Gesprächen des Autors mit Leuten in Mecklenburg, lieferte ihm nicht nur Stoff, sondern auch eine ganze Tonskala für seinen Erzählstil. Die mecklenburgische Regionalsprache, also eine Spielart des Niederdeutschen, spielt gewissermaßen den Grundbaß innerhalb der sprachlichen Vielstimmigkeit des Werkes und ist doch in sich noch abgestuft: in dröhnendes Adelsplatt (32), D. E. s »nölendes Mecklenburgisch« (43), gelegentlich Missingsch, Jerichower Küstenton und den Binnenton von Cresspahls und der Seinen Malchower und anderem südlicherem Platt (48, 113).

Zu den Funktionen sprachlicher Regionalismen gehört außer der Figuren- und Milieucharakterisierung auch kritische, ironische, satirische Verfremdung. Das Niederdeutsche tritt als schlitzohrige ›Sklavensprache‹ auf wie als ›Sprache der Wahrheit‹. Gesine ist nicht nur in ihrer hochsprachlichen Artikulation »meek-lenburgisch bis in die Knochen« (779), sondern, treu gegen ihr Gewordensein, denkt sie sogar »die wichtigsten Dinge« auf niederdeutsch.[25] Die epische Funktion des niederdeutschen Sprachtons zeigt sich, dem lakonischen, epigrammatischen Stilzug der *Jahrestage* gemäß, besonders in zahlreich über das ganze Werk ausgestreuten Sprüchen aller Art, in denen individuelles Sprechen mit einem kollektiven, sozialen Hintergrund versehen wird.

In mundartlicher Spruchweisheit der kleinen Leute ist der Witz dem Fatalismus benachbart. Ein Gespräch zwischen Gesine und D. E. über Brutalitäten der Roten Armee 1945 mündet in die Sprüche ein:

»– Dat's all so, as dat Ledder is.
– Ja, wat sall einer dorbi daun?« (1334)

In der resignierenden Trauer über die Fakten verschwindet die Ironie fast, die darin liegt, daß die beiden Mecklenburger sich hier gegenseitig die berühmten ›dummen Sprüche‹ des Bauern Jung-

Jochen aus Fritz Reuters *Ut mine Stromtid* zuwerfen. Mit solchem Zitieren erweist Gesine, ehemalige Schülerin einer »Fritz-Reuter-Oberschule«, und mit Gesine der Autor dem mecklenburgischen Meister regionalistischen Erzählens im 19. Jahrhundert eine versteckte Reverenz, dessen epische Verbindung von Provinz, Humor und Gesellschaftskritik im Jerichow-Teil der *Jahrestage* eine nicht unwürdige Nachfolge gefunden hat. Die politische Ungleichzeitigkeit des Landes wird mit dem sprichwörtlichen »1. mecklenburgischen Verfassungsgrundsatz« zitiert: »Dat bliwt allns so as dat is« (913), den Reuter mehrfach in seiner satirischen *Urgeschicht von Meckelborg* anführt. »Dat litt de Ridderschaft nich« – auch dieser in Ostelbien geläufige kritisch-resignative Spruch verbindet Reuters *Urgeschicht* ironisch mit Johnsons *Jahrestage*: Cresspahl, als KZ-Häftling der Sowjets, benutzt ihn, eine groteske neue Ungleichzeitigkeit benennend, als ›Sklavensprache‹ in Hinblick auf die sich als neue ›Ridderschaft‹ erweisende Besatzungsmacht und wird prompt für diesen beleidigenden »Vergleich der Roten Armee mit der Kaste des Feudaladels« grausam bestraft (1293 f.).[26]

Neben Reuter ist auch dessen Rostocker Landsmann und literarischer Konkurrent John Brinckman in *Jahrestage* zu Besuch. Johnson, Absolvent einer John-Brinckman-Oberschule und, wie ihr Namensgeber und anders als der berühmte *Jürnjakob Swehn* des Johannes Gillhoff, ein kritisch bis skeptischer Amerikafahrer, hat sich auch Brinckmans Werk, das bis heute zu Unrecht ganz im Schatten des Reuterschen steht, genau angesehen. Brinckman warnte 1855 in einer gereimten *Fastelabendspredigt för Johann, de nah Amerika fuhrt will* vor der Auswanderung aus dem Junkerstaat und predigte dagegen das Bibelwort Psalm 37, Vers 3: »Bleibe im Lande und nähre dich redlich!« Da wird denn gewarnt:

»Denn sittst vielicht, wer weet wua bald,
Du ook, verrahren un veköfft,
In sonn amerikansche Wald,
As vör di Vähl' ail säten hewt, –«[27]

Gesine, zurückblickend auf Bedenken ihres Vaters gegen ihren Umzug in die USA, memoriert ein Stück davon (490): Cresspahl also, mit der Stimme Brinckmans redend – eine weitere verborgene ironische Reminiszenz an einen Autor des mecklenburgischen Regionalismus mit seiner Verbindung aus Mundart, Sicht ›von unten‹

und kritischem Realismus. Die Ironie liegt hier in der keineswegs verständnislosen Distanzierung von dem konservativ-provinziellen Amerikamißtrauen der Alt-Mecklenburger Brinckman und Cresspahl.

Daß ein weiterer Künstler und Schriftsteller mehrfach in *Jahrestage* vorkommt, der Wahl-Mecklenburger und eigenwillig moderne Regionalist Ernst Barlach, versteht sich fast von selbst: Johnson hat in Barlachs Wohnort Güstrow die meisten seiner Schülerjahre verbracht und sein Germanistikstudium, mutig angesichts der Vorbehalte offizieller Kulturverwalter der DDR gegenüber Barlach, mit einer Diplomarbeit bei Hans Mayer in Leipzig über Barlachs späten Kleinstadtroman *Der gestohlene Mond* abgeschlossen, dessen vertrackt umständlicher und dennoch gestisch genauer Erzählstil denjenigen Johnsons unmerklich mitgeprägt haben mag. In *Jahrestage* erzählt er, wohl auch aus mündlicher Überlieferung schöpfend, wie Kleinbürger mit ihrem Mitbürger Barlach umgingen: »Weil er für einen Juden gehalten wurde, war er in Güstrow auf der Straße angespuckt worden.« (712) Cresspahl, dessen Gestalt sich Johnson nach einem realen Vorbild in der Art modellierte wie Barlach seine Figur *Spaziergänger*[28], ist mit einem andern Tischlermeister bekannt, von dem der Bildhauer Barlach »Rat angenommen« haben soll (713). Und seine Tochter besucht 1951 mit ihrer Klasse das Barlach-Museum in Güstrow. Bilder vom *Fries der Lauschenden* begleiten sie von da an bis nach New York.

Nostalgie und Utopie

Die in *Jahrestage* erzählte Provinz führt in konzentrischen Kreisen auf das Vaterhaus Gesines, in dem die Erinnerungssuche nach der verlorenen Heimat ihr Ziel hat:

>Da steht, links hinter einem verunkrauteten Grasplatz, ein niedriges Bauernhaus unter angeschwärztem Walmdach. Jetzt bin ich zu Hause. (...) Hinter dem Haus stand ein schwarzer Baum voller Amseln. Nach Süden, Westen, Norden hin war es leer um den Hof. Nur der Wind sprach. Im Norden war ein Loch zwischen Erde und Himmel, ein Streifen Ostsee.« (274)

Gerade die Kargheit dieser Skizze verrät die intensive Gefühlsbindung: ein Haus und eine Landschaft, umgeben von einer schwer greifbaren Aura. Diese mit ›Blut-und-Boden‹ zu assoziieren, wie es ein Kritiker getan hat, ist abwegig, nicht jedoch: mit Heimat. ›Heimatroman‹ sind die *Jahrestage* allerdings, nach Art der Odyssee, auf negative Weise. Das Heimatthema durchzieht das ganze Buch, das voll ist von Heimatlosen. Am Kontrast von Jerichow und New York erfährt Gesine zwei Heimatbedeutungen: die von Herkunft und die von Zuflucht, Asyl. Eine dritte, die utopische, kommt hinzu, denn das Gegenwort zu ›Heimat‹ in *Jahrestage* heißt ›Entfremdung‹ und wird von Johnson strikt materialistisch verwendet. Der gesellschaftskritische Diskurs des Romans steht unter der Frage nach einem Sozialismus mit ›Heimat‹-Qualität. Nostalgie und Utopie, die Suche nach der verlorenen Provinz und die nach einem noch nicht realen Sozialismus, sind in der Figur der Gesine und ihrem Nachdenken über Heimat gewissermaßen enggeführt: in verfremdender Annäherung verknüpft, die jedoch die Unterschiedenheit nicht aufhebt. Denn zu ›Provinz‹ und ›Sozialismus‹, so wenig sie an sich miteinander zu tun haben, kann doch ein gemeinsames Gegenteil konstruiert werden: der moderne organisierte Kapitalismus der Metropolen als Welt der Entfremdung und des beschädigten Lebens. Die schillernd nostalgisch-utopische Aura um einzelne Momente der im ganzen unbestechlich realistisch-kritisch erzählten Provinz entspricht exakt der Formel über Heimat von Ernst Bloch.

In dieser Aura leuchtet für Augenblicke die im übrigen selten und mit sparsam-präzisen Strichen skizzierte Landschaft auf. Da sind Felder, wo »die Blütenreihen des Dorns wie Wasserfälle hinunter zur Ostsee« steigen (1550), Johnny Schlegels Felder nämlich, auf denen Gesine Arbeit als Glück, als nicht-entfremdet erfährt. Der Schlegelhof, das Experiment einer sozialistischen Landkommune, stellt ein kleines Stück verwirklichter Utopie inmitten des ›Neofeudalismus‹ der Sowjetmacht dar, bis diese ihm den Garaus macht (1840-44) wie später, unmittelbar jenseits der Text-Zeit, dem größeren Experiment des Prager Sozialismus. Da ist weiter der gemeinsame Blick auf das »hinter dem Wasser sanft ansteigende Land« bei Güstrow, wo Gesine das Glück der Lebensfreundschaft mit Anita erfährt, ein Blick, den sie sich, ohne Angst, dafür als sentimental kritisiert zu werden, für die Stunde ihres Todes wünscht (1822).

Wiederkehrende Epitheta der Johnsonschen Erinnerungs- und Wunschlandschaft sind ›schwingend‹ und ›leuchtend‹. Auf Leichtigkeit, Freiheit, Bewegung, Helle, Weite zielend, machen sie die für Gesine unerreichbar gewordene Schönheit der heimatlichen Landschaft zur utopischen Signatur von – ebensowenig erreichtem – menschlich-gesellschaftlichem Gelingen. »Das militärische Sperrgebiet, das schwingende Land, es hat geleuchtet aus der Ferne.« (1776) Das ist genaue Benennung dessen, was Anita 1968 bei einem Inkognito-Besuch nach Jerichow aus einem Schnellzugfenster erblickt, und das ist zugleich, wie schon eine deutlichere Stelle in den *Mutmassungen* – »auf der Suche nach einem Land das ferne leuchtet wie man hört«[29] –, Anspielung auf Mörikes *Orplid*, das Ernst Bloch als Beispiel für einen literarischen Tagtraum analysiert hat, als nicht regressive, vielmehr utopische Phantasie eines »Vor-Scheins von möglich Wirklichem.[30]

Ob diese Mörike-Anspielungen solchen Vor-Schein und solche *promesse du bonheur* an der Naturschönheit unterstreichen sollen, wie es dem frühen Ingrid-Roman unterstellt werden darf, ist allerdings die Frage. Das ganze Buch *Jahrestage* ist durchzogen von Gesines ebenso tapferem wie am Ende aussichtslosem Kampf mit ihren nostalgischen, sogar regressiven Impulsen durch illusionslose Aufarbeitung der Vergangenheit, durch den zähen Versuch, in New York ›eine Heimat zu lernen‹, durch den praktisch-politischen Ziel- und Hoffnungspunkt Prag. »Heimweh ist eine schlimme Tugend« (1862), hält Marie ihrer Mutter vor, mit Recht unbeirrt von deren Aufzählung ihrer Gegengründe gegen Heimweh nach Jerichow. Denn Gesines Flucht vor einer »unbenutzbaren« Nähe zur Heimat, als sie einmal an die westdeutsche Lübekker Bucht reist (1861 f.), ihr Träumen von einer Rückkehr nach Mecklenburg (1890), ihr Wunsch, in Jerichow beerdigt zu werden (1828) – das alles beleuchtet die Größe ihres Heimwehs nur allzu deutlich. Zu fragen wird allerdings sein, ob von der nostalgischen Haltung der Erzählfigur auf einen politisch-resignativen und ästhetisch regressiven Charakter des ganzen Romans zu schließen oder ob Johnson die Maxime zuzugestehen ist, es obliege dem Autor nicht, die Figur Gesine von ihrer Nostalgie zu heilen. Diese Frage impliziert die nach der Besonderheit und Leistung von Johnsons erzählerischem Realismus.

Johnsons realistische Haltung ist von dem Interesse bestimmt, schreibend, erzählend Wirklichkeit ernst zu nehmen und zuverlässig zu vermitteln, sie nicht zum bloßen Material eines ›autonomen‹ Kunstwerks zu degradieren: objektive, gesellschaftliche Wirklichkeit – das führt zu einem recherchierenden, dokumentarischen Zug an seiner Schreibweise; subjektive Wirklichkeit – das führt zu einer das Erzählen durchsetzenden erkenntnis- und erzählkritischen Reflexivität. Der dokumentarische Impuls rückt die Fiktionen sehr eng an die ihnen narrativ nebengeordneten Fakten heran. So vereinigt der kurze Bericht über Papenbrocks Verhalten beim Kapp-Putsch in Mecklenburg 1920 (56) figurenbezogenes mit allgemeiner orientiertem Erzählen, das sich fast wörtlich an eine regionalgeschichtliche Studie anlehnt.[31] So erzählt Cresspahl die Geschichte der Übergabe der Stadt »Wendisch Burg« an die Sowjetarmee im April 1945 in einer ausdrücklichen Gegen-Version zur staatsoffiziellen (975-80). Und so verarbeitet Johnson in den Schul- und Hochschulgeschichten des letzten Bandes ganz offensichtlich so viel authentisches Material, daß er, um betroffene lebende Personen nicht bloßzustellen, Namen verschlüsselt: »Nomenscio Sednondico« (1801), »Salon der Frau von Carayon«, ein aus Fontanes *Schach von Wuthenow* geliehener Deckname. Eigene Erfahrung des Autors und mündliche Informationen, die er in großem Umfang verarbeitet haben dürfte, geben seinem Werk geradezu den Charakter einer Vor- und Frühgeschichte der DDR als episierter ›oral history‹.

Bei Johnson bildet sich die Grundparadoxie von literarischem Realismus besonders scharf aus: als Spannung von Fiktionen und Fakten, Offenheit und Genauigkeit, Erfindung und Beglaubigung. Ein zentrales Mittel der Beglaubigung gewinnt der Autor aus den Realitätseffekten, die auf dem zyklischen Charakter seines Werks basieren. Das von Rolf Michaelis herausgegebene *Kleine Adreßbuch* zu *Jahrestage,* das fiktive und reale Personen und Orte nebeneinander registriert, bezieht sich ja notwendigerweise nicht nur auf den Gesine-Roman, sondern auf Johnsons erzählerisches Gesamtwerk. Gesine und Heinrich Cresspahl, Jakob Abs, die Niebuhrs, Karsch, Rohlfs, Blach – insgesamt mehr als ein halbes Hundert Figuren aus *Jahrestage* sind bereits in früheren Arbeiten eingeführt worden. Dietrich Erichson, genannt D. E., taucht schon in einer Fassung des Erstlingsromans zusammen mit dessen Titelfigur Ingrid Babendererde auf. Und nachdem der Autor in seiner späten *Skizze eines Verunglückten* von 1981 den Schriftsteller Joachim de Catt, Pseudonym: Joe Hinterhand, vorgestellt hat, läßt er ihn auch im letzten Band der *Jahrestage,* als einen ehemaligen Gneezer, erscheinen (1459, 1670). Hier wie auch in Einlagen, die wie Nachträge zu früheren Texten wirken, z. B. der Bericht über Jakobs Aufenthalt in Olmütz (1807-12), zeigt sich eine Tendenz Johnsons, das Netz seines epischen Mikrokosmos, der, zumindest was die Herkunft der meisten Figuren betrifft, territorial weitgehend mit Mecklenburg identisch ist, immer dichter zu knüpfen.

In diesem Zusammenhang läßt sich auch die erzählerische Funktionalität des produktionslogisch eher rätselhaften Arbeitsprojekts *Heute Neunzig Jahr* bestimmen, dessen Erzählmaterial, bis hin zu annähernd gleichlautenden Stellen und Passagen, für die erzählte Zeit von 1932 bis 1945 mit dem von *Jahrestage* im ganzen identisch ist. Das muß anstößig erscheinen, wenn man nicht in dieser Parallelität gerade einen besonders intensiven Realitätseffekt sehen könnte: Was auf leicht variierte Weise, aber sachlich übereinstimmend, *zweimal* erzählt wird, gewinnt einen extrem hohen Grad an Beglaubigung. Dieser zyklische Charakter von Johnsons Gesamtwerk ist der auffälligste der Züge, die es mit dem William Faulkners teilt, das sein Schreiben von Anfang an bis zu *Jahrestage* nachhaltig angeregt hat. Das hat eine produktions- und eine rezeptionsästhetische Seite. Johnsons mimetische Imagination, sein genaues Nachdenken über »andere Leute«, arbeitete so, daß seine epische Welt jeweils »fertig« war, ehe die Schreibtätigkeit begann.

Solcherweise nähert sich die Haltung fiktionalen Schreibens derjenigen eines Berichtes über Wirklichkeit insofern an, als die Welt des Textes nicht im Schreiben ›entworfen‹ wird, sondern diesem vollständig ›vorgegeben‹ ist. Ein Erzähltext Johnsons ist insofern nicht ›autonom‹, als er in vergleichbarer Weise auf andere Erzähltexte des Autors bezogen bleibt wie ein Wirklichkeitsbericht auf die Wirklichkeit. Entsprechend werden die epischen Figuren und ihr »Beziehungssystem«[32] nicht allein durch die Zeichenbeziehungen im System des einzelnen Textes definiert, sondern auch durch ihr Verflochtensein in eine Welt, die von Johnsons Texten immer nur stückweise dargeboten wird. In rezeptionsästhetischer Hinsicht bewirkt die zyklische Anlage von Johnsons Werk eine Lektüre, die in einzelnen Momenten gleichfalls derjenigen eines Wirklichkeitsberichts ähnelt: Da gibt es Details, die unaufgeklärt stehen bleiben: Der Leser holt den Wissensvorsprung des Erzählers am Ende nicht vollständig auf, sondern verbleibt, analog zu seiner sonstigen Erfahrung, auf der Stufe unsicheren, begrenzten, aber auch – solange der Autor schreibt – revidierbaren und ausweitbaren Wissens. Es gibt wiederholte Bezugnahmen auf Äußerungen und Ereignisse innerhalb des einzelnen Werkes und in verschiedenen Werken; der im einzelnen Werk entworfene Weltausschnitt ist nicht autonom, sondern relativ auf die vom Gesamtwerk vorgeführte Welt. Johnson-Leser unterhalten sich dadurch oft über Figuren und Ereignisse, als ob sie historisch wären. Ob solch ein ›hyperrealistischer‹ Effekt einer altmodischen Illusionsästhetik zuzurechnen oder in Zusammenhang mit anderen, gegenläufigen Schreibkonzepten Johnsons zu sehen ist, die gerade seine Modernität ausmachen, ist in der Kritik bisher umstritten.

Eine Welt, gegen die Welt zu halten

Denn man hat gerade diesen zyklischen Bezug der *Jahrestage* auf den übergreifenden epischen Mikrokosmos Mecklenburg/Jerichow und die daraus gewonnenen erzählerischen Realitätseffekte als einen Rückfall Johnsons bewertet: als ästhetischen Rückfall hinter die offene, avantgardistische Schreibweise der *Mutmassungen über Jakob* auf einen traditionellen Illusions-Realismus mit »archaisch raunender Erzähl-Gebärde«, als politischen Rückfall hinter die sozialistische Heimat-Utopie des Frühwerks auf einen kleinbürgerlich-nostalgischen Antimodernismus, ja auf »deutsche Innerlichkeit«.[33] Von einer solchen Einschätzung dürften teilweise auch die Vergleiche der *Jahrestage* mit ›Blut-und-Boden‹-Romanen angeregt sein. Gewiß berührt eine Kritik, die am westdeutschen Nachkriegsroman mit Recht einen auffällig dominanten Zusammenhang von Realismus, Kleinbürgertum und Provinz festgestellt hat, auch eine Seite der *Jahrestage.* Gewiß können von einer noch so sozialkritisch-desillusionierend erzählten Provinz idyllische Effekte ausgehen, allein weil sie Provinz ist und somit ungleichzeitig. Aber sollte Johnson nicht auch an diese Gefahr gedacht haben, als er für *Jahrestage* die Zweipoligkeit von Jerichow und New York erfand? Das Buch ist ja nicht nur ein Provinzroman, sondern auch ein Großstadtroman von Rang.

Johnsons Realismus kann ebensowenig mit konventionell illusionistischem Erzählen gleichgesetzt werden wie sein Regionalismus mit der Agrarromantik von Heimat- und ›Blut-und-Boden‹-Literatur. Wenn der Autor sein Schreiben zu Recht »durchaus nicht für aus dem Realismus gefallen« hält[34], so ist damit ein Verhältnis zur literarischen Tradition angedeutet, das sich der Weite und Vielfalt der realistischen Schreibweise ebenso bewußt ist wie der eigenen Position darin. Zu ihr gehört es, großen deutschen Erzählern des bürgerlichen Realismus, von denen Johnson gelernt hat, Fontane, Thomas Mann, deutliche oder versteckte Reverenz zu erweisen und einem Autor, dem er literarisch wie politisch nähersteht als den genannten, nicht ohne kritische Distanz zu begegnen: Bertolt Brecht. Die Brechtschen Prinzipien einer ›antiaristotelischen‹, dialektischen Schreibweise, der Verfremdung, Montage, Umfunktionierung literarischer Themen und Techniken, der Satire und des kritischen Lakonismus, der materialistischen Sicht ›von unten‹ und der ›Ideologiezertrümmerung‹ hat Johnson sich in ebenso unauffälliger wie nachhaltiger Weise angeeignet.

Worin seine Poetik sich von der Brechts unterscheidet, ist nicht etwa eine Annäherung an einen sei es bürgerlichen, sei es sozialistischen Realismus im Sinne von Lukács, es ist vielmehr seine realistische, mimetische Haltung, die die Wirklichkeit nicht, auch nicht für ›operative‹, ›eingreifende‹ literarische Zwecke, als bloßes Spielmaterial zu nehmen bereit ist, und, damit verbunden, eine skeptisch zurückgenommene, anti-dogmatische und anti-agitatorische Form materialistischen Denkens. Das Prinzip der ›Offenheit‹ wird von Johnson, als ›Wahrheitssuche‹ und ›Interaktion mit dem Leser‹, erkenntniskritisch und rezeptionsästhetisch ernster genommen als von Brecht. Der Roman, als Verwandlung vorgefundener in die Wirklichkeit einer »Erfindung und Erzählung«, zeigt eine »Welt, gegen die Welt zu halten«, keinen abbildhaften Illusionsraum und kein konstruiertes Modell, sondern eine subjektiv verantwortete »Version der Wirklichkeit«, die der Leser mit der eigenen Version kritisch konfrontieren soll.[35]

Die Komplexität des Erzählkosmos der *Jahrestage*[36]: Auflockerung traditioneller Gattungsgrenzen durch essayistische, reportageartige, dokumentarische, dialogische Elemente; Fragmentierung und netzartige Neuverflechtung der erzählten Welt nach Art eines Mosaiks oder Puzzles; die Erzählprinzipien des Parataktischen, Diskontinuierlichen, des dialektischen ›Gegensteuerns‹; die Technik der *correspondances,* der Parallelen- und Kontrastbildung, der Assoziationen und Dissoziationen; die sprachliche Polyphonie, die Spannungen von gesprochener Alltagssprache und Stilisierung, epischer Breite und pointenreichem Lakonismus; die thematischen Polaritäten von Erinnerung und Erfindung, Privatem und Politischem, deutscher Geschichte und weltpolitischer Gegenwart, sozialer Determination und individueller Schuld – diese Komplexität berechtigt dazu, Johnson als einen *modernen* Realisten zu bezeichnen, dessen Werk Maßstäbe dafür setzt, was zeitgenössisches Erzählen vermag.

Ein gewissenhafter Materialist

Wenn man vor dem Hintergrund dieser begründbaren Einschätzung noch einmal nach möglichen Motiven für den Vergleich der *Jahrestage* mit ›Blut-und-Boden‹-Literatur fragt, dann ist es vielleicht nicht unangebracht, einen Tatbestand ausdrücklich zu benennen, den Johnson-Kritiker wie Verehrer gleichermaßen unbeachtet zu lassen pflegen: Uwe Johnson war, bei aller Zurückhaltung in theoretischen Äußerungen und Verweigerung parteipolitischen Engagements, Materialist. Der Materialismus seiner literarischen und gesellschaftlichen Haltung ist gewissenhaft, unaufdringlich und eindeutig zugleich, subtil und elementar: Er geht davon aus, daß es zur »Verfassung« des Menschen gehört, sich »baben der Erde« und nicht irgendwo ›freischwebend‹ zu befinden. Er folgt den Spuren gesellschaftlicher »Verabredung« bis in Alltagsleben, Körperlichkeit und psychische Verfassung der Individuen. Er betrachtet und erzählt Wirklichkeit ein für allemal ›von unten‹, solidarisch mit der »Überzahl«, den kleinen Leuten, den Opfern der Politik und Geschichte. Er registriert unbestechlich, wo gelogen, im Brustton der Ideologie geredet, wo interessiert verschleiert, verschwiegen oder vergessen wird. Er sieht Leben im Kapitalismus unter der Signatur der Entfremdung, ohne die Entwürfe zum »unfremden Leben« für mehr als »Märchen« zu halten. Er hält an der Utopie eines demokratischen Sozialismus fest, indem er die Tatsachen in West und Ost häuft, die ihr entgegenstehen. Die Vermutung mag nicht abwegig sein, daß es am Ende diese unbeirrt festgehaltene materialistische Grundposition Johnsons ist, die solche, die sie nicht teilen oder ablehnen, nach einem bekannten Denkmechanismus zu dem diffamierenden Vergleich seines Werkes mit faschistischer Literatur hat greifen lassen.. In früheren Jahren hatte man ihn, ehrlicher, als Kommunisten attakkiert.

Kritische Fragen an Johnsons Werk setzen voraus, daß zunächst dessen Leistung begriffen wird.[37] *Ein* Aspekt der Leistung von *Jahrestage* ist die produktive und erzählerisch meisterhaft durchgeführte Verbindung von Realismus und Regionalismus. Der Freund D. E. lobt Gesine einmal für die ihrer Tochter gewidmete Erzählarbeit: »deine Marie weiß genauer wer sie ist, weil ihre Herkunft ihr bekannt gemacht wird« (817). An einer anderen Stelle bedauert Gesine, daß mit der verwaltungstechnischen Auflösung des Landes Mecklenburg 1952 »ein Stück Herkunft unkenntlich gemacht worden« sei (1837). Zweimal ein Stichwort, das eine achtenswerte Leistung des Romanwerks *Jahrestage* bezeichnen könnte: In ihm ist ein Stück Herkunft deutscher Menschen dieses Jahrhunderts auf haltbare Weise kenntlich gemacht. Die Haltbarkeit dieses erzählerischen Regionalismus dürfte nicht zuletzt daher rühren, daß mit dem Kenntlichmachen von Herkunft zugleich negativ markiert ist, was Heimat wäre: etwas, wohin wir noch nicht gelangt sind und wahrscheinlich nie gelangen werden: ein Land, das ferne leuchtet.

Anmerkungen

1 Wilhelm Johannes Schwarz, *Der Erzähler Uwe Johnson,* Bern 1970, S. 88.
2 Ebd., S. 94.
3 Ebd., S. 87.
4 Bernd Neumann, *Utopie und Mimesis. Zum Verhältnis von Ästhetik, Gesellschaftsphilosophie und Politik in den Romanen Uwe Johnsons,* Kronberg/Ts. 1978, S. 283.
5 Reinhard Baumgart, *Das einfache, schwierige Leben,* in: *Der Spiegel* v. 25. 3. 1964, S. 113.
6 Vgl. Anm. 7.

7 Uwe Johnson, *Ich über mich*, in diesem Band S. 372 ff.

8 Vgl. das Interview mit Horst Lehner in: *Johnsons »Jahrestage«*, hg. v. M. Bengel, Frankfurt am Main 1985, S. 114.

9 Uwe Johnson, *Ingrid Babendererde. Reifeprüfung 1953*, m. e. Nachw. hg. v. S. Unseld, Frankfurt am Main 1985. – Im folgenden werden Seitenangaben zu dieser Ausgabe dem Text in Klammern eingefügt.

10 Hermann Weber, *Geschichte der DDR*, München 1985, S. 186-236.

11 Uwe Johnson, *Begleitumstände. Frankfurter Vorlesungen*. Frankfurt am Main 1980, S. 62-66. – Im folgenden werden Seitenangaben dem Text mit der Sigle B in Klammern eingefügt.

12 Uwe Johnson, *Jahrestage. Aus dem Leben von Gesine Cresspahl*, Frankfurt am Main Bd. 1 (1970), Bd. 2 (1971), Bd. 3 (1973), Bd. 4 (1983), S. 41. – Im folgenden Seitenangaben zu dem Werk im Text eingeklammert mit der Sigle JT erscheinend.

13 Schwarz (Anm. 1), S. 89.

14 Ich mache mir hiermit eine Einschätzung zu eigen, die mir Volkmar Hansen (Düsseldorf) freundlicherweise mitgeteilt hat.

15 Schwarz (Anm. 1), S. 8.

16 Bernd Neumann, *Ingrid Babendererde als Ingeborg Holm* (unveröff. Vortrags-Ms.), S. 8.

17 Sibylle Cramer, *Verspätete Erzählkunst*, in: *Frankfurter Rundschau* v. 3. 8. 1985.

18 Ehm Welk, *Mein Land, das ferne leuchtet. Ein deutsches Erzählbuch aus Erinnerung und Betrachung*, Berlin 1952.

19 Eduard Mörike, *Sämtliche Werke*, hg. v. H. G. Göpfert, München 1964, S. 73 *(Gesang Weylas)*, vgl. S. 509 ff. *(Maler Nolten)*.

20 Schwarz (Anm. 1) S. 88.

121 Ebd., S. 97.

22 Ebd., S. 98.

23 Uwe Johnson, *Rede zur Verleihung des Georg Büchner-Preises 1971*, in: Deutsche Akademie für Sprache und Dichtung Darmstadt, *Jahrbuch 1971*, Heidelberg 1972, S. 48.

24 Die Seitenangaben zu *Jahrestage* (Bd. 1: S. 1-480, Bd. 2: S. 481-1010, Bd. 3: 1011-1384, Bd. 4: S. 1385-1892) erscheinen im folgenden ohne Sigle eingeklammert im Text.

25 Zit. nach H. Rohde, *Biographie und Zeitgeschichte*, in: *Der Tagesspiegel* v. 12. 5. 1978, sowie Peter Pokay, *Utopische Heimat. Uwe Johnson »Jahrestage«*, in: *Studia Germanica Posnaniensia* (Posnań) 10 (1982); s. 51-76; hier S. 56.

26 Vgl. Peter Pokay, *Vergangenheit und Gegenwart in Uwe Johnsons »Jahrestage«*, Phil. Diss. Salzburg (Masch.) 1983, S. 90 f.

27 John Brinckmann, *Fastelabendpredigt för Johann, de nah Amerika fuhrt will*, Güstrow 1855, S. 7.

28 Johnson, *Begleitumstände* (Anm. 11), S. 124.

29 Uwe Johnson, *Mutmassungen über Jakob,* Frankfurt am Main 1959, S. 186.
30 Ernst Bloch, *Das Prinzip Hoffnung,* Frankfurt am Main 1959, Bd. 1, S. 108 f.
31 Pokay (Anm. 26), S. 102.
32 Äußerung Uwe Johnsons in: *Literarische Werkstatt,* hg. v. G. Simmerding u. C. Schmid, München 1972, S. 67.
33 Neumann (Anm. 4), S. 304 u. 299.
34 Zit. in: Manfred Durzak, *Gespräche über den Roman,* Frankfurt am Main 1976, S. 433.
35 Uwe Johnson, *Vorschläge zur Prüfung eines Romans,* in: *Romantheorie,* hg. v. E. Lämmert, Köln 1975, S. 398-403: hier S. 402 f.
36 Vgl. Norbert Mecklenburg, *Erzählte Provinz, Regionalismus und Moderne im Roman,* Königstein/Ts. 1982, S. 180-302.
37 Auch in Johnsons Herkunftsland, der DDR, wo dieser Autor absurderweise bisher, entgegen seiner Hochschätzung bei namhaften DDR-Schriftstellern, durch Polemik oder Verschweigen verdrängt wurde, bahnt sich ein solches Begreifen an. Ein beachtliches Zeugnis dafür ist der Essay von Jürgen Grambow, *Heimat im Vergangenen,* in: *Sinn und Form* 38 (1986), S. 134-157.

Uwe Johnson
Ich über mich

Herr Präsident, meine Damen und Herren: Wer in eine Akademie gewählt wird, soll Pflichten erwarten. Dennoch, wenn man in Darmstadt als erste von ihm eine »Selbstdarstellung« verlangt, kann er überrascht sein von der Härte, ja, Grausamkeit der Aufgabe und, in meiner Angelegenheit, versucht sein, ihr auf einem Umweg zu genügen, nämlich einer Vorstellung der Ansichten, die ihn bisher beschreiben sollten.

Zum ersten, Ihr neues Mitglied wird des öfteren, grundsätzlich, ein »Pommer«, genannt, als sei das eine erschöpfende Auskunft. Daran ist richtig, daß er eine Bauerntochter aus Pommern zur Mutter hatte, jedoch nicht aus jenem hinteren Landesteil, von dem es lateinisch heißt, er singe nicht, sondern aus dem Gebiet westlich der Oder, 1648 schwedisch und 1720 preußisch geworden, was einem 1934 Geborenen als Obrigkeit den Preußischen Ministerpräsidenten Hermann Göring einträgt. Für die ersten zehn Jahre aufgewachsen im Vorpommern eines Reichskanzlers Hitler, bin ich zu wenig ausgewiesen als ein Pommer, wie er in den Büchern steht.

Zum anderen, es gefällt Leuten, mich einen Mecklenburger zu nennen, als sei das ein verläßliches Kennzeichen. Dafür ist nachweisbar, daß mein Vater geboren wurde im Ritterschaftlichen Amte Crivitz und aufwuchs im Domanialamt Schwerin, also in jenem »besten Mecklenburg«, das die traurigste Figur machte unter den Staaten des damaligen Europa. Dem bin ich verbunden nicht nur durch einen Vater, einen Absolventen des Landwirtschaftlichen Seminars Neukloster und Verwalter herschaftlicher Güter, sondern auch durch eigene, ausgiebige Beschäftigung mit dem Boden dieses Landes, beim Kartoffelwracken, Rübenverziehen, Heuwenden, Einbringen von Raps und Roggen, des Umgangs mit den Tieren auf diesem Boden nicht zu vergessen. In Mecklenburg habe ich gelernt, daß man als Kind schlicht vermietet werden kann in drei Wochen Arbeit auf fremdem Acker gegen einen Doppelzentner Weizen, daß Existenz umgesetzt werden kann in jeweils gültige Währung, und ich bin dankbar für die frühe

Lehre. In Mecklenburg war ich von meinem elften bis zu meinem fünfundzwanzigsten Lebensjahr, und im sechzehnten mag ich begriffen haben, wie ich zu antworten wünschte auf die Ansinnen der Leute und Behörden, mit denen ich befaßt war. Viel nun spricht dafür, daß ich ein Mecklenburger sei.

Im Mecklenburg des Nachkriegs allerdings galt ich als einer von den »Flüchtlingen«. Da verschlug wenig, daß Vorpommern noch insofern zum Reste Deutschlands gehörte, als es der sowjetischen Militär-Administration für das Land »Mecklenburg-Vorpommern« unterstand. Denn am 1. März 1947 verschwand Vorpommern in der gesetzlichen Kürzung »Land Mecklenburg«, und wir waren endgültig von auswärts. In jeder ersten Prüfung durch die Einheimischen galt der Rest der Familie als unwiderruflich überführt: wir hatten keine feste Statt in Mecklenburg, und wir hatten zu wenig mitgebracht. »Flüchtling« also, nur daß diese Bezeichnung strengstens verboten war durch die Behörden, »Umsiedler« war statt dessen erwünscht. Siedeln hätte meine Mutter können, schon damit ich einen anderen Anfang fortsetzte als den eines Lehrlings in der Dorfschmiede; sie ging in die Stadt Güstrow, da stand das ehemalige Gymnasium, das mein Vater für mich gewünscht hatte, die John Brinckman-Oberschule. Der Namensgeber war in Nordamerika gewesen, aber geschrieben hatte er im mecklenburgischen Platt. Das lasen wir auch.

In dieser Oberschule der Sowjetischen Besatzungszone und der späteren Deutschen Demokratischen Republik wurde ich mir bekannt gemacht als ein »Bürgerlicher«, Sohn eines Beamten bei einem abgeschafften Landwirtschaftsministerium, kein Sohn von Arbeitern und Bauern, an denen die Versäumnisse der bisherigen Bildungspolitik vorrangig gutgemacht werden sollten. Meine Mutter ging Uniformen schneidern für die Rote Armee, sie nahm Arbeit in den Volkseigenen Kleiderwerken der Stadt, sie kontrollierte Fahrkarten in Personenzügen – ich blieb der Sohn einer Angestellten, »bürgerlich«. Meine Mutter trat über in den Dienst der Güterwagenschaffner bei der Deutschen Reichsbahn, fortan war ich der Sohn einer Arbeiterin. Solche Kinder wurden eher zugelassen in eine Universität der D. D. R., als was ich bisher gewesen war.

Die erste Universität war eine mecklenburgische: Rostock, deren Studierende einstmals »höflich verbeten« gewesen waren. Nur, daß kurz vor dem Beginn des Studiums, am 23. Juli 1952, das

Land Mecklenburg aufgelöst worden war in drei Bezirke, wobei nicht nur allerlei Historie verlorenging, sondern auch die Einheit »Mecklenburg«. Auch die Universität Rostock sollte eine sozialistische werden, und wer die Auslegung dieser Verwandlung durch die Behörden einmal verfehlt und dabei des Beistands seiner Kommilitonen entbehrt, geht nach dem zweiten Jahr erst einmal weg. Es muß nicht die Universität sein in Mecklenburg.

Unverdrossen als ein Mecklenburger bezog ich eine sächsische Universität, die von Leipzig. Hier geriet ich an Freunde, die mit einer unverdächtigen Neugier beobachteten, wie ich meine mitgebrachte Phonetik gegen ihre Landessprache verteidigte, und obwohl sie mir in meinem Bestehen auf dem mecklenburgischen R eine Nähe zu schauspielerischem Dilettantismus zugestanden, konnte ich mich doch mit meiner Kenntnis der Leipziger Straßenbahnlinien ausweisen als einen bemühten Adepten, und jederzeit vermochte ich sie zu versöhnen mit meinem einzigen annehmbar sächsischen Satz: »Da gommt Wald'her« (was eben zu sprechen war mit einer unverkennbaren Vorfreude auf eine unverhoffte Ankunft des damaligen Regierungschefs W. Ulbricht). In Leipzig traf ich ein Mädchen, das war aus Mecklenburg, aus Mecklenburg-Schwerin, aus der Residenzstadt Schwerin geradezu, auf die hatte ich lange gewartet und kann von Leipzig sprechen als »der Stadt, die unsere Jugend war«. Soviel irgend jemand will, bin ich ein Leipziger. Leipzig in Sachsen ist die wahre Hauptstadt der Deutschen Demokratischen Republik. Glauben Sie einem Landsmanne der Sachsen.

Seit 1949 war ich in den Augen der Behörden ein »Staatsbürger« der Deutschen Demokratischen Republik, wiederum ohne daß man mich angegangen wäre um meine Zustimmung in dieser Sache. Was den Behörden zu Ohren kam von meinen Äußerungen über sie, ließ sie zweifeln an meiner Eignung, ihnen in einer festen Anstellung zu dienen, so daß ich nach dem Examen drei Jahre lang zu leben hatte von germanistischer Heimarbeit, »arbeitslos« in einem Lande, das solchen Zustand abgeschafft haben wollte, bald steuerfrei, weil unter dem Existenzminimum. Das war die amtliche, wie immer unausgesprochene, Einladung zum Weggehen, was denn endlich den Anlaß gegeben hätte für eine Bezeichnung als »Verräter«. Da mir aber gerade gelegen war an der Natur dieser öffentlichen Sache, dieser res publica und Republik, weiterhin an dem Deutschen und dem Demokratischen dabei, lebte ich weiter im ehemaligen Mecklenburg und im ehemaligen Sachsen und dachte mir auf der jeweils achtstündigen Eisenbahnfahrt ein Buch aus, von dem meine Freunde mir versicherten, die Behörden würden es mißverstehen als eine Beleidigung der D. D. R. denn als einen Beitrag zu ihrer Wirklichkeit. Vertraut mit der Empfindsamkeit dieses Staates, stieg ich aus der Stadtbahn in Westberlin an jenem Tag des Juli 1959, da in einer westdeutschen Druckerei mein Name auf das Titelblatt von *Mutmassungen über Jakob* gesetzt wurde.

Damit war ich abermals ein »Flüchtling«, nämlich im Verständnis der zuständigen Organe der D. D. R., weil ich versäumt hatte, sie zu ersuchen um eine Erlaubnis zum Umzug. »Kein Flüchtling« war ich in Westberlin, denn ich war gekommen mit einer Zuzugsgenehmigung der Stadt und hielt mich fern von dem Flüchtlingslager Marienfelde, wo man Flüchtlingsausweise und allerlei Flüchtlingsgeld bekommen konnte. Nun waren aber in meinem Buch Personen der D. D. R. auch in normalen, ja lebenswerten Umständen gezeigt, anders als im damaligen westdeutschen Bild von ostdeutschem Leben erwartet, und es erhob sich die Vermutung, ich sei in Wahrheit über die Grenze geschickt als ein »Trojanisches Pferd«. Da ich mich in meinem zweiten Buch weiterhin beschäftigte mit den Unterschieden, der Grenze, der Entfernung zwischen den Daseinsmöglichkeiten in den beiden deutschen Staaten, wurde ich schließlich gedeutet als »Dichter der beiden Deutschland« oder »der deutschen Teilung«. Dies Etikett zu bestreiten, machte ich mir ausdrücklich Mühe. Denn ich war in wissenschaftlichen Instituten belehrt worden über die Bemühungen und die Befugnisse von Dichtern; mir hatte das als eine Warnung gedient. Zum anderen, ich hatte in meinem Erzählen von Leuten in Leipzig und Hamburg lediglich meine verwandelten Erfahrungen anbieten wollen, zur beliebigen Verwendung durch den Leser; es konnte mir nicht recht sein, den ganzen Lebenslauf eines Radrennfahrers (mitsamt den Schwierigkeiten, ihn zu beschreiben) eingeschnürt zu sehen in ein politisches Schlagwort. Die einzige Bedingung, unter der ich diese Indizierung hätte annehmen mögen, ihr Wortsinn, blieb mir vorenthalten: in beiden Teilen Deutschlands mit dem Leser verkehren zu dürfen.

Auch als »Westberliner« wurde ich verstanden oder behandelt, und ich gebe diese Stadt als einen Wohnsitz für fünfzehn Jahre zu. Nicht nur habe ich sie mir als eine Heimat erworben, ich versuchte, auch ihren anderen Bewohnern gut zuzureden bei dem Gebrauch, den sie seit der Einmauerung von ihrer Stadtbahn machten, was mir neben bösen Briefen und anonymen Telephonanrufen auch eine neue Kennzeichnung einbrachte, die als »Kommunistenschwein«, aber bis heute keine lebenslängliche Freikarte der Berliner Stadtbahn wenigstens für den Bereich der Westsektoren. Dann trug mir eine Doppelgeschichte über eine Berliner Liebschaft, getrennt und zerrüttet durch die vollendete Grenze, nochmals den Titel auf den Leib, der mich zum Fachmann machte bloß für die deutsche Teilung, und ich verzog mich nach New York. Nach zweieinhalb Jahren war ich beinahe ein »New Yorker«, denn jenes Buch, das ich dort fand, das Leben eines Menschen von Mecklenburg bis Manhattan, ich hätte es um ein Haar in amerikanischer Sprache geschrieben, wäre mir nicht das Geld ausgegangen, so daß ich es auf Deutsch in Westberlin fortzuführen begann. Ein Westberliner also, aber es genügt ein Umzug nach England und eine Paß-Erneuerung, mich umzubauen zu einem »Bürger der Bundesrepublik Deutschland«, zu kontrollieren am Schalter für die Angehörigen von Staaten der Europäischen Wirtschaftsgemeinschaft. Für die Engländer, die mit mir umgehen, sollte ich nun ein »German« sein, wenn nicht gar ein »bloody German«, aber sie wollen Deutsches von mir nicht wissen, wollen reden über das Fischen und das Wetter, und fragen mich das als einen Nachbarn.

Am Ende könnte man mir nachsagen, ich sei jemand, der hat es mit Flüssen. Es ist wahr, aufgewachsen bin ich an der Peene von Anklam, durch Güstrow fließt die Nebel, auf der Warnow bin ich nach und in Rostock gereist, Leipzig bot mir Pleisse und Elster, Manhattan ist umschlossen von Hudson und East und North, ich gedenke auch eines Flusses Hackensack, und seit drei Jahren bedient mich vor dem Fenster die Themse, wo sie die Nordsee wird. Aber wohin ich in Wahrheit gehöre, das ist die dicht umwaldete Seenplatte Mecklenburgs von Plau bis Templin, entlang der Elde und der Havel, und dort hoffe ich mich in meiner nächsten Arbeit aufzuhalten, ich weiß schon in welcher Eigenschaft, aber ich verrate sie nicht.

Eberhard Fahlke
Uwe Johnson: Leben und Werk

1934   Uwe Johnson wurde am 20. Juli in Cammin (Pommern), dem heutigen Kamién Pomorski (Polen), geboren.

1934-1944 wuchs er in Anklam an der Peene auf.

1944/45   besuchte er die nationalsozialistische »Deutsche Heimschule« in Koscian (im besetzten Polen).

1945   Flucht nach Recknitz (Mecklenburg). Der Vater wurde nach dem Krieg interniert und starb 1947 oder 1948 in einem Lager.

1946-1948 Besuch der Grundschule.

1948-1952 Besuch der John-Brinckman-Oberschule in Güstrow.
Seit 1949 Mitglied der FDJ. Die Freie Deutsche Jugend war am 7. März 1946 unter dem Vorsitz von Erich Honecker gegründet worden. In der Bundesrepublik wurde sie 1951 als verfassungswidrig verboten.
Johnson wurde Jungfunktionär der FDJ. Für eine erfolgreiche Teilnahme an den Schulungen der FDJ wurde seit 1949 das »Abzeichen für Gutes Wissen« verliehen. Johnson erwarb das Abzeichen in Bronze.

1952   Abitur.
Bei der Aufnahme in die Deutsche Akademie für Sprache und Dichtung hat sich Johnson zu seiner Herkunft bekannt: »Aber wohin ich in Wahrheit gehöre, das ist die dicht umwaldete Seenplatte Mecklenburgs von Plau bis Templin, entlang der Elde und der Havel.« Von »seiner« Gegend bewahrte er zahlreiche Landkarten und Postkarten auf.

1952-1954 studierte Uwe Johnson an der Universität Rostock. Aus der Begründung zur Wahl des Studienfaches (1952):
»Ich möchte Germanistik studieren und in diesem Fach das Diplomzeugnis ablegen. Die Wahl des germanistischen Studiums ist bedingt durch ein seit langer Zeit vorhandenes Interesse für die deutsche Literatur und literarische Dinge überhaupt, mit der sich eine ausgesprochene Neigung zur Beschäftigung mit Sprachen verbindet.« Einen Monat nach Stalins Tod 1953 wurde an den Schulen und Universitäten eine Kampagne gegen die »Junge Gemeinde« eingeleitet. In einer Sondernummer der

FDJ-Zeitung *Junge Welt* wurde die Jugendorganisation der Evangelischen Kirche beschuldigt, mit westlichen Spionen zusammenzuarbeiten. Etwa 50 kirchliche Mitarbeiter wurden verhaftet, etwa 300 Angehörige der »Jungen Gemeinde« vom Studium relegiert. Uwe Johnson widersetzte sich dem Auftrag der FDJ-Leitung, Mitglieder der Güstrower »Jungen Gemeinde« öffentlich zu diffamieren, und wurde deshalb im Mai 1953 von der Universität Rostock exmatrikuliert. Die Kampagne wurde noch vor dem 17. Juni 1953 abgebrochen, Johnson wieder zum Studium zugelassen.

»Nach dem Aufstand der Arbeiter und Bauern gegen die Regierung der Arbeiter und Bauern ging jemand ins Prorektorat der Universität Rostock und erkundigte sich nach seinen Lebensaussichten. Die Auskunft lautete: ›Die Streichung ist gestrichen.‹« Dieser Konflikt ist Gegenstand des ersten Romans *Ingrid Babendererde/Reifeprüfung 1953*.

1954-1956 setzte Uwe Johnson sein Germanistikstudium an der Karl-Marx-Universität in Leipzig fort. Seine Diplomprüfung absolvierte er bei Hans Mayer mit einer Arbeit über den *Gestohlenen Mond* von Ernst Barlach.

»In Leipzig, der wahren Haupstadt der Deutschen Demokratischen Republik, gab es einmal in der Germanistik drei Möglichkeiten. Die eine hieß Frings, und war der letzte König, die andere hieß Korff. Noch eine hieß Hans Mayer. (...)
Nieder mit der Stalinschule des sozialistischen Realismus! ruft Professor Mayer aus. Der Hörsaal, manchmal bis auf die Treppen besetzt, kann ihm nur das Wort unerträglich nachweisen. Eine Figur in einem sowjetischen Roman hat ihn gelangweilt. Das ist alles.
Die Literatur ist nicht teilbar! ruft er aus. Nach dem Wortlaut ist aber nur zu belegen: An einer Äußerung J. R. Bechers, des Kultusministers der DDR, über Gottfried Benn, sonst genannt Prototyp volksfeindlicher Dekadenz, weist Professor Mayer sehr ausführlich den Schmerz nach, den der Kultusminister der DDR über den Tod seines Feindes in Westberlin empfunden hat. – In einem Gespräch mit Brecht...: sagt Professor Mayer. Er ist jemand, mit dem Brecht sich unterhält. Andererseits, zu Thomas Mann soll er Tommy sagen.« (Uwe Johnson, *Einer meiner Lehrer*, 1960)
Johnsons Klausurarbeit über den »IV. Deutschen Schriftstel-

lerkongreß im Januar 1956 in Berlin« (Ost) wird von der Prüfungskommission nicht anerkannt. Auf das gestellte Thema ging Johnson anfangs und gegen Schluß nur kurz ein; Kern der Klausur ist ein Stück Prosa aus dem Umkreis von *Ingrid Babendererde*. Hans Mayer rettete ihn, indem er eine Zensur ablehnte: »(...) Es hieße, sich zum Partner – sagen wir: eines Spiels! zu machen, wollte man diesen Aufsatz lesen und ›zensieren‹, ›als ob‹ es sich um eine gültige Prüfungsleistung handle! Nicht zensiert! 18. 6. 56.«

Johnson weigerte sich zunächst, die Klausur zu wiederholen, reiste nach Ahrenshoop an die Ostsee und überarbeitete das Manuskript von *Ingrid Babendererde*. Im Juli wiederholte er die Klausur dann doch und legte seine Diplomprüfung erfolgreich ab.

In einem Seminar über europäische Literatur im 17. Jahrhundert war der Student dem Professor aufgefallen. Johnson hatte ein Referat über den englischen Dramatiker Thomas Ottway (1652-1685) vorgelegt.

»Er wurde belobt, ich bat ihn, in die Sprechstunde zu kommen. Nach einigen Gesprächen ließ er durchblicken, er habe auch selber geschrieben, ein Erzählwerk. Ich wollte es gern lesen und bekam es auch zu lesen. So entdeckte ich den Studenten Uwe Johnson und damit den Schriftsteller dieses Namens.« (Hans Mayer, *Ein Deutscher auf Widerruf*, 1982).

1959   Im Mai erste Begegnung mit Siegfried Unseld in Ostberlin. Publikation der *Mutmassungen über Jakob*.

Am 10. Juli »Rückgabe einer Staatsbürgerschaft« an die DDR und Übersiedlung nach Westberlin.

Die erste Manuskriptseite der *Mutmassungen* wurde am 6. Februar 1958 in Leipzig, Braunstraße, geschrieben.

Uwe Johnson wollte sein Buch zunächst unter dem Pseudonym Joachim Catt veröffentlichen. Im Fahnenabzug war die Titelseite bereits gesetzt.

»Meine Freunde hatten mich davon überzeugt, daß ein Pseudonym nicht wirken würde, nicht auf die Dauer haltbar wäre. Denn, wäre es nach mir gegangen, ich wäre ganz gern in der DDR geblieben, die mir damals erschien als ein Land, in dem sich etwas verändern wird. Aber meine Freunde meinten, wenn der Staatssicherheitsdienst mindestens so tüchtig ist, wie ich ihn in dem Buch ›Mutmassungen‹ dargestellt habe, dann hat er mich nach ein paar Monaten, und so bin ich an dem Tag, an dem in einer westdeutschen Druckerei ein Name auf die Titelseite eingeführt werden mußte, an diesem Tag (10. Juli 1959) bin ich in Westberlin aus der S-Bahn gestiegen.« (Uwe Johnson im Gespräch, 1982)

1961   Erste Reise in die USA; eingeladen vom International Seminar der Harvard University, ist er Gast der Wayne State University in Detroit und der Harvard University in Cambridge/ Mass.

Das Dritte Buch über Achim erscheint.

Nach dem Bau der Berliner Mauer heftige Auseinandersetzung mit Hermann Kesten, der Uwe Johnson fälschlicherweise bezichtigt, er habe in Mailand den Bau der Berliner Mauer gerechtfertigt. Ungeprüft übernimmt selbst der damalige Außenminister Heinrich von Brentano (CDU) die Aussagen Kestens. Im Bundestag wird gefordert, Johnson das ihm bereits 1959 verliehene Stipendium in der Villa Massimo wieder abzuerkennen. Mit Hilfe eines Tonbandes, auf dem die Mailänder Veranstaltung zufällig aufgezeichnet worden war, gelingt es Johnson, Kestens Behauptung öffentlich zu widerlegen.

Für den Roman *Das Dritte Buch über Achim* benutzte Johnson vor allem die beiden vorausgegangenen Bücher über Gustav-Adolf (Täve) Schur, der 1958 als erster Deutscher in Reims Straßenweltmeister geworden war und nicht nur in der DDR eine große Popularität genoß.

Der Nachweis, daß Gustav-Adolf Schur »Modell für den Titelhelden« gestanden hat, wurde von Uwe Johnson mit einer Einschränkung und zugleich einer bezeichnenden Deutung des Romans versehen: »Was Sie zu einer Gleichsetzung veranlaßte, mögen Parallelen objektiver Natur gewesen sein. Tatsächlich ging es aus von der spezifischen sozialen Funktion eines Sportlers in der Deutschen Demokratischen Republik, nämlich seiner Vermittlung zwischen den Regierten und den Regierenden im verschenkten oder benutzten Ruhm, wo also Liebe des Publikums und Strategie der Administration unverhofft einander begegnen.« (Leserbrief an den *Spiegel* 1967)

1962   Stipendiat der Villa Massimo in Rom. Für *Das Dritte Buch über Achim* erhielt Johnson den Prix Formentor, den internationalen Verlegerpreis, zugesprochen. Johnson heiratete Elisabeth (geb. Schmidt), die, wie er, in Mecklenburg zu Hause war und die er bereits in Leipzig kennengelernt hatte. Ihre Tochter Katharina wurde geboren.

1963   übersetzte Johnson das Buch von John Knowles *In diesem Land* aus dem Amerikanischen.

1964   erschien *Karsch, und andere Prosa.*

1966-1968   in New York. Seiner amerikanischen Verlegerin und Peter Suhrkamp hatte Uwe Johnson die *Jahrestage* zugeeignet. Helen Wolff hatte ihm für ein Jahr (1967) eine Anstellung als Lektor im New Yorker Verlag Harcourt, Brace & World vermittelt, das zweite Jahr konnte Johnson dank eines Stipendiums der Rockefeller Foundation finanzieren.

»Der Job war auszuüben in Stadtmitte, sechs Blocks vom Bahnhof Grand Central, in der Schulbuchabteilung von Harcourt, Brace & World, auf einem der unteren Stockwerke. Das einzige Privileg war das eigene Fenster.« (*Begleitumstände,* 1980)

Wenn auch »die Existenz des Angestellten«, wie Johnson behauptete, ihm kaum Zeit für eigene Schreibarbeiten ließ, Suchen und Sammeln gehörte zum Handwerk. Seine Sammlung von Zeitschriften- und Zeitungsartikeln sowie Photographien: ein selbstgefertigtes Nachschlagewerk.

»Dann aber sass ich in der Zelle bei HBW, die ich mir gewuenscht hatte, und sicherlich werden mir die Inhalte dieser Fensterrahmen fuers Leben bleiben, der Dunst aus Dreck und Naesse jenseits des East River, das Gruen der Hammarsjkoeldplaza zwischen gestuften Magazinkaesten, das Gewimmel von Schornsteinen und Oberlichten (...).« (Aus einem Brief an Siegfried Unseld vom 28. Juli 1966)

»Upper Westside, das ist ein Viertel von Manhattan, in New York, aber nicht ein Viertel mit einem Begriff. Ein Viertel wie Greenwich Village in New York meldet sich zumindest als sein Mythos, auch solche Namen wie Trastevere in Rom, Montmartre in Paris, Pöseldorf in Hamburg tun gleich bekannt mit einer Legende, mit einer Ansicht aus Erinnerung und Phantasie, die eine ungenaue Vertraulichkeit erlaubt.

Jedoch die Obere Westseite läßt sich bloß vorstellen mit ihrer Lage. Sie befindet sich im Nordwesten der Insel Manhattan, zwischen der siebzigsten und hundertzehnten Straße, im Osten begrenzt durch den Central Park, im Westen durch den Fluß Hudson. Zwischen Süden und Norden verlaufen die Straßen

am Central Park, die Columbus Avenue, die Amsterdam Avenue, die West End Avenue, der Riverside Drive, schräg durch das Kastenmuster geht der Broadway. Aus der Luft gesehen scheinen die Hochbauten entlang des Central Park und des Flusses das Viertel einzudämmen, ein ungleiches Geschiebe aus Türmen und Hütten.« *(Ein Teil von New York, 1968)*
Johnson wohnte 243 Riverside Drive, New York, N. Y. 10025. Seine Adresse ist zugleich die von Gesine Cresspahl und ihrer Tochter Marie.
»Möchten Sie noch einmal gerne eine Zeitlang in Amerika wohnen? Sie waren zwei Jahre in New York?«
»Etwas länger als zwei Jahre. Ob in Amerika, das weiß ich nicht, in New York sehr gerne.«
»Was gefällt Ihnen an der Stadt New York?«
»Ich kann es nicht mehr aufzählen. Ich war zum ersten Mal im Jahre 1961 da für vier Wochen. 1965 noch einmal für zwei Wochen und in den zweieinhalb Jahren, die ich dort als Bürger und Steuerzahler lebte, ist das für mich eine Heimat geworden.« (Uwe Johnson im Gespräch)
An den *Jahrestagen* schrieb Uwe Johnson vom 29. Januar 1968 bis zum 17. April 1983. Der erste Band erschien 1970, der zweite 1971. Die dritte »Lieferung« erfolgte 1973, die vierte nach einer längeren Schreibhemmung zehn Jahre später.
»Es sind Tage eines Jahres im Leben einer Person Gesine Cresspahl auf der Ebene familiären, beruflichen, städtischen Alltags zu unserer Zeit, in New York. Es sind zum anderen wiederholte Tage, Jahrestage (erwarteter Maßen nicht Jubiläen) aus der Vergangenheit der Person, im Mecklenburg des Grossdeutschen Reiches. Es ist demnach ein Bestandteil des Versuchs, dass eine der wichtigsten Funktionen des Erzählens, die Erinnerung, in ihren Wirkungen vorgeführt wird, also wie sie so genannte Fakten beschädigt, verunstaltet, mindert, verschönt und in der unwahrscheinlichen Version zuverlässig reproduziert.
Die Beschäftigung der Person G. C. mit Erinnerung und Gedächtnis geht zurück auf das Bedürfnis herauszufinden, was in der Vergangenheit sie in ihren gegenwärtigen Zustand gebracht hat.« (Brief an Siegfried Unseld, 1971)

1974   Umzug nach Sheerness-on-Sea auf der englischen Kanalinsel Sheppey.
»(...) ein menschenleeres Küstenstädtchen, das in seinem Zen-

trum um eine wildverschnörkelte, säulenhohe Gußeisenuhr gelagert, sich hauptsächlich an einer Mole und diese wiederum an einem steinigen Strand ins Endlose erstreckt.

Die Endlosigkeit nennt sich ›Marine Parade‹, besteht aus den stets einstöckigen aneinandergeklebten Häusern, durch nichts sonst ausgezeichnet als durch die junge Mitbürgerschaft eines deutschen Schriftstellers in Nummer 26. Hinter dem Parterrefenster steht er wartend, was wir beim Näherkommen erkennen, um noch vor unserem Klingeln schattenhaft und hastig zu verschwinden. Doch kaum hat man den Knopf gedrückt, öffnet er sofort die Tür, deren Rahmen er, körperlich unübersehbar, ausfüllt.

Karg möblierte Räume, alles renoviert; vom ersten Stock bietet sich einem ein sinistres Panorama: eine eintönige Wasserfläche, fern am Horizont, damit der Blick einen Halt findet, mit einem Tanker oder Frachter ausgestattet. Mitten in der spiegelnden Vertikale eine Markierung, eine Boje, wo 1945 ein amerikanischer Munitionstransporter unterging, der, wie erst kürzlich japanische Taucher konstatierten, nicht zu bergen ist. Würde er explodieren, flöge ganz Sheerness in die Luft. Doch hat niemand vor dem Kauf des Hauses den Käufer, Herrn Uwe Johnson aus Berlin-Friedenau, über diesen Umstand informiert. Doch er jedenfalls berichtet davon mit Genugtuung, fast mit Vergnügen, als hätte er mit dem Kaufpreis auch ein notfalls einklagbares Recht auf die Katastrophe erworben.« (Günter Kunert, *Englisches Tagebuch,* 1975)

In Sheerness-on-Sea begann Johnson damit, historisches »Unterfutter« für »Inselgeschichten« zu sammeln. Die längste dieser Geschichten ist unter dem Titel *Ein Schiff* in dem von Jürgen Habermas herausgebenen Band 1000 der edition suhrkamp erschienen.

Regelmäßig besuchte Johnson das ganz in der Nähe seines Hauses gelegene Lokal »Napier«. Der Hocker am Tresen der Public Bar war Trink- und Arbeitsplatz zugleich. Dort hörte er Gesprächen zu, die er skizzierte und zu Hause aufzeichnete. Mosaikteile für erste »Inselgeschichten«.

»– Tag. Wie geht's.

– Tag. Mies. 'ch war erkältet, bis dicht an die Grippe, sitzt immer noch drin. Sheba ist tot. Champagner?

– Ach. Champagner, ja. Bitte.

– Heute morgen um zwei kam der Arzt und hat sie fertig gemacht.

– Nee nich vom Hahn. Flasche.

– Als ich es Charlie sagen musste, er konnte es nicht fassen. Vor einer Woche hatte er sie noch gesund gesehen. Meningitis.

– Prost, du. Schrecklich.

– Konnte das Gleichgewicht nicht halten.

– War vielleicht besser so.

– 'ch geh mal raus.

– Es nimmt ihn ziemlich mit.

– Wo es doch seine war.

– Einunddreissig, bitte.

– Durfte ich doch sagen. Wenn das Gehirn einmal beschädigt ist. Wär doch ein Hundeleben gewesen. Aber nein. Muss er gleich rausgehen.

– Nee Charlie, das will'ch dir sagen: Lass dich nich mit einer Sheba ein. Hängst dran.« (Aus den Notizen, überschrieben: 11. Januar 1975, 18.30 bis 20.30)

1975	*Berliner Sachen,* eine Aufsatzsammlung, publiziert. Es erschien *Max Frisch Stich-Worte; Ausgesucht von Uwe Johnson.* Johnson unterbricht die Arbeit an den *Jahrestagen* auf Grund einer schweren persönlichen Krise, deren Folge eine »Beschädigung der Herzkranzgefäße« und eine langandauernde Schreibhemmung waren.
1976	erschien *Von dem Fischer und seiner Frau,* ein Märchen nach Philipp Otto Runge, nacherzählt und mit einem Nachwort von Uwe Johnson.
1977	Mitglied der Deutschen Akademie für Sprache und Dichtung in Darmstadt. Uwe Johnson gibt die Autobiographie Margret Boveris unter dem Titel *Verzweigungen* heraus.
1979	Gastdozent für Poetik an der J. W. Goethe-Universität Frankfurt. Formloser Austritt aus der Darmstädter Akademie, weil in einem offiziellen Katalog der Eindruck erweckt wird, als sei es Uwe Johnson nicht gelungen, die Äußerungen Hermann Kestens von 1961 zu widerlegen. Es erschien *Ein Schiff.*
1980	erschienen die Frankfurter Poetik-Vorlesungen unter dem Titel *Begleitumstände.*
1981	die *Skizze eines Verunglückten* in der Festschrift zum 70. Geburtstag von Max Frisch.

1983	erschien der vierte Band der *Jahrestage* (20. Juni 1968 bis 20. August 1968) und der von Uwe Johnson mitredigierte Band *Kleines Adreßbuch von Jerichow und New York*. Am 5. November in Zürich Treffen mit Max Frisch, der ihm für einen einjährigen USA-Aufenthalt ab Juni 1984 seine New Yorker Wohnung zur Verfügung stellte.
1984	Im Februar traf in Frankfurt die letzte zu Lebzeiten gedruckte Arbeit von Uwe Johnson ein: *Erinnerung*, Totenrede auf Werner Düttmann. In der Nacht vom 23. zum 24. Februar starb Uwe Johnson in seinem Haus in Sheerness-on-Sea im Alter von 49 Jahren. In seinem Haus 26 Marine Parade wurde er am 13. März aufgefunden.

Drucknachweise

Uwe Johnson, Ein Briefwechsel mit dem Aufbau-Verlag, zuerst erschienen in: »Und leiser Jubel zöge ein.« Autoren- und Verlegerbriefe 1950-1959, Berlin 1992, Aufbau Taschenbuch-Verlag

Reinhart Baumgart, Sonne, See und Sozialismus, zuerst erschienen in: *Die Zeit* vom 29. 3. 1985

Joachim Kaiser, ... so eine jungenhafte, genaue Art, zuerst erschienen in: *Süddeutsche Zeitung* vom 25. 4. 1985

Volker Bohn, »In der anständigsten Art, die sich dafür denken lässt«, zuerst erschienen in: *Lesezeichen*, Frühjahr 1985

Michael Bengel, Ein Bild des jungen Mannes als Künstler

Günter Blöcker, Roman der beiden Deutschland, zuerst erschienen in: Frankfurter Allgemeine Zeitung vom 31. 10. 1959

Jürgen Becker, Mutmassungen über Jakob, zuerst gesendet von der Deutschen Welle am 6. 9. 1960

Hans Magnus Enzensberger, Die große Ausnahme, zuerst erschienen in: *Frankfurter Hefte* vom Dezember 1959

Eberhard Fahlke, Chronologie eines Plots, aus: Eberhard Fahlke, Die »Wirklichkeit« der Mutmassungen, Frankfurt am Main 1982, S. 105-134, © Verlag Peter Lang

Hans Mayer, Mutmassungen über Jakob, aus: Hans Mayer, Die umerzogene Literatur, Frankfurt am Main 1991, S. 187-197, © Wolf Jobst Siedler Verlag 1988, Berlin

Reinhard Baumgart, »Das dritte Buch über Achim«, zuerst gesendet vom Süddeutschen Rundfunk am 28. 12. 1961

Marcel Reich-Ranicki, Registrator Johnson, aus: Marcel Reich-Ranicki, Deutsche Literatur in West und Ost, München 1963, S. 231-246, © R. Piper & Co. Verlag, München 1963

Gisela Ullrich, Das dritte Buch über Achim, zuerst erschienen in: Gisela Ullrich, Identität und Rolle: Probleme des Erzählens bei Johnson, Walser Frisch und Fichte, Stuttgart 1977, S. 16-32

Norbert Mecklenburg, Vorschläge für Johnson-Leser der neunziger Jahre, zuerst erschienen als Nachwort zu Uwe Johnson, Karsch, und andere Prosa, Frankfurt am Main 1990

Uwe Johnson, Auskünfte und Abreden zu »Zwei Ansichten«, zuerst erschienen in: *Dichten und Trachten*, Frankfurt am Main 1965, S. 5-10

Peter von Matt, Die Einsamkeit des moralischen Subjekts in der Moderne, in: Peter von Matt, Liebesverrat, München 1991, S. 412-424, © Hanser Verlag

Rolf Becker, Jerichow in New York, zuerst erschienen in: *Der Spiegel* vom 5. 10. 1970

Marcel Reich-Ranicki, Die Sehnsucht nach dem Seelischen, zuerst erschienen in gekürzter Form in *Die Zeit* vom 2. 10. 1970. Der hier gedruckte Text folgt der ungekürzten Fassung in: Marcel Reich-Ranicki, Entgegnung, München 1981, S. 300-309, © Deutsche Verlags-Anstalt

Joachim Kaiser, Faktenfülle, Ironie und Starrheit, zuerst erschienen in: *Süddeutsche Zeitung* vom 8. 12. 1970

Rolf Becker, Eine Bitte für die Stunde des Sterbens, zuerst erschienen in: *Der Spiegel* vom 17. 10. 1983

Fritz J. Raddatz, Ein Märchen aus Geschichte und Geschichten, zuerst erschienen in: *Die Zeit* vom 14. 10. 1983

Joachim Kaiser, Für wenn wir tot sind, zuerst erschienen in: *Süddeutsche Zeitung* vom 12. 10. 1983

Uwe Johnson, Wie es zu den »Jahrestagen« gekommen ist, zuerst erschienen in: »Ich überlege mir die Geschichte...« Uwe Johnson im Gespräch, herausgegeben von Eberhard Fahlke, Frankfurt am Main 1988, S. 65-71

Norbert Mecklenburg, Leseerfahrungen mit Johnsons »Jahrestagen«, zuerst erschienen in: *Text + Kritik*, Heft 65/66 1980. S. 48-62

Siegfried Unseld, »Für wenn ich tot bin«, aus: Siegfried Unseld/Eberhard Fahlke, Uwe Johnson: »Für wenn ich tot bin«, Frankfurt am Main 1991

Manfred Bierwisch, Erinnerungen Uwe Johnson betreffend

Jürgen Grambow, Uwe Johnsons Rezeption in der DDR, Vortrag, gehalten bei den Uwe-Johnson-Tagen im Mai 1989 in Sulzbach-Rosenberg und zuerst gedruckt in *Sprache im technischen Zeitalter*, hier aus: Jürgen Grambow, Literaturbriefe aus Rostock, Hamburg und Zürich 1990, © Luchterhand Literaturverlag 1990

Eberhard Fahlke, Heimat als geistige Landschaft: Uwe Johnson und Mecklenburg, zuerst abgedruckt in: *Börsenblatt* vom 28. 4. 1992

Norbert Mecklenburg, Ein Land, das ferne leuchtet, aus: Norbert Mecklenburg, Die grünen Inseln, Iudicium Verlag, München 1986

Uwe Johnson, Ich über mich, zuerst erschienen in: *Die Zeit* Nr. 46 vom 4. 11. 1977

Wir danken allen Autorinnen, Autoren und Verlagen für die freundliche Abdruckgenehmigung.

Uwe Johnson
Sein Werk im Suhrkamp Verlag

46/1/2.92

Uwe Johnson
Sein Werk im Suhrkamp Verlag

Philipp Otto Runge / Uwe Johnson: Von dem Fischer un syner Fru. Ein Märchen nach Philipp Otto Runge mit sieben kolorierten Bildern von Marcus Behmer und einem Nachwort von Beate Jahn. Mit einer Nacherzählung und einem Nachwort von Uwe Johnson. IB 1075

Zu Uwe Johnson

»Ich überlege mir die Geschichte …« Uwe Johnson im Gespräch. Herausgegeben von Eberhard Fahlke. es 1440

Johnsons ›Jahrestage‹. Herausgegeben von Michael Bengel. stm. st 2057

Uwe Johnson. Herausgegeben von Rainer Gerlach und Matthias Richter. stm. st 2061

Schriften des Uwe Johnson-Archivs

Siegfried Unseld / Eberhard Fahlke: Uwe Johnson: »Für wenn ich tot bin«. Schriften des Uwe Johnson-Archivs, Band 1. Mit zahlreichen Abbildungen. Engl. Broschur

Peter Nöldechen: Kleines Bilderbuch von Uwe Johnsons Jerichow und Umgebung. Spurensuche im Mecklenburg der Cresspahls. Schriften des Uwe Johnson-Archivs, Band 2. Engl. Broschur

»Entwöhnung von einem Arbeitsplatz«. Mit einem philologisch-biographischen Essay. Herausgegeben von Bernd Neumann. Mit Abbildungen. Schriften des Uwe Johnson-Archivs, Band 3. Engl. Broschur

»Wo ist der Erzähler auffindbar?« Gutachten für Verlage 1956-1958. Mit einem Nachwort herausgegeben von Bernd Neumann. Mit Abbildungen. Schriften des Uwe Johnson-Archivs, Band 4. Engl. Broschur

edition suhrkamp
Eine Auswahl

edition suhrkamp
Eine Auswahl

316/3/6.90

edition suhrkamp
Eine Auswahl

edition suhrkamp
Eine Auswahl

edition suhrkamp
Eine Auswahl

edition suhrkamp
Eine Auswahl

edition suhrkamp
Eine Auswahl